SEVENSTER

Alexandra Penrhyn Lowe

SEVENSTER

De laatste Wachter

DEEL I

A.W. Bruna Fictie

© 2012 Alexandra Penrhyn Lowe
© 2012 A.W. Bruna Uitgevers, Utrecht

Omslagontwerp
Studio Jan de Boer

ISBN 978 94 005 0102 7
NUR 285

Het citaat op pagina 257 komt uit: dr. Ernst Schertel, *Magic: History, Theory, Practice* (Cotum, 2009).

Dit boek is gedrukt op papier dat het keurmerk van de Forest Stewardship Council (FSC) mag dragen. Bij dit papier is het zeker dat de productie niet tot bosvernietiging heeft geleid. Een flink deel van de grondstof is afkomstig uit bossen en plantages die worden beheerd volgens de regels van FSC. Van het andere deel van de grondstof is vastgesteld dat hiervoor geen houtkap in de laatste resten waardevol bos heeft plaatsgevonden. Daarom mag dit papier het FSC Mixed Sources label dragen. Voor dit boek is het FSC-gecertificeerde Munkenprint gebruikt. Dit papier is 100% chloor- en zwavelvrij gebleekt en wordt geleverd door Arctic Paper Munkedals AB, Zweden.

Voor Milica en Laura, met terugwerkende kracht

'There is no death, only a change of worlds.'

– Chief Seattle, 1854

1

Oké. Dit wordt hem dan: mijn eerste zoen.

Eveline deed haar ogen dicht toen Jelle dichterbij kwam. Ze kon zijn warme adem tegen haar gezicht voelen, het rook roze, naar kauwgomballen en haar twijfel groeide: ging ze nou echt voor het eerst zoenen met een jongen op wie ze niet verliefd was en die ook nog eens roze rook?

Op het laatste moment besloot ze van niet en schoof achteruit, waardoor Jelle zijn evenwicht verloor en plat op het witte tapijt viel. Klas 2B van het Dekkers College barstte in lachen uit en Jelle kwam met een beteuterd gezicht overeind. De knapste jongen van de klas was niet gewend aan een afwijzing. 'Durf je niet, of zo?' zei hij een beetje geïrriteerd.

'Jawel hoor, maar je stinkt naar kauwgomballen,' zei Eveline bruusk. 'Ik wil niet zoenen met iemand die naar kauwgomballen ruikt.' Ze trok haar benen onder zich en sloeg haar armen over elkaar.

'Maar Eef, je hebt *dare* gezegd,' zei haar vriendin Cleo bestraffend. 'Dan moet je wel doen wat je opdracht is.'

Iedereen in de kring begon door elkaar te schreeuwen. Dat het tegen de regels van het spelletje in ging: Eveline had zelf *dare* gezegd – dan had ze maar *truth* moeten zeggen. En zo erg was het toch niet om met iemand te zoenen die naar kauwgomballen rook? Ze verpestte het spelletje als ze zich niet aan de regels hield.

Natuurlijk wist Eveline dat ze met iemand zou moeten zoenen toen ze *dare* zei, want ze speelden dit spelletje al de hele avond en vanaf het eerste moment hadden haar klasgenoten kleffe monden op elkaar geperst, terwijl Eveline had gehoopt dat de fles haar op miraculeuze wijze zou overslaan. Maar dat was niet gebeurd en de *dare* was met Jelle zoenen. En haar beste vriendin Cleo had dat het hardste geroepen, want die wist (als enige) dat Eveline nog nooit had gezoend. Het hele schooljaar hadden ze het er al over gehad, en nu was het zomervakantie en had Eveline nog steeds niet gezoend. Cleo vond dat het hoog tijd werd.

Eveline ook, maar toch vervloekte ze zichzelf dat ze geen *truth* had gezegd. Alleen, niemand had tot nu toe *truth* gezegd, want niemand had zin om zijn geheimen te delen met de rest van de klas. Als zij *thruth* had gezegd, dan liep ze het risico om vragen te moeten beantwoorden als: met wie heb je voor het eerst gezoend? (Met niemand, oftewel suf.) Waarom heb je nog nooit gezoend? (Omdat ik voor het eerst wil zoenen met een jongen die ik echt heel leuk vind en die míj leuk vindt, oftewel: romantisch – dus suf). Wat is je grootste wens? (Dat mijn ouders weer leven, maar dan kijkt iedereen naar me alsof ik een in de steek gelaten puppy ben. En anders moet ik zeggen dat ik een keer op een paard wil zitten en keihard in galop wil gaan, maar dat is een kinderachtige meisjeswens. Oftewel: supersuf.)

Dare dus. Met Jelle zoenen. Ze wilde helemaal niet met Jelle zoenen, al was hij dan de knapste jongen van de klas met zijn blonde krullen die altijd iets te lang waren zodat hij eruitzag als een surfer.

'We kunnen haar ook een andere opdracht geven,' zei Marieke snel. Zij vond het allang best dat Eveline niet met Jelle wilde zoenen want ze vond Jelle zelf veel te leuk. 'Wie vindt dat Eefje een nieuwe *dare* moet doen?' riep ze daarna. 'Handen omhoog!'

De meesten staken hun handen omhoog.

'Goed. Je krijgt een nieuwe opdracht,' zei Marieke.

'Maar zoenen mag niet meer hoor,' zei Eveline snel.

'Jij bepaalt de regels niet,' riep Mariekes beste vriendin Liesbeth.

'Jij ook niet,' kaatste Eveline terug.

Marieke gebaarde dat ze beiden stil moesten zijn. 'Jullie beslissen het geen van tweeën. Dit is mijn huis, dus ik bepaal wat je nieuwe opdracht is,' zei ze. Ze zaten in de speelkelder van Mariekes huis, dus die was de hele avond al de baas aan het spelen. Ze dacht na, terwijl de rest van de klas haar ingespannen aankeek. Door de smalle kelderraampjes kon je in het weinige licht nog net de boomtoppen zien die hard heen en weer schudden door de zomerstorm die om het huis floot.

Eveline slikte. Het gefluit van de wind bracht een raar gevoel met zich mee waar ze haar vinger niet helemaal op kon leggen, maar het had iets te maken met de nachtmerrie die ze die nacht had gehad, maar zich niets meer van kon herinneren. Ze keek om zich heen naar de afwachtende gezichten van haar klasgenoten en kreeg het gevoel dat ze dit al eerder had meegemaakt.

Straks horen we getik tegen het raam.

Ze probeerde de vreemde gedachte die in haar hoofd was opgekomen te negeren, toen ze boven het geluid van de wind uit een zacht getik hoorde.

Het is een kraai, dacht Eveline nog voordat ze opkeek. Kippenvel schoot over haar armen toen er inderdaad een zwarte kraai achter het linkerraampje zat die met zijn snavel tegen het raam tikte. De anderen hadden het ook gezien en het was zo vreemd dat de hele groep zenuwachtig begon te lachen. 'Wat bizar,' fluisterde Marieke, terwijl de kraai tegen het raam bleef tikken.

Eveline had nog steeds kippenvel op haar armen staan toen ze overeind kwam en naar het raam liep. Ze snapte zelf niet zo goed waarom ze het deed; het was alsof ze in een film was terechtgekomen en de kraai haar iets wilde zeggen.

'Ga je hem binnenlaten?' riep haar slungelige klasgenoot Jeroen lacherig, maar Eveline antwoordde niet. Ze moest op haar tenen staan om de vogel goed te kunnen zien. Toen ze hem aankeek, hield hij op met tikken en kraste hij naar haar. Indringend, alsof hij haar iets wilde vertellen. Het was een beetje griezelig, maar Evelines nieuwsgierigheid won. Ze perste haar neus tegen het glas en staarde. De vogel staarde terug en weer had Eveline het gevoel dat ze dit al eerder had meegemaakt, dat ze deze vogel al eerder had gezien en ze reikte onwillekeurig naar het raampje, haalde de hendel over en trok het open. Meteen blies de warme zomerwind in haar gezicht alsof onzichtbare handen haar haren optilden. Stof en kleine dorre blaadjes kwamen mee naar binnen en dwarrelden neer bij haar voeten. 'Wat doe je?' hoorde ze iemand achter zich zeggen, maar ook nu weer gaf ze geen antwoord.

Ze stak haar hand naar de zwarte kraai uit, die er meteen op ging zitten. Zijn pootjes voelden koud en leerachtig aan en zijn nageltjes krasten over haar blote onderarm. Daarna bracht ze haar arm dichter naar haar gezicht en ze stond nu oog in oog met de zwarte vogel, hij was zo dichtbij dat ze al zijn veren kon tellen en haar eigen silhouet in zijn ogen weerspiegeld zag. Heel rustig boog de vogel zich voorover richting haar gezicht, en hoewel Eveline wist wat er zou gaan komen door haar déjà vu-gevoel, moest ze zich toch inhouden om niet achteruit te deinzen, bang als ze was dat hij haar in haar gezicht zou pikken met die glanzende snavel. Maar hij deed in plaats daarvan iets heel geks: hij wreef als een kat die een kopje geeft met zijn hoofdje over haar gezicht. Eveline deed haar ogen dicht en zijn zwarte veren kietelden zacht over haar oogleden.

Toen hipte hij weer recht en kraste tegen haar. Ze deed haar ogen open en heel even dacht ze dat ze iets geks zag aan de vogel – het leek alsof hij paarse ogen had. Eveline boog zich dichter naar het beest om het beter te zien, maar op dat moment begon hij met zijn vleugels te klapperen en vloog de kraai met wild vleugelgefladder uit het raampje en verdween. Eveline sloot het raam, draaide zich om en zag toen dat de rest haar met grote ogen zat aan te kijken.

'Dat was raar,' zei Marieke.

'Wat deed jij nou?' Ze giechelde zenuwachtig.

Eveline voelde zich vreselijk opgelaten en haalde haar schouders op. 'Gewoon – hij kwam op mijn arm zitten,' zei ze zo nonchalant mogelijk.

'Wat gek,' zei iemand anders. 'Eef, ben je zo'n vogelfluisteraar?'

'Nee, tuurlijk niet,' mompelde Eveline. Ze gleed met haar blote voeten over het tapijt. Ze wist ook niet precies wat er net was gebeurd.

'Je bent wel een beetje een rare hoor,' zei Marieke. Het was niet slecht bedoeld, maar Eveline voelde zich kleiner worden. Ze hoorde wel vaker van mensen dat ze een beetje raar was en dat vond ze niet leuk. Om zichzelf een houding te geven, plofte ze overdreven stoer terug op het tapijt. Gelukkig was het déjà vu-gevoel verdwenen.

'Ik snap niet dat hij bij jou op je arm ging zitten,' zei weer iemand anders. 'Was hij gewond?'

Eveline schudde haar hoofd en kauwde op de punt van haar paardenstaart. Cleo probeerde haar blik te vangen, maar Eveline staarde een beetje nukkig naar haar benen. Ze baalde van zichzelf. Eerst had ze niet met Jelle gezoend en nu was ze ineens weer een 'rare' omdat er een vogel op haar arm was gaan zitten...

Jeroen floot. 'Dat was *gefreakt* man,' zei hij meer genietend dan geschrokken. Hij was de horrorfreak van hun klas en vooral gek op films waar mensen in stukjes werden gehakt . Zijn motto was 'hoe bloederiger hoe beter'. 'Volgens mij spookt het hier.'

'Gatsie,' zei Marieke, 'doe niet zo eng.'

'Hé, ik weet wel een opdracht voor Eveline,' zei Jeroen plotseling. Hij boog zijn lange lijf naar Marieke en fluisterde iets in haar oor.

Marieke knikte en schraapte vervolgens haar keel. 'We hebben een nieuwe *dare* bedacht,' zei ze met een serieus gezicht. 'En deze mag je niet weigeren. Dat moet je zweren.'

De rest van de klas ging wat rechterop zitten. Nu werd het interessant.

'Hoe kan ik dat nou zweren als ik helemaal niet weet wat de opdracht is? Straks zeg je dat ik een bank moet beroven, of naakt over straat moet dansen,' zei Eveline zo luchtig mogelijk, maar haar stem sloeg toch een beetje over.

'Oeh, ben je nu al zenuwachtig?' vroeg Jeroen. 'En je weet nog niet eens wat je moet doen!'

'Ik beloof je dat dat het niet is. Het is niks tegen de wet, of iets met zoenen. Je hebt er alleen lef voor nodig. Heb je dat?' Marieke duwde haar kin uitdagend omhoog.

Eveline beet op haar lip. Al haar klasgenoten keken haar aan. Ze kon er niet onderuit. Als ze nu zou weigeren, dan had ze het waarschijnlijk voor eeuwig verbruid bij de rest van de klas.

'Ik durf best,' zei ze uiteindelijk.

'Zweer het!'

Eveline legde haar hand op haar hart. 'Ik zweer het.'

Marieke klapte in haar handen. 'Mooi!' riep ze en ze kwam overeind. Ze trok een la open van een oud kastje en haalde een doos tevoorschijn waar 'Scrabble' op stond.

'Is haar opdracht een potje scrabble spelen?' zei Liesbeth beteuterd.

'Nee, sukkel.' Marieke duwde de doos in Liesbeths handen. Ze haalde de fles die ze hadden gebruikt van het dienblad af. 'Je moet de letters hierop leggen. Van A tot Z, in een cirkel.'

Diede gniffelde zachtjes en stootte Mark aan die naast hem zat. 'Ik weet wat ze moet doen,' zei hij.

Ik ook, dacht Eveline, die haar hart richting haar maag voelde zinken.

Iedereen keek afwachtend naar hun gastvrouw die Mark een zak waxinelichtjes en een aansteker gaf. 'Zo veel mogelijk neerzetten en aansteken,' commandeerde ze.

'Ik denk dat de opdracht is dat je de kelder moet af laten fikken omdat ze een nieuwe televisie wil,' fluisterde Cleo in Evelines oor. Eveline wist een glimlach op haar gezicht te toveren, maar het gevoel van naderend onheil werd sterker. Ze spiedde naar Jelle die samen met Liesbeth de scrabbleletters op het dienblad legde. Waarom had ze nou geweigerd om met hem te zoenen? Hij was knap en leuk en kon goed voetballen. Prima voor een eerste zoen, toch? Dan was ze er tenminste vanaf geweest.

Toen alle kaarsjes aan waren, deed Marieke de rest van de lichten uit. De kelder leek er meteen uit te zien als een onderaardse tombe waar geheime rituelen plaatsvonden. De waxinelichtjes flakkerden door de tocht en grillige schaduwen bewogen op de muren. Iedereen keek gespannen naar Marieke die met een ferme klap een glas op zijn kop in het midden van de cirkel zette.

'Eveline Dijkman,' zei ze op geheimzinnige toon. 'Omdat je een opdracht hebt geweigerd bij *truth or dare*, krijg je een nieuwe opdracht. Je hebt gezworen dat je deze opdracht zal aanvaarden en je opdracht is...' Marieke liet een stilte vallen. Klas 2B zat muisstil te wachten op wat er komen ging. Mark en Diede stootten elkaar al aan in enthousiaste anticipatie.

'Je opdracht is... dat je een geest moet oproepen.'

Klonk.

Evelines hart landde als een baksteen in haar maag.

'Is dat niet gevaarlijk?' piepte Alma meteen. Haar ronde gezicht was plotseling net zo bleek als haar witte haren.

'Ze heeft het gezworen,' zei Marieke. 'Nou?' Ze gaf het glas een zetje en keek uitdagend naar Eveline. 'Of ben je te laf?'

Eveline schudde woordeloos haar hoofd.

'Eef, je hoeft het niet te doen,' zei Cleo die zag dat ze het niet leuk vond.

'Jawel, ze moet het wel doen. Ze heeft het gezworen,' riep Marieke snel. 'En anders moet ze maar weg, want dan verpest ze het feestje,' zei ze halfgemeend.

'Doe niet zo flauw,' zei Cleo, maar de anderen vielen haar niet bij. Blijkbaar vond de rest van 2B het ook een soort van terecht dat Eveline weg zou moeten als ze haar tweede *dare* niet zou doen. Eveline slikte en lachte dapper, maar haar hart klopte als een bezetene. Ze wilde helemaal geen geest proberen op te roepen, vooral niet na dat rare gevoel dat ze net had gehad met die kraai. Maar ook omdat ze het eng vond én omdat haar pleegmoeder Chantal het haar altijd zo'n beetje 'verboden' had omdat ze vond dat Eveline 'te gevoelig' was. Evelines ouders waren vlak na haar tiende verjaardag door een kapotte kachel in huis gestikt en Eveline had door het ongeluk twee weken in coma gelegen, en kon zich daardoor niets meer herinneren van haar leven daarvoor. Maar sinds ze bij Chantal woonde, had ze heel vaak nachtmerries (die ze zich als ze wakker werd niet meer kon herinneren). Daarom vond Chantal het niet fijn als Eveline allerlei horrorfilms keek en wilde ze ook niet dat ze dingen deed als geesten oproepen.

'Je hebt al genoeg nachtmerries. Die moet je niet voeden met dat soort rare spelletjes en enge films.'

'Ja, Chantal.'

'Beloof je het?'

'Oké.'

Eveline negeerde haar angst. Ze wilde niet nog een keer weigeren en daarmee de oppersukkel van de klas zijn. Ze dacht niet dat Marieke haar echt zou wegsturen, maar ze had het niet voor niets gezegd: dan was ze in de ogen van heel 2B een enorme lafbek en dat wilde ze niet zijn.

Daarom schoof ze op haar knieën naar voren tot ze midden in de kring zat. 'Oké, maar dan mogen jullie zo niet gaan piepen als er een geest aan je haren trekt,' zei ze stoer, waarna een lach door de groep golfde. Marieke nestelde zich tussen Liesbeth en Jelle in en trok haar knieën naar haar kin. 'Dat doen we niet,' zei ze. 'Ga je gang.'

'Wat moet ik precies doen?'

'Je vinger op het glas leggen en een geest uitnodigen,' zei Marieke op een toon alsof ze het elke dag deed. Het kaarslicht weerkaatste tegen het omgekeerde glas. Iedereen keek ingespannen naar Eveline, die haar wijsvinger op het glas wilde leggen.

'Niet je linker! Dat is je duivelshand. Straks roep je een kwade geest op,' siste Marieke.

Eveline trok geschrokken haar vinger terug.

'Kun je ook kwade geesten oproepen?' vroeg Alma kleintjes en ze keek alsof het glas in een adder was veranderd.

'Alma! Kijk je nooit naar enge films? Natuurlijk kan dat,' zei Jeroen.

Eveline vroeg zich af of haar slungelige klasgenoot nog meer dingen wist over geesten oproepen die zij en Alma niet wisten. Ze legde voorzichtig haar rechterwijsvinger op het glas. Meteen sidderde er een koud stroompje door haar kuiten. De hele groep leunde naar voren om niets te hoeven missen.

'En nu?' fluisterde Eveline.

'Nu moet je een geest uitnodigen,' fluisterde Marieke terug. Ze had van de gelegenheid gebruikgemaakt en Jelles arm stijf vastgepakt.

'Geest?'

Het was doodstil in de kamer. Flakkerden de kaarsen erger of leek dat maar zo? Maar dat kwam natuurlijk door de zomerstorm.

'Nog een keer.' Mariekes stem was niet meer dan een ademtocht.

'Geest? Hallo? Bent u daar?'

Iemand giechelde. Iemand zei 'sjj!' De kaarsjes flakkerden nog steeds. Het glas onder Evelines vinger bleef braaf staan.

'Geest?'

'Waaaaaahaaaaow!!!!'

Eveline sprong bijna tegen het plafond van de enge gil.

'Doe normaal!' riep Marieke tegen Jeroen en ze gooide een kussen tegen zijn hoofd. 'Nu allemaal jullie mond houden,' zei ze. 'En jij moet je beter concentreren. Doe anders je ogen dicht,' zei ze daarna tegen Eveline. 'En niet te hard op het glas drukken.'

'Want geesten zijn namelijk heel slap,' mompelde Cleo.

Liesbeth schoot in de lach, maar klemde snel haar roze geglosste lippen op elkaar toen Marieke haar streng aankeek.

Eveline deed haar ogen dicht. 'Geest? Hallo?'

Een minuut ging voorbij en er gebeurde nog steeds niets.

'Misschien is hij doof,' giechelde Liesbeth.

'Volgens mij lukt het niet,' zei Eveline die haar ogen weer opendeed. Ze hoopte dat Marieke er nu genoeg van zou hebben en dat ze weer verder zouden gaan met *truth or dare*.

Maar Marieke gaf niet zo snel op: 'Misschien moeten we een bepaalde geest oproepen. Iemand die net is overleden, want die geesten zijn vaak nog niet "over",' zei ze bijdehand.

'Over?' zei Cleo.

'Ja, dat ze naar het licht overgaan. Dat heb je toch wel eens gezien op tv?' Marieke keek de groep rond. 'Kennen jullie iemand die net dood is?'

'Mijn oma is een maand geleden overleden,' zei Mark, 'maar die wil je echt niet oproepen. Ze zat altijd chagrijnig in een stoel sigaretten te roken en mijn moeder te commanderen,' zei hij laconiek. Hij leek niet erg verdrietig om de dood van zijn oma.

'Die valt dan af,' besliste Marieke. 'Iemand anders?'

'Mijn zusje Sterre is een halfjaar geleden overleden,' zei Alma. 'Maar ze was nog maar heel klein.'

Iedereen zweeg. Om een chagrijnige dode oma kon iedereen nog wel lachen, maar het kleine zusje van Alma? Dat was wel heel zielig. Alma trok met haar mond en lachte toen dapper. 'Laten we Sterre maar niet doen,' zei ze en ze wees naar de letters. 'Ze was pas drie, dus ze kon nog niet lezen.'

'Mijn oom is laatst overleden,' zei Jelle. 'Hij was vrachtwagenchauffeur en is ergens bij een tankstation dood neergevallen door een hartinfarct. Mijn moeder zei dat hij te veel saucijzenbroodjes had gegeten. En hij rookte ook, maar hij was niet chagrijnig,' vertelde Jelle. 'Ik kon altijd wel met hem lachen. En hij gaf me altijd van die duffe cadeaus. Een asbak uit Oostenrijk – als je hem op zijn kop hield, hoorde je een koe loeien.'

'Laten we zijn geest proberen op te roepen,' zei Marieke snel. 'Vind je dat goed?'

Jelle knikte. 'Hij heette Harry,' zei hij. 'Harry Lammers.'

'Oké,' zei Eveline. 'Harry Lammers.' Ze legde haar vinger weer op het glas en deed haar ogen dicht. 'Harry?' zei ze luid. 'Harry Lammers? Ben je daar?'

Om haar heen was het zo stil dat ze dacht dat iedereen plotseling verdwenen was. Zelfs de wind was gaan liggen en ze weerstond de neiging om haar ogen te openen. 'Harry Lammers?' zei ze weer. 'Ben je daar?'

Het glas trilde even. Het was niet meer dan een rimpel in een vijver, maar Eveline voelde meteen weer een ijskoud stroompje door haar kuiten trekken.

'Harry?'

Nog een trilling en toen begon het glas heel langzaam te bewegen. 'Zag je dat?' hoorde ze iemand in de groep zeggen.

'Hij gaat naar de J,' siste Marieke.

Eveline opende haar ogen en zag toen ook hoe het glas het scrabble-blokje met de letter J erop aantikte en toen koers zette naar de A.

'Hij zegt "ja"!' gilde Marieke enthousiast en ze kneep hard in Jelles arm. 'Het is je oom!'

Jelle keek achterdochtig naar Eveline. 'Dit doe jij toch?' zei hij.

Eveline schudde haar hoofd. 'Echt niet. Ik zweer het.' Het glas stond stil bij de A en ze wilde het liefste zo snel mogelijk haar vinger van het glas trekken. 'Ben ik nu klaar?'

'Wacht. Vraag nog iets. Dan weten we zeker of hij het echt is,' riep Marieke. 'Jelle? Vraag hem iets.' Ze rukte hard aan Jelles arm alsof ze probeerde die eraf te breken.

'Eh... oom Harry?' stamelde Jelle. 'Hoe heette uw vrachtwagen?'

Nu twijfelde het glas niet meer, maar koerste meteen af op de letter B en daarna naar de E. Het ging zo snel dat Eveline moeite had haar vinger op het glas te houden.

'Betsy,' stamelde Jelle, die opeens bleek om zijn neus zag. 'Dat klopt.'

'Gatver,' zei iemand. 'Kap ermee!'

'Nee, ga door! Vraag hem nog iets,' zei iemand anders. 'Vraag hem of er televisie in de hemel is.'

'Of saucijzenbroodjes,' grapte weer iemand anders.

'Hé! Dit is mijn oom en hij kan je horen,' riep Jelle quasi-beledigd. 'Oom Harry? Sorry, is alles goed met je?' vroeg hij in het luchtledige.

'Jelle, doe eens normaal, man. Het is allemaal nep,' zei Mark stoer.

'Maar Eef kan toch niet weten van Betsy?' kaatste Jelle terug.

Eveline had nog steeds haar vinger op het glas, maar er gebeurde niks meer.

'Oom Harry is vast in slaap gevallen,' gaapte Marieke. 'Ik vind het saai. Zullen we weer verdergaan met het andere spelletje?' Ze had nog steeds Jelles arm vast en leunde met haar hoofd tegen zijn schouder. 'Stop maar.'

'Nee, niet stoppen,' zei Jeroen. 'Dit is te gek. Het werkt!' Hij gaf Eveline een zetje. 'Je bent net als die *chick* in die serie die contact kan maken met dode mensen en dan een moord op kan lossen.'

Eveline wist niet over welke serie hij het had, maar knikte maar een beetje.

'Ja! Laten we een moord oplossen,' riep iemand.

'Ik weet wat,' zei Marieke. Blijkbaar vond ze het niet meer zo saai. Ze sprong overeind en rukte de deur open. 'Ik ben zo terug,' zei ze. De kaarsen flakkerden in de plotselinge tocht van de open deur en de magie van het moment was helemaal verdwenen. Eveline had het glas losgelaten en graaide een handje chips uit een plastic bak. Twee tellen later lag de avondkrant voor haar neus. SEBASTIAAN VAN HELDEN (10) VANNACHT UIT ZIJN BED VERDWENEN stond er in vette zwarte letters op de voorpagina. Daarnaast een foto van een breeduit lachend jochie met donker steil haar. Marieke tikte met een scherp vingertje op de foto. 'Dit moeten we oplossen,' zei ze. 'Hier: *De tienjarige Sebastiaan is vannacht verdwenen uit zijn bed. De ouders van het jongetje verklaarden dat hij om acht uur naar zijn kamer was gegaan. Zijn moeder was om tien uur nog bij hem gaan kijken en toen lag hij volgens haar zeggen rustig te slapen. De volgende ochtend was zijn bed leeg. Er zijn geen sporen van braak. De politie sluit niet uit dat Sebastiaan is weggelopen, al zeggen zijn ouders dat daar geen aanleiding voor was. Wie meer weet over Sebastiaan of iets verdachts heeft gezien in de Welmedestraat te Anker-*

dam, kan bellen met het onderstaande nummer... Zie, dat moeten we doen, contact maken met Sebastiaan en vragen waar hij is. Daar krijg je een vette beloning voor,' zei Marieke triomfantelijk.

'Maarre... moet hij dan niet dood zijn?' zei Cleo. 'Het werkt toch alleen bij geesten?'

'Misschien is hij wel dood,' zei Marieke sensatiebelust.

'Gatver,' zei Alma. 'Dat vind ik akelig.'

Liesbeth knikte instemmend. 'Ik ook. Dat moeten we niet doen.'

'Je weet het toch niet? Het kan toch?'

'Probeer het dan maar,' zei Cleo die eruitzag alsof ze het allemaal een goede grap vond. Eveline wist niet of zij er nou zo blij mee was. Het rare rotgevoel van daarnet was weer terug. Hij kwam haar zo bekend voor... Maar dat kon helemaal niet, want ze kwam nooit in Ankerdam. Het zat haar niet lekker, er krabbelde iets met een klein nageltje aan de achterkant van haar hersenen en ze had weer het gevoel dat het iets te maken had met de nachtmerrie van de nacht ervoor.

'Hoe pakken we dit aan dan?' vroeg Marieke aan Jeroen die blijkbaar tot geestenexpert van de avond was gebombardeerd.

'Ik denk dat Eveline haar hand op de foto moet houden en haar andere hand op het glas. En de rest hetzelfde,' zei Jeroen.

'Klinkt als een goed plan,' zei Marieke.

Fijn dat je het een goed plan vindt, ik vind het helemaal geen goed plan.

Aan de gezichten van de rest te zien vond verder iedereen het een geweldig plan. Eveline twijfelde of ze moest zeggen dat ze allang aan haar tegenprestatie had voldaan, maar ze wilde nu geen spelbreker zijn. Ze legde haar vinger weer op het glas en legde haar andere hand op het papieren gezicht van de tienjarige Sebastiaan van Helden.

'Ogen dicht,' besliste Marieke.

Eveline deed braaf haar ogen dicht. Ze voelde niets bijzonders aan het glas. Haar andere hand op de foto leek iets warmer te worden, maar dat was waarschijnlijk haar verbeelding.

'Sebastiaan?'

'Jaaahaaaaa,' zei iemand vlak bij haar met een dun geestenstemmetje. Daarna klonk het 'Auw,' in Jeroens gewone stem en een 'Sssssst'. Dat was Marieke natuurlijk.

'Sebastiaan?' probeerde Eveline opnieuw.

'Hee, Eef. Je moet ook zijn achternaam zeggen.' Dat was Mark. 'Misschien zijn er meer Sebastiaans.'

Eveline spiekte door haar oogharen. O ja. Sebastiaan heette Van Helden van zijn achternaam.

'Sebastiaan van Helden? Ben je daar?'

Een gezicht – een zwart masker met enge ogen erachter – een holle stem: 'Ik ga hem oproepen en er is niets wat je ertegen kan doen' – gelach – gehuil van een kind – ik kan niet ademen – geen lucht – geen lucht –

Plotseling hoorde ze het krassen van een kraai en toen was het voorbij. Er kwam weer lucht in haar longen, ze deed haar ogen open en in een reflex trok ze haar hand van de foto.

'Zag je iets?'

Het duurde even voordat Eveline doorhad dat het Cleo was die dit vroeg.

'Nee, niks,' zei ze snel.

Iedereen staarde naar haar. 'Zag je echt iets?' drong Marieke aan. 'Heb je contact gemaakt? Je trok heel erg met je gezicht. Zo.' Marieke trok haar wenkbrauwen naar elkaar waardoor er een diepe rimpel boven haar ogen kwam. 'Net alsof je pijn had.'

Eveline lachte kort. 'Natuurlijk niet. Ik heb hier geen zin meer in,' zei ze nukkig, en ze wilde haar vinger van het glas halen.

Mijn vinger gaat niet los.

De ijskoude stroom die ze net ook al in haar kuiten had gevoeld, gleed nu naar haar vinger. 'Het lukt niet,' zei ze. 'Ik krijg mijn vinger niet los.' Ze trok nóg harder, maar haar vinger bleef liggen waar hij lag. Ze trok nog harder. Het was zo absurd, dat ze begon te giechelen. 'Ik krijg mijn vinger echt niet los.'

'Eveline, je vinger,' zei Marieke en haar stem klonk schel. 'Je hebt je linkerhand gebruikt!'

Eveline had zonder erbij na te denken haar linkervinger op het glas gelegd bij het oproepen van Sebastiaan. En dat glas zette zich nu, met Evelines vinger eraan geplakt, in beweging en koerste richting de letter D. Daarna naar de E, toen naar de W en er was niets wat Eveline eraan kon doen. Alma gilde. Dat was het startsein voor collectieve paniek, want iedereen schoof achteruit, krabbelde ruggelings terug op het tapijt, zo ver mogelijk van het glas vandaan.

'Is dit oom Harry?' vroeg Jelle. 'Of Sebastiaan?'

De kaarsen vlamden hoog op en en een lauwe wind trok langs hun wangen.

'Ik denk het niet,' piepte Marieke.

'Haal je vinger van het glas! We moeten het kapotgooien!' riep Jeroen.

A... C... H... T... E... R.

'Ik zeg toch – ik krijg mijn vinger niet los!' riep Eveline.

Cleo begon aan Evelines arm te trekken, zonder resultaat. 'Meehelpen!' riep ze tegen de jongens. Diede en Mark, de twee grootste jongens van de klas, sprongen op en trokken mee. Eveline had het gevoel dat haar arm uit de kom werd getrokken en een golf van misselijkheid spoelde door haar heen. 'Trek aan het glas,' steunde ze.

Cleo legde haar handen om het glas heen, maar het glas bleef domweg bewegen, en sleepte Cleo gewoon achter zich aan. I... S... W... A...

'Wat is dit?' gilde Alma hysterisch. Ze stond op en rende naar de kelderdeur. 'Hij zit op slot!' riep ze en ze begon aan de klink te trekken. 'Ik wil eruit!'

Eveline werd steeds misselijker en de bange gezichten van haar klasgenoten vervaagden, alsof ze zelf in het glas zat en steeds harder ronddraaide. Alleen de letters waren scherp.

K. Nog een keer de K. Een E... Een R. Daarna leek het glas te stoppen, maar het was alleen maar een pauze. Sneller dan het licht koerste het naar de K, toen naar de O, en verder, verder, verder, terwijl Eveline erachteraan gesleurd werd als een willoze pop. Uiteindelijk tikte het glas de 'S' aan en kwam haar vinger plotseling los. Eveline donderde achteruit, boven op de twee jongens die nog steeds aan haar arm trokken. Haar elleboog kwam hard tussen Diedes ribben terecht. Ze worstelde om overeind te komen uit de hoop maaiende armen en benen.

'Het is voorbij!' riep Marieke opgelucht. Maar op hetzelfde moment doofde een plotselinge windvlaag als een lauwe adem alle waxinelichtjes. Het was aardedonker in de kelder en Eveline voelde hoe de angst haar keel dichtkneep. Ze had het gevoel levend begraven te zijn en kon zich niet meer bewegen. Iemand greep haar arm. 'Eef, ben jij dat?' klonk Cleo's stem kalm in haar oor. Eveline liet zich overeind trekken door Cleo.

'Ik kan het licht niet vinden,' klonk Marks stem ergens links van haar. Zijn stem klonk rustig, alsof hij helemaal niet bang was.

'Marieke, waar zit het licht?' riep Cleo. Ook haar stem klonk heel relaxed. Ze trok Eveline mee, maar meteen botste iemand hard tegen hen op. 'Doe even rustig!' riep Cleo. 'Blijf allemaal even staan, oké? Marieke? Waar zit het licht?'

'Naast de deur!' klonk Marieke, een stuk minder rustig dan Cleo en Mark.

'Waar is de deur?' mompelde Cleo. 'Ik zie niks. Alma?'

Maar Alma was te veel in paniek om Cleo te horen. 'Help!' was het enige wat ze riep. 'Doe open!' Cleo liet Evelines hand los. 'Blijf hier staan,' zei ze. 'Ik ga het licht aandoen.'

Eveline bleef stilstaan en kneep haar ogen stijf dicht. Ze was veel banger dan ze aan zichzelf wilde toegeven.

'Zit het licht links of rechts?' klonk Cleo's stem een paar seconden later.

'Het licht zit rechts! Schiet op!' Marieke klonk alsof ze elk moment kon gaan huilen.

'Marieke?' klonk er gedempt door de deur heen. 'Wat hoor ik toch allemaal? Gaat het wel goed?' Het was Mariekes moeder. 'Doe de deur eens open?'

Het licht sprong aan en Eveline deed haar ogen open. Het eerste wat ze zag, was Cleo die Alma bij de deur wegtrok en de sleutel omdraaide. Ze deed de deur open en grijnsde onschuldig naar Mariekes moeder. 'We deden gewoon een spelletje,' smoesde ze snel. 'In het donker. Maar toen konden we het licht niet meer vinden en dat vond Alma een beetje eng.' Zonder dat Mariekes moeder het zag, gebaarde ze met haar hand achter haar rug naar de vloer. Eveline begreep wat Cleo bedoelde: ze moesten het dienblad weghalen voordat Mariekes moeder het zag. Ze bedacht zich geen moment en duwde het dienblad met haar voet onder de bank. Mariekes moeder stapte langs Cleo en keek wantrouwend rond. 'Wat voor spelletje zijn jullie aan het doen?' vroeg ze aan haar dochter. Marieke was nog steeds niet helemaal over de schrik heen en begon te stamelen. 'Een... een soort... verstoppertje in het donker.'

Mariekes moeders gezicht stond op een ik-geloof-er-niks-van-stand. Ze liep verder de kelder in, als een detective op zoek naar bewijs. Alma zat in een stoel met Liesbeth naast haar en snikte een beetje.

'Ze is geschrokken,' zei Liesbeth. 'Alma is bang in het donker.' Alma's witblonde hoofd ging instemmend op en neer, maar ze keek Mariekes moeder niet aan.

'Mam, laat nou maar!' zei Marieke geïrriteerd. 'Ze is alleen maar een beetje geschrokken. En je had beloofd dat je hier niet zou komen.'

'Nee, maar als iemand op de deur begint te bonken, dan kom ik natuurlijk wel even kijken,' sputterde haar moeder tegen. Ze draaide aan de gouden hanger om haar nek. 'Je hebt geluk dat je vader dienst heeft, dame, want anders was het feestje over.'

'Maar hij heeft altijd dienst,' sneerde Marieke. 'Dus mogen we?'

Mariekes moeder keek schuldig. 'Ik ga al,' zei ze snel. 'Maar geen spelletjes meer in het donker. Straks lopen jullie ergens tegenaan of valt er iemand.'

Ze knikten allemaal tegelijkertijd. Marieke keek alsof ze haar moeder de deur uit wilde duwen, maar voordat ze ging, gaf Mariekes moeder haar dochter een snelle kus op haar haren. Nu ze zo dicht bij elkaar stonden, zag Eveline pas hoeveel Marieke op haar moeder leek en Eveline miste haar eigen moeder hierdoor even heel erg.

Marieke vond het natuurlijk alleen maar gênant en duwde haar moeder weg. 'Maham!'

'Ik ben al weg,' zei haar moeder en ze liep terug naar de deur. 'Jullie hebben nog een uurtje,' zei ze in de deuropening voordat ze de deur achter zich dichtdeed.

Ze stonden stilletjes in de kelder naar elkaar te kijken. Alma veegde langs haar neus. 'Ik wil naar huis,' zei ze.

'We moeten het glas kapotgooien,' besliste Marieke. 'Dan kunnen de geesten niks meer.'

'Doe jij dat maar lekker,' bromde Mark. Hij stond met zijn armen over elkaar alsof hij er niks meer mee te maken wilde hebben.

Zonder een woord griste Cleo het glas onder de bank vandaan en gooide het hard tegen de muur. De glassplinters sprongen alle kanten op. Alma gaf een gil van schrik en ook Eveline voelde haar hart een sprong maken.

'Wat doe je?' brieste Marieke.

'Het moest toch kapot? Dat zei je zelf,' zei Cleo laconiek. 'Nu is het kapot.'

Mariekes mond viel open. Ze keek met een ongelovige blik naar de glasscherven op het tapijt.

'Een keer met de stofzuiger eroverheen en je ziet er niks meer van,' zei Cleo. 'Komen jullie zitten?' Ze plofte op de kussens op het tapijt alsof er niks was gebeurd. De rest volgde haar, sommigen, zoals Alma, met de nodige tegenzin. 'We laten het licht nu wel aan, hè?' zei die.

Marieke knikte. Ze was stiller dan net. Jelle ging naast haar zitten en sloeg een arm om haar heen.

'Ik ben nu wel klaar, toch?' vroeg Eveline aan Marieke.

Marieke knikte. 'Dit doen we echt niet nog een keer... hoe eng was dit?'

'Dat was echt te *spooky*,' zei Liesbeth die aan de andere kant van Jelle ging zitten. In de paniek had ze over haar lippen geveegd, waardoor er een plakkerige roze lipglossveeg op haar wang zat, maar ze merkte het niet.

'Maar ook wel te gek,' riep Jeroen. 'Volgens mij heb je echt een geest opgeroepen, Eef.'

'Ja – we hebben contact gehad met een echte geest,' zei Marieke dramatisch.

'Was dat oom Harry?' vroeg Liesbeth. 'Of Sebastiaan?'

'Volgens mij was die laatste een andere geest,' zei Marieke wijs.

'Wat een onzin,' zei Mark die ook weer was gaan zitten. 'Dit was niet echt hoor. Geesten bestaan niet.'

'Maar Eveline kreeg haar vinger niet los,' bracht Liesbeth ertegenin.

'Misschien zat er superlijm op haar vinger?' zei Mark op zo'n droge toon dat Cleo in de lach schoot.

'En de kaarsen dan?' riep iemand anders. 'Hoe kan het dat die uitgingen?'

'Door de wind natuurlijk,' zei Mark stoer. 'Voor de rest is het onzin.'

'Ik dacht dat jij hier ook in geloofde,' zei Jelle. 'Jij wist er toch allemaal dingen over?'

'Alleen maar wat ik in films heb gezien,' zei Mark. 'En dat is allemaal onzin,' zei hij nog een keer. Mark was een jaar ouder dan de rest en een kop groter. Als hij het zo zei, klonk het geruststellend.

'Maar we zagen toch allemaal dat glas bewegen voordat het licht uitging?' zei Alma met een stem die een octaaf hoger was en van de zenuwen begon ze te giechelen. Dat werkte zo aanstekelijk dat binnen een seconde heel 2B de slappe lach had.

'Jij gelooft er misschien niet in,' zei Jeroen tegen Mark, 'Maar volgens mij hebben we echt een geest opgeroepen,' bleef hij volhouden. 'Want het glas zei iets raars – alleen kon ik niet goed volgen wat het was.' Hij keek vragend de kring rond. 'Er stond "de" en daarna een W en een A, en toen ging het te snel om nog te volgen.'

'Ik weet wat er stond,' zei Bianca zachtjes. Haar wangen kleurden toen iedereen naar haar keek en om zichzelf een houding te geven, duwde ze haar bril wat hoger op haar neus.

Het verbaasde Eveline niks dat Bianca dat wist, want ze was de slimste van de klas. Maar dat merkte je alleen als ze proefwerken terugkregen en Bianca weer het hoogste cijfer had, want meestal was ze zo stil dat je bijna vergat dat ze bestond.

'Wat stond er dan?' vroeg Jeroen nieuwsgierig.

'Ik weet niet of ik het helemaal goed gezien heb, maar volgens mij zeiden de letters "de wachter is wakker" en daarna: "kom naar huis".'

'De wachter is wakker – kom naar huis?' herhaalde Marieke. 'Wat betekent dat?'

Bianca haalde haar schouders op. 'Weet ik niet.'

'Wat is een wachter?'

'Iemand die wacht?' opperde Jeroen.

'Ja, op de bus. Lekker slim,' schamperde Cleo. 'Is dat iets van je oom?' vroeg ze aan Jelle, maar die schudde zijn hoofd. 'Niet dat ik weet in elk geval,' zei hij.

'De wachter is wakker,' mijmerde Bianca. Haar wangen waren al minder rood. Blijkbaar was ze niet zo verlegen als ze iets had om over na te denken. 'Een wachter is iemand die op wacht staat, toch? Een soort soldaat.'

Er ontstond een hele discussie over of deze 'Wachter' inderdaad een soldaat zou zijn en of het een geest was die bijvoorbeeld was gestorven in het huis. Maar Marieke wist niets van de geschiedenis van het huis, niet eens wanneer het gebouwd was, dus laat staan of er ooit een soldaat in was omgekomen.

'Misschien is hij hier wel neergeschoten. Of opgehangen, of in stukken gehakt en opgegeten,' zei Jeroen verlekkerd. 'Dan is het een kwade geest die ons voor de rest van ons leven achtervolgt,' riep hij treiterend tegen de rest. Hij scheen het een grote spannende grap te vinden, maar Alma werd alweer groen om haar neus.

'Niet ons, maar Eveline,' zei Marieke duister. 'Zíj heeft de geest opgeroepen. En zíj heeft haar linkerwijsvinger gebruikt. Dus zij heeft een kwade geest opgeroepen, een kwade Wachter.'

'Hé!' riep Eveline. 'Het is jouw huis! Als ik iets heb opgeroepen, dan blijft het lekker hier,' zei ze, veel stoerder dan ze zich voelde.

Mark hief zijn armen. 'Hou toch op,' zei hij. 'Geesten bestaan niet. Eveline heeft het glas met haar eigen vinger gestuurd. Dat kan echt wel.'

'Maar waarom heeft ze dan "de Wachter is wakker – kom naar huis" geschreven?' zei Marieke. Ze keek Eveline sceptisch aan. 'Wat heb jij met een "Wachter"?'

'Dat is haar nieuwe vriendje, nou goed,' kapte Cleo Marieke af.

'Eveline is verliefd op een geest!' gilde Jeroen meteen. 'Een kwade geest!'

'Hou op,' beet Cleo hem toe. 'Of het nou een geest was of niet, we hebben het glas toch kapotgegooid? Dus is er niks aan de hand.' Ze sprong overeind. 'Ik zet de muziek aan,' zei ze. 'Ik heb een houten kont van al dat zitten.' Ze deed eerst de discolampen aan en liep daarna naar de versterker. Tien seconden later was de kelder veranderd in een disco en trok Cleo Eveline overeind. 'Kom op!' gilde ze boven de muziek uit tegen de anderen en ze maakte gekke danspasjes gecombineerd met een paar karate*moves*. Toen haar klasgenoten niet snel genoeg overeind kwamen naar haar zin, begon ze mensen omhoog te trekken: Marieke, die liever naast Jelle bleef zitten, de verlegen Bianca, Mark die altijd aan de kant bleef staan... Ze danste als een gekke marionet tussen de groepjes door. 'Kom op!' riep ze weer. 'Dansen! Het is het einde van het schooljaar! We hebben vakantie! Het is mooi weer! We kunnen morgen de hele dag bij de Paddenpoel hangen!' Het werkte zo aanstekelijk dat na een paar minuten iedereen zo gek mogelijk stond te dansen op de muziek. Alle gedachten over het glaasje draaien en de rare boodschap vervaagden.

'We hebben vakantie!' gilde Cleo euforisch, en ze pakte Evelines handen en sprong met haar op en neer.

Dat was ook zo, dacht Eveline. Ze hadden vakantie. Na de vakantie zouden ze 3B zijn, maar eerst hadden ze zes lange weken vrij, en nog beter: ze had twee van die zes weken het hele huis voor zichzelf, want Chantal zou overmorgen met haar beste vriendin en bingomaatje Maddy op vakantie gaan, op een cruise richting de Canarische Eilanden. En Cleo zou die twee weken bij haar blijven slapen. Als het mooi weer bleef, betekende dat twee weken eten wat ze wilden, de hele dag aan de Paddenpoel hangen, nog bruiner worden dan ze al was en misschien wel met een leuke jongen zoenen die hopelijk miraculeus zou verschijnen.

Terwijl ze stonden te hopsen in de lichtjes van de discobol en het angstgevoel van het glaasje draaien zo langzamerhand wel was verdwenen, zag Eveline vanuit haar ooghoek de avondkrant op de bank liggen. De foto van de verdwenen Sebastiaan van Helden op de voorpagina bracht meteen de herinnering terug aan het vreemde visioen dat ze had gehad toen ze de foto had aangeraakt. Ze maakte ze zich los van het rondspringende groepje, schonk een glas cola in en zakte op de bank. Ze spiedde naar de krant en twijfelde of ze de foto nog een keer zou aanraken. Uiteindelijk legde ze haar hand zo nonchalant mogelijk op het papieren gezicht van Sebastiaan, maar er gebeurde niks. Opgelucht legde ze de krant neer en zakte achterover in de kussens van de bank.

Tegenover haar ging de kelderdeur open en kwam een klein meisje met onhandige pasjes de treden af. Ze keek zoekend in het rond, alsof ze iets kwijt was. In haar groene pyjama liep ze naar de bank en bukte zich om eronder te kijken.

Eveline was verbaasd. Ze wist niet dat Marieke een klein zusje had. Zou haar moeder wel weten dat ze hier was? Het was al hartstikke laat.

'Wat is er?' vroeg ze. Ze zag nu dat er allemaal verschillende dieren op haar pyjama stonden. 'Kun je niet slapen?'

Het kleine meisje schudde haar hoofd. 'Knuffel,' zei ze verdrietig.

'Ben je je knuffel kwijt?' Ze keek zoekend om zich heen. 'Heb je hem hier ergens laten liggen? Zal ik je knuffel voor je zoeken?'

Het meisje knikte heftig met haar hoofd.

'Ga je daarna dan lekker slapen?'

Het meisje knikte weer en strekte haar handjes naar Eveline uit. Eveline pakte haar handjes even vast, die koud aanvoelden. Ze zocht in de hopsende groep naar Marieke, maar zag haar nergens.

Lekker, dacht Eveline, *die staat natuurlijk ergens met Jelle te zoenen. En ik kan voor haar kleine zusje zorgen.*

Ze liet haar handjes los. 'Ik zal zoeken, oké? Blijf jij hier?' Ze liep naar een van de kasten en trok lukraak wat lades open. Uiteindelijk vond ze in een verkleedkist een nogal muf ruikende gele eend. Zijn hals was kaal van de vele keren dat iemand hem zo gedragen had en zijn ene poot was een beetje gerafeld, maar hij was wel lekker zacht. Eveline deed de kist dicht en liep naar de bank, maar die was leeg. Ze keek rond, maar zag het meisje nergens meer.

'Eef?' Een paar handen draaiden haar om en ze keek recht in het vragende gezicht van Cleo. 'Wat doe je?'

'Een knuffel geven aan...'

'Aan wie?' Cleo keek haar aan alsof ze knotsgek was geworden.

'Aan het zusje van Marieke. Die was hier net.' Ze wees naar de deur die op een kier stond.

'Heeft Marieke een zusje?' Cleo trok aan haar arm. 'Gaat het wel? Je doet een beetje raar.' Ze trok de groezelige knuffel uit Evelines handen en gooide die met een nonchalant gebaar op de bank. 'Kom je weer mee dansen?'

'Ik kom zo wel,' zei Eveline en ze zakte op de bank naast de afgekauwde eend en de Sebastiaan-krant. Haar blik gleed weer naar de foto.

Cleo ging naast haar zitten. 'Maak je je zorgen over wat er net is gebeurd?'

Eveline zweeg. Haar vriendinnetje pakte haar bij haar arm. 'Was er wel iets?' vroeg ze en ze gebaarde naar de krant.

'Nee,' zei Eveline snel. 'Wat zou er moeten zijn? Ik voel me gewoon niet zo lekker... Ik denk dat ik naar huis ga.'

'Dan ga ik mee,' zei Cleo beslist.

'Dat hoeft niet joh, blijf maar hier,' zei Eveline. Ze griste haar jasje uit de stapel jassen in de hoek.

Cleo deed hetzelfde. 'Ik ga mee. Punt.'

Eveline wist dat het geen zin had om met Cleo in discussie te gaan, want ze was net zo koppig als de Egyptische vrouw naar wie ze was vernoemd.

'Dag allemaal!' riep Cleo en ze zwaaiden voor de vorm naar de rest van de klas die nog steeds in groepjes bij elkaar klitte en danste. Ze liepen met z'n tweeën de kelder uit. De deur naar de woonkamer stond op een kier, er klonk het gedempte geluid van een televisie. Cleo duwde de deur wat verder open. Mariekes moeder zat op de bank. Ze keek op toen de twee meiden binnenkwamen. 'Gaan jullie al?' vroeg ze.

'Eef voelt zich niet zo lekker,' legde Cleo uit.

Eveline had zin om haar vriendin een schop te verkopen. Wat ging Mariekes moeder dat nou aan?

'Wat is er dan?' vroeg die. 'Moet je iets hebben? Ik kan je nu niet naar huis brengen, maar mijn man komt zo thuis...'

'Nee hoor, dat hoeft niet,' zei Eveline snel. 'Ik vind het wel fijn om een stukje te fietsen.'

'Gaan jullie wel samen?'

Cleo knikte. 'Ik slaap bij Eef.'

Dat was niet waar – tenminste, ze hadden dat niet afgesproken. Eveline verbaasde zich weer over hoe goed haar vriendinnetje kon liegen. Ze trok Cleo aan haar mouw ten teken dat ze wilde gaan. 'Dag mevrouw,' zei ze. 'Bedankt voor het gezellige feestje.'

'Dag dames, doe voorzichtig hè?' zei Mariekes moeder.

Eveline liep voor Cleo uit de gang door en trok de voordeur open. De wind was gaan liggen en de avondlucht was fris en een beetje vochtig. 'Waar stonden onze fietsen ook alweer?'

Cleo bleef op het tuinpad staan en keek haar onderzoekend aan. 'Weet je zeker dat het goed met je gaat?' vroeg ze.

'Wat heb jij? Ga je dat de hele tijd aan me vragen?'

'Sorry hoor,' zei Cleo geïrriteerd. 'Maar mag ik bezorgd zijn als jij plotseling met een knuffel rondloopt alsof je een kleuter bent?'

Eveline draaide zich om en liep naar haar fiets. 'Er is niks met mij,' zei ze zonder Cleo aan te kijken. Ze trok haar fiets die tegen een boom stond overeind en zag dat Marieke en Jelle iets verderop op een bankje zaten. Jelle had zijn arm nonchalant om Mariekes schouder hangen.

Marieke keek op. 'Gaan jullie al weg? Wel bizar wat er gebeurde, hè? Ga je daarom?'

'Nee hoor,' loog Eveline, maar haar stem klonk schril. 'Dankjewel voor alles,' schutterde ze daarna.

'We zien jullie morgen toch wel bij de Paddenpoel?'

'Tuurlijk.' Eveline stapte op haar fiets. Ze wilde graag naar huis en in bed liggen. 'Dag!' riep ze en ze fietste hard weg. Ze was al de straat uit en stuurde net het fietspad op toen Cleo naast haar kwam rijden en haar pols pakte. 'Wacht even,' zei ze. 'Wat is er nou?'

'Niks, ik voel me niet lekker en wil naar huis,' zei Eveline stuurs.

'Ik geloof je niet.'

'Dan geloof je me toch lekker niet?'

Cleo zuchtte. 'Oké. Zal ik bij je blijven slapen?'

'Nee, laat me nou maar, ik ben gewoon chagrijnig.'

'Ben je bang na dat hele gedoe?'

'Hmm.'

'Ik vond het best wel eng.'

Eveline keek ongelovig. 'Echt? Jij bent nooit bang.'

'Ben ik ook niet,' zei Cleo stoer, 'maar ik dacht altijd dat het vette onzin was, die horrorverhalen over glaasje draaien. Maar het was toch wel griezelig toen dat glas begon te bewegen en we jouw vinger niet los konden krijgen. Vond jij het niet eng?'

'Ja,' zei Eveline. 'Ik vond het heel eng.' Ze vertelde Cleo uiteindelijk over Chantals verbod op geesten oproepen en horrorfilms kijken. Maar toen Cleo vroeg waarom Chantal haar dat verboden had, loog Eveline en zei dat ze het niet wist. Ze vond het stom om aan Cleo te vertellen dat Chantal vond dat ze 'te gevoelig' was.

'Maar waarom vertel je me dat nu pas?' vroeg Cleo.

Eveline haalde haar schouders op. 'Ik weet het niet.'

Cleo zweeg. Het was nog steeds warm buiten en Eveline zweette in haar jasje.

'En nu heb je het gedaan,' zei Cleo uiteindelijk.

'Ja, maar je moet me beloven dat je het haar niet vertelt,' zei Eveline.

'Heb ik ooit iets aan Chantal verteld? ' was Cleo's antwoord. 'Ben je daarom zo gek aan het doen? Omdat Chantal het niet goed vond dat je glaasje ging draaien?'

'Ik weet het niet.'

'Hé, ze heeft het je alleen maar verboden omdat ze hartstikke bijgelovig is,' zei Cleo. 'Dat weet je zelf toch ook wel?' Chantal was inderdaad extreem bijgelovig, maar vooral als het om nummers ging. Ze was gek op alles dat met geld winnen te maken had: krasloten, de voetbaltoto, loterijen, bingoavonden... Ze speelde met alles mee en als het een spel met nummers was, zwoer ze bij het nummer zes, want ze was geboren op 6 juni en woonde ook op nummer zes, dus haar favoriete nummer en daarmee ook haar geluksgetal was zes.

Ze waren aangekomen bij de kruising waar ze ieder een andere kant op moesten. Ze stopten onder hun lantaarnpaal waar met zwarte marker 'E + C = BFF' op stond. Cleo remde slippend en gooide toen haar fiets neer. Snel als een aap klom ze daarna in de lantaarnpaal en hing vervolgens een tijdje alleen aan haar armen tien meter boven de grond.

'Doe niet zo eng!' riep Eveline die wist dat het geen enkele zin had om dat tegen Cleo te zeggen. Ze deed altijd dat soort rare dingen. Het jaar daarvoor had ze zich laten uitdagen om hangend aan haar handen aan het viaduct het kanaal over te steken. Dat was natuurlijk gelukt, maar Eveline had het heel eng gevonden om haar vriendin boven dat donkere water te zien hangen.

Cleo gleed naar beneden en pakte haar fiets weer op. 'Hé, ben je echt bang dat je iets wakker hebt gemaakt? Een geest die niet meer weggaat?'

Eveline haalde haar schouders op.

'Heeft dat iets te maken met wat er toen in de chinees is gebeurd?' vroeg Cleo plotseling. Ze leunde zwaar op haar stuur en keek Eveline afwachtend aan. Eveline was in verwarring gebracht door Cleo's vraag, want ze wist even niet waar ze op doelde.

'Je weet dat toch nog wel?' drong Cleo aan. 'Toen ik je net kende.'

Eveline was het vergeten – of misschien had ze het verdrongen – maar ze herinnerde het zich opeens weer glashelder. Alsof ze het ergens diep had begraven en haar vriendinnetje het nu had opgediept: ze kende Cleo inderdaad toen nog maar net, sinds ze nieuw in de klas was gekomen in oktober, bijna vier jaar geleden. 'Dit is Eveline Dijkman. Ze is wat later in het jaar op school omdat ze een tijdje in het ziekenhuis heeft gelegen.' Zo had de hoofdmeester haar in haar nieuwe klas geïntroduceerd. Iedereen had haar aangestaard alsof ze een of andere rare freak was – en toen wisten ze nog niet eens het hele verhaal van de koolmonoxidevergiftiging, de coma en dat ze daardoor geen herinneringen had. Alleen Cleo had meteen haar hand opgestoken en gezegd dat Eveline wel naast haar mocht zitten. Dat was het begin van hun vriendschap. Twee maanden na die eerste ontmoeting had Chantal hen tweeën meegenomen naar de Chinees. Daar was gebeurd waar Cleo op doelde.

'Toen je zei dat die vrouw je in de wc opgesloten had,' hielp Cleo haar. 'Maar er was helemaal geen vrouw. Weet je nog?'

'Ik weet het nog wel,' zei Eveline. Haar gezicht was gesloten als een masker. Want ze wist zeker dat er wél een vrouw was geweest, want ze had haar zelf gezien. Eveline was naar de wc gegaan om te plassen. Bij het fonteintje had een vrouw gestaan met zwart steil haar, vreemd in een hoek, alsof ze straf had. Eveline had haar meteen eng gevonden, maar haar toch netjes gevraagd of de wc vrij was. Maar de vrouw had niks terug gezegd, alsof ze haar niet had gehoord. Eveline wilde toen eigenlijk terug naar Cleo en Chantal, maar ze moest echt nodig en was uiteindelijk toch maar gegaan. De deur had ze niet op slot gedaan – ze vond het eng om in kleine ruimtes te zitten – en had zoals altijd haar hand op de klink toen ze het slot uit zichzelf zag omdraaien. Ze had zelf niets gedaan en toch was het slot omgedraaid en hoorde ze iemand lachen aan de andere kant van de deur. Meteen had ze geprobeerd om het slot open te maken, maar dat ging niet en de klink zat ook muurvast.

Uiteindelijk was ze heel hard gaan huilen en schreeuwen, waarna het personeel haar met een schroevendraaier had bevrijd. 'Die vrouw, die vrouw heeft me opgesloten,' had ze tegen Chantal gesnikt. Maar er was geen vrouw in het restaurant die op haar leek. Niet in de wc en ook niet daarbuiten. Maar Eveline wist het zeker, die vrouw had haar opgesloten. Chantal had – waar Cleo bij was – tegen Eveline gezegd dat ze zich misschien rare dingen inbeeldde vanwege wat er gebeurd was. Cleo had haar boven een dampend bord foe yong hai vol medelijden aangekeken. Dat vond Eveline misschien nog wel het ergste.

'Hé, misschien heeft Chantal je daarom verboden om geesten op te roepen,' zei Cleo. 'Vanwege... vanwege je coma en zo. Daar zei ze toen toch ook wat over?'

Cleo had precies de reden geraden van het glaasjedraaienverbod en daar werd Eveline alleen maar banger van. Wat als Chantal nou gelijk had en ze inderdaad te 'gevoelig' was? Wat had ze dan nu gedaan?

Cleo zag aan haar dat het haar enorm dwarszat. 'Er is echt niks aan de hand hoor,' suste haar vriendinnetje. 'Het was supereng, maar het is nu toch weer voorbij?' Ze gaf Eveline een por. 'Zal ik anders toch niet met je meegaan?'

'Nee, laat me maar.' Eveline omhelsde haar vriendin. 'Ik zie je morgen, toch?'

'Echt wel. Als het mooi weer is bij de Paddenpoel.' Cleo sprong weer op haar fiets. 'Het is vakantie!' gilde ze keihard door de donkere straat. Toen racete ze naar haar huis.

Eveline reed de andere kant op richting de Anemoonlaan 6. Als Chantal overmorgen weg was, mocht Cleo de hele tijd bij haar logeren. Chantal had aan Cleo's moeder Miranda gevraagd of die een oogje in het zeil wilde houden, maar Eveline wist nu al hoe dat zou gaan: Miranda had het te druk met werken of naar de schoonheidsspecialist gaan, of naar een of andere belangrijke opening of wat dan ook. Cleo's ouders hadden het erg druk met 'hun dingetjes' zoals Cleo het altijd noemde. Niet dat Cleo dat erg leek te vinden, ze zei tenminste altijd dat ze op die manier lekker haar eigen gang kon gaan.

Eveline schrok op toen het leek alsof er verderop iets fladderde onder het licht van een lantaarnpaal. Ze minderde vaart en stopte. Op de stoep naast het fietspad lag een donker hoopje veren in de cirkel van licht. Ze zette haar fiets aan de kant en knielde neer bij de vogel. Het was een kraai. Zijn ogen waren gesloten en zijn kopje lag geknakt naast zijn lichaam.

Zou het dezelfde zijn?

Tegen beter weten in schoof Eveline haar handen voorzichtig onder het slappe vogellijf. De kraai voelde nog warm aan, maar was dood.

Eveline moest een beetje huilen toen ze besefte dat de kraai net was gestorven. Zo zat ze een tijdje, totdat haar tranen op haar wangen waren opgedroogd en de vogel was afgekoeld in haar handen. Daarna kwam ze overeind en legde de dode vogel voorzichtig onder een struik langs de kant van de weg. 'Dag,' zei ze zachtjes en ze fietste – een beetje verdrietig – verder.

Bij haar huis wilde ze net het hek naar het klein voortuintje opendoen, toen mevrouw Arends aan kwam schuifelen met haar rattige bruine hondje achter zich aan. Mevrouw Arends was de buurvrouw en bemoeide zich overal mee. Ze klaagde constant over de troep die in de voortuin bij Chantal stond, dan boog ze zich over het hekje en riep: 'Het is een affreuze bedoening, mevrouw Brouwer. Emmers horen niet in een tuin.' Andere keren waren het de fietsen, de vuilniszakken en ze had zelfs een keer geklaagd over een opblaasbare krokodil die Eveline had meegenomen naar de Paddenpoel en daarna in de voortuin had gelegd.

'Wat ben jij laat,' zei mevrouw Arends met samengeknepen lippen. 'Een afgelikte boterham leeft niet lang, weet je.' Haar witte groezelige regenjas hing veel te groot om haar magere lijf. Eronder staken haar benen als stokjes in een paar grijze gezondheidsschoenen. Ze leek nog het meeste op een houten marionet.

'Ook een fijne avond,' zuchtte Eveline. Ze duwde haar fiets door het hek, kwakte hem neer in de kale voortuin en deed de voordeur open zonder haar zuurpruim van een buurvrouw nog een blik waardig te gunnen. Ze gooide de deur achter zich dicht, leunde tegen het hout en ademde de groene geur van nepdennenbomen in die in het gangetje hing.

'Eefje?' klonk de stem van Chantal uit de woonkamer. Eveline gooide haar jasje onder de kapstok en liep de kamer in. Chantal zat op de bank en haar hondje Barbie lag als een witte zwabber op Chantals schoot te slapen.

'Was het leuk?' vroeg haar pleegmoeder zonder haar ogen van het scherm te halen. Haar geblondeerde haren zaten in een pluizig staartje en haar gezicht glom van de nachtcrème. Ze was gehuld in een roze slaappak en haar mollige hand bewoog zich gedachteloos tussen een zak chips en haar mond. 'We zoeken een woord met negen letters,' zei de presentator op het scherm. Zijn tanden waren zo wit dat ze licht leken te geven. Hij sloeg zijn arm om een zenuwachtig kijkende vrouw met kort grijs haar. 'Ik weet het niet, Frank, misschien moet ik een klinker kopen,' zei de vrouw onzeker. Er stonden al vier letters.

'Tuinstoel,' zei Eveline die het woord herkende.

Chantal keek op. 'Waarom verraad je het altijd?' bitste ze.

'Omdat het een stom spel is,' stoof Eveline op. Meteen voelde ze zich schuldig. Ze wilde geen ruzie maken met Chantal, maar soms leek het wel of de gezette vrouw op de bank een compleet onbekende was en na bijna vier jaar voelde Eveline zich vaak nog steeds alsof ze op bezoek was in haar eigen huis.

Barbie kwam overeind en wipte geagiteerd van Chantals schoot. Ze begon te blaffen en te grommen in de richting van de twee porseleinen hondenbeeldjes. 'Barbie!' zei Chantal geïrriteerd. Ze zuchtte. 'Wat heeft dat beest?' Ze kwam overeind en tilde de tegenstribbelende hond van de vloer. 'Wat zie je dan, snoepje? Er is daar niks.' Ze graaide in de zak chips die naast haar op de bank lag. 'Hier.' Ze voerde Barbie een chipje. Het hondje griste het uit haar handen, slikte het in een keer door, draaide nog drie keer en ging toen weer op Chantals benen liggen.

Eveline twijfelde of ze Chantal zou vertellen over het geesten oproepen en te vragen wat Chantal nou precies bedoelde met dat ze Eveline daar 'te gevoelig' voor vond, maar ze durfde niet zo goed. 'Ik ga naar bed, ik ben moe,' zei ze uiteindelijk alleen maar. Chantals ogen zaten alweer aan het scherm gekleefd. Eveline boog zich voorover en gaf haar pleegmoeder een onhandige zoen op haar wang.

'Wat doe jij nou raar,' vroeg Chantal verbaasd.

'Welterusten,' schokschouderde Eveline; meestal keek Chantal tot diep in de nacht naar de tv en viel dan op de bank in slaap.

Eveline liep de trap op naar haar slaapkamer. Daar knipte ze haar nachtlampje aan, trok snel de gordijnen dicht om het donker buiten te sluiten en liet zich toen op bed vallen. Ze greep Boris en begroef haar neus in zijn vale vacht die naar vanille rook. Meteen voelde ze zich wat beter en ze probeerde niet eng te vinden wat er die avond was gebeurd, maar dat lukte niet helemaal. Mark had gezegd dat het allemaal onzin was, maar ze had echt een soort visioen gehad toen ze haar hand op de foto van het verdwenen jongetje had gelegd. En daarna was het glas vanzelf gaan schuiven en had ze haar vinger echt niet los kunnen krijgen, dus het was niet allemaal onzin zoals Mark beweerde. Maar ze wilde ook niet denken aan de optie dat het waar zou kunnen zijn wat Jeroen had gezegd, namelijk dat ze een geest had wakker gemaakt die haar mischien zou achtervolgen.

Zo in haar kamer met haar konijnenlamp, de T-shirts op haar bureautje waar Cleo en zij mee bezig waren, de kledingkast met de dierenstickers erop, het groene tapijt met de grote blauwe verfvlek erin, haar verenverzameling waar ze nog steeds wat mee wilde doen, de boekenplank boven haar bureautje waar de boeken en schriften van de tweede klas binnenkort plaats zouden maken voor die van de derde... leek het allemaal heel onwerkelijk wat er vanavond was gebeurd. En als ze nou alle gewone dingen deed, dan verdween haar angst dat ze iets wakker had gemaakt misschien wel vanzelf. Tandenpoetsen, pyjama aan en slapen. Ze trok haar tandenborstel uit het bekertje dat op de wastafel stond en kneep er een klodder tandpasta op. Zie: alles was normaal. Eerder die avond had ze zich laten overhalen door Marieke en Liesbeth om mascara op te doen. Ze wist niet zo goed wat ze er nou van moest vinden, maar uiteindelijk had Marieke het bij haar opgedaan – ze zei dat haar ogen er beter van uitkwamen. Eveline had het niet willen toegeven, maar het stond inderdaad best mooi. Met haar tandenborstel nog in haar mond zette ze de kraan open en plensde water in haar gezicht. Hoe kreeg ze die mascara van haar ogen? Marieke had gezegd dat het waterproof was. Eveline snapte nu wat dat betekende: het wilde er niet af en veranderde je in een pandabeer. Ze knipte de lampjes om haar spiegel aan om de schade beter te kunnen overzien. Toen stokte ze, haar tandenborstel viel uit haar mond en viel met een kletterend geluid in de wasbak, maar Eveline hoorde het niet eens, want het gesuis in haar oren was terug. Ze begreep dat het het razende bonken haar bange hart moest zijn. Ze staarde in de spiegel waarin haar spiegelbeeld terugstaarde. Tenminste... Zij was het, maar ook niet. Haar haren waren hetzelfde: lang, rossig bruin, met een beetje slag. Op haar neus zaten een paar sproeten. Haar linkervoortand miste een heel klein hoekje (dat was voor het ongeluk, dus ze wist niet hoe dat was gebeurd), haar mond was gewoon haar mond. Maar in die pandabeermascarakringen was iets veranderd.

'Ik ben Eveline Dijkman,' zei ze hardop. 'Ik heb bruine ogen.'

Haar spiegelbeeld bewoog, haar mond ook. Maar het gezicht dat haar aankeek, was anders dan het gezicht dat ze gewend was.

Haar ogen waren... paars.

De kraai. Die had paarse ogen gehad. Even.

Dit kon niet. Eveline kneep haar ogen dicht en opende ze weer, maar de kleur bleef. Toen ze naar voren leunde en haar gezicht dichter bij de spiegel bracht, kon ze er niet meer omheen: wat anders bruin was, was nu echt paars. 'Dit kan niet,' zei ze hardop en meteen deinsde ze achteruit, alsof ze bang was dat haar spiegelbeeld iemand anders was en haar door het glas zou aanvallen. Jeroens stem bleef maar in haar hoofd spoken: *je hebt een kwade geest wakker gemaakt.*

Ze knipte abrupt het licht bij de spiegel uit, trok wild haar T-shirt over haar hoofd en worstelde zich uit haar spijkerbroek. Haar kleren belandden in een prop in de hoek van haar kamer en ze dook haar bed in, waarna ze haar dekbed over haar hoofd trok en Boris stevig tegen zich aan klemde, als een drenkeling die zich vastklampt aan een stuk hout. Ze kneep haar ogen stijf dicht en probeerde nergens meer aan te denken, behalve één zin die ze voor zichzelf bleef herhalen: *ik ga slapen en als ik morgen wakker word, ben ik weer normaal.*

2

De volgende morgen werd Eveline wakker door de zon die op haar gezicht viel. Fijn, het was mooi weer. Dat betekende dat ze met Cleo naar de Paddenpoel zou gaan. Toen besefte ze dat ze over haar ouders had gedroomd. Ze droomde bijna nooit over hen, want hoe kun je nou over twee mensen dromen waar je geen herinneringen aan hebt? Eveline had geen foto's van hen en ze kon hun gezichten niet meer voor de geest halen, maar heel soms kwamen er flarden door in haar dromen, zoals vannacht: een geur van zoetig warm zomers gras, haar vader die op zijn rug naast haar in het gras ligt, haar handje in zijn grote hand. Haar vader heeft geen gezicht, alleen een stem, kalm en laag. 'Kijk, Line.' Op zijn hand zit een lieveheersbeestje. 'Als je haar eraf blaast, mag je een wens doen.'

'Mag ik alles wensen?'

'Ja, en de wens komt altijd uit.'

Eveline kon zich niet meer herinneren wat ze had gewenst. Een fiets?

Ze begroef haar neus onder de deken en probeerde het gevoel van haar handje in haar vaders hand vast te houden, de klank van zijn stem in haar hoofd op te slaan, maar het verdween als sneeuw voor de zon omdat ze uit dromenland terugkeerde naar de aarde.

Ik had moeten wensen dat ze niet dood zouden gaan.

Door het woordje 'dood' in haar hoofd kwam het duistere gevoel waarmee ze wakker was geworden naar boven en ze schoot overeind.

Gisteren. Het glaasje draaien, de boodschap.

Mijn ogen.

Ze vloog zo snel haar bed uit dat haar dekbed om haar benen bleef haken en ze plat op haar gezicht viel. Boris was uit bed gevallen en keek haar met zijn plastic ogen vrolijk aan. Het viel haar nu pas op dat zijn ogen bruin met zwart waren.

'Lach maar,' zei ze hardop, ze hees zichzelf overeind en hinkte naar de spiegel. *Mijn ogen zijn gewoon weer bruin*, dacht ze, terwijl ze haar handen voor haar ogen sloeg en tussen haar vingers door in de spiegel spiekte.

Bruin.

Haar ogen waren bruin.

Pfoeh.

Ze boog zich dichter naar haar spiegelbeeld. Had ze niet een klein beetje paarsige gloed onder het bruin van haar irissen zitten? Het leek er wel op, maar dat haalde ze alleen maar in haar hoofd. Het was allemaal verbeelding geweest. Door de spanning van het stiekem glaasje draaien en de vreemde dingen die erna waren gebeurd had ze gisteren gedacht dat ze paarse ogen had. Maar nu waren ze weer gewoon bruin. 'Zie je wel,' zei ze tegen Boris. 'Er is niks met mij.'

Ze sms'te Cleo: *Paddenpoel. Over een uurtje.* Daarna rende ze naar de douche, schoot als een speer in haar spijkershort en T-shirt, graaide haar slippers onder haar bed vandaan en sprintte naar beneden. Chantal stond in haar kanariegele badjas in de keuken en deed een koffiepad in het apparaat. De televisie stond alweer aan. Op het scherm lag een geblondeerde vrouw in een loeistrak rood gympakje en met een heleboel make-up op op haar buik op een ingewikkeld uitziend apparaat haar benen en armen tegelijkertijd te bewegen, alsof ze moest leren zwemmen.

'Goedemorgen,' zei Eveline en ze gaf haar adoptiemoeder weer een kus op haar wang. Chantal keek haar – weer – stomverbaasd aan. 'Wat ben jij in een goed humeur,' zei ze.

Eveline slikte een flauwe opmerking in en glimlachte. 'Het is mooi weer,' zei ze. Ze schoof aan tafel en smeerde een boterham met pindakaas waar ze stukjes banaan overheen drappeerde. Daarna maakte ze nog twee pindakaasboterhammen met komkommer en sambal.

'Je verandert nog eens in een pinda,' verzuchtte Chantal die zelf een boterham met jam at. 'Ik kan ook een eitje voor je bakken.'

'Geen tijd,' zei Eveline met volle mond en ze stond alweer, terwijl ze de boterhammen slordig in een plastic zakje propte. 'Ik heb bij de Paddenpoel afgesproken.' Ze trok de koelkast open. 'Ik neem deze mee, goed?' Ze hield een fles frambozenlimonade omhoog.

'Neem maar mee, ik drink het niet,' zei Chantal met een vies gezicht. Ze keek Eveline onderzoekend aan.

'Wat?' Evelines handen schoten onwillekeurig naar haar gezicht. Haar ogen waren toch nog wel bruin?

'Je doet een beetje gek,' zei Chantal. 'Gisteren was je zo bleek alsof je net een spook had gezien, en nu stuiter je door de keuken alsof je een familiepak Snickers naar binnen hebt gewerkt.'

'Ik ben gewoon vrolijk,' snibte Eveline. 'Dat mag toch wel?' Ze griste haar boterhammen mee. 'Ik ga ervandoor,' zei ze.

'Eet je hier?'

Eveline knikte. 'Veel plezier met pakken,' zei ze. Dat was een flauwe opmerking, maar ze kon het niet laten: Chantal begreep haar helemaal niet. Eveline vond dat ze altijd de stomste dingen zei en soms begreep ze niet dat Chantal haar in huis had genomen, want ze leken elkaar echt helemaal niet te begrijpen, alsof ze van een andere planeet kwamen.

Ze rende met twee treden tegelijkertijd de trap op naar haar kamer. Cleo had haar terug gesmst: *ik ga nu al, zie je daar, x* en checkte tijdens het tandenpoetsen haar ogen. Ze waren toch echt bruin, maar weer had ze het idee dat er een paarse gloed onder zat.

'Je hebt te veel fantasie, Eef,' zei ze tegen haar eigen spiegelbeeld, maar voor de zekerheid griste ze in een opwelling de zonnebril mee die ze aan een koord naast de spiegel had hangen – een monsterlijke uilenbril die ze een keer voor een verkleedfeestje van Chantal had gekregen. Ze plantte het ding op haar neus. Het zag er een beetje raar uit (alsof ze uit de jaren zeventig was gewandeld), maar het gaf haar het gevoel dat ze beschermd was, al sloeg dat eigenlijk helemaal nergens op.

Twintig minuten later stuurde ze het weggetje naar de Paddenpoel op. De zwemvijver lag midden tussen een dennenbosje een paar kilometer buiten het dorp. Ze slipte over het losse zand op de weg en kon nog maar net haar fiets overeind houden. Aan het einde van het zandweggetje zag ze Cleo's fiets tussen een aantal andere fietsen staan. Ze gooide haar fiets tegen een van de bomen, trok haar tas onder haar bagagedrager vandaan en rende onder de dennenbomen door over het bospad richting het meertje. Bij de rand van het bos begon het strandje. Ze trok haar slippers uit en liep naar het groepje dat iets verderop bij en op de grote platte stenen lag die half in het water lagen. Dat was de vaste stek van hun vriendengroepje – allemaal kids uit 2B. Het was de beste plek van het hele strand, want je kon vanaf de stenen het water in springen, op de stenen liggen als het niet zo warm was en achter de stenen op het zand liggen als de zon fel scheen, want dan lag je half in de schaduw.

Maar toen ze dichterbij kwam, zag ze dat er vier mensen lagen die ze helemaal niet kende.

'Eef, we zijn hier!' Cleo stond iets verder het strand op in haar bikinitopje en zwarte shortje naar haar te zwaaien.

Eveline keek nieuwsgierig naar het groepje dat op hun plek lag. Het waren twee meisjes en twee jongens, ongeveer van haar leeftijd. Terwijl ze langsliep, keek een van de meisjes demonstratief over haar zonnebril heen en boog zich vervolgens naar het meisje naast zich en fluisterde iets in haar oor. Daarna lachten ze alle twee. Eveline voelde zich opgelaten en spiedde zo onopvallend mogelijk naar het groepje dat hun plek had ingepikt. Het fluisterende meisje was heel bruin en had een donkerbruin met gouden bikini aan. In de gauwigheid zag Eveline dat ze ook grote gouden ringen in haar oren had, alsof ze uitging in plaats van aan een meertje lag. Haar vriendinnetje was iets minder bruin, had lang blond haar en dezelfde bikini aan, maar dan in het roze met goud. Ze had een bijpassend gouden haarbandje in haar haren met een heel mooie vlinder aan de zijkant.

Het gesmoes ging door en het donkerharige meisje wees nu ook naar haar. Eveline keek naar beneden, ze had de bizarre gedachte dat ze vergeten was een broek aan te trekken, maar ze had gewoon haar spijkershort aan. 'Kun je het zien?' floepte ze er brutaal uit.

De meisjes zeiden niks. Alleen een van de jongens trok een wenkbrauw op onder een warrige bos donkere krullen. 'Ja hoor,' zei hij rustig. Eveline zag nu pas hoe knap hij was. Ze keek snel de andere kant op, versnelde haar pas en plofte een seconde later naast Cleo op haar badhanddoek.

'Ah, jij hebt "hem" ook al gezien?' zei Cleo spottend en ze kneep Eveline in haar warme wang. Eveline sloeg haar hand weg. 'Ik heb gewoon hard gefietst,' kaatste ze terug. 'Wie zijn dat? Ze liggen op onze plek.'

Cleo haalde haar schouders op. 'Geen flauw idee, ik heb ze nog nooit gezien.'

'Wat is hij knap hè?' zwijmelde Liesbeth. Ze lag op haar buik en keek onbeschaamd naar het groepje dat twintig meter verderop lag. 'Ze zien eruit als filmsterren, toch?'

Cleo maakte een braakgeluid. 'Als je je afvraagt waarom ze om je moesten lachen, dan komt dat omdat je je shirt binnenstebuiten en verkeerd om aan hebt, of omdat je die duffe bril op hebt,' zei ze tegen Eveline en trok hem van haar neus af. 'Niet bepaald in de mode.' Ze deed net of ze de bril in het water wilde gooien, maar omdat Eveline net aan haar arm trok, liet Cleo de bril per ongeluk echt los en kwam hij met een boog in het modderige water terecht.

'O, sorry – ik pak hem wel weer,' zei Cleo sussend. Ze sprong op en rende het water in, intussen een radslag makend.

'Wat heb jij nou?' zei Liesbeth. Ze wees naar Evelines gezicht.

'W-wat?' stotterde Eveline en haar handen schoten net als eerder bij Chantal naar haar gezicht.

'Hier, ik doe het wel,' Liesbeth schoof naar haar toe en veegde over haar wang, precies onder haar oog. 'Ik dacht dat je een nieuwe sproet had, maar het was een beetje mascara.' Ze grabbelde in haar tas en haalde er een mascara uit. 'Wil je weer een beetje?' bood ze Eveline aan. Eveline twijfelde even – gisteren zei iedereen dat het zo leuk stond – en met die leuke jongen die iets verderop lag... 'Misschien later,' zei ze tegen Liesbeth. 'Ik wil eerst zwemmen.'

'Je kan toch met je hoofd boven water zwemmen?' zei Liesbeth.

'Eef, ik zie je bril niet,' riep Cleo vanuit het water.

'Lekker, Cleopatra!' riep Eveline hard.

'Hé! Je hoeft niet te gaan schelden,' riep Cleo beledigd – ze haatte het als mensen haar bij haar hele naam noemden – en ze spetterde water in de richting van Eveline. 'Help anders even mee zoeken.'

Eveline trok haar short en T-shirt uit en sprong ook het water in. Ze waadde tot haar middel en dook toen onder. Ze zag bijna niets in het troebele water en gleed zo dicht mogelijk met haar buik over de bodem op zoek naar haar bril. Het water prikte een beetje in haar open ogen. Ze ging met haar handen over de bodem, maar het enige wat ze voelde was modder.

Een witte schim schoot voorbij. Eveline dacht eerst dat het Cleo was, maar toen zag ze het gezicht van een jongetje vlak bij haar eigen gezicht. Zijn donkere haar waaierde als zeewier om zijn hoofd en hij keek haar recht aan. Eveline schrok zo dat ze zich verslikte en een hele hap water naar binnen kreeg. Ze zag Cleo's voeten vlakbij en trok zich aan haar vriendinnetje omhoog.

'Jeetje, ik schrik me dood,' zei Cleo die haar omhoogtrok. 'Wat was je aan het doen?'

Evelines hoestte het brakke water uit haar longen. 'Ik verslikte me,' hijgde ze. 'Gatver, wat is dat water goor.' Ze draaide zich om en spuugde zo onopvallend mogelijk het water uit dat ze had binnengekregen. Terwijl ze de schimmelige smaak van aarde en rotte bladeren probeerde kwijt te raken, speurde ze het water af, maar het joch dat net zo vlak langs haar was gezwommen, zag ze nergens. Alleen een heel eind verderop zaten een paar kinderen in het ondiepe gedeelte met een bal in het water te spelen, maar dat waren peuters met mutsjes op, wit van de zonnebrand en met knaloranje zwemvlinders om hun armen.

'Heb jij een jongetje boven zien komen?' vroeg ze aan Cleo. 'Van een jaar of acht?'

Cleo schudde haar hoofd. Eveline kreeg kippenvel op haar armen. Ze speurde nog een keer het meertje af.

Cleo schudde aan haar arm. 'Wat zoek je?'

'Dat jochie, hij zwom...' De blik van Cleo zorgde ervoor dat ze haar mond dichtklapte.

'Ik heb iedereen die bij het meertje is wel gezien, Eef,' zei Cleo. 'Er zijn hier geen basisschoolkids. Die hebben pas een week later vakantie.

'Laat maar.' Eveline maakte een wegwuifgebaar. 'Het was vast een vis.' Ze begon naar de kant te waden.

'Wel een heel dikke vis,' mompelde Cleo achter haar. 'Ik denk dat je bril weg is, vast opgegeten door die vis,' zei ze er iets harder achteraan. 'Sorry, Eef.'

'Maakt niet uit,' zei Eveline. 'Hij was toch van Chantal.'

Toen ze naar hun plek terugliep, zag ze dat het andere groepje overdreven naar haar zat te kijken. Wat was er nou weer? Had ze haar bikini ook verkeerd om aan? Maar dat was niet zo. Misschien hadden ze elkaar zo weinig te vertellen dat ze dan maar naar anderen moesten kijken.

Jelle, Marieke, Alma, Mark en Jeroen waren gearriveerd en druk aan het roddelen over de plaatsinpikkers.

'Wie doet er nou zoveel make-up op en sieraden om?' bitste Marieke.

'Echt overdreven,' viel Liesbeth haar bij, daarbij blijkbaar vergetend dat ze zelf oogpotlood, mascara en groene oogschaduw op had in dezelfde kleur als haar bikini. Liesbeth en Marieke waren de fashionista's van de klas en hadden altijd dingetjes aan die ze in tijdschriften hadden gezien. Ze maakten nooit dingen zelf, zoals Eveline en Cleo wel eens deden.

'Vind je ook niet?' Marieke stootte Jelle aan die naar de twee mooie meisjes verderop staarde. Dat was duidelijk niet naar haar zin. 'Het zijn net barbies.'

'Jaloers,' hoestte Cleo in haar hand, wat haar een valse blik van Marieke opleverde.

'Hebben jullie trouwens gehoord wat er gisteren op het feestje is gebeurd?' zei Alma op samenzweerderige toon.

'Gaan we het weer over geesten hebben?' zei Cleo met een zucht. 'Volgens mij heeft Eef wel genoeg gehad.'

'Heb je er nog wat van gemerkt?' vroeg Marieke aan Eveline. 'Is er iets raars gebeurd?'

'Zoals wat?' vroeg Eveline zo luchtig mogelijk.

'Lichten die uit- en aangaan of het gevoel dat er iemand bij je in de kamer is, of dingen die van de muur af vallen, kranen die zomaar opengaan... Dat soort dingen,' lepelde Jeroen in een razend tempo op.

'Ja, het licht in mijn kamer ging wel aan en uit,' zei Eveline met een onheilspellend lachje.

Mariekes ogen werden groot. 'Echt? Zie je wel dat er een geest bij je is gebleven!'

'Met het lichtknopje,' viel Eveline haar in de rede. De anderen lachten om Mariekes beteuterde gezicht.

'Daar had ik het helemaal niet over, ik wilde vertellen dat Diede gisteren heeft gekust...' Alma liet een dramatische stilte vallen, '... met Bianca.'

'Onze studiebol heeft met Diede gekust?' zei Marieke op een toon alsof ze vroeg of Bianca een derde oor aan haar hoofd had groeien. Alma knikte. 'Buiten op het grasveldje bij jou tegenover het huis – Liesbeth en ik hebben het gezien.'

Liesbeth knikte heftig. Eveline ging op haar rug op haar handdoek liggen en deed haar ogen dicht. Ze luisterde half naar het geroddel van haar klasgenoten. Dus Bianca had nu ook al gezoend? Ze had altijd gedacht dat Bianca waarschijnlijk ongeveer de laatste van de klas zou zijn, maar zoals het er nu uitzag, was zij waarschijnlijk straks de laatste ik-heb-nog-nooit-gezoend-nerd. Ze zuchtte. Ze vond de jongens in haar klas heus wel aardig, maar niet om mee te zoenen. Cleo zei altijd dat ze niet zo moeilijk moest doen en gewoon haar ogen moest dichtdoen en haar tong in een jongensmond moest steken. Cleo beweerde dat zij dat ook al een paar keer had gedaan op vakantie, onder anderen met een Franse jongen die François heette en die heel erg naar knoflook bleek te stinken. Maar Cleo zoende niet met jongens uit hun klas of van hun school en leek ook nooit iemand leuk te vinden.

Ze gaapte en rekte zich uit. Zo in de zon, met haar kwebbelende klasgenoten om zich heen en het geluid van watergespetter en de geur van zonnebrand en droog gras, leken alle rare dingen van gisteravond heel ver weg, alsof iemand anders het allemaal had meegemaakt. De zon scheen warm op haar gezicht en maakte rode vlekken achter haar oogleden. Ze dacht terug aan de droom die ze had gehad over haar vader en hoorde zijn stem in haar hoofd: 'Je wens komt altijd uit, Line..' En als ze goed haar best deed, dan kon ze bijna de geur ruiken die haar aan haar moeder deed denken, zoetig en warm, zoals vanillesuiker.

Een natte koude hand op haar buik haalde haar uit haar gemijmer. Ze schrok op en keek recht in het gezicht van een grijnzende Cleo. 'Kom op, lui varken, we gaan voetballen,' zei ze en ze sjorde Eveline aan haar arm omhoog. Eveline zag Jelle, Mark en Jeroen een eindje verderop op het 'voetbalveldje' staan: droog stoppelig gras dat prikte aan je voeten, met twee ijzeren goaltjes aan elke kant. Diede kwam net aanlopen.

'Die twee jongens van daar doen ook mee,' zei Cleo luchtig. Ze gaf Eveline haar spijkershort aan en wees naar de jongens van het andere groepje die naar het veldje kwamen lopen. Eveline slikte – moest ze tegen die ontzettend knappe jongen voetballen? Cleo voelde dat ze twijfelde en duwde haar richting het veld. 'Eef en ik zitten wel samen in een team hoor!' gilde ze van een afstandje tegen de jongens.

'Wij ook,' zei de donkere jongen, terwijl de knappe jongen zijn wenkbrauw weer optrok. Eveline kon hen bijna horen denken: daar winnen we makkelijk van. Ze zette haar stoerste gezicht op en liep naar de jongens. 'Hoi,' zei ze en ze stak haar hand uit. Van dichtbij was de jongen nog mooier, hij had donkere krullen en was heel bruin, waardoor zijn tanden nog witter leken. Hij had geen shirt aan en Eveline probeerde niet naar zijn gespierde armen te kijken. Hij schudde haar hand en keek haar nieuwsgierig aan, waardoor ze bijna weer moest blozen. 'Ik heet Dimitri,' zei hij, 'maar iedereen noemt me Dimmi.'

'Dit is Eef en ik ben Cleo,' zei Cleo die hem zo'n stevige hand gaf dat zijn gezicht pijnlijk vertrok. 'Sorry, deed ik je pijn?' zei ze uitdagend.

Hij schudde snel zijn hoofd. 'Nee hoor.'

Ze gaven daarna de andere jongen een hand. Hij heette Stan en was ook knap, al vond Eveline Dimmi veel knapper. Stan was zeker zo groot als Mark en heel gespierd. 'Vier tegen vier dan maar?' besliste Cleo. 'De nieuwe jongens bij elkaar, wij bij elkaar, dan moeten jullie je verdelen,' zei ze tegen de vier jongens uit hun klas.

Eveline keek over haar schouder naar 'hun' plek. De twee meisjes liepen net in hun glamourbikini's naar het water. Ze hadden hun haren in een knot op hun hoofd gebonden en hadden alle twee lange dunne benen. Eveline vond dat ze erg op flamingo's leken.

'Doen jullie meisjes niet mee?' zei Cleo toen ze de twee behoedzaam het modderige water in zag waden.

'Het zijn niet "onze" meisjes,' zei Dimitri snel.

'Meisjes kunnen niet voetballen,' floepte Stan er tegelijkertijd uit.

Meteen haalde Cleo een hand door haar haar zodat het in een korte zwarte kuif op haar hoofd bleef staan. Ze leek op een haan die klaar was om te vechten. 'O nee? Dan vinden jullie het vast niet erg om een weddenschap af te sluiten.'

'Waar wedden we dan om?' vroeg Dimmi die een stap naar voren deed.

'We spelen vijfbal, en als wij eerder vijf keer scoren dan jullie, krijgen wij onze plek terug.'

'Jullie plek?' zei Stan. Hij sliste een beetje en spuugde toen op de grond. 'Het is toch niet jullie plek?'

'Tot vandaag wel, en wij willen hem terug. Voor altijd. Of zijn jullie hier maar één keer?'

Stan trapte de bal omhoog en balanceerde hem op zijn voet. Eveline slikte. Het leek erop alsof hij heel goed kon voetballen. 'Neuh, we zijn hier de hele zomer, dus ik denk dat we hier vast nog wel vaker komen.'

'Hebben we een deal?' Cleo stak haar hand uit, maar Dimmi maakte een afwerend gebaar. 'Ho,' zei hij, 'en als jullie verliezen? Dan mogen wij iets verzinnen.'

Cleo trok haar wenkbrauwen op. Verliezen was niet iets waar zij veel rekening mee hield. Ze sloeg haar armen over elkaar. 'Oké, wat dan?'

'Dan is de plek van ons. Voor de rest van de zomer,' zei Dimmi. Hij sloeg ook zijn armen over elkaar, waardoor die nog gespierder leken. Eveline slikte en negeerde het gekke gevoel in haar buik.

'Nou?'

'Dat is goed,' zei Cleo.

'Dat kan je toch niet beslissen voor de rest?' siste Jelle meteen.

'Dan moeten we maar beter voetballen dan zij,' zei Cleo. 'Kom jij bij ons?'

Eveline vond dat een goede keuze. Jelle was minder groot dan Jeroen en een stuk kleiner dan Diede en Mark, maar wel de beste voetballer.

'Wacht even,' zei Stan. 'Wij kunnen toch niet met twee in het team spelen die willen verliezen.'

'Tja,' zei Cleo. 'Dan moet je Tropical Barbie en Beach Barbie maar uit het water halen en vragen of zij meedoen als je ons niet vertrouwt. Vijfbal is vier tegen vier.' Met een handige veeg van haar voet pikte ze de bal van Stan af. 'Zeg het maar.'

'Nee, nee, we doen het wel zo,' zei Stan snel. 'Dan kies ik jou,' zei hij tegen Diede.

'Mij maakt het niet uit,' zei Cleo quasi-onverschillig. 'Wie wil er nog bij ons?' vroeg ze aan Mark en Jeroen.

Mark stak zijn hand op. 'Ik wil wel bij het meisjesteam,' grapte hij. 'Als ik maar geen rokje aan hoef.'

Eveline schoot in de lach, want Mark was een jaar ouder dan de rest en daardoor ook nogal volwassen. Hij had zelfs al een beetje een baard, iets waar hij zogenaamd heel nonchalant over deed, maar waarvan iedereen wist dat hij er nogal trots op was. Mark in een rokje maakte een heel vreemd plaatje in haar hoofd.

'Oké,' Cleo legde de bal in het midden. 'Wie het eerst vijf goals scoort, wint. De regels zijn: er zijn geen regels, behalve...'

'Geen *hands* en geen schoenen,' dreunden ze met z'n allen in koor op (behalve Stan en Dimmi). Cleo grinnikte. 'Goed afgericht, hè?' zei ze tegen de twee nieuwe jongens. 'Klaar? Jullie mogen beginnen, omdat jullie nieuw zijn.' Ze legde de nadruk expres op het woord 'nieuw'.

'Moeten we niet seerst een opstelling maken?' sputterde Stan.

'Geen regels en geen opstelling,' zei Cleo. 'Klaar?'

Dimmi zag eruit alsof hij het allemaal supergrappig vond. 'Wij zijn er klaar voor,' zei hij. Hij liep naar de bal en trapte die achteruit naar Stan.

'Banzai Bami!' gilde Cleo en voordat Stan het doorhad, had Cleo de bal al onderschept. Jeroen probeerde haar te tackelen, maar ze sprong snel als een haas over zijn voet heen en dribbelde naar het kleine goaltje, waar ze de bal behendig in trapte. 'Een-nul!' riep ze jennerig naar Stan. 'Enne... je mond staat open.'

Dat was waar. Stans mond hing zo ver open dat er haast een kleine auto in paste.

'Respect,' zei Dimmi tegen Eveline. 'Ben jij ook zo goed?'

Eveline wist niet zo goed wat ze daar nou op moest zeggen, dus zei ze maar niks. Cleo had intussen de bal weer in het midden gelegd. Dit keer nam Stan hem, die hem naar Dimmi speelde. Dimmi dribbelde een stukje over het gras en stond toen recht tegenover Eveline. Ze zag aan hem dat hij een schijnbeweging wilde maken en pakte de bal vrij eenvoudig van hem af.

'Hier!' riep Jelle die meteen een sprint naar voren nam. Ze schoot de bal voor, Diede was te laat (hij was groot, maar daardoor soms ook trager), Jelle draaide zich om en maakte er twee-nul van. Zijn armen schoten omhoog en zo rende hij naar Eveline. 'Mooie voorzet,' riep hij terwijl hij haar optilde en een eind meezeulde.

'Jelle, kappen,' riep ze en ze wurmde zich uit zijn greep. Jelle deed dat wel vaker als ze voetbalden en meestal vond ze het niet erg, maar nu op een of andere manier wel. Ze ving nog net de veelzeggende blik van Cleo op, maar negeerde die maar. Dat moest ook wel, want Stan had er blijkbaar de pee in, dus die had de bal snel uit het doeltje gehaald en trapte hem alweer naar een van zijn teamgenoten. Dimmi had nu ook wel door dat hij zijn best moest gaan doen omdat hij anders misschien wel zou verliezen van een 'meidenteam', dus hij nam de bal fanatiek aan en duwde Eveline nogal bruusk opzij, waarna hij koers zette naar het andere doel. Eveline rende snel achter hem aan en probeerde hem pootje te haken, maar hij was te snel: hij slalomde om Mark heen en schoot de bal in het doel. 'Twee-een,' brulde hij en hij gaf Stan een high five. Toen wipte hij met zijn voet de bal handig uit het doel en gaf hem 'galant' aan Cleo. 'Dames, hij is voor jullie,' zei hij treiterig, waardoor er ongeveer rook uit Cleo's oren kwam en ze zonder iets te zeggen de bal uit zijn handen graaide en hem hardhandig op de middenstip plofte.

'Tss, moet je haar zien,' klonk het van de zijkant. De twee meisjes waren uit het water gekomen en stonden langs de kant van het veldje. Cleo negeerde de opmerking en schopte de bal naar Mark. Ze waren nu allemaal hyperfanatiek, dus iedereen knokte keihard voor de bal. Cleo was briljant, ze rende als een gazelle over het veld, was overal en tackelde Stan net voordat hij wilde scoren, maar uiteindelijk kon het 'meidenteam' niet voorkomen dat Jeroen de gelijkmaker maakte.

'Dimmi!' riep het bruinere meisje met het bruine haar vanaf de kant. 'Komen jullie?'

'We zijn bezig, Arabella,' riep hij hijgend.

Eveline proestte het uit en ze sloeg snel haar hand voor haar mond. *Arabella?*

'Ik had vroeger een vogelspin die Arabella heette,' zei Cleo droog. 'Arabella de Tarantula.'

Het Arabellameisje kneep haar ogen samen, maar zei niks. In plaats daarvan trok ze een pruillip. 'Stan, Dimmi, kom nou.'

Maar Stan en Dimitri waren helemaal niet van plan om te komen en streden hard verder voor 'hun' plek aan het meertje. Cleo maakte nog een geweldige goal met een soort karateomhaal. Eveline grinnikte toen ze Stan en Dimmi vol ontzag naar de tengere Cleo zag kijken die maar weer eens van blijdschap een radslag over het veld maakte. 'Drie-twee,' gilde ze. 'Drie-twee.'

'Respect, man,' mompelde Stan. Voordat hij de bal weer nam, fluisterde hij iets in Dimmi's oor. Het meidenteam kwam er al snel achter wat het was, want zo gauw hij de bal had uitgenomen, kleefde Stan als een schaduw aan Cleo, waardoor ze haar niet meer konden aanspelen. Helaas voor Cleo was Stan net zo snel als zij. Zonder hun vliegende spits was het moeilijker voor hen om te scoren (Eveline vond altijd dat zij niet zo'n killerinstinct had: zo gauw ze voor het doel was met de bal, werd ze zenuwachtig en schoot ze naast). Het duurde een hele tijd, waarbij ze in de brandende zon heen en weer renden, puffend met hun tong op hun voeten. Eveline had het gevoel dat haar tong in een plak schuurpapier was veranderd en snakte naar een slok water, want haar hoofd ontplofte. De twee barbies hadden het kijken opgegeven en lagen nu als uitgestrekte pauwen in de zon te bakken.

'Hij scoort!' riep Jeroen triomfantelijk toen een heel suf balletje door een graspol van richting veranderde en met een slakkengang het doel in stuiterde.

'Wat een prutsgoal,' zei Cleo die verschrikkelijk gefrustreerd was omdat ze geen bal meer kreeg. Haar gezicht stond op onweer. 'Die telt voor een halve.'

'Drie-drie,' zei Stan triomfantelijk en hij plantte de bal weer in het midden.

'Pauze,' riep Dimmi die voorovergebogen stond uit te hijgen. 'Water!'

Eveline rende naar haar fles die ze langs de kant had gelegd en dronk gulzig van het lauwe water.

'Kijk eens wie daar aankomt?' zei Cleo. Ze wees naar een figuurtje dat van het bospad het zand op liep.

'Bianca,' zei Eveline.

'Drie keer raden voor wie die komt,' zei Cleo.

Ze spiedden naar Diede, maar die stond met zijn rug naar Bianca toe water te drinken als een kameel in een oase. Bianca had een grote hoed op en een rokje aan waar haar witte benen als twee melkflessen onder-uit staken. Ze liep langzaam en een beetje bedeesd, alsof ze niet zo goed wist wat ze op een strand moest. Over haar schouder hing een linnen tas waar 'Onbespoten groenten zijn goed voor je!' op stond. Toen ze iets verder op het strand was, keek ze zoekend om zich heen en koerste vervolgens recht op de plek af waar barbie en barbie lagen.

'Wat doet zij nou?' vroeg Cleo zich hardop af. Bianca stapte resoluut verder, haar sandalen in haar hand.

'Ze heeft haar bril niet op,' zag Eveline. 'Diede heeft haar vast uitge-legd wat onze stek is, maar daar liggen zij nu, alleen kan ze het niet goed zien omdat ze haar bril niet op heeft. Kom.' Ze trok Cleo mee en samen liepen ze naar hun kippige klasgenoot toe. Maar ze waren niet snel genoeg, want Bianca stak haar hand al op naar het groepje. 'Hoi,' riep ze met een dappere glimlach.

De meisjes draaiden hun hoofd tegelijkertijd naar Bianca, alsof ze twee verschillende versies van een robot waren. Het Tarantulameisje kwam half overeind. Haar bruine huid glansde van de olie. 'Wie ben jij nou weer?' zei ze geïrriteerd.

Op Bianca's gezicht was verwarring te lezen. 'O, ik dacht dat jullie...' stotterde ze en ze keek een beetje zoekend om zich heen.

'Weet je niet dat zulke meisjes als jij niet bij ons in de buurt mogen komen?' zei Arabella vals.

'Maar ik...'

'Wegwezen,' siste het meisje met het blonde haar. 'Je hoort hier niet.'

'Ja, ga naar je eigen soort,' voegde Arabella eraan toe.

Bianca's schouders zakten een stukje en haar hoed leek drie maten te groot. Het ene hengsel gleed van haar schouder en toen ze wilde weg-lopen, bleef haar voet erin haken, zodat ze struikelde en met haar ge-zicht in het zand viel. De twee meisjes begonnen hard te lachen.

Cleo en Eveline renden snel naar Bianca en wilden haar omhooghel-pen, maar ze stribbelde hevig tegen.

'Wij zijn het,' siste Cleo. Bianca had tranen in haar ogen. 'We liggen ergens anders omdat die duffe struisvogels op onze plek zijn gaan lig-gen.' Eveline veegde snel het zand van Bianca's wangen en zette haar hoed weer recht op haar hoofd. 'Coole hoed,' zei ze. 'Lekker retro. Zou goed bij mijn zonnebril passen als Cleo hem niet in het water had gegooid.' Ze liepen zonder de meisjes nog een blik waardig te gunnen aan weerszijden van Bianca naar hun plek, waar de andere meiden lui in tijdschriftjes lagen te bladeren.

'Heb je je bril wel bij je?' vroeg Cleo laconiek aan Bianca. 'Misschien wel handig voor als je naar onze voetbalwedstrijd wil kijken waar Diede ook aan meedoet. Dan zoen je in elk geval straks niet de verkeerde.'

Eveline dacht dat zij kon blozen, maar Bianca won wel de bloosprijs. Haar wangen werden roodpaars toen Cleo Diedes naam noemde en het feit dat ze hadden gekust.

'Iedereen weet het al, hoor,' troostte Cleo Bianca. 'We zijn allemaal voor.'

'Echt?'

'Yep. Komen jullie mee? Het staat drie-drie. We spelen vijfbal en als we verliezen, zijn we de hele zomer onze plek kwijt,' dropte Cleo de bom op de anderen.

'Wat! Heb je daarom gewed?' riep Marieke kwaad. 'Dat beslis jij toch niet?'

'Te laat,' zei Cleo schokschouderend. 'Komen jullie aanmoedigen? Vinden Jelle en Diede vast niet erg,' zei ze met een ondeugende grijns.

'We beginnen weer!' riepen de jongens vanaf het grasveld. Eveline en Cleo renden naar het veldje, de andere meisjes liepen erachteraan, Bianca als staart van het groepje.

'Wel dapper van haar dat ze er is,' zei Eveline tegen Cleo.

'Ik zou die duffe dozen wel iets...' Cleo maakte een karatetrap in de lucht die boekdelen sprak. Eveline was niet zo goed in vechtsporten zoals haar vriendinnetje, maar het verbeeldde prima hoe zij zich ook voelde. Ze keek over haar schouder naar de arrogante meisjes. Ze *moesten* winnen! Ze gunde het hun niet dat ze hun plek zouden hebben, de hele zomer!

Maar zo gemakkelijk ging dat niet. Toen Diede zag dat Bianca er ook was, zette hij zichzelf in een hogere versnelling en stoomde als een wals over het veld heen. Stan hield nog steeds vast aan zijn tactiek en kleefde als een kwal aan Cleo. De meisjes langs de kant schreeuwden hun longen uit hun lijf voor het meidenteam, maar het hielp niks, Dimmi scoorde al snel en het stond vier-drie voor het jongensteam.

'Nog eentje!' riep Dimmi blij.

Cleo spuugde ongeveer vuur. 'We mogen niet verliezen,' siste ze tegen Jelle, Eveline en Mark. 'Eveline, jij moet bij Dimmi blijven en doen wat Stan ook bij mij doet. Hij is veel te gevaarlijk.'

'Oké,' zei Eveline. 'Ik hoop dat ik hem bij kan houden.'

Het volgende kwartier was een hel voor Eveline. Dimmi was heel snel en ze moest al haar kracht gebruiken om bij hem te blijven. Hij scheen het nogal grappig te vinden en maakte allerlei schijnbewegingen om haar op het verkeerde been te zetten, ook als de bal helemaal niet in de buurt was. Stan zat er doorheen en had zijn taak overgedragen aan Diede, die het niet scheen uit te maken of ze hun plek voor de hele zomer zouden verliezen, maar alleen maar indruk scheen te willen maken op de witbenige Bianca die langs de kant stond te stralen. Elke keer als hij de bal kreeg riep ze heel hard: 'Scoren, Diede!'

Gelukkig was Diede steeds meer bezig met proberen te scoren en minder met het schaduwen van Cleo, waardoor zij eindelijk kans zag om vrij te lopen, waarna Mark haar de bal toespeelde. Ze haalde uit en schopte hard op het doel. Dimmi maakte een schuiver in een wanhoopspoging om de bal tegen te houden, maar hij was te laat en de bal kwam met een doffe klap tegen het ijzer van de goal aan.

'Yes!' riep Cleo triomfantelijk. Stan rende naar de bal en legde hem pijlsnel in het midden. 'Wie nu scoort, heeft gewonnen,' beet hij Cleo toe. Eveline vond dat ze wel aan elkaar gewaagd waren; ze waren beiden bloedfanatiek.

Alsof de barbies voelden dat het er nu om ging spannen, kwamen ze weer langs de kant staan, een heel eind van Bianca en de rest van de meiden af. 'Kom op, Dimmi,' riep Arabella, toen Cleo Dimmi passeerde met een schijnbeweging. 'Je laat je toch niet op je kop zitten door dat meisje?' Stan kleefde weer als een nat snoepje aan Cleo. Hij was een stuk sneller dan Diede, dus hoezeer ze ook rende, ze kreeg het niet voor elkaar om vrij te lopen. Dimitri rende intussen achter Eveline aan, die vrij voor het doel probeerde te komen zodat Jelle de bal kon voorzetten; hij schoot precies over de lange Jeroen heen en Eveline wilde de bal met haar linkervoet aannemen, toen Dimmi zonder terughoudendheid als een dolle stier hard tegen haar aan botste en haar vloerde. Ze smakte met haar rug tegen de grond en alle lucht werd uit haar longen geduwd.

'Strafschop!' gilde Cleo. Ze gaf Dimmi een duw. 'Lomperik. Het is geen rugby.'

'Sorry,' stotterde hij. Hij knielde neer bij Eveline die nog naar adem lag te happen. Tussen de zwarte vlekken die voor haar ogen dansten, verscheen zijn bezorgde gezicht. 'Sorry hoor. Gaat het?' vroeg hij.

Eveline knikte, want ze kon nog niet praten. Hij hielp haar overeind. 'Heb je geen lucht?' vroeg hij lief. Eveline knikte weer. Hij duwde zachtjes zijn hand in haar rug zodat ze met haar hoofd richting haar knieën ging. 'Je moet een beetje naar voren hangen, dat helpt,' zei hij wijs en het hielp inderdaad. Terwijl ze met haar hoofd tussen haar knieën hing, was ze zich veel te bewust van zijn warme hand die nog steeds tussen haar schouderbladen lag.

'Tsss,' klonk er weer van de kant. 'Wat een aanstelster.'

'Let maar niet op haar,' zei Dimmi. Eveline keek op en zag dat hij lange donkere wimpers had die waanzinnig omhoogkrulden. Hij stak zijn hand uit. 'Kom je weer?' Hij trok haar overeind.

Cleo had de bal al voor de goal gelegd. 'Penalty,' zei ze beslist. 'En Eef mag hem nemen... tegen jou.' Ze prikte met haar vinger in Dimmi's borstkas. 'Ga maar in je doel staan.'

Dimmi deed wat Cleo hem opdroeg en Eveline liep naar de bal. De goaltjes waren niet zo breed, zo'n meter of twee, en maar een meter hoog. Ze had het idee dat ze die bal met geen mogelijkheid langs Dimmi zou krijgen, vooral niet omdat haar benen een beetje rubberachtig aanvoelden.

'Je kunt het,' fluisterde Cleo haar moed in. 'Hij is het sterkst op zijn rechterkant, dus je moet hem er aan de andere kant inschieten. Maar eerst een schijnbeweging maken.'

Eveline knikte. Haar adem ging in korte stoten en haar hart roffelde als een drum in haar borst. Ze ademde een paar keer diep in en uit en schatte de afstand in. Ze kon wel niet zo goed voetballen als Cleo, maar ze hadden wel eindeloos penalty's geschoten, dus dat zou wel moeten lukken. Alleen was Dimmi een stuk breder dan Cleo, waardoor het doel kleiner leek.

'Kom op, Eef!' riepen Marieke en de rest langs de kant. Ze keek opzij en zag dat Diede en Jeroen stiekem ook hoopvol naar haar keken, zij wilden natuurlijk ook liever dat ze wonnen en hoewel ze sportief genoeg waren om hun best te doen voor het andere team, wilden ze waarschijnlijk niet de winnende (en dus verliezende) goal maken, waardoor ze hun favoriete stek kwijt waren.

Dimitri stond als een echte keeper een beetje voorovergebogen met zijn handen wijd en zijn voeten uit elkaar in het goaltje.

'Eef klaar? Dimmi klaar?' zei Cleo die zichzelf opwierp als scheidsrechter.

Ze knikten beiden.

Cleo hief haar hand in de lucht en liet hem toen zakken. 'Go!' riep ze hard. Eveline liet de lucht uit haar longen ontsnappen, nam een kleine aanloop en deed wat Cleo had gezegd: ze maakte een subtiele schijnbeweging en keek ook die kant op, maar schopte vervolgens hard naar de andere kant. Het werkte perfect. Dimmi dook naar de verkeerde kant, maar Eveline zag al dat de bal nét naast zou gaan. Ze wilde haar hoofd al afbuigen en haar schouders ophalen, toen vanuit het niets een jochie verscheen. Hij stond bij de paal waar de bal langs zou gaan, en tikte de bal met een kleine beweging van zijn voet aan, waardoor hij een heel klein beetje van richting veranderde. In plaats van dat de bal net naast ging, ging hij rakelings langs de binnenkant paal en stuiterde in het doel.

Evelines mond viel open, toen Cleo om haar nek viel. 'Het is gelukt!' gilde ze keihard in haar oor. 'Wat een bal! Wat een mazzel dat die graspol daar lag!'

Jelle en Mark pakten Eveline bij haar benen en namen haar op hun schouders, waarna ze met haar over het veld rondhosten. Eveline probeerde in het gehops naar het doeltje te kijken, waar het jochie nog steeds stond. Hij keek haar verdrietig aan met zijn afhangende witte schouders.

De anderen zagen hem niet. De anderen kunnen hem niet zien, dreunden haar gedachten in haar oren. *Hoe kan dit?*

'Ik zei toch dat we zouden winnen,' zei Cleo triomfantelijk tegen Stan en Dimmi. Ze keken wat beteuterd naar het felle meisje. 'Het geeft niet hoor,' zei ze troostend. 'Er zijn wel meer jongens die van ons verliezen.' Ze gaf hun een knipoog en rende naar de rest. Jeroen en Diede hadden zich bij Jelle en Mark aangesloten en met z'n allen droegen ze Eveline als een koningin op haar troon rond. Eveline keek weer naar het doel. Het jongetje stond er nog steeds. Zijn donkere ogen keken haar vragend aan. Ondanks de hitte en de blijdschap van hun overwinning had ze kippenvel op haar armen staan. Ze glimlachte krampachtig en joelde mee met de rest, maar intussen voelde ze vanbinnen de kille greep van angst. Eveline wist niet wat ze moest doen of wat ze hiervan moest denken. Had ze wel iets wakker gemaakt? Ze ving de blik van een triomfantelijk lachende Cleo. 'Ben je niet blij?' riep die hard.

'Jawel,' zei ze snel. Ze hopste nog steeds rond op de schouders van de jongens. Ze tikte Jelle op zijn schouder. 'Ik wil weer naar beneden,' riep ze in zijn oor. Maar hij luisterde niet en bleef met haar rondlopen. 'Hee, jongens, laat me nou,' zei Eveline. Uiteindelijk lieten ze haar. Toen haar voeten het warme zand raakten, merkte ze dat haar benen trilden.

'Hier,' zei Cleo en ze gaf haar de fles aan. Ze had zelf een knalrood gezicht van de inspanning. 'Wat een mazzel had jij met die graspol,' zei ze. 'Of was het effect?'

Eveline dronk water terwijl ze zich afvroeg wat ze moest antwoorden. Maar met elke slok werd ze misselijker en uiteindelijk gaf ze Cleo de fles terug. Moest ze nu zeggen dat het geen graspol was en ook geen effect maar dat er een jongetje dat zij als enige kon zien had meegeholpen een penalty te scoren? Het was zo absurd dat het grappig zou zijn geweest als het niet zo griezelig was.

Dit heeft te maken met gisteravond.

Ze liep terug naar haar handdoek. De misselijkheid werd steeds erger en ze was bang dat ze ter plekke in het zand zou overgeven. Ze pakte snel haar handdoek. De rest van de klas stond bij het andere groepje. Eveline zag dat Marieke met Arabella aan het praten was en bewonderend naar haar oorbellen en armbanden wees.

'Hé, je gaat toch niet weg?' zei Cleo.

'Ik voel me niet zo lekker,' zei Eveline.

'Alweer niet? Ben je ziek?' Cleo keek bezorgd.

Eveline knikte.

'Hoofdpijn?'

'Nee, dat niet.'

'Als je hoofdpijn krijgt moet je naar de dokter, hoor, want dan heb je misschien een zonnesteek.'

Ze schudde haar hoofd. Ze durfde haar vriendin bijna niet aan te kijken. 'Misschien buikgriep of zo. Ik ben misselijk. Ik wil naar huis, oké?'

'Zal ik meegaan?' vroeg Cleo.

'Nee, ik ga in bed liggen – slapen. Ik ben morgen wel weer beter.'

Bij de waterlijn joelde een jongensstem. 'Kijk eens wat cool!' riep Dimitri. Hij had Evelines zonnebril gevonden en nu op zijn hoofd geplant.

'Ga hem halen,' zei Cleo en ze gaf Eveline een duwtje in haar rug, maar Eveline had absoluut geen zin om haar zonnebril terug te vragen aan de knappe Dimitri en uiteindelijk rende Cleo het water in en griste de bril van zijn neus.

'Hé, die heb ik gevonden,' zei Dimitri.

'Hij is van Eveline,' zei Cleo. Ze gooide de bril richting haar vriendin die hem handig opving en in haar tas stopte.

'Komen jullie ook het water in?' riep hij. Meteen keek Arabella op van haar gesprek met Marieke en hield Eveline scherp in de gaten.

'Volgens mij heeft Arabella er een concurrente bij,' zei Cleo laconiek.

'Wie dan?' vroeg Eveline niet-begrijpend.

'Jij natuurlijk, Eef.' Cleo gaf haar een tikje tegen haar hoofd. 'Heb je een bord voor je kop? Die jongen vindt je leuk.' Ze bracht haar mond samenzweerderig dichter bij Evelines oor. 'Blijf je echt niet? Wie weet kun je eindelijk een keer...'

Eveline liet haar vriendinnetje niet uitpraten. 'Nee, ik voel me echt niet lekker,' zei ze en dat was ook zo. Ze hield haar handen stevig op haar buik. 'Veel plezier,' zei ze en ze zwaaide snel naar de rest zonder naar Dimitri te kijken. Haar blik gleed nog een keer naar het doeltje, maar het jochie zag ze niet meer. Had ze toch een zonnesteek? Hallucineerde ze? Maar hallucinaties konden geen bal van richting laten veranderen. Er was iets raars met haar aan de hand en ze moest weten wat, want het moest stoppen. Nu.

3

Thuis sloop ze naar haar kamer. Chantal lag in de achtertuin in een tuinstoel te bakken en had haar gelukkig niet horen thuiskomen, want ze had geen zin om haar uit te moeten leggen waarom ze nu al thuis was. Het was nog maar net na enen en de zon scheen vol door het raam in haar kamer. Ze voelde zich net een gestoofde makreel en vroeg zich af of Cleo niet gelijk had en ze misschien toch een zonnesteek had opgelopen. Haar gordijnen gingen dicht en ze zette haar computer aan. Na wat gezoem en gepiep startte hij op, maar Eveline kwam niet in actie. Ze staarde net zo lang naar het scherm totdat de vlinders van haar screensaver begonnen te dartelen. Dat bracht haar uit haar staar en ze tikte de trefwoorden 'zonnesteek' en 'symptomen' in, waarna ze op een dokterssite terechtkwam en concludeerde dat ze in elk geval drie van de symptomen had: misselijkheid, hallucinaties en intussen ook hoofdpijn. Maar ze had geen koorts en ze was ook niet duizelig en na een snelle check in de spiegel vielen bloeddoorlopen ogen en verwijde pupillen ook af.

En nu?

Ze dronk voor de zekerheid een groot glas water en ging toen weer achter haar computer zitten, besluiteloos. Moest ze toch aan Chantal vertellen wat er gisteravond en net was gebeurd? Moest ze naar een dokter?

De vlinders dartelden weer in alle kleuren van de regenboog over haar scherm. De rest van het huis was heel stil. Het leek zijn adem in te houden voor hetgeen komen ging. Ze haalde 'zonnesteek' en 'symptomen' weg en tikte daarvoor in de plaats 'glaasje draaien' in. Honderdtachtigduizend resultaten.

Ze klikte het filmpje aan dat boven aan de lijst met zoekresultaten stond. Het was een spookachtige opname van een vrouw met blond krullend halflang haar die in de camera vertelde dat ze twintig jaar geleden glaasje had gedraaid met vriendinnen en dat ze nu nog steeds spijt daarvan had. Haar stem trilde toen ze vertelde dat ze nog steeds met het licht aan sliep omdat ze bang was in het donker. Een geest had haar tijdens het glaasje draaien verteld dat hij bij haar zou blijven en daar was ze nu nog steeds bang voor, al vertelde ze niet of ze nog last had van rare dingen.

Daar heb ik dus niks aan, dacht Eveline en ze zocht verder tot ze op een site terechtkwam waarop een grote gevarendriehoek stond met een glas erin. 'Glaasje draaien? Begin er niet aan,' stond er als titel boven, alsof het een waarschuwing was voor de gevaren van alcohol.

Ben je nieuwsgierig naar glaasje draaien en denk je dat het slechts een onschuldig spelletje is? We kunnen je maar één advies geven: doe het niet!! Je denkt misschien dat je contact maakt met je lieve overleden opa of oma, maar dat gebeurt bijna nooit. Het zijn negatieve entiteiten waar je een poort voor openzet die niet meer wil sluiten. Je denkt misschien dat je ervan af bent als je stopt, of het glas kapotgooit, maar je hebt iets wakker gemaakt dat niet meer weggaat en dat kun je zelf niet meer ongedaan maken...

Het koude stroompje ging weer langs haar kuiten. Hier stond dat het glas kapotgooien helemaal niet hielp. Dat was iets anders dan wat Jeroen had gezegd. Ze wist niet zeker of ze wel verder wilde lezen.

De kwade geesten die je oproept, kunnen bij je blijven en je leven tot een hel maken. Er zijn verschillende verhalen bekend van mensen die zelfmoord hebben gepleegd omdat ze er niet meer tegen konden. De kwade entiteiten kunnen zelfs bezit nemen van iemands lichaam.

Eveline schoof met haar bureaustoel achteruit. Het voelde alsof er een olifant op haar borst zat. Kon het zijn dat er een geest in haar lichaam zat? De misselijkheid kwam terug, ze legde haar hand op haar navel en probeerde rustig in en uit te ademen, maar ze zag steeds die vrouw staan in de wc van de Gouden Draak. Was dat ook zo'n kwade entiteit? Ze sloot de waarschuwingssite af en opende een andere, maar daar stond zo ongeveer hetzelfde: het was gevaarlijk en je moest er niet aan beginnen! De volgende site had hetzelfde verhaal en die daarna ook.

Eveline trok uiteindelijk de conclusie dat íedereen vond dat glaasje draaien gevaarlijk was, maar dat er twee verschillende opvattingen waren waaróm het glaasje draaien gevaarlijk was: de ene opvatting was dat je er slechte geesten en demonen mee kon oproepen die vervolgens niet meer weg wilden en je zelfs 'bezeten' konden maken. De andere opvatting was dat je er zo bang van kon worden dat je je kon gaan inbeelden dat je geesten zag. Sommige mensen waren daar zelfs gek van geworden en kwamen in een inrichting terecht, terwijl er ook veel verhalen rondgingen over tieners die zo bang waren geworden dat ze zelfmoord hadden gepleegd.

Eveline sloot haar computer af. Tijdens haar zoektocht had haar hart steeds bijna hoorbaar in haar keel geklopt. Het lezen van de verhalen van anderen had ze bijna net zo eng gevonden als het glaasje draaien zelf, alsof ze besmet kon worden door de geesten of gekte van al die andere ervaringen. Ze wilde dat ze de tijd kon terugdraaien en kon zichzelf wel voor haar kop slaan dat ze dit had gedaan. Want overal stond dat het gevaarlijk was om te doen en er waren zoveel nare verhalen dat er toch een kern van waarheid in moest zitten?

Ze plofte op bed en zette Boris als bescherming op haar schoot. Stel je voor dat dit nooit meer wegging, dat ze rare dingen bleef zien en langzaam gek werd, hier, in haar eentje op haar kamer terwijl alle anderen lekker in de Paddenpoel aan het zwemmen waren en precies deden hoe zij zich haar ideale zomer had voorgesteld: samen met Cleo twee weken lang doen en laten wat ze wilden, nog bruiner worden, eindeloos zwemmen, een beetje voetballen, en met een jongen zoenen... Cleo had gezegd dat die knappe Dimitri haar leuk had gevonden. Eveline kon zich dat niet voorstellen, zeker niet als ze zichzelf vergeleek met die Arabella die eruitzag alsof ze zo uit een glamourblaadje was gelopen.

Eveline zuchtte. Wat maakte het ook uit? Ze had het nu verpest, want zij had zo nodig glaasje moeten draaien tegen het advies van Chantal in. Als ze die websites nou eerder gelezen had...

Ze begroef haar neus in Boris en had zin om te huilen. Straks werd ze gek. Of was ze bezeten door een kwade geest. Een klopgeest of een duivel waar ze groen van zou kotsen. Dat had ze wel eens op televisie gezien – een klein stukje van een film waarin een meisje door een duivel bezeten was waardoor ze groen kotste. Ze was per ongeluk in de film terechtgekomen tijdens een avondje tv. Cleo had naast haar gezeten en heel hard 'cool' geroepen, maar Eveline had meteen doorgezapt, met trillende handen en een mond vol speeksel omdat ze het zo eng vond. Ze had het zo eng gevonden dat ze die nacht er bijna niet van had kunnen slapen. Daar schaamde ze zich voor, dat ze zo bang was voor dat soort dingen en ze hield helemaal niet van horrors kijken. Toen ze een jaar of elf, twaalf waren hadden ze bij elk feestje horrorfilms gekeken omdat iedereen het te gek scheen te vinden. Maar Eveline vond het helemaal niet leuk. Ze probeerde dan maar met een half oog te kijken en ging om de haverklap naar de wc, maar alsnog kon ze daarna een week lang bijna niet slapen als ze daarna alleen in haar kamer in haar bed in het donker lag, omdat ze zich inbeeldde dat de enge dingen die ze op tv had gezien haar ook zouden overkomen.

Iemand klopte op de deur en Eveline schrok meteen. 'Wat?' riep ze met overslaande stem.

'Ben je al thuis?'

Het was gewoon Chantal. Geen geest. Je draait jezelf helemaal gek, Eef.

'Ik ben ziek,' riep Eveline.

De deur ging open. Chantal kwam binnen in haar kanariebadjas. Haar gezicht glom van het zweet en de zonnebrand. 'Wat heb je?'

'Misselijk en hoofdpijn.'

Chantal keek meteen bezorgd. 'Je hebt toch geen zonnesteek, hè?' vroeg ze net als Cleo. Ze bekeek haar pleegdochter nauwkeurig. 'Je bent rood. Moet je naar de dokter?'

Eveline wilde al nee schudden, toen ze bedacht dat dat misschien wel goed was. Ze had een aardige dokter – als ze nou aan hem vertelde wat er aan de hand was met haar...

'Zal ik de dokter bellen?' vroeg Chantal. Ze was zorgzamer dan anders en Eveline vroeg zich af of dat kwam omdat ze morgen op vakantie ging en ze toch een beetje zenuwachtig was om Eveline alleen achter te laten. Eveline knikte uiteindelijk maar en tien minuten later vertelde Chantal dat Eveline meteen langs kon komen en vroeg of ze haar moest brengen? Maar Eveline wilde het risico niet lopen dat Chantal mee naar binnen zou gaan zodat ze nog steeds niks aan de dokter kon vertellen over het glaasje draaien.

Ze mocht uiteindelijk op de fiets op voorwaarde dat ze een zonnehoedje van Chantal op zou doen – een oerlelijk wit stoffen ding met in schreeuwerige oranje letters 'krassen, krassen, krassen' erop gedrukt. Eveline vond dat ze er niet uitzag met het hoedje op, maar ze beloofde het zonder morren, want ze voelde zich meteen beter nu ze naar de dokter kon.

In de wachtkamer was het lekker koel na de brandende zon. Eveline voelde dat haar wangen wat minder warm waren en het gevoel dat iemand een elastieken band om haar hoofd had gespannen nam ook af. Ze trok snel het lelijke hoedje van haar hoofd en ging in een van de stoelen zitten. De wachtkamer was leeg en alleen het zachte gezoem van de airconditioning was te horen. Ze pulkte een beetje aan de bladeren van de plant die naast haar stoel stond en kwam er daardoor achter dat hij van plastic was. Daarna vermaakte ze zich een tijdje met het bestuderen van de informatiefolders over verschillende aandoeningen. *Last van astma? Een koortslip? Allergie? Flatulentie? Gordelroos? Blaasontsteking?* Ze pakte het foldertje met *Flatulentie* erop uit het rek, want ze wist niet wat het woord betekende – een chic woord voor winderigheid zag ze nu. Ze schoot in de lach en wilde het foldertje net weer terug in het rek stoppen, toen de wachterkamerdeur openging en er een oudere mevrouw binnenkwam. In plaats van te gaan zitten, stevende ze recht op de plastic plant af en begon aan de pot te trekken.

'Help me eens?' vroeg ze aan Eveline. 'Hij is te zwaar.' Ze stroopte de mouwen op van haar donkerblauwe trui, waardoor de blauwe aderen op haar handen en onderarmen goed te zien waren. Samen trokken ze de grote plant een stukje van de terracotta schotel af, waarna de vrouw iets oppakte en het bij Eveline in haar handen duwde. 'Wil je zo vriendelijk zijn om dit aan mijn zoon te geven?' zei ze. Het was een gouden horloge. 'Ik had het een tijdje geleden verstopt, omdat hij altijd op zijn horloge kijkt als hij bij me komt eten,' zei de vrouw met een stoute grijns op haar gezicht. 'Het was natuurlijk maar een geintje,' vervolgde ze.

'Wilt u het zelf niet even geven?' vroeg Eveline verbaasd. De vrouw maakte een afwerend gebaar. 'Nee, ik wil hem niet storen, hij moppert altijd dat moeders te bemoeizuchtig zijn,' zei ze met een ondeugende glinstering in haar ogen die Eveline het idee gaf dat deze vrouw erg van grapjes uithalen hield. 'Dankjewel,' zei ze vervolgens en liep de wachtkamer uit.

Het horloge zag er duur uit en Eveline stopte het – een beetje verbouwereerd – diep in de zak van haar spijkershort. Daarna concentreerde ze zich weer op de folders totdat de dokter de deur opendeed en haar zijn spreekkamer binnenriep. Ze volgde hem gedwee en ging op de zwarte stoel zitten die hij aanwees. Daarna nam hij plaats achter zijn bureau en sloeg zijn lange vingers in elkaar. Eveline zag meteen dat hij dezelfde handen als zijn moeder had. 'Begreep ik nou van de assistente dat je dacht dat je een zonnesteek had?' vroeg hij.

Eveline knikte. 'Ik ben misselijk en ik heb een beetje hoofdpijn.'

'En je bent vandaag wel in de zon geweest?' zei hij een beetje grappend.

Eveline vertelde dat ze die ochtend in de zon had gelegen en had gevoetbald. Daarna vroeg hij hoeveel ze had gegeten en gedronken en voelde hij aan haar voorhoofd en keek met een lampje in haar ogen.

'Je hebt geen zonnesteek,' was zijn conclusie. Hij ging weer zitten en keek haar onderzoekend aan met zijn aardige bruine ogen. 'Is er verder nog iets, Eveline?'

'Ik... eh...' Ze voelde de tranen achter haar ogen prikken en ze concentreerde zich wanhopig op een plastic model die boven op de boekenkast stond waar je de verschillende organen bij een man kon bekijken en eruit kon halen.

'Ja?'

Eveline slikte. 'Ik heb gisteravond geesten opgeroepen,' zei ze zachtjes. 'En nu denk ik dat ik rare dingen zie.'

Ze had half verwacht dat haar dokter zou gaan lachen, maar dat deed hij gelukkig niet. 'Wat voor rare dingen?' vroeg hij op neutrale toon.

Ze vertelde hem dat ze een jongetje had gezien bij het doel en dat ze dacht dat ze dingen zag die andere mensen niet zagen en dat ze misschien gek aan het worden was omdat ze dit had gedaan terwijl Chantal altijd tegen haar had gezegd dat ze er te gevoelig voor was.

'En daarom denk je nu dat je gek aan het worden bent?' vroeg hij.

Eveline knikte stilletjes. 'Of dat ik bezeten ben,' zei ze.

Nu lachte hij wel. 'Dat ben je zeker niet,' zei hij. 'En ik denk ook niet dat je gek aan het worden bent.'

Eveline voelde een last van haar schouders glijden en durfde hem weer aan te kijken.

'Ik ben niet zo'n fan van geesten oproepen,' zei hij. 'Geesten bestaan niet, maar pubers zoals jij kunnen er wel heel angstig van worden – vooral als je een beetje een goede fantasie hebt, en dat heb je, klopt dat?'

Eveline knikte maar weer. De dokter keek in de computer. 'Je bent een pleegkind van Chantal Brouwer, toch? En je ouders zijn omgekomen toen je tien was?'

'Ja,' zei Eveline alleen maar.

'Heb je last van nachtmerries?'

Eveline keek verbaasd. 'Soms – best vaak. Een keer in de week, of zo? Is dat vaak?'

'Vaak genoeg.' Weer die onderzoekende blik. 'Gaat het goed op school? Kun je goed meekomen? Heb je vrienden?'

Eveline knikte weer.

'Ben je bang dat je er niet bij hoort?'

Eveline knikte verbaasd. 'Hoe weet u dat?'

'Dat heb je vaker met pleegkinderen. Die voelen zich anders.'

'Ik heb als enige in de klas nog nooit gezoend,' zei Eveline plotseling. Ze beet op haar tong. Waarom zei ze dat nou weer? Maar de dokter scheen het heel normaal te vinden. 'Maak je je daar druk om?' vroeg hij zonder blikken of blozen.

Eveline haalde haar schouders op. 'Ik wil met een leuke jongen zoenen en ik vind de jongens uit mijn klas niet leuk.'

De dokter lachte nu wel. 'Dat lijkt me een heel gezonde instelling, Eveline Dijkman. En volgens mij is er ook niks mis met je. Ik denk dat je last hebt van stress. Dat hoor ik wel vaker in mijn praktijk, vooral bij meisjes van jouw leeftijd. Dan kun je soms ook wel eens denken dat je dingen ziet, vooral als je net iets griezeligs hebt gedaan.'

'Dus ik ben niet gek?' vroeg Eveline.

De dokter schudde zijn hoofd. 'Nee hoor. Maar ik wil wel dat je terugkomt als je nachtmerries erger worden, dan zou je misschien met iemand kunnen praten.'

'Een psycholoog?'

'Huh huh. Het is niet niks wat je hebt meegemaakt. Dat hebben de meeste kinderen van jouw leeftijd niet. Maar ik denk zeker niet dat je gek bent. Slaap maar lekker uit in de vakantie, dan heb je er vast geen last meer van.' Hij stond op en keek op het zwarte horloge om zijn pols. 'Kom maar weer terug als er weer wat is,' zei hij aardig. 'Maar er is niks met je.' Hij liep naar de deur en hield die voor haar open. Eveline stond ook op en gaf haar dokter een hand. 'Ik heb nog iets voor u,' zei ze in de deuropening en ze graaide het gouden horloge uit de zak van haar short. 'Dit moest ik aan u geven.' Ze drukte het kleinood in haar dokters uitgestoken hand.

'Hoe kom je hieraan?' vroeg hij hoogstverbaasd.

'Het lag onder de plastic plant in de wachtkamer,' zei Eveline.

De man keek alsof hij er helemaal niets van snapte. 'Heb je dit daar gevonden?'

Eveline schudde haar hoofd. 'Nee, daar lag het verstopt,' zei ze. 'Dat heeft uw moeder gedaan omdat u altijd op uw horloge kijkt als u bij haar gaat eten.' Ze wees naar het lelijke plastic horloge aan zijn pols. 'Nu kan u die weer afdoen,' lachte ze. Maar toen ze zijn verbouwereerde gezicht zag, lachte ze niet meer. Ze deed een stap achteruit de gang in, weg van de spreekkamer, want ze wilde niet horen wat hij nu ging zeggen, maar de blik in zijn ogen sprak boekdelen.

'De assistente zei al dat ze je aan de plant hoorde sjorren,' zei hij. 'Maar... je verzint dit toch? Want mijn moeder is een paar maanden geleden overleden.'

Eveline draaide zich om en rende langs de balie de deur uit. Ze had het verkeerd verstaan. *Overleden.* Hij had dat niet gezegd. Dit was een hallucinatie. Hij had iets heel anders gezegd, ze wist het zeker, hij had iets heel anders gezegd. Buiten griste ze haar fiets mee en keek angstvallig achterom, maar hij kwam niet achter haar aan.

Hij dacht dat het een grap was. Dat ze het horloge in de wachtkamer had gevonden en dat ze een grap had verzonnen? Maar hoe...

Ze snelwandelde met haar fiets aan haar hand over het kerkplein en zakte neer op een van de bankjes. Wat was er met haar aan de hand? Ze was niet gek, maar dacht net wel dat ze gesproken had met de dode moeder van haar dokter. Hoe gek was je dan? Rijp voor het gesticht. Ze draaide het lelijke hoedje om en om in haar handen.

Maar het was zijn moeder. Ze leken op elkaar. Ze hadden dezelfde handen en dezelfde ogen. En hoe wist ik waar dat horloge lag?

Ze sprong ongeveer een meter de lucht in toen een sterke hand haar schouder pakte en ze kon niet voorkomen dat ze een heel raar geluid maakte, iets tussen een gil en een snuif in.

'Schrik je altijd zo?'

Het was Dimitri. *Wat deed hij nou hier? En waarom nu?* Eveline hoopte op een groot luik in de grond waar ze in kon verdwijnen, liefst met bankje en al, maar dat was er natuurlijk niet. In plaats daarvan plofte hij naast haar op het bankje en bood haar een dropje aan uit een enorme puntzak. Hij had zelf zijn mond vol en stopte er nog drie dropjes bij.

'Wat doe je hier?' vroeg hij nieuwsgierig.

'Ik... ik was naar de dokter om te kijken of ik een zonnesteek had,' zei Eveline, gedeeltelijk naar waarheid. Ze probeerde wanhopig zo normaal mogelijk te doen.

Nonchalant doen, Eef. Niet alsof je net een geest hebt gezien.

'En?'

'Nee, gelukkig niet,' zei ze, terwijl ze onopvallend aan haar staart voelde die – natuurlijk – op halfzeven hing en alle kanten uit piekte.

'Ging je daarom weg na het voetballen?'

Ze knikte en spiedde intussen naar zijn gezicht. Zo van de zijkant zag je echt goed hoe lang zijn wimpers waren en dat gaf haar weer een beetje een gek gevoel in haar buik.

'Dus je bent niet bezeten door de duivel?' zei hij met een grijns.

Wat?

'Die anderen van jullie groepje vertelden dat je gisteren glaasje hebt gedraaid en dat je een geest had opgeroepen – een echte. En ze hadden het over een kraai die op je arm ging zitten – gek verhaal hoor.'

Fijn. Nu vind deze jongen me ook raar. Bedankt Marieke & co.

'Ik wil toch wel een dropje,' zei Eveline, want ze wist niet wat ze anders moest zeggen.

Hij hield de megazak voor haar neus. 'Je mag er ook wel twee. Of tien. Of honderd.'

Ze stak een honingdropje in haar mond. 'Het was gewoon een geintje – geesten bestaan niet,' papegaaide ze uiteindelijk haar dokter maar na en ze probeerde haar gezicht zo uitgestreken mogelijk te houden. *Als hij zou weten wat ze sinds gisteren allemaal had meegemaakt, dan dacht hij echt dat ze knettergek was. Of inderdaad bezeten door de duivel.*

'Dat weet ik niet zo zeker,' zei hij serieus. Hij kauwde, slikte en stak toen nog maar eens drie dropjes in zijn mond.

'Geloof jij daarin, dan?'

'Nee, natuurlijk niet, gek,' zei hij en hij trok plagerig aan haar paardenstaart. 'Maar dat ene meisje uit je klas, die met die bruine krullen.'

'Marieke?'

'Ja, Marieke. Die zei dat het glas uit zichzelf bewoog en dat het een liefdesverklaring was van een geest aan jou.'

Evelines mond viel open. Had Marieke dat gezegd? 'Wat een onzin,' zei ze snel.

'Dus je bent niet verliefd op een geest?' vroeg hij pesterig.

'Nee, ik ben niet verliefd op een geest.'

'Op wie dan wel?'

'Op niemand.' Ze hoopte nog steeds vurig dat dat luik op magische wijze zou verschijnen. Als ze dan toch rare dingen zag, waarom dan niet iets wat haar zou helpen in plaats van bang maken? Gelukkig graaide hij nog een keer in de zak met drop. 'Ik ook niet,' zei hij uiteindelijk met volle mond, stond op en keek haar met zijn hand boven zijn ogen aan om de zon uit zijn gezicht te houden. 'Heb je zin om vanavond bij ons langs te komen? Wij zitten in een boerderij iets verder dan het meertje. Er komen er misschien nog een paar van jullie groepje.'

Eveline twijfelde.

'Kijk maar.' Dimitri stak zijn hand op naar Stan die met net zo'n grote puntzak drop uit de drogist kwam zetten. 'Je vriendinnetje heb ik het adres verteld en zonder haar kom je toch niet,' pestte hij haar, maar hij sloeg wel de spijker op zijn kop. 'Later.'

Stan zwaaide naar haar en ze stak haar hand op. Ze keek de jongens na die samen op een scooter gingen zitten – Dimmi voorop – en met een slinger over het kerkplein wegreden.

Ze waren allang verdwenen toen Eveline uit haar staar kwam en haar fiets pakte. De honingdropsmaak in haar mond zorgde ervoor dat ze zich wat beter voelde, al had ze waarschijnlijk een gigantisch stomme indruk op Dimmi gemaakt. Ze voelde wat beter aan haar staart die inderdaad half uitgezakt was. Haar voeten in haar slippers waren groezelig van het stof en het shirt dat ze aanhad was een van de eerste T-shirts die ze ooit had versierd waardoor de vlinder erop twee compleet ongelijke vleugels had. 'Lekker, Eef,' zei ze tegen zichzelf. Toch was ze stiekem blij dat ze Dimmi was tegengekomen, want door hun gesprekje voelde ze zich weer iets normaler.

Ze fietste het kerkplein af, sloeg links af bij de bibliotheek en reed verder door het oude gedeelte van het centrum. Ze sloeg de hoek om bij slagerij *Het vrolijke varken* en reed de Duivenstraat in. De zon hing al wat lager en ze moest haar ogen dichtknijpen om nog iets te zien in het gouden tegenlicht. Door haar wimpers zag ze de silhouet van een man midden op straat staan, terwijl er van de andere kant een rode auto de straat inreed.

Eveline remde. 'Kijk uit!' riep ze hard, maar de man scheen het niet te horen en ze had verwacht dat hij door de auto zou worden geschept, maar precies op het moment dat de auto hem dreigde te raken, stapte hij razendsnel opzij en duwde hij tegen de zijkant van de auto aan.

Voordat Eveline met haar ogen kon knipperen was de auto van de weg geraakt. Ze kon de vrouw achter het stuur zien zitten: ze had een zonnebril op en een wit T-shirt aan en haar mond vertrok toen de auto een slinger naar rechts maakte. Ze trok aan het stuur en overstuurde naar links waarna de auto net voor Evelines voorwiel een scherpe bocht maakte en de bestuurder het voertuig pontificaal in de etalage van de stomerij plantte. Er klonk glasgerinkel, gesis en toen was het stil.

Evelines mond viel open. De auto stak met zijn rode achterkant uit de etalage. Het hele raam was kapot en stak in punten richting de auto. Op het raam stonden de laatste letters van de naam van de winkel. Op de deur ernaast hing een briefje: 'Wegens vakantie gesloten'.

Eveline stond stil op de stoep. Van alle kanten kwamen mensen aangerend, onder wie de slager van *Het vrolijke varken* met zijn bloederige schort nog aan. Eveline keek niet meer naar het gat, maar naar de man die weer midden op de weg stond. En plotseling wist ze niet meer zo zeker of de menselijke figuur op straat wel zo menselijk was: het was meer een zwarte schaduw die leek te trillen aan de randen als een fata morgana in de woestijn.

In de verte hoorde ze sirenes. Mensen schreeuwden door elkaar heen. De slager had de winkeldeur met zijn sterke schouder ingebeukt. 'Ze is oké!' klonk zijn luide stem door het gat heen. Eveline voelde meteen een vlaag van opluchting door zich heen gaan. Wat moest ze doen? Helpen? Vertellen wat ze had gezien? Maar er stonden nu al heel veel mensen bij de auto en niemand lette op haar.

Behalve de schim.

De schaduw draaide zijn hoofd in haar richting en nu kon Eveline zijn gezicht zien. Maar ook weer niet. Waar zijn gezicht zou moeten zitten leek het wel een grote wriemelende massa die bleef bewegen. De neus trilde en de mond bewoog heen en weer. Alleen de ogen stonden stil en waren gefixeerd op haar. Witte ogen in een kronkelende zachte zwarte massa. Het was maar een flits, want het hoofd en het lichaam veranderden in een zwerm die in trechtervorm richting het raam van de antiekwinkel spoot en als een rookpluim dwars door het raam verdween.

De slager kwam naar buiten met de bestuurster. Op haar voorhoofd zat een bloederige kras, maar verder was ze niet gewond. Hij ondersteunde de vrouw. 'Ik ging de andere kant op,' stamelde ze. 'Ik ging zomaar de andere kant op.'

Er was intussen een politieauto gearriveerd en een blonde agente begon de weg af te zetten. Eveline stond als aan de grond genageld naar de antiekwinkel te kijken en kon maar één ding denken: *dat was een kwade geest... Was dat die Wachter uit de boodschap?*

'Heb je het zien gebeuren?' vroeg de agent.

'Huh?'

'Of je het hebt gezien, want dan willen we graag dat je ons vertelt wat er gebeurd is.'

'Nee, nee, ik kom net aan,' stamelde Eveline.

'Gaat het wel?' De agente keek haar onderzoekend aan. Ze had een zweetrandje op haar bovenlip. 'Het lijkt wel of je ergens van geschrokken bent. Heb je het echt niet gezien?' Ze trok een opschrijfboekje uit haar uniform.

Eveline schudde haar hoofd. 'Echt niet – ik moet weg,' zei ze snel. Ze draaide haar fiets en racete zonder om te kijken terug in de richting waar ze vandaan was gekomen – langs de slager, terug naar de dorpsweg. Ze wilde naar huis.

En dan?

Aan Chantal vertellen dat ze rare dingen zag. Vragen waarom Chantal dacht dat ze te gevoelig was om geesten op te roepen. Maar als ze vertelde wat ze net had gezien dan ging Chantal zeker niet op vakantie. Eveline kon wel huilen – ze had zich er zo op verheugd. En nu had ze het verpest doordat ze iets had gedaan wat ze eigenlijk helemaal niet wilde doen. Ze was boos, bang en verdrietig tegelijk. Ze had zich al maanden verheugd op de vakantie waarin Cleo en zij alleen thuis zouden zijn – dat ze het hele huis voor zichzelf alleen hadden zodat ze stiekem feestjes kon geven (Dimmi uitnodigen! Als ze durfde) en de hele nacht dvd'tjes kijken. Alleen maar eten wat ze lekker vonden. Het had zo perfect kunnen zijn. Dit had de vakantie kunnen worden waarin ze misschien met een jongen had kunnen zoenen die ze wel heel leuk vond, maar in plaats daarvan was dit de vakantie waarin ze gek was – of bezeten. Omdat ze zo stom was geweest om glaasje te draaien.

4

Eveline durfde die avond bijna niet te gaan slapen. Steeds als ze haar ogen dichtdeed, zag ze weer die zwarte schim voor zich met die starende witte ogen, afgewisseld met het beeld van de vrouw in de hoek van de wc in de Gouden Draak. Uiteindelijk had ze het licht aangelaten en dat hielp wel een beetje, maar ze had het gevoel dat ze steeds met één oog open in slaap viel en schrok na een kwartiertje met kloppend hart wakker. Toen het om een uur of één ook nog keihard begon te onweren en de bliksem om de minuut haar kamer in het lichterlaaie zette, hield ze het niet meer; ze gooide Boris uit bed en liep op haar blote voeten naar beneden. Er brandde licht onder de woonkamerdeur en het zachte gemurmel van de televisie klonk door de deur heen. Buiten flitste de bliksem en meteen daarna knalde een keiharde donder boven het huis. Eveline kromp in elkaar en schoot daarna als een haas de woonkamer in. Chantal zat met haar hoofd achterover en haar mond open in een lichtblauw trainingspak met de krant op haar buik op de bank te slapen. Eveline ging zachtjes naast haar zitten, maar kon niet voorkomen dat Chantal wakker schrok. Ze smakte even. 'O, ik was in slaap gevallen,' zei ze. 'Hoe laat is het?'

'Eén uur,' antwoordde Eveline.

'Was je bang voor het onweer?'

Eveline knikte. Ze trok haar blote voeten onder zich en legde een kussen in haar schoot.

'Ik had het helemaal niet gehoord,' zei Chantal.

Eveline staarde naar de televisie waar een vrouw met lang geblondeerd haar een pannenset aanprees. Chantal haalde de krant van haar buik en onthulde daarmee Barbie die op haar schoot lag.

'Mag ik even kijken?' vroeg Eveline toen ze zag dat er een foto van Sebastiaan van Helden op de voorpagina stond. Ze hoopte dat het een bericht was dat hij weer terecht was, maar de kop sprak voor zich: *Sebastiaan nog steeds spoorloos.* Eveline keek verdrietig naar het olijke gezicht van het jongetje en legde toen heimelijk haar hand even op de foto, maar er gebeurde helemaal niets, zelfs niet toen ze even haar ogen dichtdeed.

'Vreselijk hè?' was Chantals commentaar. 'Ik hoop dat ze hem terugvinden.'

Eveline las het artikel, maar er was geen nieuwe informatie.

'Wat denk je dat er gebeurd is?'

'Ik weet het niet, weggelopen van huis?' Chantal keek vermoeid, alsof ze vond dat Eveline niets moest vragen. 'Mag ik de krant terug?'

Eveline gaf Chantal de krant terug. Die bladerde meteen door naar de uitslagen van de buurtloterij waar ze elke week aan meedeed. Haar ogen scanden gretig langs de cijfers. Blijkbaar was ze in slaap gevallen voordat ze het had gecheckt. Eveline beet op haar lip. Ze wilde Chantal eigenlijk nog vragen waarom ze dacht dat ze haar 'te gevoelig' vond voor glaasje draaien – en dit was wel het moment...

'Chant, waarom vind je eigenlijk dat ik geen geesten mag oproepen?' vroeg ze zo luchtig mogelijk.

'Waarom begin je daar over?' vroeg Chantal achterdochtig.

'Gewoon, we hadden het er laatst over met de klas,' zei Eveline.

Chantal legde haar krant neer. 'Jullie hebben toch niet iets stoms gedaan, hè?'

'Nee, echt niet. Marieke stelde het voor, maar ik heb meteen gezegd dat ik het niet wilde.'

'Je bloost,' zei Chantal beschuldigend.

'Omdat jij me zo zit aan te kijken,' verdedigde Eveline zich. 'Alsof ik een misdadiger ben. Maar waarom mag ik het nou niet?'

'Dat heb ik je al een paar keer gezegd, omdat je er veel te gevoelig voor bent,' zei Chantal. Ze pakte de krant weer op.

'Maar waarom vind je me dan te gevoelig?'

'Omdat je... omdat je al genoeg hebt meegemaakt. Dat heb ik je ook al eens gezegd. Weet je niet meer wat er in de Chinees is gebeurd? Toen dacht je dat je een vrouw had gezien.'

De Chinees. Chantal begint daar ook al over.

'Geloof je in geesten?' hield Eveline vol.

'Nee. Maar toch wil ik het niet hebben.'

'Maar als je er niet in gelooft, hoe kan het dan gevaarlijk zijn?' drong Eveline aan. 'Zelfs als ik volgens jou te gevoelig ben.'

Chantal legde haar krant weer neer en keek Eveline met haar blauwe ogen strak aan. Onder haar ogen zaten restjes mascara. 'Luister,' zei ze stellig. 'Ik zal eerlijk zijn: ik denk dat je door die vergiftiging waardoor je je geheugen bent kwijtgeraakt...'

En mijn ouders zijn doodgegaan.

'... dat je daardoor een trauma hebt opgelopen – daarom heb je die nachtmerries. Dáárom is het niet goed voor jou. Juist voor jou niet,' zei ze. 'Straks word je gek en moet je naar een inrichting.'

Eveline schrok daar heel erg van. 'Denk je dat echt? Dat ik kans heb om gek te worden?'

Chantal zuchtte weer. 'Weet ik veel. De dokter vertelde me dat je last kon hebben van een of ander trauma. Een posttraumatisch trauma of hoe het dan ook heet. Daardoor krijg je nachtmerries en kun je rare dingen zien. Nou, het lijkt me niet handig om dat trauma te voeden. Dáárom heb ik dat tegen je gezegd. Ben je nu tevreden?'

Maar Eveline was helemaal niet tevreden, ze was vooral bang. Bang dat ze wel gek was geworden zoals Chantal zei. Of bezeten door 'de Wachter'.

'Heb jij het wel eens gedaan?'

'Nee.'

'Was je dan niet nieuwsgierig?'

'Nee.'

'En als je nou contact met Rico kon maken?' probeerde Eveline. Rico was Chantals favoriete hondje, maar die was een paar jaar geleden overreden door de pizzabezorger.

'Hoe kun je nou contact maken met een dooie hond? Die kan toch niet praten?' zei Chantal.

Eveline wilde nog iets zeggen, maar zag iets bewegen in de schaduw van de hondenbeeldjes onder het raam. Ze deinsde onwillekeurig achteruit.

'Een muis?' riep Chantal meteen. Ze sprong overeind, waardoor Barbie van haar schoot op de grond viel. Chantal zag eruit alsof ze op het punt stond op de bank te gaan staan.

'Nee, het is...' Eveline dacht eerst dat er een grote gore rat onder de verwarming zat, maar nu zag ze wat het was: een hondje. En ze wist ook welk hondje. 'Nee, er is niks,' zei ze. 'Ik dacht dat ik wat zag bewegen, maar het was alleen een schaduw.' Ze probeerde haar stem zo kalm mogelijk te laten klinken, wat helemaal niet lukte.

'Weet je het zeker?' Chantal keek benauwd. Barbie piepte en krabte met haar nageltjes aan de bank. Ze was het er niet mee eens dat ze van Chantals schoot zo bruut naar het koude laminaat was verplaatst. Het andere hondje liep onder de tafel door. Zijn zwarte dropjesneus ging laag over de grond, alsof hij iets zocht. Onder de stoel begon hij te krabbelen. Toen Barbie het gekras van andere hondennagels hoorde, draaide ze zich om en begon te grommen. Haar oren legde ze plat in haar nek en haar haren gingen recht overeind staan.

'Barbie? Wat heb je toch?' zei Chantal. Ze zag het andere hondje niet. Natuurlijk niet. Want het was Rico, en Rico was dood. Maar Eveline zag het hondje bij de tafel net zo duidelijk als Chantal, Barbie en alles wat er verder in de kamer was: de witte tafel met de vaas erop, de oranje neptulpen in de vaas, de vensterbank met de verzameling hondenbeeldjes. Daarboven de crèmekleurige gordijnen. De schouw die van steen leek, maar eigenlijk hout was. De fotolijstjes op de schouw met een paar foto's van haar, op volgorde van leeftijd: de eerste toen ze net tien was, twee roodbruine vlechten en een bleek gezichtje waar twee grote bruine ogen verdrietig de lens inkeken – dat was net na het ongeluk. Onder haar arm klemde ze een beer tegen zich aan, het enige wat ze had uit haar vorige leven. Op de volgende stond ze voor een enorme giraf in de dierentuin in een gifgroene regenjas. Eentje op het strand met Chantal, zij met spillebenen en sproeten op haar gezicht naast een roodbruin verbrande Chantal in een te kleine paarse bikini, haar hooggeblondeerde haar als het kroontje van een ananas op haar hoofd. En natuurlijk Chantal samen met haar hondjes: Milou, een schele chihuahua, en Rico, haar jack russell met een zwarte vlek op zijn oog. Chantal had hem gekocht toen Milou van ouderdom was overleden en Rico was er al toen Eveline in huis kwam wonen. Eveline kon zich heel goed herinneren hoe gek Chantal op Rico was geweest: ze voerde hem stukjes vlees van haar eigen bord, Rico mocht in bed, Rico had een eigen roze fluwelen kussentje op de bank met een pootafdruk erin geborduurd, maar meestal lag hij bij Chantal op schoot. Hij werd alleen naar het kussentje verbannen als hij een aanval van winderigheid had. (Eveline wist zeker dat dat kwam door alle hapjes die Chantal Rico voerde, maar dat zei ze maar niet hardop.) Maar toen was Rico doodgereden en had Chantal twee jaar geen andere hond willen hebben, ze was helemaal kapot van Rico's dood. Ze had hem laten cremeren en zijn as stond naast zijn foto in een koperkleurige urn op de schouw. 'Geen hond kan zijn plaats innemen. Rico was zo speciaal,' zei ze altijd. Maar toen had ze een jaar lang gratis hondenvoer gewonnen bij de plaatselijke voetballoterij en was ze gezwicht en had ze Barbie gekocht, een yorkshire terriër, want een jack russell wilde ze niet meer. Barbie liet geen vieze scheten, maar toch bleef Rico het speciale hondje.

En diezelfde Rico liep nu door de kamer.

Eveline wist zeker dat hij het was: de zwarte vlek in de vorm van een wolk over zijn oog, ze kon hem vergelijken vanaf de plek waar ze stond met de foto, het was dezelfde vlek, het was Rico. Rico die twee jaar geleden was platgereden door een jongen die Chantal een pizza calzone kwam brengen. Die Rico liep nu door de kamer te snuffelen, alsof hij was vergeten dat hij dood was.

Barbie bleef grommen en blafte ook, hoog en schel. Ze deed schijnaanvallen naar de jack russell, maar durfde niet naar hem toe te lopen. Rico negeerde de hysterische Barbie compleet. Hij stiefelde rustig langs de bank en liep, nog steeds snuffelend, de keuken in. Ze hoorde zijn pootjes tikken op het linoleum. 'Barbie, hou eens op,' zei Chantal. Ze tilde Barbie op haar schoot die heftig tegenstribbelde. 'Wat doe je toch weer raar,' sprak ze bestraffend. Barbie keek strak naar de keuken waar Rico was verdwenen.

Barbie ziet hem dus ook.

Op een of andere manier vond Eveline dat geruststellend. Als Barbie Rico ook zag, dan betekende dat misschien dat ze in elk geval niet gek was. Maar aan de andere kant zag ze wel dingen die er niet waren – want Chantal zag Rico niet. En Rico was dood.

Ze probeerde haar gedachten te ordenen, zoals ze dat wel vaker deed als ze in de war was en te veel informatie in haar hoofd rondzong.

De enige conclusie die ik kan trekken is dat ik nu doden kan zien. Dieren en mensen.

Deze conclusie was al eng genoeg, maar de gedachte die erna kwam, maakte haar extra bang.

En dat komt omdat ik bezeten ben door die 'Wachter'.

Die gedachte bleef maar terugkomen, samen met het beeld van de zinderende zwarte schaduw midden op straat die haar zo strak had aangestaard. Ze had hulp nodig. Niet van Chantal en ook niet van de dokter, maar van iemand die er verstand van had. Van al die websites had ze onthouden dat zo iemand een 'paragnost' heette. Maar waar vond je zo iemand? Aan Chantal kon ze het niet vragen, ze zag haar al aankomen: 'Nee, ik heb geen glaasje gedraaid, maar weet je toevallig waar ik een paragnost in de buurt kan vinden?' Dat was op zijn zachtst gezegd nogal verdacht.

'Ik ga naar bed,' zei Eveline.

Chantal keek niet eens op van haar krant. 'Slaap lekker.'

Boven zette Eveline haar computer weer aan. Terwijl hij opstarte, keek ze afwezig naar haar weerspiegeling in de monitor.

Mijn ogen.

Ze sprong overeind en rende naar haar wastafel. Met trillende vingers knipte ze het licht aan. Haar ogen waren weer net zo paars als de avond ervoor. Eveline sloeg haar handen voor haar gezicht en spiekte tussen haar vingers door. Zo leek alles normaal, maar als ze haar handen weghaalde, waren haar ogen paars. Als een standbeeld stond ze voor de spiegel. Haar haar piekte alle kanten op en en haar ogen spatten felpaars uit haar gezicht. Ze leek op een heks... En Chantal had het niet gezien. Ze snapte er niets van. Als door een slang gebeten ging ze weer achter de computer zitten en zocht naar een paragnost in de buurt, maar ze kon niets vinden.

Ze steunde haar gezicht in haar handen. Er moest toch iemand zijn? Ze rende weer naar beneden en trok de woonkamer open.

'Kan je nog steeds niet slapen?' vroeg Chantal die nu naar een spelletjesprogramma zat te kijken.

'Jawel – nee, ik wilde... Mag ik de krant?'

Chantal keek meteen weer wantrouwig. 'Waarom ben jij ineens geïnteresseerd in de krant?'

'Vanwege dat artikel over dat jochie. Hè, laat me toch!' stoof Eveline op.

Met een mollige vinger wees Chantal naar het dagblad naast haar op de bank, terwijl ze demonstatief het programma bleef kijken. Eveline griste de krant mee en rende terug naar haar kamer.

Chantal had haar paarse ogen nu ook niet gezien. Blijkbaar kon ze dat niet zien.

Ze bladerde op hoop van zegen, maar pagina één, twee, drie, vier hadden niks. Vijf, zes, zeven ook niet. Ze gaf de moed al op toen haar oog op een advertentie viel die precies onder Chantals plaatselijke loterijuitslagen stond. Ze had er bijna overheen gekeken, want het was maar klein:

Ilana Frilenko – waarzegster en paragnost.

Geen telefoonnummer, alleen een adres: Duivenstraat 13.

Lekker. Van alle straten uit het dorp woonde de paragnost precies in deze.

Ze moest weer terug naar de straat waar ze de kwade geest had gezien.

De volgende dag om tien uur stond Eveline te dralen bij de deur van Duivenstraat 13. Die ochtend had ze eerst Cleo gebeld om te vertellen dat ze wat later naar de Paddenpoel zou komen, omdat ze nog een cadeautje ging kopen voor Chantal.

'Een rot-op-cadeautje? Wat origineel,' had Cleo gezegd. 'Schiet je wel op? Ik sterf als ik alleen maar dat meidengezeik van Marieke & co. moet aanhoren.'

Daarna hadden ze het nog even gehad over Dimmi en dat hij Eveline had uitgenodigd. Cleo was de avond ervoor ook niet gegaan. 'Ik ga daar alleen maar met jou heen, hoor,' had ze gezegd.

Het kleine winkelstraatje lag uitgestorven in de zon, alsof ze in een spookstad was beland. Ze stond schuin voor de deur van een klein oud huisje met een verveloze wijnrode deur waar een dof naamplaatje op zat. Daar stond in krullerige letters 'De Vries' op. Eveline twijfelde of ze wel het goede huis had, maar zo had het toch echt in de advertentie gestaan: 'Ilana Frilenko, waarzegster en paragnost, Duivenstraat 13.' Ze keek met een schuin oog naar de antiquair een stukje verderop, waar ze de dag ervoor de zwarte schim in had zien verdwijnen. Het was doodeng geweest om er langs te fietsen, ze had expres niet naar de winkel gekeken, maar had elk moment verwacht dat het ding uit de winkel zou komen om haar van de fiets te duwen. Aan de stomerij ernaast was niet meer te zien dat er een auto in was gereden – de auto zelf was weg en het kapotte raam was vervangen door een nieuw raam waarachter je de ravage kon zien: een kassa lag op zijn kant op de grond en overal lagen kleren, alsof er een bom was ontploft. Op de stoep stonden zwarte bandensporen die helemaal tot het raam doorliepen, wat er heel vreemd uitzag.

Eveline treuzelde en bestudeerde de spullen die in de schemerige etalage lagen. Ze moest haar neus bijna tegen het raam drukken omdat de zon buiten zo fel was en ze alleen haar weerspiegeling zag. In de etalage stonden de gekste spullen: wichelroedes, tarotkaarten, een paar stoffige glazen bollen, een paarsfluwelen kussen waar een zwarte kat op lag te slapen, zilveren kettingen met grote sterren eraan... Op een paar planken stonden rijtjes boeken. Het leek wel alsof de meeste omslagen paars waren en op haast alle boeken zag ze plaatjes van regenbogen staan. Eveline las titels als: *Ontdek de godin in jezelf; Handlezen voor beginners* en *Ken je eigen toekomst – koffiedik kijken.*

Jemig. Moest ze hier echt naar binnen?

Ze tikte zachtjes tegen het raam om de aandacht van de slapende kat te trekken, maar die bleef met zijn neus onder zijn staart liggen. Ze schuifelde heen en weer met haar slippers over de stoep. Zelfs zo vroeg in de ochtend brandde de zon al fel aan de hemel en de warmte van de stoeptegels stoofde haar voeten door haar slippers heen.

Ze hóéfde hier niet heen. Ze kon ook omdraaien en naar de Padden-poel gaan om te zwemmen met Cleo en de rest. Zij had ervoor gezorgd dat hun plek veilig was gesteld en Dimmi was er vast ook weer. Het was heel verleidelijk en ze wilde Dimmi best weer zien, want elke keer als ze aan zijn ogen met die lange wimpers dacht, kriebelde er iets in haar buik. Eveline zuchtte diep en spiekte weer met een schuin oog naar de antiekwinkel. Geen zwarte schim.

Maar vanmorgen had ze in de spiegel gezien dat er paarse vlekken in haar ogen zaten, alsof het bruin langzaam oploste. En Rico was er ook weer geweest. Hij had tijdens het ontbijt zijn kleine nageltjes in haar been gezet en was op haar schoot gesprongen en daar had hij een tijdje met zijn neus onder zijn pootjes op haar schoot liggen slapen. Hij had koud gevoeld, heel anders dan toen hij nog leefde. Eveline vond het akelig, maar durfde hem ook niet zomaar van haar schoot te zetten. Hij was uiteindelijk zelf van haar schoot gesprongen en verdwenen.

Ze móést wel naar binnen om te weten hoe ze hier vanaf kon komen.

'Kom je nog, of ga je de hele dag voor mijn raam staan treuzelen?' klonk een verveelde stem. Eveline zag dat er een magere vrouw met lang donker haar in de deuropening stond. Haar gezicht was heel smal en leek te bestaan uit verticale lijnen: haar mondhoeken hingen en haar neus was een vlijmscherpe streep die haar gezicht in tweeën deel-de. Tussen haar ogen zaten twee diepe groeven. Ze leek te schrikken toen ze Evelines gezicht zag. 'Wat kom jij doen?' siste ze daarna boos.

'Ik... ik wilde iets vragen, een afspraak...'

'Kom je me zeggen dat ik mijn taak verzaak? Hoe heb je me gevon-den?' De vrouw spuugde de woorden ongeveer naar Eveline, zo boos was ze.

'Ik snap het niet – ik kom alleen maar voor een afspraak,' zei Eveline timide. 'Maar ik ga al.' Ze draaide zich om en wilde weglopen, maar even later draaide een sterke arm haar om. 'Waarom kom jíj voor een afspraak?'

'Ik weet niet waar u het over hebt!' riep Eveline die ook boos begon te worden. 'Ik zag een advertentie in de krant...'

De boosheid van de vrouw sloeg om naar ongeloof. 'Naar binnen!' zei ze uiteindelijk en ze wilde haar naar binnen trekken, maar Eveline stribbelde tegen. 'Laat los!' zei ze kwaad en keek wantrouwend naar de vrouw. Wat was dit voor raar mens? Ze deed vreemd en er was iets geks aan haar wat ze niet kon plaatsen. Door haar fladderige kleren, haar donkere lange haar en haar scherpe neus had ze wel iets weg van een heks uit een modern sprookje, maar dat was het niet... Toen wist Eveline het: de vrouw had paarse ogen. *Net zo paars als zij.*

'Ik kom al,' zei ze snel.

Voordat ze achter de vrouw aan het gangetje in stapte, keek ze richting de antiekzaak en zag tot haar afschuw dat de zwarte schim met zijn halve lijf dwars door de etalageruit heen stak. Het was zo'n griezelig gezicht, dat Eveline moeite moest doen om niet te gillen en ze deed snel de deur achter zich dicht en liep met trillende benen achter de vrouw aan.

Haar ogen moesten wennen aan het schemerige licht in het gangetje. Aan het einde hing een zwart gordijn met gouden sterren. Ze volgde de vrouw tussen de gordijnen door en kwam in een kleine woonkamer terecht waar twee banken tegenover elkaar stonden met een lage ronde tafel ertussen. Daaroverheen lag een zwarte lap die bij de gordijnen paste. Overal in de kamer rook het zwaar en zoet.

De vrouw stond voor een van de banken en nam haar wantrouwend op. 'Ga zitten,' zei ze uiteindelijk en ze wees naar de bank tegen de etalage aan. 'Wil je thee?'

Eveline knikte, ging op de bank zitten en legde haar zwemtas naast zich neer. Het zwarte leer van de bank was koud aan haar blote benen. Ze snapte er niks van. Eerst was die halve heks boos geworden omdat ze dacht dat Eveline kwam vertellen dat ze 'haar taak' had verzaakt en toen ze door had gehad dat Eveline daar niet voor kwam, had ze haar ongeveer naarbinnen gesleurd. En ze had paarse ogen.

De paragnost had de deur naar de gang open laten staan, waardoor Eveline haar in de keuken kon horen rommelen. Intussen nieste ze wel zes keer achter elkaar. 'Ik ben allergisch,' klonk er vanuit de keuken. 'Voor poezen.'

Eveline zag de zwarte poes lopen die ze eerder in de etalage had gezien en ze lokte hem met een klokkend geluidje. 'Kom maar, poes,' zei ze. De poes ging in een hoekje zitten en keek haar met gele ogen strak aan. 'Kom dan, ik doe niks,' probeerde Eveline, maar de poes verroerde geen vin.

'Laat maar,' zei de vrouw die een kop thee voor Evelines neus zette. 'Ze komt bijna nooit – ook niet toen ze nog leefde.'

Eveline kreeg kippenvel op haar benen. De vrouw was op de bank tegenover haar gaan zitten en keek haar geamuseerd aan. Eveline zag dat ze er een stuk aardiger uitzag als ze een beetje lachte.

'Kijk eens in de etalage,' zei de vrouw en ze maakte een hoofdgebaar richting het raam. Eveline spiedde over het houten schot dat de etalage van de woonkamer scheidde. Daar lag de kat op het paarsfluwelen kussen.

'Alenka is vier jaar geleden overleden. Ik heb haar op laten zetten – vond ik wel mooi voor de etalage. En het past wel bij mijn imago als Madame Ilana Frilenko, vind je niet?' De vrouw ging bruusk met haar handen door haar lange zwarte haar zodat het alle kanten uit piekte en spreidde haar armen. Eveline vond nu helemaal dat ze op een heks leek.

'Ik ben geen heks hoor,' zei ze en ze stak haar hand uit. 'Ik ben Ilana.'

Eveline schudde de hand van Ilana. Haar hand was bottig, droog en warm. 'Eefje Dijkman,' zei Eveline.

'Je heet geen Eefje Dijkman,' zei Ilana.

'Nee, ik heet eigenlijk Eveline,' zei Eveline.

'En je heet geen Dijkman.'

'Jawel, ik heet wel Dijkman,' zei Eveline verward. 'Chantal heeft mij niet geadopteerd, daarom heb ik mijn eigen naam nog. Chantal Brouwer is mijn pleegmoeder.'

Ilana opende haar mond om wat te zeggen, maar toen klapte ze haar kaken op elkaar. Resoluut. Eveline vond dat ze op een magere ezel leek. Het zwarte gewaad hing wijd om haar dunne lichaam en haar hoofd leek te groot voor haar nek die als een stokje uit de hals van haar shirt stak. Om haar pezige nek hing een van de zilveren kettingen die Eveline ook in de etalage had zien liggen. Er hing een zilveren hanger aan in de vorm van een rondje waar een boom in stond. Nu ze wat dichter bij haar zat, zag Eveline dat haar haarkleur niet echt was: bij de wortels was het zwarte haar grijsblond.

'Wat wil je?' vroeg Ilana aan Eveline.

'Ik...' Eveline twijfelde. Ze beet op haar lip. 'Ik wil dat je ervoor zorgt dat ik geen dode mensen en dieren meer zie,' zei ze uiteindelijk. Als Ilana een dode kat had die door het huis rondliep, dan dacht Eveline dat de waarzegster dat niet zo'n rare vraag zou vinden.

Ilana keek haar verbaasd aan. 'Weet je dan helemaal niks van wat je bent? En waarom heb je van die rare bruine vlekken in je ogen?'

'Dit' – Eveline wees naar haar ogen – 'is pas sinds eergisteravond. Daarvoor had ik gewoon bruine ogen! En zag ik geen rare dingen. Maar nadat ik geesten heb opgeroepen...'

'Wacht – wil je zeggen dat je dit twee dagen geleden hebt gekregen? En je weet verder helemaal niks?'

'Wat moet ik weten?' vroeg Eveline verward.

Ilana keek Eveline strak aan. 'Vertel me wat er is gebeurd,' commandeerde de waarzegster. 'Alles, vanaf het begin.' Ze vouwde haar lange ledematen onder zich en duwde iets goed bij haar schouder. Het viel Eveline nu pas op dat er een bobbel op haar schouder zat, alsof er iets onder haar kleren verscholen zat. Iets wat leefde, want het bewoog een beetje.

Ze vertelde uiteindelijk toch maar wat er tijdens die avond was gebeurd: ze liet het zoenen voor wat het was en begon met de kraai die tegen het raam had getikt en zo vreemd had gedaan en dat ze het gevoel had dat ze dat al eerder had meegemaakt. Dat de kraai over haar gezicht had gewreven en het daarna even had geleken alsof hij paarse ogen had. Over Jeroen die had geopperd dat ze moest glaasje draaien en dat ze contact had gemaakt met oom Harry. Daarna vertelde ze over het visioen dat ze had gehad toen ze haar hand op de foto van het verdwenen jongetje had gelegd, het zwarte masker, de man die had gezegd dat hij 'hem zou oproepen en jij kan er niets tegen doen.' Het kindergehuil, het gelach en het gevoel dat ze niet kon ademen.

'Dit jongetje bedoel je?' vroeg Ilana die de krant van de dag ervoor omhooghield.

Eveline knikte. 'Sebastiaan van Helden.'

'Denk je dat je contact met hem hebt gemaakt?'

'Ik weet het niet.' Ze zweeg en keek de magere vrouw vragend aan. 'Kan jij dat soort dingen oplossen?' vroeg ze toen.

'Kan jij het?'

'Hoe moet ik dat nou weten?' riep Eveline. Haar ogen dwaalden naar de krantenfoto. Ze was weer stil en pulkte aan een muggenbult. 'Kun jij hem terugvinden?' vroeg ze weer.

'Ben je nou hier om die Bas op te sporen, of wil je antwoord op de vraag waarom je sinds twee dagen half-paarse ogen hebt en dingen ziet die anderen niet zien? Want ik help je maar met eentje,' zei Ilana bot.

'Het laatste,' zei Eveline snel. 'Ik wil dat je me helpt om hiervan af te komen,' en ze wees naar haar ogen.

'Dat kan niet,' zei Ilana meteen.

'Wat? Waarom niet?' kreet Eveline.

'Dit is wie je bent. Je hebt deze gave, of je het wilt of niet. '

Eveline zag haar hoop tot een bergje grijze as verbranden. 'Wat voor gave? Het komt door het glaasje draaien!' sputterde ze. 'Dat zeiden de anderen. Omdat ik het glas vast heb gehouden, is er een of andere geest bij me gebleven en daarom heb ik hier last van! Er moet toch een manier zijn om hier weer vanaf te komen? Dat móét! Ik wil niet mijn hele leven dode mensen en dieren zien!' Haar stem ging omhoog.

'Denk je echt dat het komt door het glaasje draaien?' zei Ilana ongelovig. Alenka nestelde zich naast haar op de bank. Meteen begon de waarzegster weer te niezen en ze duwde de poes van de bank af, die boos mauwend wegliep.

'Ja, natuurlijk! Waardoor anders? Chantal heeft me gewaarschuwd omdat ze vond dat ik te gevoelig ben voor dit soort dingen – omdat ik nachtmerries heb en...' Eveline slikte. 'En dat komt volgens Chantal omdat mijn ouders zijn omgekomen – ze zijn gestikt door een slechte kachel in ons huis.' Ze probeerde het zakelijk te laten klinken, maar halverwege de zin had ze al het gevoel dat ze moest huilen. Gelukkig zei Ilana niet de geëikte dingen als: 'Wat zielig voor je,' en ze keek ook niet alsof Eveline een in de steek gelaten puppy was. Ze duwde alleen maar de bobbel op haar schouder recht. 'Is dat het verhaal wat ze je hebben verteld?' vroeg Ilana alleen.

Eveline knikte. Ze snapte niet zo goed wat Ilana met die vraag bedoelde. 'Ik heb daarna twee weken in coma gelegen. En nu kan ik me niks meer herinneren van daarvoor. En sindsdien heb ik nachtmerries...'

Ilana streek weer langs haar neus, duwde een sliert haar uit haar gezicht en keek Eveline serieus aan. 'Eveline. Ik zeg het je nog een keer: die paarse ogen, dat hoort bij je. Je bent geboren met deze gave. En dáárom kun je doden zien.'

'Maar waarom dan? Is het dan de bedoeling dat ik doden ga helpen over te gaan naar het licht?' stamelde Eveline.

Ilana begon om onduidelijke redenen te lachen. 'Ja, dat zou kunnen als je dat zou willen,' zei ze, maar ze keek erbij alsof Eveline haar had gevraagd of ze putjesschepper wilde worden.

'Maar daar gaat het nu niet om,' zei ze gedecideerd. 'Het gaat erom waarom jij pas twee dagen geleden paarse ogen hebt gekregen. Het lijkt wel of er een soort beschermende bruine laag over je ogen heeft gelegen. En nu is die beschermlaag aan het oplossen. Maar ik denk niet dat het komt doordat je geesten hebt opgeroepen.'

Eveline keek de vrouw tegenover haar aan alsof ze gek was geworden. 'Jawel, daar komt het wel door,' sputterde ze. 'Het komt door het glaasje draaien, of doordat ik mijn linkerhand op het glas heb gelegd in plaats van mijn rechter. Dat zeiden Jeroen en Marieke, dat dat mijn duivelshand was,' ratelde Eveline. 'En toen kreeg ik mijn vinger niet van het glas en schreef het glas "de Wachter is wakker – kom naar huis".'

'Ik kan je niet helpen als je de hele tijd blijft herhalen dat dit door het glaasje draaien komt,' zei Ilana geïrriteerd. 'Ik denk dat ik hier meer vanaf weet dan jij en dit is niet begonnen door het glaasje draaien,' zei ze. 'Je beschermlaag is weggenomen door de kraai, want die hoorde bij degene die je wakker heeft willen maken.'

'Wakker maken? Waarom zou ik wakker gemaakt moeten worden? De boodschap was dat de Wachter wakker was. En die achtervolgt mij nu – of ik ben bezeten door hem!'

Ilana lachte kort. 'Je denkt dat je bezeten bent door een Wachter?'

'Ja, want ik heb hem gezien, hier in de straat. Een soort zwarte geest. Hij duwde gisteren een auto van de weg af.'

'Wat?' Ilana sprong op alsof er een leger katten op de bank was gesprongen. Ze sperde haar paarse ogen wijd open en het spiertje trilde als een snelle snaar onder haar oog. 'Potverjandriegriebels!' riep ze zo hard dat Alenka onder de kast schoot. 'Dat ongeluk van gisteren was een Asilide?'

'Een Asilide?' vroeg Eveline bedremmeld. 'Wat is dat?'

Ilana balde gefrustreerd haar handen. 'Ik kan gewoon niet geloven hoe weinig jij weet! Een Asilide! Een demon!'

'Een *demon*?' Evelines stem was niet meer dan een hees gefluister.

'Ja, een demon. Wat je gezien hebt was een demon. Geen Wachter. Ik kan echt niet geloven hoe weinig jij weet!' riep ze boos, alsof Eveline daar zelf iets aan kon doen. Ze pakte Eveline bij haar schouders en trok haar ruw overeind.

'Heeft hij je gezien?' vroeg Ilana. Ze schudde Eveline door elkaar. 'Heeft hij je gezien?'

'Ik... ik weet het niet. Laat me los!' zei Eveline die zich los probeerde te trekken, maar de handen klemden als klauwen in haar schouders en de paarse ogen boorden zich in de hare. Eveline had het gevoel dat Ilana in haar hoofd probeerde te kijken en probeerde zich los te maken van die paarse gloed, maar het lukte niet.

'Je hebt hem net gezien! Voordat je hier naar binnen ging. Daarom was je zo zenuwachtig toen je hier net was.'

Eveline knikte. Ze begreep dat ze niet tegen Ilana kon liegen.

'Fijn, een demon heeft jou híér naar binnen zien gaan. Heel fijn,' brieste de vrouw en eindelijk liet ze Eveline los. Ze graaide Evelines tas van de grond en duwde die ruw in haar armen. 'En hij heeft jou gezien en je hebt niks gedaan. Je moet weg!' Ze begon Eveline naar de deur te duwen.

'M-maar ik moet je nog betalen en ik weet nog niet alles...' zei Eveline.

'We zien elkaar morgen. Niet hier. Om twaalf uur in de kerk. Daar zijn we wel veilig – ik moet eerst jouw troep opruimen,' zei Ilana fel terwijl ze bleef duwen.

'Maar w-wat moet ik nou doen?'

'Hoe moet ik dat nou weten? Vraag het maar aan je pleegmoeder – misschien weet zij wel wie je wakker heeft gemaakt. Val haar er maar mee lastig. En loop níét langs de antiekzaak!'

Ilana trok aan haar arm en werkte haar zo het gangetje in. Toen trok ze de deur open en duwde Eveline naar buiten.

'Wacht even,' riep Eveline. 'Ik snap het niet – waarom zeg je dat iemand míj heeft wakker gemaakt?'

Ilana spiedde naar de antiekzaak voordat ze sprak. 'Eveline, knoop dit in je oren: je heet geen Dijkman en je bent heel iemand anders dan je denkt. Jij bent zelf "de Wachter", je hebt de gave van de Wachters. En als de boodschap is: "de Wachter is wakker, kom naar huis", dan zou ik daar maar naar luisteren, want het is een gevaarlijke gave. En ik kan het weten.'

Met die woorden sloeg ze de verveloze deur met een klap voor Evelines neus dicht.

'Nee!' Eveline bonkte op de deur. 'Wat zeg je nou? Ik ben zelf die Wachter? En waar moet ik dan naartoe? Waar is mijn huis dan?'

'Je moet weg!' schreeuwde Ilana door de deur heen. 'Ga weg!'

Opeens had Eveline het gevoel dat er naar haar gekeken werd. Ze keek naar rechts en sloeg haar hand voor haar mond om niet te gillen. Ze deinsde achteruit, liet haar tas vallen, graaide haar tas weer van de grond. De schim werkte zijn wriemelende zwarte gestalte door de etalageruit. Ze rende naar haar fiets, probeerde met trillende vingers de sleutel in het slot te steken, keek achterom, de schim werd groter, hij was er bijna uit... Zijn ogen, waarin geen pupillen zichtbaar waren, keken naar haar. Toen sperde hij zijn mond ver open, een grijze opening waar strengen spinrag in leken te zitten...

Eveline stak de sleutel in het slot, griste haar fiets uit het fietsenrek en begon als een gek te trappen, de andere kant op, blindelings die straat uit. Ze verwachtte elk moment de trillende zwarte tentakels om zich heen te voelen die haar terug zouden trekken naar die grijnzende grijze mond vol met stoffige strengen, maar toen ze op de hoek van de straat was en eindelijk over haar schouder durfde te kijken, lag de straat weer leeg en rustig in de zon te blinken. Eveline reed slippend de hoek om en begon lukraak door het dorp te fietsen, dan weer linksaf dan weer rechtsaf, met een hand aan het stuur en in de andere haar zwemtas. Ze durfde niet te stoppen, bang dat de demon achter haar aan zou komen, dat hij kon voelen waar zij was...

Ze was compleet in de war van wat ze net had gehoord. Haar gedachten tuimelden over elkaar heen en sprongen van Ilana Frilenko door naar Alenka de dode kat en verder naar een demon met witte ogen. Maar ze dacht vooral aan de dingen die Ilana over haar had gezegd: dat ze geen Dijkman heette en dat ze heel iemand anders was dan ze dacht. Dat ze een gave had. De gave van de Wachters – wat dat dan ook precies betekende, behalve dat ze dode mensen kon zien.

En demonen.

En dat het een gevaarlijke gave was. Maar waarom?

Alle mensen die ze passeerde bekeek ze met wantrouwen. Een oude vrouw met een boodschappentas; dood of levend? Een man in een rolstoel; dood of levend? Een meisje met twee staartjes in dat druk voor haar huis aan het touwtjespringen was. Dood of levend? Eveline voelde zich vreselijk, alsof alle doden en demonen op de wereld achter haar aan zouden komen en boven op haar zouden springen en dan wist ze niets, ze wist niet wat ze ertegen moest doen en dat maakte haar angstig, verdrietig en ook boos.

Ik weet niks. Niemand heeft me iets verteld. Wisten mijn ouders dit? Weet Chantal dat ik dit heb? En nu heeft iemand me zomaar 'wakker' gemaakt en ik weet niks, behalve: 'de Wachter is wakker – kom naar huis.'

Maar ze wist niet waar 'huis' was. Ze wist alleen dat ze volgens een magere waarzegster met een druipneus een gave had waardoor ze dode mensen en demonen kon zien, en dat ze niet Eveline Dijkman heette. 'Je bent heel iemand anders dan je denkt.'

Maar wie dan?

5

Het huis was stil toen Eveline er aankwam. Naar de Paddenpoel gaan zoals ze Cleo beloofd had was geen optie meer geweest. Ze was veel te bang dat ze dat jongetje weer zou zien, of erger. Ze móést eerst meer weten en de enige manier was het aan Chantal te vragen voordat zij twee weken op vakantie ging en het te laat was.

Zachtjes drukte ze de voordeur achter zich dicht en liep behoedzaam naar de woonkamer. Eerst dacht ze dat Chantal al vertrokken was, maar die stond een stiekeme sigaret te roken in het kleine tuintje achter het huis. Toen ze Eveline aan hoorde komen, maakte Chantal snel haar sigaret uit door de peuk in de aarde van een dode kamerplant te drukken en wapperde spastisch de rook weg. Alsof dat hielp. En alsof ze het niet doorhad dat Chantal stiekem rookte.

Maar ik heb nooit doorgehad dat Chantal al die tijd dat ik bij haar woon misschien iets over mij weet wat ik niet wist.

Ze zette haar normaalste gezicht op toen ze door de keuken de tuin in liep. De kleurige plastic strengen van het vliegengordijn gleden plakkerig langs haar armen toen ze door de deuropening de tuin in stapte. 'Heb je gepakt?' vroeg ze aan haar pleegmoeder. Chantal was rood in haar gezicht en veegde het zweet van haar voorhoofd. Haar witte linnen broek was gekreukt en haar voeten zagen er gezwollen uit in haar witte sandaaltjes. Ze ging in een tuinstoel zitten, legde haar voeten op het krukje voor zich en wuifde zichzelf koelte toe met een advertentieblaadje van de drogist. 'Maddy komt me zo ophalen,' pufte ze. 'Eindelijk. Deze hitte is niet goed voor een mens. Ik smelt.'

'Op de boot is het vast koeler,' troostte Eveline terwijl ze haar pleeg-moeder nauwkeurig bestudeerde, alsof de informatie op haar voor-hoofd zou staan. Met de wetenschap dat Chantal misschien iets meer wist over haar gave en waarom iemand die had afgeschermd, had Eve-line helemaal het gevoel dat ze geen flauw idee had wie Chantal Brou-wer was, alsof ze vier jaar lang bij een marsmannetje in huis had gewoond. Ze was zo zenuwachtig dat ze niet stil kon blijven staan.

'Wil je wat drinken?' vroeg ze en ze wilde alweer de keuken in lopen, maar Chantal schudde haar hoofd. 'Anders moet ik alleen maar plassen als we in de auto zitten.'

'Oké,' zei Eveline en ze ging naast Chantal op het puntje van haar stoel zitten. Het wás warm in de tuin. Bloedheet. Nog warmer dan in het centrum. Het leek wel of de hitte van de zon zich had geconcentreerd in het kleine tuintje en de houten omheining achter in de tuin leek te bewegen in de hittegolfjes die van de tegels opstegen. Barbie lag onder Chantals stoel met zijn roze tongetje uit zijn bek te hijgen. Hij mocht mee op de cruise – iets wat Eveline niet begreep, ze kon zich niet voorstellen dat honden het naar hun zin hadden op een schip.

'Waar kom je vandaan?' vroeg Chantal. 'Ik dacht dat je naar de zwemvijver zou gaan?'

Dit is het moment. Vraag het, Eef.

'Ik... ik wilde jou nog even gedag zeggen.'

Chantals blik zei genoeg: ze geloofde er niks van. Dit ging de verkeerde kant op. Eveline zocht naar een excuus, maar kon er geen bedenken. Ze wriemelde haar vingers in elkaar.

'Weet je zeker dat ik je twee weken alleen kan laten?' vroeg Chantal onmiddellijk.

Eveline knikte verwoed. 'Jawel. Tuurlijk,' lachte ze snel. 'Ik ben al bijna veertien. En Cleo is er ook.'

'Hm, ik weet niet of ik me daar beter door voel,' mompelde Chantal. 'Haar moeder let toch op?'

De twijfel stond op Chantals gezicht. 'Misschien is het toch een beetje te vroeg om je zo lang alleen te laten.'

'Echt niet. Ga nou maar – je hebt het verdiend. En als er wat is, dan slaap ik gewoon bij Cleo,' zei Eveline en ze hield twee vingers voor haar mond alsof ze erdoor wilde spugen. 'Dat beloof ik heilig.'

Vraag het nou. Vraag gewoon: 'Chantal, weet jij iets van mijn gave?'

Het klonk zo absurd in haar hoofd, dat ze er bijna van moest lachen. Chantal ging intussen rechtop zitten en draaide zich naar Eveline. Ze had een we-moeten-even-serieus-praten-blik op haar gezicht, die Eveline herkende van sommige leraren op school. 'Eef,' Chantal schraapte haar keel. En nog eens. En nog eens. Eveline klemde haar handen iets steviger om de plastic leuningen, alsof ze zich onbewust schrap wilde zetten voor wat er komen ging. Straks zou ze het gewoon uit zichzelf zeggen: 'Eveline, ik zal je eindelijk de waarheid zeggen: je bent niet wie je denkt dat je bent.'

Maar dat zei Chantal niet. 'Eef,' zei ze in plaats daarvan weer. En toen: 'Heb je misschien een vriendje?'

Eveline had veel vragen verwacht, maar deze niet. Dit keer was het haar beurt om naar woorden te zoeken. 'Hoezo?' kraakte ze uiteindelijk.

'Omdat je de laatste twee dagen zo geheimzinnig doet. Dus?'

'Dus wat?'

'Heb je een vriendje?' Chantal maakte een afwerend gebaar. 'Ik vind het niet erg. Dit is toch wel zo'n beetje de leeftijd voor je eerste vriendje? Zolang hij maar niet hier blijft slapen vind ik het goed.'

Eveline bestudeerde het gezicht van haar pleegmoeder dat haar vragend aankeek, maar ze kon niks lezen in haar staalblauwe ogen – geen liefde, geen twijfel, geen genegenheid, niks. Het begon haar te dagen dat áls Chantal al iets wist van haar 'gave', ze het haar nooit zou vertellen. Ze zou het nooit toegeven. Nooit. Eveline wist niet precies waarom ze dat nu zo zeker wist, maar ze wist zeker dat het geen zin had om haar te confronteren met wat ze net van Ilana had gehoord. Het enige wat ze ermee zou bereiken was dat Chantal misschien niet op vakantie zou gaan.

'Ja,' zei ze daarom maar. 'Ik heb een vriendje – daar had ik net mee afgesproken.' Het kwam er best soepel en zonder blozen uit en Eveline vroeg zich af of met haar gave die 'wakker' was gemaakt ook de gave om beter te liegen naar boven was gekomen.

'Echt?' Chantals gezicht klaarde op. 'Wat leuk! Hoe heet hij? Heb je een foto?'

'Dimmi,' zei Eveline. Ze kon Cleo in haar gedachten al horen lachen als ze haar dit hoorde zeggen. Gelukkig was die er niet. Haar handen begonnen te zweten en gleden ongeveer van de stoelleuningen af. 'Hij is heel knap.'

'Wat leuk voor je, Eef,' zei Chantal hartelijk. 'Maar je moet me beloven dat hij niet blijft slapen.'

'Dat beloof ik. Erewoord.'

De bel ging. 'Daar zal je Maddy hebben,' zei Chantal die zich met moeite uit haar stoel trok. Haar linnen broek was op haar billen een beetje vochtig van het zweet en een zwarte string piepte een klein stukje boven haar broek uit. Eveline wendde snel haar blik af en zag toen het overleden hondje Rico achter Chantal aan het huis in lopen. Meteen was het kippenvel op haar armen terug. Was dit wat ze de rest van haar leven ging zien? Ze kon wel huilen bij die gedachte, want dat wílde ze helemaal niet.

'Elke keer als ik je zie ben je weer groter,' riep Maddy enthousiast toen ze de tuin in kwam. Ze slingerde haar lange dunne armen om Eveline heen en gaf haar een knuffel waardoor Eveline in een lucht van verschaald bloemenparfum, make-up en een heleboel haarlak terechtkwam.

'Eef heeft een vriendje,' zei Chantal op een toon alsof Eveline net haar diploma had gehaald. 'Hij heet Dimmi.'

'Gut, kind, wat ontzettend spannend. Is hij een beetje een spetter?' vroeg Maddy.

'Hij is hartstikke knap, Mads. Tenminste, dat heb ik me laten vertellen.' De vrouwen gaven elkaar een knipoog.

'En zoent hij ook een beetje knap?' zei Maddy en ze gaf Eveline een por met haar puntige schouder.

'Dat zeg ik niet,' bromde Eveline. Ze kon niet geloven dat ze het nu over haar 'vriendje' hadden terwijl ze intussen een dood hondje door de tuin zag scharrelen.

'Is het een jongen uit je klas?' vroeg Chantal. 'Want die naam heb ik nooit gehoord.'

'Chanti, als die meiden iemand leuk vinden, dan praten ze daar juist niet over.' Maddy smakte met haar lippen. 'Heb je niet wat koud liggen voordat we gaan?' zei ze. 'Een lekkere witte wijn met ijs?'

Eveline begon al te balen. Maddy was best aardig, maar ze had geen zin om allemaal pijnlijke vragen te moeten beantwoorden met leugens. Maar gelukkig had Chantal geen zin om Maddy's eeuwige dorst te lessen. 'Zullen we gaan? We kunnen op het vliegveld wel een drankje voor je halen.'

'Blijf jij hier alleen?' vroeg Maddy aan Eveline.

Eveline knikte. 'Maar Cleo komt slapen.'

'Die wildebras?'

'Cleo is mijn beste vriendin,' bitste Eveline meteen.

'Sorry, ik wist niet dat je kwaad werd,' zei Maddy en ze maakte een afwerend gebaar. 'Veel plezier dan maar. We zullen aan je denken als we met een cocktail op de *Sunshine* zitten.'

Ik liever niet aan jullie, dacht Eveline, maar dat zei ze maar niet hardop.

'Er ligt geld in een envelop op de keukentafel. Niet alles in één keer opmaken en niet alleen maar chips eten en cola drinken. En bel me als er wat is,' zei Chantal die een onhandige poging deed om Eveline een zweterige knuffel te geven die Eveline stijf als een plank over zich heen liet komen. 'Ga nou maar, straks missen jullie het vliegtuig nog,' zei Eveline die zich in moest houden om de twee vrouwen niet het huis uit te duwen. Nu ze had besloten dat het geen zin had om Chantal iets te vragen, wilde ze dat ze zo snel mogelijk wegging zodat ze het hele huis ondersteboven kon keren op zoek naar antwoorden.

Barbie liep met Chantal mee en wipte braaf het reismandje in dat voor haar klaarstond. Voordat Chantal het mandje dichtmaakte, glipte Rico er ook bij. Onzichtbaar voor Chantal en Maddy, maar glashelder voor Eveline en ook voor Barbie, die driftig naar het geesteshondje gromde.

'Barbie, doe eens aardig,' zei Chantals vriendin, maar Barbie gromde nog een keer en blafte schel. De aanblik van het dode hondje bracht Eveline weer aan het twijfelen. Wat gebeurde er met haar zonder Chantal? Ze wilde er niet aan denken wat er zou gebeuren als zo'n demon op haar stoep zou staan. Ze had niet het idee dat een dichte deur die op het nachtslot zat veel bescherming zou bieden.

Chantal hijgde een beetje toen ze haar rolkoffer omhoogtrok, en Eveline besloot dat Chantal haar vast ook niet veel bescherming kon bieden – ze kon haar dode hondje niet eens zien als het onder haar neus in een reismand ging liggen, laat staan dat ze haar zou kunnen beschermen tegen een demon.

'Eef?' Chantal stond voor haar neus. 'Heb je het gehoord?'

Eveline knikte, al had ze geen flauw idee waar Chantal het over had gehad.

'Nou, dan gaan we maar, hè?' zei Chantal. 'Waar staat de limo?' Ze moest zelf hard lachen om haar grap, want Maddy had een autootje waar twee vrouwen met twee koffers als geplette sardientjes in zouden zitten.

'Veel plezier,' zei Eveline.

'Ik zie je over twee weken,' zei Chantal. 'Bel maar als er echt iets is en als het niet gaat dan wil ik dat jullie meteen naar Cleo's ouders gaan. En geen nachtelijke feestjes geven in huis!'

Eveline knikte gehoorzaam.

'Ik meen het, Eef. Ik wil niet terugkomen in een huis met chips op de vloer en cola op de muren!'

'Nee, dat doen we niet, echt niet.'

'En die jongen mag hier wel komen, maar...'

'Niet blijven slapen,' vulde Eveline haar aan. 'Als je denkt dat ik het niet kan, waarom ga je dan weg?' flapte ze er brutaal uit en ze beet meteen op haar tong.

'Dat is ook zo,' zei Chantal onverstoorbaar. Haar wantrouwen van de afgelopen dagen leek helemaal verdwenen nu ze wist dat Eveline een vriendje had en ze daarom zo geheimzinnig had gedaan. 'Kom, we gaan.' Ze draaide zich om en trok haar rolkoffer door het krappe gangetje naar de voordeur. 'Dag Eef,' zei ze bij de deur.

'Dag Eef, veel plezier met je nieuwe vriendje,' zei Maddy. Ze stapten de felle zon in, trokken de deur dicht en weg waren ze.

Eveline leunde tegen de koele muur en luisterde naar het opgewekte gekwetter van de vrouwen dat langzaam wegstierf. Ze was alleen. Het huis zweeg om haar heen. Ze stond even besluiteloos, verlamd, en haar adem zat hoog in haar keel. Buiten klonk het geluid van een startende auto en daarna de toeter. Toen was het weer stil – nu waren ze echt weg.

De gang voelde vreemd. Omdat ze alleen was, omdat het zo stil in huis was zonder de eeuwige televisie die op de achtergrond schetterde. Maar ook omdat ze het gevoel had dat het huis dingen wist die ze zelf niet wist. Ze klemde haar handen over haar buik. En zo stond ze een tijdje. Alles leek normaal: de trap met het vale tapijt erop. De deur onder de trap die toegang gaf tot het rommelhok waar de stofzuiger stond en waar het altijd een beetje schimmelig rook. De kroonluchter van verschillende kleuren plastic boven haar hoofd. De geur van gympjes die altijd in de gang leek te hangen omdat ze onder de kapstok hun schoenen bewaarden. De serie bloemenschilderijtjes aan de muur. Eveline telde er zes: een rode roos, een oranje tulp, een witte margriet, een gele bloem waarvan ze de naam niet wist, een paarse anjer en als laatste een witte lelie.

Alles leek zo normaal maar dat was het niet. Niet meer. Zij was niet meer normaal. En blijkbaar ook nooit geweest.

In de wc checkte ze haar ogen. Het bruin was opgelost en ze waren nu helemaal paars, alsof ze wilden zeggen: pech gehad, nu is er geen weg meer terug. Ze staarde naar haar eigen spiegelbeeld en vond het moeilijk om te wennen aan haar nieuwe uiterlijk. Met bruine ogen had ze altijd zo lief geleken: bruine ogen met bruin haar en bruine sproetjes op haar neus, alsof alles in balans was, in evenwicht. Maar nu was dat evenwicht verstoord en stak de paarse kleur fel af bij de rest van haar uiterlijk. Ze steunde met haar armen op de wasbak en probeerde niet te huilen. Ze voelde zich machteloos en boos tegelijkertijd, omdat ze zoveel vragen had en geen enkel antwoord.

Een schel geluid doorbrak de stilte. Eveline schrok er zo van dat haar hart oversloeg. Het duurde twee, drie, vier keer voordat ze kon plaatsen wat het was. Daarna rende ze naar haar telefoon.

'Hallo?'

'Spreek ik met Mario de pizzabezorger? Ik wil graag drie pizza's bestellen, een margarita, een calzone en een vegetariana voor mijn vriendin Eveline die ik net als vermist heb opgegeven,' klonk Cleo's stem in haar oor. 'Kunt u dat brengen naar de Paddenpoel? Zo snel mogelijk.'

'Sorry, ik kom er zo aan,' zei Eveline snel. 'Ik moest Chantal uitzwaaien.'

'Tuurlijk,' zei Cleo sarcastisch.

'Ik kom zo, oké?'

'Ik hoop het. En anderen ook.'

'Huh?'

Cleo's stem werd zachter. 'Dimmi is er ook. Hij keek heel teleurgesteld toen ik in mijn eentje hier aankwam.'

'Haha.'

'Schiet je op? We hebben onze plek terug!' joelde Cleo.

'Ik kom echt zo.'

Het was even stil aan de andere kant.

'Eef,' zei Cleo en haar stem klonk serieus. 'Is er wat?'

'Nee, er is niks.'

'Echt niet? Je klinkt zo... gek.'

'Gekker dan anders?' grapte Eveline, maar Cleo hapte niet.

'Nee, anders,' zei Cleo. 'Niet blij-gek, maar bezorgd-gek.'

'Er is echt niks, ik kom zo,' zei Eveline. 'Ik moet nu gaan, oké?' Ze drukte haar telefoon uit. Ze liep de woonkamer in en keek rond. Waar moest ze beginnen? Ze trok het bovenste laatje open van het kastje dat achter de eettafel stond. Rekeningen, oude krasloten zonder opbrengst, verzekeringspapieren, Chantals oude paspoort, een adresboekje. Eveline bladerde door het boekje, in de hoop iets te vinden, maar het was leeg. Ze wist niet zo goed waarnaar ze zocht. Er zou toch bewijs moeten zijn, een soort officieel document dat Chantal haar pleegmoeder was? Ze werkte het kastje door, systematisch. Een fotoalbum met een jongere Chantal – op vakantie bij een zwembad, in een bar met verbrand gezicht, een jongen met knalrode wangen naast haar, een biertje in zijn ene hand, zijn andere hand losjes op haar schouder. Een bierviltje met een telefoonnummer erop. Een paar balpennen van een reisorganisatie. Nog meer oude krasloten. Een boekje met bankafschriften. Eveline twijfelde. Zou ze? Maar dat was wel heel privé. Aan de andere kant: als Chantal iets voor haar verborgen hield...

Ze plantte zichzelf op de bank met de map in haar handen. De stilte was zo drukkend dat Eveline de televisie aanzette. Op het beeld dansten mooie slanke bruine mensen in bikini's bij een zwembad. Een vrouw met een zonnebril op kronkelde voor de camera. 'Your love is hot as summer,' kweelde ze met roze geglazuurde lippen.

Eveline sloeg de map open. Chantal bleek nogal chaotisch met haar bankzaken, want de afschriften waren in willekeurige volgorde in de map gestopt. Ze had het gevoel dat Chantal een gat in haar hand had, want naast afschrijvingen van allerlei loterijen waren er ook aanzienlijke kasopnamen van soms wel een paar honderd euro per keer. Wat verder opviel, was dat Chantal veel geld op de bank had staan. Heel veel geld. En hoe verder Eveline terug in de tijd ging, hoe meer het werd.

Hoe kwam Chantal daaraan?

Chantal werkte niet omdat ze tien jaar geleden een auto-ongeluk had gehad waardoor ze last van haar nek had. Eveline wist dat ze een uitkering kreeg en dat werd bevestigd door de afschriften, maar het was niet veel.

Eveline bladerde verder, op zoek naar de bron van al die duizenden euro's die Chantal leek te verkwisten. Uiteindelijk had ze het juiste papiertje te pakken en haar adem stokte.

Tweehonderdvijftigduizend euro. Er was tweehonderdvijftigduizend euro overgemaakt aan Chantal Brouwer. Dat was het enige wat er stond. En: 'Bankrekeningnummer afgeschermd'. Chantal had een kwart miljoen euro gekregen van een anonieme bankrekening.

En aan de datum te zien – oktober vier jaar geleden – was het meteen nadat Eveline bij Chantal in huis was komen wonen.

Dit heeft met mij te maken. Ik weet het zeker. Maar het is toch niet normaal om zoveel geld te krijgen als je voor een pleegkind gaat zorgen?

Een vreemde gedachte kwam in haar hoofd: wat als iemand Chantal nou heel veel geld had aangeboden als ze voor Eveline zou zorgen?

Maar dat is niet normaal. Toch?

Eveline sloeg de map dicht en moffelde hem terug in het kastje. Waar verder zoeken? Het huis was niet zo groot, maar als je niet wist wát je zocht, dan voelde het als een kasteel.

Chantals slaapkamer.

Eveline rende snel naar boven en probeerde haar schuldgevoel weg te drukken. Chantal kwam bijna nooit in de slaapkamer van Eveline en vice versa. Dat was een stilzwijgende afspraak die zij hadden. Het was misschien anders als je moeder je echte moeder was, maar op een of andere manier voelden ze zich beiden ongemakkelijk als ze in elkaars territorium waren. Tenminste, Eveline dacht dat Chantal daar ook last van had, zij had daar zeker last van en ze dacht dat het kwam omdat Chantal niet haar echte moeder was.

Bij de gedachte aan haar ouders schoot een steek door haar lichaam en ze moest even stoppen op de overloop. Toen ze net bij Chantal woonde, had ze eindeloos gefantaseerd dat haar ouders niet dood waren. Dat er sprake was van een soort misverstand en dat haar ouders op een dag gewoon op de stoep zouden staan: 'Wij zijn de ouders van Eveline en komen haar weer meenemen.' Ergens geloofde ze daar heilig in en hoewel de fantasie vervaagd was, was hij nooit helemaal verdwenen.

En nu bleek dat ze iemand anders was – waarom zouden haar ouders dan niet nog leven?

Ze duwde deze gedachte ver weg. Het was te absurd. En de fantasie deed te veel pijn, alsof iemand haar hart uit haar lijf had gerukt en er een stomp op gaf.

Ze opende de deur van de kamer en spiekte om het hoekje. Chantals grote bed was keurig opgemaakt met een groene sprei met bloemen erop, en wel tien bijpassende kussentjes die aan het hoofdeinde waren gedrapeerd. Boven het bed hing een reproductie van een bekend schilderij waar allerlei bloemen op stonden. Chantal had geen groene vingers, maar zolang bloemen niet dood konden, was ze er gek op. Eveline aarzelde op de drempel, maar knielde uiteindelijk neer bij het bed en spiekte eronder. Het enige wat er lag was een opgevouwen fitnessapparaat met een verzameling stof van een paar jaar erop. Eveline liet haar handen over de onderkant van het bed glijden en tilde de matras met moeite een stukje op, maar ook daar ving ze bot.

Daarna groef ze zichzelf door de twee kleerkasten die tegenover het bed stonden. Eveline kwam erachter dat Chantal moeite had met dingen weggooien, want de bodem van beide kasten was bezaaid met hopen schoenen. Oude schoenen met kapotte hakken, gebroken bandjes, hopeloos ouderwetse schoenen die niemand meer aan wilde, slippers waar het teengedeelte van had losgelaten, sandaaltjes met gerafelde elastieken bandjes... Er kwam een muffe geur vanaf, een mengsel van rubber, oud leer en zweet. Toch werkte ze zich dapper door de stapel heen, bevoelde elke schoen en keek erin, maar ze vond helemaal niets, behalve een blauw rubberen balletje dat waarschijnlijk van een van de honden was geweest. Daarna voelde ze systematisch door Chantals kleren, elke zak van elk jasje, tussen haar T-shirts, haar broeken... Maar ze vond niets meer dan een handvol kleingeld, een oud treinkaartje en een bonnetje van de stomerij.

Toen viel haar oog op een kastje met drie laden dat tegen de muur stond. Ze trok de bovenste la open: ondergoed.

Ze twijfelde. Kon ze het maken om door Chantals ondergoed te graven? Maar het was wel dé plek waar mensen geheime dingen bewaarden.

Dus pakte ze snel een armvol ondergoed en dumpte het op de grond. Daarna nog een arm, totdat de la leeg was.

Niks. Alleen maar onderbroeken formaat-zeil en beha's in cup G.

Ze propte de kleding weer terug en gaf de middelste la dezelfde behandeling. Sokken en panty's. Ook hier weer die muffe voetengeur. Maar ze vond er niks bijzonders.

De onderste la. Oude make-up en halflege strips van pillen in alle kleuren van de regenboog. Tubes zalf met etiketten met 'Mevrouw C. Brouwer, 3x daags dun aanbrengen' erop. Deze la rook zoals hij eruitzag: de scherpe chemische lucht van medicijnen gecombineerd met de zoetige geur van make-up. Ze begroef haar handen in de potjes, flesjes en strips met de bedoeling om ze eruit te halen, maar ze prikte zich – hard – aan iets scherps. Uit haar wijsvinger welde meteen een rode druppel op en ze stak haar vinger in haar mond. Haar bloed liet een metalige smaak achter op haar tong, waar ze een beetje misselijk van werd. Ze kreeg de boosdoener in het oog: een naald waar nog een wit draadje aan vastzat. Iets voorzichtiger haalde ze alles uit de la en bevoelde daarna alle hoeken en gaten. Ze wilde het al opgeven, toen haar vingers iets raars voelden – ze pulkte een beetje en kreeg toen een hoekje te pakken van iets wat voelde als een envelop. Haar hart sloeg over en ze trok voorzichtig aan het hoekje, zodat het papier niet zou scheuren.

Het wás een envelop, vergeeld van ouderdom en met rafelige randen. *Chantal Brouwer* stond er op de voorkant, met het adres eronder.

Waarom had Chantal deze brief verstopt?

Met trillende handen trok Eveline de brief uit de envelop. Hij zag eruit alsof iemand hem vaak had gelezen, want de vouwen waren zo versleten dat de brief bijna in drie stukken uiteenviel.

Evelines ogen gleden over de letters op het papier. Geen datum. De aanhef: *Mijn allerliefste duifje.*

Het was een liefdesbrief.

Teleurgesteld vouwde Eveline de brief weer dicht. Toen vouwde ze de brief weer open. Misschien stond er wel iets in. Misschien was het een afleidingsmanoeuvre en begon het als een liefdesbrief, maar stonden er wel aanwijzingen in.

Deze brief is de moeilijkste die ik ooit heb geschreven. Het spijt me dat ik je moet kwetsen, maar ik kan het niet meer, mijn liefste. Ik ben verscheurd. Ik houd zoveel van je, maar je weet dat ik Irma niet kan verlaten. Ze heeft mij nodig en ik zal het mijzelf nooit vergeven als zij zichzelf iets aan zou doen omdat ik haar verlaten heb. De afgelopen maanden waren de mooiste van mijn leven...

Het was geen liefdesbrief, het was een afscheidsbrief. Chantal had een geheime relatie gehad met een getrouwde man die getrouwd was met een vrouw die Irma heette en zelfmoordneigingen had.

Ik zal nooit vergeten hoe ik kon verdrinken in het koele blauw van je prachtige ogen. Het gevoel van jouw zachte wulpse lichaam tegen het mijne.

Eveline vouwde met een vies gezicht de brief dicht en stopte hem terug in de envelop. De kans dat er iets over haar in stond leek haar nul komma nul. Er was vast geen plaats voor pleegkindpraat tussen prachtige ogen en wulpse lichamen in. Ze duwde de envelop zo goed en zo kwaad als het ging weer op zijn plaats, legde alles weer in de la en duwde de la dicht. Ze leunde tegen het bed. Er was niks in de slaapkamer. Waar dan wel? Haar eigen slaapkamer? Dat leek haar sterk.

Ze liep weer terug naar de overloop. Beneden schetterde de televisie. De badkamer? Het washok?

Ze keek omhoog en zag het luik.

Natuurlijk – de zolder. Als zij Chantal was en ze zou iets moeten verstoppen, dan was de zolder de perfecte plaats.

Ze zette een krukje uit de badkamer onder het luik en reikte omhoog, maar ze kon niet bij het oog waarmee ze het luik kon openen. Zelfs op haar tenen was ze niet lang genoeg. Ze liep opnieuw Chantals slaapkamer in en haalde een ijzeren kleerhanger uit een van de kasten.

Ze ging weer op het krukje staan en haakte de kleerhanger in het oog van het luik. Ze trok, maar de grendel verschoof niet. Ze zette meer kracht en met een klik schoof de grendel van zijn plaats, waarna het luik openklapte en de uitschuifbare trap met een klap naar beneden kwam zetten. Eveline schrok zo dat ze haar evenwicht verloor en ze kon nog net van het krukje af springen voor ze achterover donderde.

De aluminium trap liep omhoog naar een donker gat. Eveline slikte, verzamelde moed en stapte toen de trap op die piepte bij elke stap die ze deed. Langzaam liep ze naar boven en stak haar hoofd aarzelend door het gat. Het was schemerdonker op de zolder en bloedheet. In het donker stonden een paar schaduwen waar Eveline van verstijfde – getver, was dat een man?

Ze tastte naar het lichtknopje dat links op een balk zat en een kaal peertje boven haar hoofd ging aan. Meteen zag de ruimte er een stuk vriendelijker uit. De 'man' was geen man, maar de nepkerstboom die Chantal elk jaar weer keurig inklapte en waar ter bescherming een laken overheen hing. Aan beide kanten van het luik stonden oude spullen opgestapeld: een mintgroene ronde tafel met bijpassende stoelen, een paar ingelijste reproducties van schilderijen (natuurlijk weer met bloemen), een garderobekast vol kleding en nog meer schoenen. Uit de kast steeg de scherpe geur van mottenballen op. Eveline opende lukraak een verhuisdoos: haar speelgoedverzameling. Ze herkende meteen het fornuis dat Chantal haar gegeven had toen ze net in huis was komen wonen. Het zag eruit als nieuw; Eveline hield niet zo van meisjesspeelgoed. De pop ernaast zat nog net niet in de doos, maar zag er ook nog nieuw uit met elk plastic haartje op zijn plaats. Eveline tilde de pop omhoog. De ogen gingen open en vanuit haar binnenste klonk een metalige stem die 'mama' zei. Eveline kreeg er de kriebels van en gooide de pop weer terug. Ze deed de doos weer dicht en probeerde te denken als Chantal. Als ze iets moest verstoppen, waar zou ze dat dan doen? Ze trok nog een doos open: oude langspeelplaten. Ernaast stond een pick-up met een dikke laag stof erop. Gedachteloos trok ze een hartje in het stof en zette er een pijl doorheen van een 'E' naar een 'D'. In de volgende doos zaten boeken, in de volgende ouderwets serviesgoed met – natuurlijk – bloemetjes erop. Zo worstelde ze zich door oude vazen, een paar lampen, een afgekauwde hondenmand, muf ruikende kampeerspullen, een tas met een nog muffer ruikend dekbed, een vooroorlogse stretcher... Ze kreeg het helemaal benauwd van het stof dat ronddwarrelde en haar handen zaten onder een laag grijs vuil. Ze trok het door de zon verschoten rolgordijn omhoog en gooide het dakraam open. De zon maakte een gouden streep door de ruimte waar kleine stofdeeltjes in rondzweefden. Het zachte geroezemoes van de televisie beneden mengde zich nu met een vogel die luidkeels op het dak zat te zingen. Eveline ging zitten op de balk die midden door de ruimte liep en keek mismoedig rond. Ze had het gevoel dat ze al uren aan het zoeken was en ze had nog helemaal niets gevonden.

Het is ook moeilijk iets te vinden als je niet weet waar je naar zoekt, dacht ze. In elk geval iets van papieren van haarzelf, want ze vond het raar dat ze die nergens was tegengekomen.

Ze trok zichzelf maar weer omhoog. Hier blijven zitten en niks doen had ook geen zin, en anders kwam ze helemaal laat aan bij de zwemvijver, waardoor Cleo vast nog achterdochtiger zou worden.

De zolder had een puntdak waar dwarsbalken onder liepen, ze waren vrij smal, maar het was wel een goede plek om iets neer te leggen... Eveline gleed met haar handen voorzichtig over de bovenkant van het ruwe hout. Nog meer stof dwarrelde op en aan haar vingers hing stoffig spinrag. Ze nieste en veegde haar hand af aan haar broek. Zo liep ze met haar armen boven haar hoofd voetje voor voetje van de ene kant naar de andere kant van de zolder. Nog meer spinrag en ze veegde weer – op haar korte broek en haar blote benen zaten grote grijze vegen. Een splinter drong in haar vinger. Toch ging ze door, maar ze voelde helemaal niets op het hout liggen, totdat...

Ze viste een heel klein sleuteltje van de balk en ze bestudeerde het ding, maar kon niet beoordelen of het op een bureaula, een kluis, een koffer of een spaarpot paste. Met de sleutel veilig in haar zak begon ze opnieuw de zolder binnenstebuiten te keren. De mintgroene tafel ging aan de kant, alle dozen gingen nog een keer open, ze klom ongeveer in de kast en keek zelfs of de vogelkooi geen dubbele bodem had waar eventueel het sleuteltje op paste. Toen ze een oude matras opzijschoof, zag ze iets wat haar niet eerder was opgevallen: aan het einde van de zolder liep de muur niet helemaal door naar boven, maar leek er nog een ruimte onder het dak te zitten. Eveline sleurde een van de mintgroene stoelen naar het gat en stapte erop. Op die manier kon ze net over de rand van de muur de ruimte in kijken, maar het was zo donker dat ze niet kon zien of er iets lag. Ze voelde met haar hand. Niets. Alleen maar nog meer stof en nog meer spinrag. Eveline trok zichzelf een stukje omhoog en reikte nog verder.

Haar vingers stootten tegen iets hards. Eerst dacht ze dat met haar vingers de achtermuur raakte, maar toen ze duwde, schoof er iets een stukje naar achteren. Ze tastte, maar nu kon ze er helemaal niet meer bij. Ze sprong van de stoel en trok twee delen van een oude encyclopedie uit een van de dozen die ze op de stoel legde. Het was een beetje gammel en ze stapte heel voorzichtig eerst met haar ene en toen met haar andere voet op de stoel. Door de extra hoogte kon ze nu beide armen gemakkelijk in het gat steken en op de tast het voorwerp naar zich toe trekken.

Het was een stoffig leren koffertje, zo'n ding dat zakenmannen meenemen naar een vergadering. Ze trok hem uit zijn schuilplaats en stapte van de stoel.

Er zat een slot op de koffer.

Evelines hart ging sneller toen ze de sleutel uit haar zak frummelde en in het slot stak. Ze draaide tot ze een klik hoorde en de twee gespen waarmee de koffer dicht zat, automatisch opensprongen.

Hoewel ze wist dat Chantal er niet was, keek ze toch om zich heen voordat ze de koffer opende en spitste ze haar oren, maar het enige geluid dat ze hoorde was de muziek van de televisie beneden. Ze tilde het deksel op. Haar mond was droog en ze slikte een paar keer, maar er kwam geen speeksel.

De binnenkant van de koffer was gevoerd met lichtbruin leer. Het eerste wat ze zag was een crèmekleurige envelop zonder iets erop. Ze draaide hem om, maar ook de achterkant was onbeschreven. Haar oog viel op het papier dat onder de envelop lag. 'Geboren: Eveline Sevenster' stond er in krullende letters.

Het was haar geboortebewijs. Maar met een andere achternaam.

Met trillende handen legde Eveline de envelop neer en pakte het papier op. Onder de naam stond een geboortedatum. Het jaar klopte, maar er stond een andere datum bij: 7 juli. Dat was een maand eerder dan haar verjaardag die op 7 augustus was. En Ilana had gelijk gehad toen ze zei dat ze geen Dijkman heette. Ze heette Eveline Sevenster!

Sevenster... Een vlaag van herkenning ging door haar heen. Sevenster. Een herinnering kwam naar boven: ze zag zichzelf met een blaadje voor haar neus en een potlood in haar handen. Haar moeder zat naast haar en leidde haar onhandige bewegingen. Bibberige letters vormden haar naam: Eveline Sevenster. Eronder tekende haar moeder een ster met zeven punten. 'Kijk, Line, dat ben jij,' zei haar moeder. 'Een heel bijzondere ster, met zeven stralen.'

Eveline bleef even zitten met haar ogen dicht en haar geboortebewijs tegen zich aan, totdat de herinnering vervaagde en ze weer normaal kon ademen. Haar moeder had geen gezicht gehad, maar Eveline wist nu wel weer hoe ze rook: zoet en warm, zoals ze zich had voorgesteld.

Ze deed haar ogen weer open en legde haar geboortebewijs voorzichtig terug in de koffer. Daarna pakte ze de envelop op. Hij woog bijna niks en even was ze bang dat er niets in zat, maar toen ze hem ondersteboven hield, vielen er een foto en een blaadje uit.

Eveline pakte de foto op die op zijn kop op de grond was gevallen. 'Koen, Eveline en Isa Sevenster' stond erop. Ze draaide hem om en de tranen kwamen bijna meteen, alsof iemand op een knopje had gedrukt. Haar jongere ik zat in het midden, haar haar was iets lichter dan het nu was en zat in twee slordige vlechten. Ze grijnste breed waardoor je kon zien dat ze twee voortanden miste. Op haar neus zaten ontelbare sproeten. Haar moeder en vader zaten ieder aan een kant, haar moeder keek naar Eveline. Ze had iets donkerder haar en ze had geen sproeten, maar Eveline zag dat ze haar hoge wenkbrauwen van haar moeder had. Haar vader grijnsde een brede lach in de camera en strekte zijn hand naar voren – hij had de camera vast. Koen Sevenster had lichtbruin haar.

En paarse ogen.

Haar vader had paarse ogen! Haar vader had dezelfde paarse ogen als zij!

Ze bracht de foto naar haar gezicht en bestudeerde hem nauwkeurig. Zijn haar viel weerbarstig naar voren, waardoor zijn ogen gedeeltelijk achter zijn haren verborgen zaten, maar hij had echt paarse ogen.

Haar blik schoot terug naar haar jongere zelf. Zij had zelf ook paarse ogen. Ze was er blijkbaar al een beetje aan gewend, want het was haar niet opgevallen. Maar ze had daar echt paarse ogen en geen bruine ogen zoals op alle foto's van Chantal.

Dan was hier mijn gave nog niet afgeschermd, dacht Eveline. Ze bestudeerde haar moeders gezicht, maar omdat die naar Eveline keek, kon ze niet zien of haar moeder paarse ogen had. Maar haar vader wel. Hij had de gave van de Wachters – had zij het dan van hem? Was het iets wat je op je kinderen kon overdragen, alsof het in je genen zat?

Eveline voelde zich aan de ene kant een beetje minder eenzaam en aan de andere kant eenzamer dan ooit, want het verlangen naar haar ouders was zo groot dat ze bijna geen lucht kreeg. Ze gleed met haar vinger over de drie gezichten. Isa – Eveline – Koen. Haar ouders en zij. Ze veegde met haar andere hand driftig de tranen van haar gezicht, maar er kwamen gewoon weer nieuwe.

De foto was buiten gemaakt, achter hen stond een magnoliaboom in bloei met witroze bloemen. Ze deed haar ogen dicht en tastte haar geheugen af naar een herinnering aan wanneer deze foto was gemaakt, maar tot haar grote teleurstelling kwam er niks, alleen het schrijven van haar naam had ze zich kunnen herinneren. Ze legde voorzichtig haar hand op de foto in de hoop dat ze misschien iets zou 'zien', deed haar ogen dicht en concentreerde zich, maar er gebeurde niks.

Teleurgesteld legde ze de foto voorzichtig neer alsof het een breekbare schat was en pakte het papier op dat ook in de envelop had gezeten. Ze hoopte dat het een boodschap was in de trant van: 'Lieve Eveline. We leven nog.' Maar er stonden maar twee woorden en een cijfer op het papier, in blokletters geschreven:

Nikodemusdijk 3
Onderlinden

Het was een adres.

Eveline had opeens het gevoel dat ze tijd tekortkwam. Ze moest naar dat adres. Onderlinden was een kleine dorpje net voorbij de zwemvijver. Wat was daar? Ze was er nooit geweest, maar misschien had ze daar vroeger wel gewoond. Was dat wat de boodschap had bedoeld met 'kom naar huis'? Woonde daar familie? Mensen die haar meer konden vertellen over wie ze was?

Zouden haar ouders daar zijn? Nee, Eveline, dat mag je niet denken. Je ouders zijn dood. Omgekomen, gestikt. Als ze zouden leven, dan zou je niet bij Chantal wonen.

Ze legde alles weer terug in de koffer, sloeg hem dicht en wilde net gaan staan toen ze zich plotsklaps realiseerde dat er iets veranderd was in het huis.

Het was stil.

Al die tijd had de televisie beneden geluid gemaakt, maar nu hoorde ze niets meer.

Jawel, toch...

De trap kraakte onder het gewicht van iemand die naar boven kwam.

Eveline aarzelde geen moment. Ze deed het koffertje dicht, stond zo stil mogelijk op en klom op de stoel. Ze duwde het koffertje in de kleine ruimte onder het dak. Daarna hees ze zichzelf omhoog en wurmde zich in de holte. Geluidloos draaide ze zich om zodat ze op haar buik lag en het bovenste gedeelte van de zolder kon zien. Haar blote benen schaafden pijnlijk langs het ruwe hout en ze voelde iets in haar nek kriebelen waarvan ze hoopte dat het spinrag was zonder spin. Het was zinderend heet zo dicht onder het dak. Er klonk gerammel van metaal – iemand schudde aan de aluminium ladder. Eveline kroop dieper weg in haar schuilplek.

'Eveline,' klonk een akelig schrapende fluisterstem onder aan de trap. 'Eveline.'

Ze klemde haar hand voor haar mond om niet te gillen. De ladder piepte – iemand kwam de zolder op. Eveline realiseerde zich dat het wel het domste plan ooit moest zijn geweest om hier te gaan liggen: ze kon geen kant op. Ze kreeg het zo benauwd dat ze zwarte vlekken voor haar ogen kreeg en ze probeerde wanhopig rustig te ademen.

'Eveline,' klonk de fluisterstem weer. Het was de rochelende ademtocht van iets wat niet levend klonk, iets dat langgeleden al was gestorven en dat haar nu naar de diepste krochten van de hel kwam trekken.

Het prikte achter haar ogen en er liep een straaltje zweet vanuit haar nek haar T-shirt in. Opgerold als een bal reikte ze achter zich en trok het koffertje omhoog. Ze spiedde naar de balken van de zolder waar nu een grote schaduw overheen viel.

Onder haar schuilplek werd de stoel verschoven. Twee bonken van de boeken die op de grond vielen. De stoel verschoof weer. Eveline hield het koffertje in de aanslag, ze klemde het handvat stevig in haar hand en zette zich schrap. Een schim kwam omhoog.

Eveline haalde uit met het koffertje, maar het silhouet was bliksemsnel en weerde de slag af.

'Eef?' klonk het verontwaardigd. 'Ben je gek geworden?'

Het was Cleo.

6

Eveline was zo opgelucht dat ze bijna begon te huilen. In plaats daarvan werd ze kwaad. 'Waarom deed je die enge stem?' zei ze boos.

'Waarom val jij me aan met een koffer?' zei Cleo. 'Je had me bijna voor m'n hoofd gemept.'

'Omdat jij zo eng deed!'

'Zat je daarom in dit gore spinnenhol?' zei Cleo die aan haar arm begon te sjorren.

'Nee, ik ben begonnen met een vroege winterslaap, nou goed,' zei Eveline. Ze was echt pissig dat haar vriendin haar zo had laten schrikken. 'Ik zou toch naar jou toe komen? Wat doe je hier?'

'Eef, het is al zes uur,' zei Cleo. 'Je zei dat je er zo aan zou komen, dat is vier uur geleden.' Ze wipte van de stoel af en hielp Eveline uit het gat. 'Jesses, wat zie jij eruit.' Ze begon het spinrag van Evelines haar en lichaam te borstelen, wat overal leek te zitten. 'Je hele gezicht is grijs, met strepen,' zei ze. 'Heb je gehuild?'

Eveline antwoordde niet en gelukkig drong Cleo niet aan. 'Wat deed je hier?' vroeg ze alleen maar terwijl ze rondkeek. 'Het is hier bloedheet.'

'Ik zocht iets.'

'Wat dan?'

'Gewoon... iets.'

'En dat "gewoon iets" kon niet wachten tot vanavond?'

Eveline schudde haar hoofd en maakte een afwerend gebaar.

Cleo pakte haar bij haar arm. 'Je doet de hele tijd zo raar! Wat is er nou?' Eveline keek naar het bruine koffertje waar ze Cleo bijna mee van de stoel had gemept en dat Cleo zo goed had opgevangen.

Cleo schudde aan haar arm. 'Hé, ga je nog wat zeggen?'

'Ik... ik weet niet,' stamelde Eveline.

Cleo had Eveline naar het koffertje zien kijken en was er met één stap bij. Ze tilde het op. 'Hier wilde je me mee slaan, hè? Wat zit erin?'

'Niks!' Eveline nam een duik en probeerde de koffer uit Cleo's handen te grissen, maar Cleo was veel te snel en hield het ding achter haar rug. 'Waarom mag ik er niet in kijken? Zitten er liefdesbrieven in of zo?'

'Ja, allemaal liefdesbrieven van allemaal jongens waar ik stiekem mee heb gezoend zonder dat jij het hebt gemerkt en die me nu elke dag schrijven, nou goed?' Ze stak haar hand uit. 'Mag ik nu mijn koffer terug?'

Cleo bekeek de koffer wat nauwkeuriger. 'Er staat niet op dat het jouw koffer is, dus bewijs dat maar,' pestte ze en ze schudde ermee, maar het geboortebewijs, de foto en het briefje met het adres maakten geen lawaai. 'Zit er überhaupt wel wat in?'

'Nee, er zit niks in,' zei Eveline en ze probeerde haar gezicht strak te houden, maar dat lukte niet en Cleo geloofde er geen barst van. 'Ik maak hem open, hoor,' zei ze.

'Moet jij weten,' zei Eveline. Ze voelde zich opeens heel moe, ging op de dwarsbalk van de zolder zitten en strekte haar benen naar voren. 'Maak maar open. Kijk maar wat erin zit.'

Cleo's uitdrukking veranderde van uitdagend naar onzeker. 'Wat zit er in dan? Mag ik echt kijken?' vroeg ze.

Eveline knikte. Ze veegde met haar handen het stof van haar benen. 'Kijk maar.' Ze wist niet hoe ze aan haar vriendinnetje moest vertellen wat ze had ontdekt, ze wist de woorden niet te vinden, dus kon ze Cleo maar beter in de koffer laten kijken.

'Het is toch niet iets goors?' vroeg Cleo achterdochtig.

'Nee, doe hem nou maar open.'

En dan weet ze – gedeeltelijk – wat er aan de hand is.

Die gedachte voelde aan de ene kant doodeng, maar aan de andere kant ook als een opluchting.

Cleo knielde en legde het koffertje voor zich op de grond. Voorzichtig klikte ze de sluitingen open en tilde het deksel op. 'Geen goud?' zei ze quasi-teleurgesteld.

'Voor mij meer waard dan goud,' zei Eveline serieus.

Cleo keek haar onderzoekend aan. 'Mag ik...' Ze tilde de envelop op. Eveline knikte.

Het eerste wat Cleo opdiepte, was de foto. 'Dit ben jij met je ouders!' zei ze enthousiast. 'Jeetje, wat lijk jij op je moeder, zeg!' Ze keek op naar Eveline. 'Ik vond je zonder tanden een stuk mooier,' zei ze pesterig. Ze bracht de foto wat dichter bij haar gezicht en bestudeerde hem wat beter. 'Je vader is best een lekker ding,' flapte ze eruit. 'Ik bedoel... was. Sorry.'

'Maakt niet uit.'

'Zijn ogen zijn lichter.'

'Wat voor kleur dan?' vroeg Eveline nieuwsgierig. Het was eruit voordat ze bedacht dat dat een heel rare vraag was voor Cleo.

'Hoe bedoel je wat voor kleur? Bruin toch? Dit noem je toch bruin?' Cleo draaide de foto om naar Eveline, maar die zag geen bruin, maar paars. Cleo tikte op het gezicht van haar vader en toen op het gezicht van Eveline. 'Lichtbruin en donkerbruin.' Ze keek Eveline vragend aan.

Zeg het dan: 'Ik zie dat niet, voor mij heeft mijn vader paarse ogen.'

'Maar... ik dacht dat je helemaal geen foto's van je ouders had?' vroeg Cleo uiteindelijk toen Eveline bleef zwijgen.

'Had ik ook niet, totdat ik dit vond.'

'Ik snap het niet... Eef, je bent nog raarder dan ik al dacht,' zei Cleo en dat was goedbedoeld, maar Eveline kreeg het nog benauwder, alsof iemand de zuurstof op zolder uit de lucht had gehaald. Ze wist niet hoe ze het uit moest leggen, hoe legde je dit uit? En wat zou Cleo ervan vinden?

'Ik... ik weet het ook niet,' zei Eveline. 'Maar het is nog vreemder,' zei ze cryptisch. 'Moet je de foto eens omdraaien.'

Cleo deed wat Eveline zei en draaide de foto om. 'Isa, Eveline en Koen Sevenster,' las ze voor. 'Maar je heet toch Dijkman?'

'Kijk maar verder.'

Cleo had nu haar geboortebewijs gepakt en hield dat in haar handen. 'Hier, weer: Eveline Sevenster. ' Ze stopte. 'Dat is niet jouw verjaardag,' zei ze en ze tikte met een vinger op de datum. 'Je bent een maand later jarig...' Cleo was compleet in de war. 'Wat is dit?' vroeg ze. 'Waarom heb je een andere naam? En een andere geboortedatum? Waar slaat dit op?'

'Ik heb nog iets anders ontdekt: Chantal heeft tweehonderdvijftigduizend euro gekregen, precies toen ik hier in huis kwam wonen.'

Cleo's mond viel open. 'Dat is toch niet normaal als je een pleegkind in huis neemt?' zei ze na een tijdje. Ze schudde haar hoofd. 'Ik snap het niet. Zit je in een of ander getuigenbeschermingsprogramma of zo? Een andere naam. Een andere geboortedatum. Iemand die heel veel geld krijgt om je te "adopteren"... Dan moet dat het toch zijn? Ze hebben je identiteit gewist en ter bescherming bij Chantal ondergebracht,' fantaseerde Cleo er lustig op los. Ze keek moeilijk. 'Denk je... denk je dat je ouders misschien expres zijn... eh.. expres...' hakkelde ze, maar ze kreeg het woord niet over haar lippen.

'Doodgemaakt?' vulde Eveline voor Cleo aan. De gedachte maakte haar misselijk. 'Misschien wel,' zei ze hees.

Vertel het nou. Vertel haar de waarheid. Maar ik weet zelf niet eens wat 'de waarheid' is. Ik weet niet of mijn ouders zijn vermoord, en ik weet niet of ik bij Chantal ben geplaatst ter bescherming. Ik weet niks.

Cleo keek naar het papiertje met het adres erop. 'Weet je wat dit is?' Eveline schudde haar hoofd.

'Dit is echt te raar.' Cleo was even stil en leek ergens diep over na te denken terwijl ze Evelines geboortebewijs en het adres in haar handen hield. 'Kunnen we eerst naar beneden gaan en wat drinken? Ik stik hier en volgens mij zijn jouw hersens ook wel redelijk over de kook,' zei ze uiteindelijk. Ze stopte alles terug in de koffer.

'Wacht,' zei Eveline. Ze haalde de foto weer uit de koffer. Daarna deed ze de koffer weer op slot en legde hem weer op zijn verstopplek. Ook de sleutel duwde ze weer op zijn oorspronkelijke plek.

'Lag dat allemaal zo verstopt?' vroeg Cleo. 'Dan heb je wel goed gezocht.' Ze keek Eveline weer nieuwsgierig aan.

Eveline wist dat haar vriendinnetje wist dat ze iets voor haar verzweeg, maar ze kon het niet vertellen. Ze wilde niet vertellen over de geesten, haar paarse ogen en de demon die ze had gezien. Nog niet. Misschien wel nooit.

'Kom,' zei Cleo en gaf Eveline een duwtje. 'Naar beneden.'

Evelines benen trilden een beetje toen ze van de ladder afdaalde. De foto hield ze stevig in haar hand geklemd.

'Had jij de televisie uitgezet?' vroeg Eveline toen ze in de woonkamer waren en het zwarte beeldscherm zag.

'Ja, ik kon je niet vinden, dus toen deed ik de televisie maar uit om te horen waar je was,' zei Cleo die de keuken in dook en terugkwam met twee grote glazen ijskoude frambozenlimonade. Ze duwde Eveline een van de glazen in haar hand en nam zelf een enorme slok. 'Auw, hersenbevriezing,' zei ze met een pijnlijke grimas en ze duwde op haar voorhoofd. Toch nam ze meteen daarna nog drie grote slokken. Eveline deed hetzelfde. De kou van de limonade bracht haar weer een beetje terug in de wereld. Alles om haar heen was hetzelfde als voorheen, maar tegelijkertijd leek alles raarder dan twee dagen geleden. Ze staarde in de bodem van het glas en probeerde te begrijpen wat er net was gebeurd. De foto lag naast haar op de zitting van de bank. Ze pakte hem weer op en gleed met haar vinger over de lachende gezichten. Koen, Isa en Eveline Sevenster. Koen, Isa en Eveline Sevenster. Haar ouders die ze al vier jaar had gemist en waar ze geen enkele herinnering aan had. Haar vader had ook paarse ogen. Ilana had gezegd dat het een gevaarlijke gave was. 'Ik kan het weten.' En ze had nog iets gezegd. Iets wat Eveline heel raar had gevonden, iets over de nacht dat ze waren gestikt.

Is dat het verhaal dat ze je hebben verteld?

Ze staarde naar de foto en voelde zich weer net als toen ze pas bij Chantal woonde en ze elke nacht intens geloofde dat haar ouders haar weer zouden komen ophalen. Ze hoopte met heel haar lijf dat ze nog zouden leven, dat als ze erin zou blijven geloven, het ook zo was. En die hoop die in die vier jaar alleen nog maar een klein vlammetje was, was nu weer opgelaaid. Ze wist dat het onzinnig was om te denken, maar toch hoopte ze dat haar ouders op dat adres woonden, dat ze aan zou bellen en dat haar vader dan zou opendoen. Dat hoopte ze, hoewel ze er niet meer echt in geloofde.

Cleo deed de televisie aan en toen meteen weer uit. De afstand tussen hen leek opeens veel groter dan de lengte van de bank.

'Wat ga je nu doen?' vroeg Cleo uiteindelijk.

'Naar dat adres,' antwoordde Eveline. Ze zette onrustig haar glas op de koffietafel. Ze had het gevoel dat er springveren onder haar voeten zaten. Ze kon niet zitten, ze wilde nu gaan.

'Wacht eens even... hoe kwam je er nou bij om op die plek te kijken?'

Eveline haalde haar schouders op. 'Ik was op zolder en vond toevallig dat sleuteltje. Toen leek het me wel lollig om uit te vinden waar die voor was en vond ik het koffertje.'

'Heb je al naar jezelf gekeken? Je ziet eruit als iemand die uren op een stoffige zolder naar iets heeft lopen zoeken.'

'Cleo! Ik heb het gevonden. Ik weet dat ik er eigenlijk niet in had mogen kijken, maar ik vond het zo spannend... en toen bleek dat erin te zitten.' Evelines gezicht was zo rood als een flesje nagellak en ze zag aan Cleo's gezicht dat ze het niet geloofde, maar die zei niets meer. Er gleed een schaduw over haar ogen en ze klemde haar kiezen op elkaar. Ze schudde haar hoofd. 'Ik snap er echt niks van: een paar dagen geleden riepen we geesten op, sindsdien doe je heel vreemd en nu kom je met informatie aan dat je een andere achternaam en verjaardag hebt en dat Chantal heel veel geld heeft gekregen voor je.'

'Ik weet niet wat er allemaal aan de hand is,' zei Eveline zachtjes. 'Maar ik...'

Cleo schoof naast haar en sloeg een arm om haar heen. 'Hé, laat maar. We gaan straks naar dat adres en ik zorg ervoor dat er niks met je gebeurt,' zei ze stoer.

'Maar hoe gaan we dat doen?' zei Eveline. 'Gewoon erheen fietsen?'

'Hm. We kunnen daar niet doodleuk aanbellen en zeggen wie je bent, want misschien is dat wel niet zo veilig,' zei Cleo. 'Straks zat je vader bij de maffia, of was hij getuige tegen de maffia. Ik denk dat we erheen moeten gaan en kijken wat er precies is zonder dat we zeggen wie we zijn. Wat was het adres ook alweer?'

'Nikodemusdijk 3.'

Cleo keek alsof ze de naam herkende.

'Weet je waar het is?' vroeg Eveline.

'Het klinkt bekend, maar ik weet niet waarvan. Ik ben nooit in Onderlinden geweest, jij?'

Eveline schudde haar hoofd.

'Gaat het echt wel? Wil je niet liever dat Chantal terugkomt? Of wil je het aan mijn moeder...'

'Nee,' zei Eveline vastberaden. 'Chantal heeft mij niks hierover verteld en ik wil niet dat jouw moeder het weet. Niemand mag het weten, behalve jij, oké? Zweer dat dit tussen ons blijft.'

Cleo spuugde tussen haar vingers door. 'Ik beloof het, Eveline Sevenster.'

'En je moet me niet zo noemen,' zei Eveline.

Cleo sprong overeind en maakte een militair saluut. '*Aye, aye, captain!*' riep ze.

'Je snapt wel wat ik bedoel.'

'Tuurlijk snap ik wat je bedoelt,' zei Cleo. Ze bestudeerde Eveline weer, wel een minuut lang, totdat Eveline er helemaal ongemakkelijk van werd. 'Hoop je dat je ouders nog leven?' vroeg ze opeens direct op de man af. 'Doe je daarom zo raar? Omdat je denkt dat ik dat stom zou vinden?'

'Zou je het stom vinden?' vroeg Eveline timide.

Cleo schudde haar hoofd. 'Daar zou ik denk ik ook op hopen,' zei ze, 'als ik erachter kwam dat er iets anders aan de hand is dan ik altijd dacht.' Ze plofte weer naast Eveline neer en sloeg een arm om haar heen. 'Hé, je bent mijn beste vriendin – ik vind niks stom,' zei ze. 'Maar je moet niet te veel hopen, hoor.' Ze keek heel serieus. 'Beloof je dat?'

'Dat beloof ik,' zei Eveline ferm.

Cleo keek op haar horloge. 'Nadine komt zo mijn spullen brengen,' zei ze. 'Kun je nog heel even wachten? Ze is hier denk ik over vijf minuten.'

Die vijf minuten werden er tien en die voelden voor Eveline elk als een uur. Cleo bunkerde in die tijd een halve zak chips naar binnen, maar Eveline hield het na een handje voor gezien: ze kon niet eens kauwen van de spanning, laat staan slikken. Het duurde veel te lang naar haar zin, maar uiteindelijk reed de zwarte Mercedes van Cleo's vader voor en kwam Nadine puffend uit de auto. Nadine was een soort manusje-van-alles in huize Hoogervorst en Eveline voelde zich altijd een beetje ongemakkelijk bij haar, omdat ze het zo gek vond dat mensen een soort bediende in huis hadden die alles deed wat je haar opdroeg. Als ze wel eens bij Cleo thuiskwam, schrok ze elke keer weer als Nadine haar kopje of bord onder haar neus vandaan haalde als ze ermee klaar was. Als Cleo's moeder een kik gaf, dan deed Nadine het, zonder hoorbaar gemor. Inclusief de spullen van Cleo naar Eveline brengen.

Cleo rende naar buiten om haar te helpen met haar weekendtas. *Merde*, ik til me nog een keer een hernia,' mopperde Nadine toen ze het kleine gangetje inkwamen. Hoewel ze al dertig jaar in Nederland woonde, had ze nog steeds een zwaar Frans accent.

'Sorry, Nadine,' zei Cleo. Ze slingerde de weekendtas over haar arm. 'Ik til hem zelf wel naar boven.' Cleo voegde de daad bij het woord en sleurde de tas de trap op.

'Hier, dit is voor jullie,' zei Nadine tegen Eveline. Ze groef in de zak van haar jurk en diepte daar honderd euro uit op. 'Haar moeder wil natuurlijk niet dat jullie honger lijden, maar jullie mogen niet alleen maar chips ervan kopen, zei ze.'

Eveline rolde met haar ogen. 'Waarom denken volwassenen toch dat wij alleen maar chips eten op het moment dat we alleen zijn?

Nadine plukte een half chipje van Evelines T-shirt en hield het voor haar neus. 'Ik zou het echt niet weten,' zei ze fijntjes. Ze duwde het geld in Evelines handen. 'Nou, berg het goed op,' zei ze. 'Als er wat is, dan bellen jullie, *oui*?'

'Ja, Nadine,' zei Eveline braaf.

'Cleo!' riep Nadine naar boven. 'Ik moet gaan!'

'Oké!' riep Cleo vanuit Evelines kamer. '*Merci*, hè! En doe de groeten aan die ouders van me.'

'Zal ik doen,' zei Nadine. Ze tikte Eveline op haar wang. 'Ik vraag me soms af of ze nog weten dat ze een dochter hebben,' mompelde ze. 'Doen jullie een beetje voorzichtig?' Nu ze zo dichtbij stond, werd Eveline haast bedwelmd door haar zware parfum. Haar blik boorde zich in die van Eveline en heel even dacht Eveline dat Nadine op een of andere manier het paars kon zien.

'Je wordt een *jeune fille*,' zei Nadine in plaats daarvan. '*Très jolie.*'

Eveline wist niet zo goed wat ze daar nou op moest zeggen en schuifelde verlegen met haar ene voet over de vloer.

'Ik ben een *Parisienne*,' zei Nadine en haar stem klonk trots. 'Wij weten dat soort dingen.'

'Waarom ben je eigenlijk naar Nederland gekomen?' vroeg Eveline.

Nadine trok haar wenkbrauwen omhoog en tuitte haar lippen. 'Voor de liefde,' zei ze met een dramatische zucht. 'Voor de liefde.'

Eveline was verbaasd. Ze wist helemaal niet dat Nadine een man had. '*L'amour fou*,' zei Nadine met een wegwuifgebaar. '*Alors*, ik moet gaan.'

Eveline liep met haar mee naar de auto. 'Dankjewel, Nadine,' zei ze. Nadine stak haar hand op en stapte de grote auto in. Terwijl ze de motor startte, draaide ze het autoraampje aan de passagierskant naar beneden. 'Eveline! Zeg tegen Cleo dat ze haar medicijnen moet innemen. Ik heb ze in haar tas gestopt, ze was ze weer vergeten.'

Eveline probeerde haar verbazing te verbergen. 'Ik zal het zeggen,' zei ze.

'Niet vergeten, anders wordt haar moeder weer boos op me, én op haar.'

Eveline voelde de neiging om Nadine te vragen waarom ze al jaren bij de ouders van Cleo bleef terwijl ze het niet wilde, toen ze de man zag die achter Nadine zat. Hij had blond haar dat in een scheiding over zijn ogen viel en droeg een bruin pak dat er versleten uitzag bij de ellebogen. Hij leunde iets naar voren en het leek eerst alsof hij zijn hand op de rand van de bestuurdersstoel had gelegd, maar toen Eveline beter keek zag ze dat hij zijn hand in een bezitterig gebaar op Nadines schouder had liggen. Naast hem stond een ouderwetse reismand met een lichtblauw dekentje erin. Ze kon niet in de mand kijken, maar zag toen een klein babyknuistje onder het lichtblauwe dekentje uitkomen. Er drupte water van het kleine babyhandje, alsof de baby drijfnat was. Toen zag Eveline dat er water van de hele reismand afdrupte.

'Nadine,' zei Eveline schor.

Nadine keek op. Ze scheen niets te merken van de hand met de lange dunne vingers die om haar schouder geklemd zat.

Eveline sloot haar ogen en ademde diep in.

Als ik mijn ogen weer opendoe, dan wil ik dit niet meer zien.

'Voel je je niet goed?' hoorde ze Nadine vragen. Eveline deed haar ogen weer open.

De man, de hand, de baby. Ze waren er nog steeds, door die gave. Maar wat moet ik? Hen helpen?

Eveline deed een stap naar achteren. 'Nee hoor, alles goed,' zei ze nonchalant. 'Rij voorzichtig!'

Nadine keek aarzelend. '*Oui*,' zei ze uiteindelijk. Ze deed het raampje weer omhoog waardoor Eveline de man en de baby niet meer kon zien. Eveline zag nu alleen maar haar eigen spiegelbeeld in het autoraam. Haar neus met sproeten, dezelfde hoge wenkbrauwen als haar moeder, *en dezelfde paarse ogen als haar vader.*

De Mercedes trok geruisloos op en reed weg. De avondzon scheen goud door het kleine straatje. Eveline keek over haar schouder naar het huis waar ze de afgelopen vier jaar had gewoond. Elke keer als ze het huis binnenliep, voelde het of ze op bezoek kwam. Misschien was dat ook wel zo, want stel je voor dat de Nikodemusdijk haar 'huis' was zoals de boodschap had gezegd, dan was ze alleen maar bij Chantal op bezoek geweest. Ze dacht aan haar pleegmoeder die altijd zo bezig was met geld winnen. Hadden ze haar geld gegeven om voor haar te zorgen? Stel je voor dat ze inderdaad in gevaar was, zoals Cleo had geopperd. Maar niet omdat haar vader bij de maffia zat, maar vanwege die gave die ze had en hij blijkbaar ook. Want Ilana had niet voor niets gezegd dat het een gevaarlijk gave was.

Had daarom iemand haar paarse ogen afgeschermd, haar naam veranderd en Chantal geld gegeven om voor haar te zorgen? Omdat ze in gevaar was? Maar waarom? En wie had dat gedaan? En wat was dan precies het gevaar? En waarom had iemand haar nu wakker gemaakt? *De Wachter is wakker – kom naar huis.* Maar waarom?

Er waren zoveel vragen.

Op weg naar Onderlinden probeerde Eveline op een paar antwoord te krijgen. 'Nadine zei dat ik je moest helpen herinneren dat je je medicijnen moet nemen,' zei ze tegen Cleo.

'O,' zei Cleo alleen maar.

Eveline keek nieuwsgierig opzij naar haar vriendinnetje, maar die vertrok geen spier. 'Wat zijn dat voor medicijnen?' vroeg ze uiteindelijk.

'Voor hooikoorts,' zei Cleo iets te snel.

'Ik wist helemaal niet dat je hooikoorts had.'

'Had ik ook niet, dit jaar voor het eerst,' zei Cleo. Haar gezicht was een ondoordringbaar fort.

'Hoe komt Nadine eigenlijk bij jullie terecht?' vroeg Eveline toen maar, want ze wist wel dat Cleo toch niks meer los zou laten.

'Ik weet het niet precies,' zei Cleo. 'Ze is er al zolang ik me kan herinneren.'

'En ze woonde altijd bij jullie?'

Cleo knikte. 'Ja, op de bovenste verdieping. Ben je daar nooit geweest?'

Eveline schudde haar hoofd.

'Hoe lang ken ik je nou al?'

'Eh, sinds ik hier woon?' zei Eveline. 'Dus bijna vier jaar.'

'En we zijn nooit bij Nadine op de derde verdieping geweest?'

'Nee.'

'Ze heeft drie kamers. Een slaapkamer, een badkamer en een klein studeerkamertje. Wij komen er eigenlijk nooit. Volgens mij is het officieel ook voor de bediendes van het huis – echt iets voor mijn ouders, om een huis te kopen dat kamers heeft voor de bediendes,' zei Cleo sarcastisch. 'Vroeger kwam ik best graag op haar kamer, trouwens. Dan sloop ik naar boven en dan vertelde Nadine me verhaaltjes over Parijs. Als ik naar gedroomd had en bang was, kreeg ik een beetje van haar parfum op. Dan zei ze dat het me zou beschermen tegen de boze dingen.'

'Welke boze dingen?'

Cleo lachte. 'Dat heb ik haar nooit gevraagd. Ze zei gewoon altijd "boze dingen" met dat vette Franse accent van haar: "*bozeuh dingeun*",' bekte Cleo met een dikke Franse tongval.

'Weet je iets over haar... van vroeger bedoel ik?'

'Van Nadine?' Cleo dacht na terwijl ze een onweersvliegje van haar

T-shirt plukte. Het mooie weer was omgeslagen en de lucht in de verte was donker en dreigend. Onweer op komst. Alweer.

'Jawel...' Cleo zweeg. 'Maar ik weet niet of ik het je mag vertellen.' 'Wat is het?' drong Eveline aan.

'Ze had een man. Een Nederlandse man. Samen hadden ze een dochtertje... een baby'tje, Marie. Maar Nadines man was depressief en is het water ingereden met de baby. Ze zijn allebei verdronken.'

Eveline kon even geen woord uitbrengen toen ze besefte dat ze Nadines dode man en dochtertje achter in de auto had zien zitten. Ze had hén gezien. Haar man en haar kind. Haar man had zelfmoord gepleegd en zijn dochtertje meegenomen. Eveline vond het zo verdrietig en ook zo onrechtvaardig. Waarom had hij dat gedaan?

'Alles oké?' vroeg Cleo.

'Ja, ik vind het alleen zo erg,' stamelde Eveline. 'Weten je ouders dit?' vroeg ze uiteindelijk maar om zichzelf een houding te geven.

Cleo keek haar aan alsof Eveline had gevraagd of ze wel eens een geit had gezien met een roze pruik op. 'Die weten nauwelijks hoe ze heet,' zei ze alleen maar. Daarna sputterde ze en spuugde een vliegje uit. 'Wat is het toch met die beesten dat ze altijd in mijn mond moeten vliegen?' riep Cleo geïrriteerd. 'Doen ze dat bij jou ook?'

'Nee, ze weten dat ik vegetariër ben,' zei Eveline. Ze boog zich stiekem een beetje voorover en bestudeerde haar gezicht in de weerspiegeling van haar bel. Haar ogen waren nog net zo paars, maar Cleo kon het niet zien. Ze voelde zich verdrietig door het verhaal van Cleo. Zij wist hoe het was om je ouders te verliezen en Nadine was haar man en dochtertje verloren. Dat droeg je natuurlijk je leven lang bij je. Letterlijk. Alsof die man haar niet los kon laten. En zij had het gezien. Weer kwam de vraag in haar op of het de bedoeling was dat ze hen moest 'helpen'. Ilana had gezegd dat het kon. Maar hoe dan?

'Denk je aan je ouders?' klonk Cleo's stem zacht naast haar. Eveline schudde haar hoofd. 'Ik dacht even aan Nadine. Het is zo zielig voor haar.'

Ze waren al een eindje verder dan de Paddenpoel. 'Volgens mij zijn we er bijna,' mompelde Cleo. Ze reden zwijgend verder en Eveline probeerde het zenuwachtige gevoel in haar maag een beetje te negeren. Ze was haast nog nooit in Onderlinden geweest en wist er nog minder vanaf, want er zaten geen kinderen uit Onderlinden in hun klas en naar ze wist ook niet op hun school. Ze wist alleen dat er veel rijke mensen een vakantiehuis hadden.

De zon hing nog net boven de bomen toen ze voorbij het bordje *Onderlinden* fietsten. Onder het officiële plaatsnaambord hing een kunstig uitgesneden houten bord waar met krullerige letters *Welkom in Onderlinden* stond gekerfd. De weg kleurde oranje door de zon en in de heg aan weerszijden zaten mussen en vinkjes druk te fluiten.

Ze reden richting het dorpsplein waar een oud kerkje werd omringd door grote bomen.

'Dat zijn vast de lindebomen van Onderlinden,' bromde Cleo. 'Nu moeten we alleen nog de Nikodemusdijk zien te vinden.'

Ze hadden besloten om het niet te vragen, omdat ze geen aandacht op zichzelf wilden vestigen voordat ze precies wisten waar ze eigenlijk naar op zoek waren. Daarom reden ze maar lukraak wat rond door de pittoreske straatjes waar her en der oudere mensen op houten bankjes van de laatste zonnestralen aan het genieten waren. Algauw ontdekten ze dat het dorpje bekend was om zijn houtsnijwerk, want in elke tuin zagen ze wel een kunstig uitgesneden dier of hing er een houten bord aan de muur met daarop het adres of de naam van het desbetreffende huis.

Het dorp was niet groot, maar eromheen waaierde de gemeente uit in privélandgoederen waar grote huizen verstopt lagen achter lange oprijlanen en dik bebladerde bomen waar je her en der rode en rieten daken bovenuit zag steken, en na een uur rondfietsen hadden ze de Nikodemusdijk nog steeds niet gevonden.

'We hadden het op moeten zoeken op de computer,' mopperde Cleo die met een vies gezicht een paar onweersvliegjes van haar bezwete gezicht afveegde. Ze stonden op een provinciale weg onder het dak van grote groene bomen waar miljoenen insecten onder vlogen. De lucht was drukkend en zwaar en rook zoetig door de grote witte bloemen die onder de bomen langs de weg in de donkergroene struiken groeiden. 'We hebben het hele dorp rondgefietst en een heel stuk eromheen; zo vinden we het nooit.'

'Zullen we het dan toch maar vragen?' zei Eveline die zich net zo plakkerig voelde als voordat ze had gedoucht. Ze snakte naar een groot glas koud water en baalde ervan dat ze in de haast niet iets te drinken mee hadden genomen. Ze krabde aan haar kuit waar een mug een aanval op had gedaan. Terwijl ze krabde, voelde ze hoe een andere mug op haar andere been neerstreek om zich te goed te doen aan haar bloed. 'Laten we hier in elk geval weggaan, ik word levend leeggezogen,' zei ze.

Ze fietsten weer terug naar het kerkpleintje met de linden (volgens een bord erbij waren ze al tweehonderd jaar oud) en vroegen het uiteindelijk aan een oude man die daar op een bankje zat te dommelen.

'De Nikodemusdijk? Dan moet je die kant op en net als je het dorp uit rijdt naar rechts, dat is de Nikodemusdijk!' tetterde hij. Blijkbaar was hij een beetje doof. Hij keek hen wantrouwend aan. 'Op welk nummer moet je wezen? Horen jullie bij die nieuwkomers?

'Nee, meneer,' zei Eveline braaf, die geen flauw idee had waar de man het over had.

'Straks maken ze herrie!' riep hij. Zijn stem weerkaatste over het dorpsplein. 'En ik houd niet van herrie!' Hij schreeuwde zo hard, dat Eveline het helemaal benauwd kreeg, omdat ze niet wilde dat andere mensen het hoorden. Wist zij veel wat er allemaal in dat dorp was?

'We gaan naar Nikodemusdijk 3,' zei ze. Dit had het gewenste effect, want de man klapte zijn kaken op elkaar. 'Nou, die maken niet zoveel herrie daar,' was zijn commentaar. 'Maar volgens mij is het dicht.'

'Dankuwel, meneer,' zei Eveline. Ze gebaarde naar Cleo dat ze het wist.

'We moeten weer terug,' zei ze. 'We hadden net voor het dorp naar links gemoeten.'

'Dat meen je niet,' zuchtte Cleo. 'Hebben we voor niks meer dan een uur rondgefietst?'

'Maar we weten nu wel waar het is,' zei Eveline die op haar fiets sprong en terugfietste naar het begin van het dorp. Het oranje licht in de lucht was gedoofd, alsof iemand een kaars had uitgeblazen, en had plaatsgemaakt voor het matte grijs dat de nacht aankondigt. De vogels waren opgehouden met zingen. Na het bord *Onderlinden – tot ziens* sloegen ze rechts af, een kleinere weg in. Vanaf deze kant was het bordje met *Nikodemusdijk* erop wel te lezen. Evelines hart sloeg een slag over toen ze het bordje zag en onbewust ging ze sneller fietsen. Achter haar maakte Cleo een rochelgeluid; ze probeerde het zoveelste vliegje uit te spugen dat in haar mond was gevlogen. 'Ik hoef twee dagen niet meer te eten,' mopperde ze daarna.

Ze reden op een verhoogde weg met kleine bomen erlangs. Aan weerzijden lagen smalle slootjes met daarachter weilanden met koeien en schapen erin.

'Nikodemusdijk 1,' zei Eveline toen ze een boerderij passeerden die iets verderop in de weilanden lag. Aan het begin van de eigen weg stond een groene brievenbus met een grote witte 1 erop geplakt. Haar hart klopte nog sneller. De bomen waren hier hoger en vormden een soort bosje aan beide kanten van de dijk. Daarna maakte de weg een scherpe bocht naar links. De straat veranderde van asfalt naar rode klinkers. Het slootje aan de linkerkant werd breder en liep uit in een vijver waar grote treurwilgen hun takken in lieten hangen. Links doemde een met witte steentjes bedekte oprijlaan op. Achter een zwarte gietijzeren poort zag Eveline een wit huis. Naast de poort stonden twee pilaren met engelen erop, de ene met een zwaard en de ander met een speer in zijn hand. Op de poort stonden witte letters: *Gedenk de stervenden.*

Het was een begraafplaats.

Ze stopten een eindje van het hek vandaan en bleven daar staan twijfelen. 'Weet je zeker dat dit Nikodemusdijk 3 is?' vroeg Cleo.

Eveline stapte van haar fiets af, kwam voorzichtig iets dichterbij en zocht op de engelenpilaren naar iets van een naam of een adres, maar er stond niets. 'Ik hoop het niet,' zei ze kleintjes. Ze spiedde tussen de spijlen door naar het witte huis dat rechts van de ingang lag. Achter het huis stonden groene hagen waar hoge bomen tussen stonden – het begin van de begraafplaats.

'Wat zou je hier nou moeten?' vroeg Cleo die met haar hand langs het hek ging. 'Of liggen je ouders hier misschien?'

Aan die mogelijkheid had Eveline nog helemaal niet gedacht en ze moest er bijna van huilen, want het klonk heel logisch wat Cleo zei. 'Ik weet niet waar mijn ouders begraven zijn,' zei ze met schorre stem. 'Ik heb het daar nooit met Chantal over gehad.'

'Best wel gek eigenlijk, hè?' zei Cleo peinzend en ze rammelde aan het hek, maar de poort zat met een groot hangslot dicht.

'Zou er iemand in dat huis wonen?' Eveline spiedde naar het huis. De donkere ramen leken haar als lege ogen aan te staren.

'*Spooky,*' verwoordde Cleo haar gevoelens. Ergens in de verte rommelde beginnend onweer. De lucht om hen heen was nog drukkender dan ervoor en de vliegjes dansten in een wolk om hun hoofd. 'Wat zullen we doen? Wil je kijken of we naar binnen kunnen komen?'

Eveline twijfelde. Ze vond het eerlijk gezegd nogal eng; het was bijna donker, het ging onweren... Maar het adres zat natuurlijk niet voor niets in de koffer – er was hier iets.

'Zullen we kijken of we eromheen kunnen lopen?' opperde Cleo. Eveline knikte. Op hetzelfde moment zag ze een wat oudere vrouw achter het hek lopen. Ze had grijs haar en keek zoekend om zich heen. Cleo rammelde nog een keer aan het hek. 'Er is hier toch niemand,' zei ze.

Ze ziet die vrouw niet.

Eveline keek voorzichtig onder haar wimpers door naar het hek en kreeg bijna een hartverzakking. De vrouw was nu vlakbij – veel sneller dan eigenlijk mogelijk was. 'Weet jij wat het geheime ingrediënt is van de appeltaart van mijn moeder?' vroeg ze aan Eveline. 'Ik heb beloofd om het aan mijn dochter te vertellen.' Ze keek haar aan met een vriendelijk rond gezicht. Ze had een schort voor waarop in onvast kinderhandschrift 'oma's appeltaart is de lekkerste' was geverfd. Als het niet zo griezelig was geweest, had Eveline erom moeten lachen. 'Kom mee,' zei ze en ze trok Cleo aan haar arm. De vrouw volgde haar gelukkig niet en ze liepen iets verder de dijk op. Het rommelde nog een keer in de verte waar de hemel nu pikzwart was.

'Zou er iemand wonen?' vroeg Cleo die naar het huis wees. 'Of gebruiken ze het denk je alleen maar als een opslagplaats voor lijken? Voordat ze de grond ingaan?'

'Het ziet er niet uit als een mortuarium,' zei Eveline die kippenvel kreeg van de gedachte dat er op die plek allemaal lijken in de grond lagen. Vanaf de dijk zagen ze dat de hele begraafplaats omzoomd was met bomen en een hoge groene haag. Ernaast lag een groene wei waar een paar dikke schapen in stonden te grazen. Naast de weide was een ander terrein waar een grote woonboerderij stond. Op de oprijlaan daarvan stond een grote zwarte suv met daarnaast een paar nonchalant neergegooide fietsen.

'Laten we kijken welk nummer daar staat,' opperde Eveline.

'Wil je niet...' Cleo wees naar de begraafplaats.

'We moeten eerst zeker weten of het wel echt nummer 3 is, toch?' zei Eveline. Ze liep naar de woonboerderij waar een houten brievenbus aan het begin van de oprijlaan op een paal stond.

'Onderlinden is bekend om zijn houtsnijwerk,' grapte Cleo.

Op de zijkant van de brievenbus zat een grote houten '5'.

'Zie je wel dat dat nummer 3 was,' zei Cleo. 'Je moet daar zijn.' Ze wees in de richting van de sombere begraafplaats, waar de donkergroene bomen omheen stonden.

'Laten we kijken of we binnen kunnen komen,' zei Cleo. 'Dan kijken we even rond. Al kijken we maar even door een van de ramen van het huis om te zien of er iemand woont.'

Eveline knikte en voordat ze de moed verloor, liep ze over de dijk terug. 'Hier kunnen we langs de zijkant lopen,' wees ze. Ze keek om zich heen en liep daarna het weiland in en wurmde zich langs het prikkeldraad. Cleo volgde haar op de voet en samen liepen ze behoedzaam verder. De bomen zorgden gelukkig voor diepe zwarte schaduwen aan hun kant, zodat ze niet te veel opvielen. Gelukkig maar, want aan de andere kant van het veld sprongen de lichten aan achter de ramen van de woonboerderij – daar was in elk geval wel iemand thuis.

'Hier kunnen we door,' fluisterde Eveline. Ze wees naar een gat in de haag, iets verderop. Ze sloeg de zoveelste mug dood die op haar been een feestje hield en sprong daarna over de sloot die langs het weiland liep en naar rotte bladeren rook. Zacht als een kat landde Cleo gehurkt naast haar. 'Zal ik eerst gaan?' fluisterde ze. Eveline schudde haar hoofd en wurmde zich door de dikke haag met bladeren heen. Ze bleef achter een struik zitten totdat Cleo ook door de takken heen was.

Ze kwamen stilletjes overeind – ze waren halverwege de begraafplaats aan de rand van een lange rij met oude graven. De grijze stenen en kruizen waren grotendeels overwoekerd met mos en klimop. Het weinige avondlicht kwam nauwelijks door de bladeren van de bomen boven hun hoofd heen, waardoor de hele begraafplaats in een donkergrijs somber licht lag.

'Swami-bami-mesjokke,' zei Cleo tussen haar tanden door. '*Spooky...*'

Op hun tenen liepen ze langs de graven het pad af. Eveline probeerde zo strak mogelijk voor zich uit te kijken omdat ze doodsbenauwd was dat er weer iemand voor haar neus zou staan die Cleo niet kon zien. Ze verwachtte eigenlijk dat het hier vol zat met dolende geesten. Zachtjes liepen ze over het middenpad langs alle grafstenen en grafhuisjes richting het grote witte huis aan het begin van het kerkhof. Het grind knerpte onder hun voeten en ergens in een boom klonk een donker geluid.

'Dat is een uil,' fluisterde Eveline.

Iets verderop schoot een dier over het middenpad. Eerst dacht Eveline dat het een hond was, maar hij had een heel dikke staart en liep met zijn neus laag langs de grond. 'Volgens mij was dat een vos,' zei ze opgewonden. Ze had nog nooit een vos in het wild gezien en vond het zo bijzonder dat ze haar angst even vergat.

'Ik wist niet dat ik voor de flora en fauna-rondleiding had gekozen,' grapte Cleo.

Ze slopen voorzichtig verder en renden het laatste stukje naar het huis, totdat ze bij de voordeur stonden. In de verte rommelde het weer. Eveline bestudeerde de houten voordeur waar een koperen klopper aan hing in de vorm van een leeuw met een ring in zijn bek.

Er groeide klimop langs de muren om de deur heen en een witte stokroos groeide zwaar geurend ertussen.

'Mooi,' vond Cleo. 'Zie je iets?'

Eveline duwde de klimop opzij en zag een grote glimmende '3' met daaronder een koperen naamplaatje. Ze stond op haar tenen om te kunnen lezen.

Ben en Lucella Sevenster.

'Er staat "Ben en Lucella Sevenster",' zei Eveline met trillende stem.

'Echt?' Cleo keek ook. 'Eef, dit is familie van je,' zei ze hard. 'Daarom zat dat adres erbij!'

'Ssst,' zei Eveline en ze keek schichtig om zich heen.

'Sorry,' zei Cleo schuldbewust. 'Dit móét toch wel familie van je zijn?' siste ze zachtjes. Ze keek omhoog, naar de bovenste verdieping. 'Alleen zijn ze denk ik niet thuis.' Ze duwde tegen de deur. 'Wie denk je dat het zijn? Je opa en oma? Tante en oom?'

'Misschien.' Eveline kon haar hoofd niet helemaal om de gedachte heen vouwen dat ze misschien een opa en oma of een tante en een oom had. Dat ze familie had... Echte familie.

Nadat ze aan de deur hadden gerammeld, liepen ze zo onopvallend mogelijk om het huis heen. De muren waren gedeeltelijk begroeid met klimop. Helaas zaten de ramen heel hoog, waardoor ze slecht naar binnen konden spieden. Achter geen enkel raam brandde licht. Aan de zijkant van het huis, dicht bij de oprijlaan, waren twee grote deuren waar ook een bordje hing met 'ingang aula' erop.

'Hier komen de mensen vast binnen als er iemand begraven wordt,' zei Eveline. Ze liepen verder om het huis heen totdat ze aan de meest beschutte kant stonden, dicht bij de haag die om de begraafplaats heen stond. Dicht bij de grond zagen ze kleine raampjes zoals bij de speel-kelder van het huis van Marieke.

'Zullen we daar kijken?' Cleo wees naar de raampjes bij de grond. Maar op dat moment hoorden ze aan de voorkant van het huis een deur open- en dichtgaan. Cleo pakte Evelines arm en kneep er hard in toen ze een magere man vanaf het huis de begraafplaats op zagen lopen. Eveline ving een glimp op van een scherpe neus die als een haaienvin uit een mager gezicht stak, met daarboven twee felle ogen. Op zijn wang stonden vier krassen, alsof een kat hem had gekrabd, en hij liep mank.

'Wat een griezel,' ademde Cleo. 'Dat was toch niet je opa?'

'Ik hoop het niet,' zei Eveline.

Ze renden gebukt langs de kelderraampjes voorbij het huis achter de man aan die met een trekkend been de begraafplaats opliep. Hij had een chic zwart jasje aan waarvan de panden bij elke stap opwaaiden als zwarte vleugels, waardoor Eveline hem een beetje op een gier vond lijken. Steeds verscholen achter heggen volgden ze hem over het hele terrein, totdat hij in een huisje links aan de achterkant van het kerkhof verdween. Het was een klein houten huisje met rood-wit geblokte gordijntjes voor de ramen.

'Ik denk niet dat het Ben Sevenster is, als hij hier woont,' verwoordde Cleo Evelines gedachte. Ze doken in elkaar toen zijn gezicht achter een van de raampjes verscheen en hij met een ruk de gordijntjes dichttrok. Voor het huisje stond een kruiwagen met een hoop zand en een schep erin. 'Het is vast een soort opzichter van het kerkhof,' fluisterde Eveline die over de heg naar het huisje spiedde, maar er was niets meer te zien. Boven hun hoofd rommelde het nu harder – het onweer kwam dichterbij. De boomtoppen ruisten in een plotselinge windvlaag die ook het gras tussen de graven in beweging zette, waardoor het leek alsof de begraafplaats tot leven kwam, want alles wat niet van steen was, ruiste en schudde in de opstekende wind.

'Het is heel dichtbij,' zei Cleo. Ze had het nog niet gezegd of er zoefde een bliksemschicht boven hun hoofd, gevolgd door een knallend harde donder. Een seconde erna kwam de regen naar beneden alsof iemand in de hemel een emmer water had omgekeerd. Weer kliefde de bliksem door de lucht en Evelines nekharen gingen overeind staan. De donder was zo hard dat ze alleen Cleo's mond zag bewegen, maar amper hoorde wat ze zei.

'We moeten ergens schuilen!' riep Cleo boven het geraas uit. Haar haren hingen in donkere natte pieken om haar gezicht en haar T-shirt was al helemaal doorweekt.

'Waar dan?' riep Eveline.

Cleo wees een paar paden verder waar meer grafhuisjes stonden. 'Misschien is er eentje open!' schreeuwde ze en ze rende al tussen het opspattende water door richting de zwarte silhouetten van de gebouwtjes. Eveline rende achter haar aan. De bliksem verlichtte de rij granieten en marmeren grafhuisjes die versierd waren met pilaren, engelen en doodshoofden. De meeste hadden deurtjes, maar die waren op het eerste gezicht allemaal dicht.

'We moeten terug,' zei Eveline tegen Cleo, maar die schudde haar hoofd. 'Ben je mesjokke? In dat weiland is het hartstikke gevaarlijk met de bliksem.'

'Het huis dan!' smeekte Eveline die liever als een lucifer door de bliksem werd verschroeid dan dat ze zo'n grafhuisje in zou gaan.

Maar het onweer was vlak boven hun hoofd en zette de hele begraafplaats elke paar seconden in een koud licht, als een gigantische halogeenlamp. Cleo pakte Evelines hand en trok haar naar de zijkant van een van de huisjes, waar ze samen hurkten. De regen striemde onverminderd naar beneden en Eveline kon nauwelijks iets zien omdat het water in straaltjes langs haar voorhoofd in haar ogen liep. Een grote streep licht kliefde naar beneden en sloeg een paar meter verder in in een hoge boom. De vonken vlogen ervan af en meteen daarna klapte er zo'n harde donder dat hun oren ervan suisden. Overal om hen heen was geluid: de donder, het geruis van water, de wind die de takken van de bomen heen en weer schudde alsof het strootjes waren. En een gil...

Eveline probeerde het geluid tussen al het andere lawaai uit te filteren en toen ze zich erop concentreerde, hoorde ze het beter: een luid gebonk, alsof iemand tegen iets aan hamerde – en een stem... een schril geluid van iemand in nood, onsamenhangend gegil zonder woorden...

Evelines adem stokte – gebeurde dit echt? Of was het weer een van 'die dingen'?

'Hoorde je dat?' riep ze uiteindelijk toch maar boven een van de paukenslagen van de hemel uit.

'Wat?' gilde Cleo terug.

'Dat gegil?'

'Ik hoor jou niet eens!' riep Cleo.

Weer een gil, snerpend, als een dier in doodsnood. Het deed Eveline denken aan wat ze had gehoord toen ze de foto van Sebastiaan had aangeraakt. Eveline rende uit de beschutting van het huisje het pad op in de richting vanwaar ze dacht dat het gegil kwam.

'Eef!' gilde Cleo, maar Eveline luisterde niet. Met haar oren gespitst rende ze langs de grafhuisjes over het pad, dat het ene moment pikdonker was en het volgende moment helverlicht. Ergens sloeg de bliksem weer in – waarschijnlijk het weiland. Weer die gil en het gebonk.

'Waar ben je?' riep ze.

'Eef? Wat doe je?' vroeg Cleo achter haar.

Heel even was het stil tussen het bulderende onweer door. 'Hallo?' riep ze zo hard ze kon.

'Hier! Help me!' klonk een stem een stukje verderop uit een huisje. Eveline rende ernaartoe, gleed bijna uit over de marmeren drempel. De deurtjes van het huisje bewogen, maar konden niet open omdat er een grote stok tussen de deurgrepen was gestoken. Eveline trok aan de stok en zag toen dat het een hark was. 'Wacht!' riep ze door de de deur heen. 'Niet schudden, ik moet...'

Het rammelen hield op. Eveline trok met al haar kracht de hark weg waardoor een stuk van de bovenkant afbrak. Precies op dat moment leek de hemel in tweeën te splijten en sloeg de bliksem een paar meter van het huisje in in het pad.

'Naar binnen!' riep Cleo, terwijl Eveline de deurtjes opentrok. Cleo gaf haar zo'n harde duw naar voren dat Eveline met een rotvaart het grafhuisje in donderde en boven op iemand terechtkwam. Ze probeerde zich los te maken van de persoon onder haar, maar die had haar krachtig omarmd, waardoor ze werd gesmoord in kleren die roken naar stof en spinrag. Even dacht ze dat het een truc was geweest: dat een geest of demon haar had gelokt en nu de hel in wilde trekken met klamme handen... Ze duwde zichzelf met al haar kracht omhoog, terwijl Cleo de armen om Eveline heen lostrok en de persoon op de grond met een houdgreep in bedwang hield. Een volgende bliksemschicht verlichtte het grafhuisje weer en toen zag Eveline wie Cleo vast had: Het was een jongen. Zijn ogen ploften bijna uit hun kassen van angst en hij schopte driftig om zich heen.

Cleo liet hem langzaam los. 'Rustig!' zei ze stoer. De jongen kalmeerde, hij hoestte en hield zijn hand op zijn keel waar Cleo hem zo-even had vastgehouden. 'Ben je gek geworden?' piepte hij.

'Of ík gek ben geworden? Je stikte Eef zowat!' zei Cleo driftig.

Hij ademde ratelend uit en keek naar Eveline. 'Sorry,' zei hij schor. 'Ik... ik was, eh... ik zit hier... ik zit hier al een tijdje,' zei hij uiteindelijk zachtjes. Hij schuifelde met zijn gympjes over de marmeren vloer.

'Wat dóé je hier?' vroeg Cleo bars.

'Ik... ik was stiekem hier naar binnen gegaan... om foto's te maken,' zei de jongen beschaamd. Eveline zag nu dat hij een duur uitziende camera om zijn nek had, met een enorme lens erop. 'En toen kreeg ik de deurtjes niet meer open...'

'Iemand had een hark tussen de grepen gestoken,' zei Eveline.

'O,' zei de jongen alleen maar. Hij leek niet eens verbaasd. Toen haalde hij zijn hand door zijn blonde steile haar dat meteen terug in zijn gezicht viel. Het leek een beetje op het gebaar dat Cleo ook vaak maakte.

Alsof iemand plots een kraan dichtdraaide stopte het buiten abrupt met regenen. Ook het onweer was verder weg.

'Kunnen we hier alsjeblieft weggaan?' zei Eveline. Ze stond vlak bij twee stoffige doodskisten die boven elkaar gestapeld waren, alsof het een stapelbed was voor de doden. Ze kreeg er helemaal de kriebels van dat ze zo dichtbij waren dat ze ze zou kunnen aanraken.

Straks komen er dode vingers uit die kist die me meetrekken in het verstikkende zwart...

Ze had het gevoel dat de lucht om haar heen steeds dikker en warmer was geworden en ze had moeite met ademen.

'Ja graag,' zei de jongen tot Evelines opluchting. 'Ik ben hier al een beetje te lang.' Hij pakte een tas van de grond en stapte voor hen uit het huisje uit. Eveline volgde zo snel mogelijk en ademde dankbaar de vochtige avondlucht in. Het was nu helemaal donker en de lucht boven hun hoofd leek schoongeveegd door de storm. Een grote donderwolk dreef nog voorbij en onthulde een prachtige, bijna volle maan die laag aan de hemel hing en de begraafplaats in een zilveren licht dompelde. Meteen hief de jongen zijn camera en maakte een foto van de ingang van het grafhuisje.

'Wat doe jij nou?' siste Cleo.

'In het maanlicht heb je meer kans om geesten te fotograferen,' was zijn antwoord.

'Want dan is de belichting precies goed?' spotte Cleo.

'Zoiets ja,' zei de jongen die zich niet door haar van de wijs leek te laten brengen. Hij maakte weer een foto. Cleo rolde met haar ogen en tikte tegen haar hoofd in een 'die-is-gek' gebaar. 'Wat wil je doen?' fluisterde ze vervolgens in Evelines oor. 'Wil je terug naar het huis?'

'Jij?'

'Als jij wilt ga ik natuurlijk mee, maar ik heb het hartstikke koud,' zei Cleo.

Eveline had ook kippenvel op haar armen staan en dit keer was het gewoon van de kou. 'Moeten we de deurtjes niet dicht doen?' zei ze en ze wees naar het huisje. De jongen leek helemaal in beslag genomen door zijn bezigheden – hij had een soort kijker uit zijn tas gehaald en speurde daar doorheen kijkend de omgeving af. Hij zag eruit als een kleine, nogal rare jonge professor.

'Wat doet hij?'

'Ik denk dat hij probeert om geesten te zien, of zo,' zei Cleo zachtjes en ze maakte weer een gebaar dat hij gek was geworden.

'Het feit dat je ze niet kunt zien, wil niet zeggen dat ze niet bestaan,' zei de jongen.

'Ja, malle Pietje, zullen we nu gaan?' zei Cleo. 'Wij kunnen wel iets leukers bedenken dan in het donker op een begraafplaats rondhangen.'

'Ik heet geen Pietje, ik heet Daniel,' zei hij en hij stak zijn hand uit. 'Daniel Felis. Aangenaam.' Hij schudde hen alle twee de hand alsof hij ze net bij een officiële receptie was tegengekomen. 'Maar je mag ook wel Daan zeggen, dat doen de meesten.' Zijn hand was warm en droog en Eveline kon niet geloven dat deze kalme, kleine jongen net nog zo geschreeuwd had als een beest dat naar het slachthuis werd afgevoerd.

'Nou Daan, leuk je te ontmoeten, maar kunnen we nu gaan?' zei Cleo een beetje spottend. 'Ik heb mijn portie doodskisten en grafstenen wel weer gehad.'

Daniel legde zijn kijker weg en haalde iets uit zijn bodywarmer wat hij op zijn hoofd zette. Het was een hoofdlampje dat bergbeklimmers gebruiken zodat ze hun handen vrij hebben. 'Nou, eh... ik moet nog even iets doen,' zei hij vaag. 'Ik...' Zijn ogen gingen schichtig heen en weer en het schuifelen van zijn voeten begon weer. 'Ik heb verderop nog wat staan...'

'Dan haal je dat toch op? Kom je?' zei Cleo tegen Eveline. Ze had het helemaal gehad en rilde in haar natte T-shirt. In het licht van de maan was het kippenvel op haar onderarmen duidelijk te zien. Eveline had het ook koud, maar ze vond het zielig om Daniel hier alleen te laten terwijl hij net uren opgesloten had gezeten naast twee doodskisten. 'Kun je het morgen niet ophalen?' vroeg ze.

Hij schudde zijn hoofd. 'Het is hartstikke dure apparatuur, water-dicht en zo... Ik ben bang dat die engerd die hier rondloopt het meeneemt – of iemand anders...' Hij slikte en leek opeens minder kalm dan daarvoor. 'Z-zouden jullie... het is maar een klein stukje die kant op.' Hij wees naar het verste gedeelte van de begraafplaats.

'Hmm...' Cleo wisselde een blik met Eveline. 'Wat vind jij?'

'We gaan wel met je mee,' zei Eveline, 'maar alleen omdat je net opgesloten hebt gezeten.' Ze kon niet zien of Daniel blij was of niet, want zijn gezicht was niet te zien in het tegenlicht van de lamp op zijn voorhoofd.

'We moeten wel stil zijn, want de opzichter heeft daar een huisje.'

'Dat weten we,' bromde Cleo.

Daniel hees zijn tas over zijn schouder en sloeg rechts af een breder pad in dat naar de achterkant van de begraafplaats leidde. Het schijnsel van zijn lampje maakte een klein streepje licht in het zilverige duister. Iets verderop zag Eveline het dak van het kleine huisje dat onder een grote boom stond. Er scheen licht achter de ramen door de gordijnen heen.

'Moet je je lamp niet uitdoen?' fluisterde Eveline. 'Straks ziet hij ons.' Ze wees richting het huis.

'Goed idee,' zei Daan en hij knipte zijn voorhoofdslicht uit. De onweerswolken joegen langs de hemel waardoor de maan de ene keer de begraafplaats bescheen en ze het volgende moment in totale duisternis liepen. Door de bewegende wolken leek elke schaduw van de grafstenen zich uit te rekken en weer in te krimpen, alsof ze tot leven waren gekomen en nu hun macabere dodendans dansten. Eveline hoorde alleen het gonzen van haar eigen bloed in haar oren en ze schrok van elke schaduw, elk kraakje, elk piepje, elk geluidje. Haar ademhaling zat hoog in haar keel. De enige reden dat ze niet wegrende, was omdat Cleo naast haar liep en omdat ze die Daniel hadden beloofd om mee te gaan. Ze spiedde naar zijn rug – hij was net zo groot als zij; dus klein voor een jongen. Hij had een spijkerbroek aan en blauw-witte gympjes eronder. Hij zag eruit als een normale tiener, behalve dat hij over zijn groene T-shirt een legergroen mouwloos jack aanhad met tig vakjes en zakjes. Het was hem een stuk te groot, waardoor hij nog kleiner leek dan hij al was.

Het pad liep tussen heggen door een beetje omhoog, totdat ze bij een lang roestig hek aankwamen dat de achterkant van de begraafplaats aangaf. Er hing een half vergaan bord waar Eveline met moeite 'verboden toegang' op kon ontcijferen.

'Mag je hier wel komen?' vroeg Eveline.

'Ik ga niet verder,' zei Daniel. Hij wees naar een camera op een statief onder de bomen. Hij viel bijna niet op tussen de struiken. 'Hij filmt alleen maar die kant op – ik ga niet door het hek.' Hij tilde de camera van het statief, dat wankelde en bijna omviel, maar Cleo had het al te pakken en ze wilde de poten inklappen. 'Ik doe het zelf wel,' zei Daniel snel.

Cleo haalde haar schouders op. 'Ik wilde alleen maar helpen,' zei ze, maar Daniel reageerde er niet op. 'Alles doet het geloof ik nog,' zei hij in plaats daarvan toen hij de camera had gecontroleerd en hem behoedzaam in zijn tas stopte, alsof het een pasgeboren baby was. 'Dit is een lichtgevoelige camera die hier al de hele avond staat, waardoor hij alles opvangt en filmt wat hier gebeurt.' Hij wees naar het hek.

'Maar er gebeurt niks,' kon Cleo niet nalaten te zeggen.

'Nee, wij zién niks, bedoel je,' zei Daniel. 'Maar ik hoop dat er op mijn camera wel iets te zien is.'

'Geesten?' vroeg Cleo ongelovig. 'Maar waarom staat hij die kant op en niet daar? Dit is toch het einde van het kerkhof?'

Daan schudde zijn hoofd. 'Officieel wel, maar daar liggen ook graven. Zelfmoordenaars en andere mensen die vroeger niet op de officiële begraafplaats begraven mochten worden. Ik gok ook wat joodse graven. Daar heb je de meeste kans om dolende zielen te filmen.'

Eveline durfde bijna niet door de roestige spijlen van het hek heen te kijken – ze wilde de 'dolende zielen' waar Daniel het over had niet zien. Maar gelukkig was er tot nu toe nergens tussen de wilde begroeiing een geest te zien.

'Dus je wilt daar eigenlijk filmen, maar je bent daar nooit geweest?' vroeg Cleo met een gevaarlijke glans in haar ogen. Voordat Daniel nee had kunnen schudden, was Cleo al over het hek heen geklommen en stond ze aan de andere kant. 'Geef me je camera maar als je klimt,' commandeerde ze. 'Of mag ik hem niet vasthouden?'

'Clé!' riep Eveline.

'Kom op, dat is toch spannend?' Cleo stak haar hand door het hek heen. 'Komen jullie nog?'

Daniel weifelde ook, maar waarschijnlijk om andere redenen. Zíj was veel te bang dat Daniel gelijk had en dat er meer dolende zielen waren, die zíj dan waarschijnlijk kon zien, terwijl Daniel in de richting van het huisje van de opzichter spiedde. 'Ik heb Garon moeten beloven dat ik daar niet heen ging,' zei Daniel. 'Anders zou hij mijn apparatuur innemen.'

'Hij is er nu toch niet,' fluisterde Cleo. 'Kom op dan? Je wilde toch geesten fotograferen?'

Het vooruitzicht op succes trok Daniel blijkbaar over de streep, want hij tilde voorzichtig zijn cameratas over het hek en gaf die aan Cleo. Daarna begon hij – nogal moeizaam – over het hek heen te klimmen.

'Zal ik je helpen?' bood Cleo aardig aan, maar hij reageerde alsof ze hem had uitgelachen. 'Nee!' zei hij met overslaande stem. 'Ik kan het heus wel.'

Eveline klom vrij gemakkelijk over het hek en landde zacht naast Cleo die de camera voorzichtig uit de tas had gehaald en er nu mee in de aanslag stond. 'Te gek,' zei ze zachtjes. 'Denk je dat cameravrouw iets voor mij zou zijn? In de oorlog of zo?'

Eveline knikte. Ze zag het wel voor zich, Cleo met een camera in een of andere oorlog.

'Weet je hoeveel kans je hebt om als journalist om te komen in oorlogsgebied?' vroeg Daniel. Het was hem gelukt om over het hek heen te komen, al had hij wel een roestkleurige streep over zijn wang lopen.

'Ik wil het geloof ik niet weten,' zei Cleo. Ze gaf Daniel de camera terug en samen liepen ze richting de bomen. De grond onder hun voeten was bezaaid met zo'n dikke laag dode bladeren dat het niet te zien was of je wel of niet op een pad liep en het veerde onder hun voeten. Even dacht Eveline dat Daniel hen voor de gek hield en dat ze helemaal niet meer op de begraafplaats waren, maar toen stootte ze haar teen pijnlijk tegen iets hards. Ze keek naar beneden en zag toen dat ze praktisch óp een grafsteen stond. Als door een kwal gestoken sprong ze achteruit en maakte een omweg. Op de grafsteen had een soort ster gestaan en iets in een taal die ze niet herkende. Her en der zagen ze nu resten van graven tussen het hoge gras en de bomen uit steken. De meeste waren kapot en stonden schots en scheef, alsof een reuzenhand ze had omgeduwd.

'Het is inderdaad een joodse begraafplaats,' fluisterde Daniel. 'Die mochten vroeger niet op het andere gedeelte worden begraven, omdat ze geen christen waren.'

Eveline kreeg de kriebels van het oude gedeelte en ze verwachtte dat er elk moment een hand uit de aarde naar boven zou komen en haar enkel zou pakken, als in een slechte horrorfilm.

Nadat Daniel een tijdje had gefilmd, wees hij richting een heuvel. 'Zullen we daar even kijken?' vroeg hij. Hij liep voorop de heuvel op die vol stond met bomen met braamstruiken ertussen die langs hun blote benen krasten. Achter Eveline vloekte Cleo binnensmonds.

Eveline rook een vreemde geur – zoetig en een beetje rot, als vleeswaren die te lang buiten de koelkast hebben gelegen – toen Daniel opzij geduwd werd. Hij gaf een kreet van verbazing, want hij zag niets. Maar er stond wel iets – íéts vlak bij hem. Daniel krabbelde overeind en keek verdwaasd om zich heen, terwijl het díng nu naar Eveline keek. Het had geen gezicht – op de plek waar de ogen hoorden te zitten zat het vel strak over zijn oogkassen getrokken – en toch wist Eveline zeker dat het wezen haar zág. Zijn armen hingen los langs zijn bovenlichaam naar beneden, bleke lange armen die eindigden in grote klauwen met lange puntige vingers die een eigen leven leken te leiden – ze wriemelden alsof er elektrische pulsjes doorheen werden gejaagd.

'Rennen!' riep Eveline. 'Rennen!'

Ze renden met zijn drieën zo hard mogelijk de heuvel af. Eveline durfde niet over haar schouder te kijken, ze rende en rende, Cleo rende voor haar en Daniel een stukje achter haar, maar ergens halverwege het veld sloot een klauw zich om haar been en smakte ze plat voorover met haar hoofd op de grond, net naast een gebroken grafsteen.

'Eef! Eef!' gilde Cleo die Eveline had horen vallen. Het wezen begon aan haar been te trekken en Eveline probeerde met haar andere been naar zijn hoofd te schoppen, maar het was heel snel en ontweek haar voet. Het witte kale hoofd kwam dichterbij – er liepen groenige aderen onder de huid, door de oogkassen heen. Op de plek waar de mond had moeten zitten duwde iets naar buiten, en trok weer naar binnen alsof de tong van het ding gevangenzat achter een strakgespannen vel. Intussen rook ze hem weer: zoet en wee. Eveline trok nog harder met haar been en klauwde in het gras om grip te krijgen. Cleo pakte haar arm vast en begon te trekken. 'Wat is er? Wat is er?'

'Mijn been,' steunde Eveline. 'Er trekt iets aan mijn been.'

'Ik zie niks!' riep Cleo. 'Ik zie niks!' Ze liet Evelines arm los en meteen werd Eveline een stuk over de grond getrokken. Eveline draaide zich om en probeerde met haar handen de klauwen rond haar been los te maken, maar dat ging niet, ze waren te sterk. Onder haar handen voelde ze koud vel en daaronder bewoog het, alsof er insecten onder die vieze witte huid zaten. Ergens aan haar rechterkant bewoog iets en tot haar afschuw zag ze dat er een tweede wezen over het gras op handen en voeten haar kant op kwam, snel en schokkerig als een insect, met armen en benen wijd uitgespreid.

Klaar voor de aanval.

Boven haar hoorde ze Cleo een enorme kreet slaken en het volgende moment was haar been vrij. Binnen een seconde had Cleo haar onder haar oksels overeind gesleurd. 'Weg hier!' riep Cleo en ze sleurde haar omhoog. Eveline hoorde hoe haar T-shirt een scheurend geluid maakte en ze voelde een pijnscheut door haar zij gaan, maar ze liet zich verder sleuren door Cleo.

Ik moet weg, weg, weg, weg, weg.

Ze stormden struikelend over de graven richting het hek. Cleo had Evelines hand vast en trok haar langs de graven.

'Kun je klimmen?' vroeg Cleo. Eveline knikte en trok zichzelf omhoog aan de roestige spijlen en hees zichzelf over het hek heen. Ze keek over haar schouder, de twee witte schimmen kwamen weer achter hen aan als twee honden. Hun oogloze hoofden schokten van links naar rechts alsof ze hun prooi probeerden te ruiken. Eveline nam de camera aan van Cleo die aan de andere kant van het hek Daniel een voetje probeerde te geven, maar hij viel steeds weer terug.

'Schiet op,' zei Eveline. Haar stem raspte van angst.

Demonen. Het zijn demonen. Ik weet het zeker.

Eveline probeerde door het hek heen Daniel aan zijn bodywarmer omhoog te trekken, maar dat ging niet. Intussen kwamen de demonen over het gras en de graven heen gekropen, hun hoofden heen en weer, heen en weer.

'Ik kan het niet,' piepte hij angstig.

'Jawel, je kan het wel,' commandeerde Cleo verbazingwekkend kalm. 'Gewoon je voet op mijn hand en dan trek je jezelf omhoog.'

Daniel deed wat Cleo zei en toen lukte het. Hij tuimelde naast Eveline in het gras.

Ze komen dichterbij.

'Clé, schiet op!' riep Eveline, want ze vreesde voor Cleo, maar die was sneller dan het licht en ruim voordat de demonen bij het hek waren, was Cleo er al overheen. Eveline deinsde achteruit toen de twee monsters met hun armen door het hek naar hen reikten. 'Kom op, rennen!' riep Cleo en ze trok Eveline aan haar arm mee het pad op dat naar het gat naar het weiland leidde. Ze wurmden zich door de rododendrons.

'Hier!' Cleo dook omlaag, trok Eveline achterwaarts met haar mee door de heg. Ze had een bloederige kras op haar wang staan toen ze overeind kwam en ook op haar armen stonden een paar rode strepen. Daniel kwam vlak achter haar aan.

'Waarheen?' zei Cleo toen ze in het weiland stonden. De maan stond groot en zilver aan de hemel. In het weiland stonden de schapen. Ze keken het hijgende drietal met verbaasde kalmte aan. Cleo's ogen schoten heen en weer van het gat naar het weiland naar de sloot en weer terug. Haar lichaam stond strakgespannen als een snaar. 'Waarheen?' vroeg ze weer. 'We moeten hier weg.'

'Ik logeer daar,' zei Daan gejaagd en hij wees naar de grote boerderij-villa aan de overkant. 'Maar ik mag niemand meenemen.' Zijn gezicht klaarde op. 'Mijn kamer is aan deze kant – op de begane grond. Ik ga naar binnen, doe het licht aan, dan zie je welk raam het is. Dan doe ik het raam open en kunnen jullie naar binnen.'

Ze liepen achter Daan aan, die dwars door het zompige weiland stampte, en Evelines voeten zakten tot aan haar enkels in de modder. Daan leidde hen naar een bruggetje en toen stonden ze op het terrein van de boerderij.

'Wachten jullie hier?' vroeg Daan. Hij liep naar de voorkant van de boerderij en was na een paar meter opgeslokt door het donker.

Eveline leunde zwaar tegen de muur aan.

'Wat was dat? Iets viel Daniel aan – en toen jou. Maar ik zag het niet,' zei Cleo gejaagd.

'Ik weet het niet.' Haar stem klonk zo hees dat ze hem zelf bijna niet herkende.

'Hoezo, ik weet het niet... jij zag het toch? Maar ik zag het niet.'

'Het was... het was...' Eveline wilde er niet eens meer aan denken. En ze wilde ook niet zeggen wat ze had gezien. Ze wilde niet zeggen wat ze had gezien, want misschien dacht Cleo dat ze gek was of bezeten of... 'Ik zag niks, ik voelde alleen een soort *ding* met armen... Het had mijn been vast.'

'Dit was zo bizar. Ik kon het niet zien. Ik wist niet wat ik moest doen want ik kon het niet zien.' Cleo's ogen waren donker van angst. Eveline had haar nog nooit zo gezien. Ook niet toen ze tien waren en er een man stopte die vroeg of ze bij hem in de auto wilden komen zitten en hen klem probeerde te rijden toen ze weigerden.

'Ik zag... ik zag dat er iets om je been heen zat, ik zag vingerafdrukken op je been staan. Ik kon het alleen niet zien...' stamelde Cleo.

'Wat deed je?' vroeg Eveline aan haar vriendinnetje. 'Mijn been was ineens los.'

Cleo was even stil. 'Ik dacht: ik kan het niet zien, maar als iets haar been vast kan houden, dan kan ik het vast ook raken. En toen heb ik het van je af geschopt.'

7

Daniel deed van binnenuit het raam open en hielp Eveline erdoorheen. Daarna wilde hij Cleo helpen, maar die weigerde en klom behendig door het raampje op het houten bureau en sprong net als Eveline op de grond. Ze stonden naast elkaar in Daniels kamer. 'Ga daar maar zitten,' wees Daniel naar het bed dat tegen de muur stond. Eveline liet zich op het zachte dekbed zakken en leunde met haar rug tegen de muur. Haar uitgestrekte benen zaten vol schrammen en modderspatten en haar gympjes waren zwart. Op haar linkeronderbeen zat een grote rode vlek waar de demon haar had vastgehouden. Zonder haar veters los te maken, duwde ze een voor een haar gympen uit.

Daniel deed het grote licht uit en knipte de wereldbol aan die naast het bed op het nachtkastje stond. Het verspreidde een vriendelijk geel licht en Eveline voelde zich meteen beter.

'Wat was dat?' vroeg Daniel. 'Ik werd geduwd door iets wat ik niet zag – en daarna pakte het jou.'

Cleo was naast Eveline gaan zitten en keek bezorgd naar haar.

'Hoe gaat het?' vroeg Daniel aan Eveline. Er zaten twee bruine vlekken in zijn spijkerbroek ter hoogte van zijn knieën. Hij was blijkbaar ergens gevallen. Hij keek haar met grote ogen aan.

'Het gaat wel.'

'Wil je een beetje water?'

Ze knikte. Daniel verdween achter de deur in het korte gedeelte van de kamer en kwam terug met een colafles gevuld met water die hij aan haar gaf. Daarna deed hij een stap achteruit. Eveline nam met moeite een paar slokken.

'Doet je been pijn?' vroeg hij.

Ze liet haar been zien. Naast de rode vlek zaten vage krassen van de klauwen van het ding.

Hij keek haar weer met die grote ogen aan – afwachtend, alsof hij niet wist wat hij met haar aan moest.

Cleo pakte de fles van Eveline over. Ze had sinds ze op bed was gaan zitten niets meer gezegd, alsof ze wachtte totdat Eveline met een uitleg zou komen.

'Wacht!' zei Daan met schrille stem.

'Wat?'

'Ik...' Hij wapperde zijn handen zenuwachtig op en neer. 'We weten niet...'

Cleo keek hem geïrriteerd aan. 'Ik heb dorst, dus zeg wat je te zeggen hebt.'

'We weten niet wat het was... misschien is ze wel bezeten,' stamelde hij en hij liet zijn handen hangen. Hij leek opeens een beetje op een leeggelopen ballon.

Cleo lachte. 'Waarom zou zij bezeten zijn en jij niet?'

'Omdat... omdat zij gekrabd is. Je kunt bezeten raken van krabben of bijten,' zei hij.

Eveline voelde zich misselijk worden, maar Cleo lachte het weg. 'Eef is niet bezeten. Ze werd *aangevallen* door iets.' Met die woorden zette ze de fles aan haar mond en dronk. Daarna gaf ze de fles aan Daan die ernaar keek alsof het een fles ammonia was. 'Drink dan,' zei ze. 'Ik heb niks. En Eef ook niet.'

Hij twijfelde, maar pakte toen de fles en nam een paar slokjes. Daarna veegde hij zijn mond af aan zijn arm.

'Kijk uit, straks raakt je arm bezeten,' pestte Cleo hem.

'Geesten en demonen kunnen alleen via openingen of wonden het lichaam in, dus niet via je arm,' zei Daniel die zijn duizend-vakjes-bodywarmer uittrok en over de bureaustoel hing. Daarna ging hij in de stoel zitten. Hij keek naar zijn handen. 'Ik kan gewoon niet geloven dat er iets was – ik voelde ineens een duw in mijn zij,' stamelde hij. 'Ik...' Hij leek compleet van zijn stuk en steunde met zijn hoofd in zijn handen. Hij leek zo nog jonger dan op de begraafplaats.

'Heb je gezien wát het was? Kon jij het zien?' vroeg hij na een tijdje aan Eveline.

Als ik zeg van wel, moet ik de rest ook vertellen...

'Nee,' loog ze zo goed mogelijk. 'Ik voelde alleen iets om mijn been, een soort... klauwen... iets trok aan me.' Ze voelde Cleo's blik op haar branden en durfde niet opzij te kijken.

'Weet jij wat het was?' vroeg Cleo aan Daniel.

'Ik denk dat het een kwaadaardige geest was,' zei hij. Daniel vertelde hun kort dat er gevallen bekend waren van boze geesten die mensen aanvielen: meestal waren het geesten die mensen sloegen of knepen, aan hun haren trokken of 's nachts de dekens van hen aftrokken. Hij hield een boek omhoog waar *Beroemde geestverhalen* op stond. 'Vooral in Amerika zijn dat soort verhalen bekend, bijvoorbeeld de heks van Bell, die heeft een heel gezin jarenlang getreiterd.'

Cleo wiebelde zenuwachtig met haar lange benen heen en weer. 'Kan... kan er een kwade geest bij je blijven?' vroeg ze aan Daniel. 'Als je bijvoorbeeld glaasje hebt gedraaid?'

'Hebben jullie dat gedaan?' vroeg Daniel. 'Dat is hartstikke gevaarlijk!'

Eveline seinde naar Cleo dat ze haar mond moest houden.

'Straks is er echt iets bij je,' fluisterde Cleo zo zachtjes dat Daniel het niet kon horen. 'Je doet zo gek sinds die avond... Als hij nou gelijk heeft?'

'Wat? Denk jij nu ook dat ik bezeten ben door een of andere duivel?' siste Eveline.

'Niet bezeten... maar er kan toch iets bij je gebleven zijn?'

'Wat hebben jullie gedaan?' vroeg Daniel weer. 'Hebben jullie geesten opgeroepen?'

'Twee dagen geleden,' zei Cleo. 'Op een feestje moest Eef geesten oproepen voor een weddenschap.'

'Dankjewel, Cleo,' zei Eveline kwaad. Ze graaide haar gympjes van de grond. 'Ik ga naar huis,' zei ze boos.

'Eef! Toe nou!'

'Waarom moet je dat nou vertellen aan hem? Je kent hem niet eens!' riep Eveline hard.

'Ik ben ongerust over je!' riep Cleo terug. 'Je doet zo raar de laatste paar dagen. En ik denk dat jij dat ding wel gezien hebt. Ik weet het zeker! Ik snap alleen niet waarom je het niet wilt zeggen!'

Daniel gebaarde dat ze zachter moesten doen, maar het kon Eveline niet schelen als ze werden betrapt. 'Je denkt echt dat ik bezeten ben, hè?' viel ze uit tegen haar vriendin. Ze maakte aanstalten om het raam open te doen om naar buiten te klimmen, maar Cleo hield haar tegen. 'Toe nou,' zei ze. 'Dat denk ik niet, ik heb toch na jou uit de fles gedronken? Maar het is toch niet zo raar dat ik moeite heb om je te geloven dat er niks aan de hand is sinds die avond?'

De deur ging open en twee meisjes stapten de kamer binnen. 'Zo

Daniel,' begon de voorste. 'Wat ben jij aan het doen?'

Eveline herkende haar meteen: het was Arabella. Nu begreep ze het: dit huis was de villa waar Dimmi ook zat.

Arabella' s mond viel open toen ze de twee meiden in het oog kreeg. 'Wat doen jullie hier?' vroeg ze.

'Hoi Ara,' begon Cleo droog.

'Ik heet Arabella en jullie mogen hier helemaal niet zijn.' Ze draaide zich om. 'Ik ga mijn vader halen,' zei ze. 'Die gooit jullie er wel uit.'

Ze verdween. Haar kloon die niets had gezegd en van wie Eveline de naam niet eens meer wist, volgde haar als een schaduw.

'Ze gaat haar vader halen? Ik geloof niet dat ik haar erg aardig vind,' zei Cleo droog. 'Maar ik weet nu wel waarom de Nikodemusdijk me zo bekend voorkwam,' zei ze tegen Eveline.

'Dus jullie kenden Arabella al?' vroeg Daniel verbaasd.

'Van de zwemvijver,' beaamde Cleo.

'Waar was jij eigenlijk?' vroeg Eveline nieuwsgierig. Ze was ergens wel blij dat ze betrapt waren, want ze had het helemaal gehad met al die vragen over of ze die demon nou wel of niet gezien had en ze snakte naar iets normaals – al was het maar een standje van iemands vader.

'Ik houd niet van zwemmen,' zei Daniel alleen maar.

De deur ging weer open. 'Ze zijn hier, pappie,' zei Arabella. Ze wees een beschuldigende vinger naar Eveline en Cleo. De vader van Arabella kwam achter zijn dochter aan de kamer binnen en nam de twee meisjes kalm op. Hij had hetzelfde bruine glanzende haar als zijn dochter, alleen waren zijn ogen bruin in plaats van groen. Hij zag er helemaal niet uit als een vader, maar eerder als een model voor een heel dure auto met zijn nette blauwe pak en drie-dagen-baardje.

'En wie zijn deze verstekelingen?' vroeg hij vriendelijk. Hij stak zijn hand uit naar Cleo. 'Ik ben Cleo,' zei ze terwijl ze hem de hand schudde.

'Wilfried Langelaar,' zei Arabella's vader. Hij stak zijn hand uit naar Eveline.

'Eef,' zei Eveline. Ze drukte zijn hand. Hij glimlachte vriendelijk, maar echt aardig leek hij haar niet. Misschien kwam het omdat zijn ogen niet mee lachten terwijl hij zijn perfecte tanden bloot lachte.

'Wat doen jullie hier nog zo laat?' vroeg hij terwijl hij van de een naar de ander keek. Eveline staarde naar een donkere knoest in de vloer. Wat moesten ze daar nou op antwoorden?

'We waren op weg hierheen toen het begon te onweren,' zei Cleo met een stalen gezicht. 'We durfden niet verder en zijn op de begraafplaats gaan schuilen en daar kwamen we Daniel tegen, we waren alle twee helemaal natgeregend, dus toen was Daniel zo aardig om te vragen of we binnen wilden komen.'

'Maar waarom heb je dat niet gewoon even aan mij verteld?' vroeg Wilfried Langelaar aan Daniel. 'Dat had je toch gewoon kunnen zeggen?'

'Ik dacht dat het niet mocht na elven,' schokschouderde Daniel. 'Door het onweer was het al heel laat.'

'Met dit onweer hadden we natuurlijk een uitzondering gemaakt voor je vriendinnetjes,' zei Wilfried aardig. Bij het woord 'vriendinnetjes' begon Arabella ogenblikkelijk te gniffelen, maar ze stopte toen haar vader naar haar keek.

'Het is helemaal niet erg dat jullie hier zijn,' zei hij tegen de meiden, 'maar het is niet de bedoeling dat je steeds op de begraafplaats rondhangt,' vervolgde hij tegen Daniel. 'Ik dacht dat ik dat duidelijk had gemaakt. En zeker niet zo laat. Hij is dan toch ook allang dicht?'

Daniels oren werden rood. 'Sorry,' stotterde hij.

'Hij was niet aan het rondhangen, iemand had hem op...' begon Cleo, maar ze stopte nog net op tijd.

'Iemand had wat?' vroeg Langelaar. Hij bewoog zijn hand langzaam naar zijn gezicht en wreef over zijn voorhoofd. Aan zijn pink zat een soort zegelring.

'Niks,' zei Cleo.

Langelaar liet het zitten. 'Moeten jullie niet eens naar huis? Jullie ouders zullen wel doodongerust zijn,' zei hij.

'Chantal is op vakantie en Cleo slaapt bij mij,' zei Eveline snel. 'Niemand is ongerust.'

Wilfried trok zijn donkere wenkbrauwen op. 'Jullie zijn helemaal alleen thuis?' Hij vond het duidelijk maar niks. 'Willen jullie anders vannacht hier blijven? Bij de meisjes op de kamer is nog een stapelbed.'

'Je kunt ze toch even wegbrengen met de auto?' sputterde Arabella en ook Cleo keek alsof ze liever dertig kilometer fietste door noodweer met een leger draken achter zich aan dan in dezelfde kamer moest slapen als Arabella.

'Ik ga nu niet meer rijden,' zei hij gedecideerd. 'En ik wil ook niet dat jullie nog gaan fietsen.'

'Waarom niet? We fietsen wel vaker zo laat,' zei Cleo.

'Ik wil het niet hebben,' zei hij. 'Je weet nooit wie er langs die landweggetjes in de bosjes zit.'

Eveline had ook geen zin om bij Arabella op de kamer te slapen, maar aan de andere kant voelde ze er ook helemaal niets voor om naar buiten te lopen en haar fiets te pakken, zo dicht bij die begraafplaats, en vervolgens dat hele eind nog naar huis te fietsen. Dan zaten ze hier veiliger...

'Lopen jullie mee? Arabella heeft vast wel iets voor jullie om aan te trekken.'

Eveline zwaaide naar Daniel die er wat verslagen bij stond. 'Tot morgen,' zei ze. Daarna liepen ze gedwee achter meneer Langelaar, zijn dochter en haar vriendin aan de gang op. Achter de volgende deur hoorde ze geroezemoes van jongensstemmen en ze voelde hoe het bloed naar haar wangen schoot. Als Arabella hier was, dan was Dimmi hier ook. Ze trok verlegen aan haar vieze T-shirt, alsof Dimitri voor haar stond in plaats van achter de deur.

Arabella's vader opende een deur aan de andere kant van de gang en deed het licht aan. 'Dit is de meisjeskamer,' zei hij, wat een overbodige opmerking was, want dat lag er wel heel dik bovenop. De kamer was wel anderhalf keer groter dan die van Daniel en er stond een groot bed tegen de ene wand waar een wolk van roze tule boven hing – een roze klamboe. In de klamboe zaten roze en witte nepbloemen gestoken en vanaf de bovenkant hingen lange strengen gekleurde kralen naar beneden.

'Mooi,' zei Eveline. 'Heb je dat zelf gemaakt?'

Arabella keek haar zo vies aan, dat Eveline zich voornam nooit meer iets aan haar te vragen.

'Hier kunnen jullie slapen,' zei Wilfried. Hij trok twee roze spreien van het stapelbed. 'De lakens zijn schoon. Arabella heeft wel schone kleren voor je.'

'Moet dat echt?' zei Arabella pissig.

'Ik heb anders wel iets,' zei haar vriendin snel. Eveline wist nog steeds niet hoe het andere meisje heette, maar Langelaar schoot onbedoeld te hulp. 'Dat is lief van je, Zara,' zei Langelaar. Hij concentreerde zich weer op Cleo en Eveline. 'Weten jullie zeker dat ik niemand hoef te bellen?'

Ze knikten tegelijkertijd.

'Dan laat ik jullie maar alleen – kunnen jullie elkaar een beetje beter leren kennen. Maar niet te lang, want het is al heel laat,' zei hij. 'En niet overlopen naar de jongens, hè?' zei hij vervolgens tegen zijn dochter. 'Ik houd je in de gaten.'

'Ja, pap,' zei ze zuur. 'Ik doe niks.'

'En je moet morgen op Pinto en Wolfgang rijden. Ze worden anders veel te onrustig.'

'Alle twee? Kan Roos dat niet doen?'

'Het zijn jouw paarden. Roos is er alleen maar om je te helpen, niet om alles te doen.'

'Ze doet helemaal niks. Dat kost me drie uur, ik wil ook naar de Paddenpoel.'

'Arabella!'

Ze ging mokkend op haar bed zitten.

'Welterusten,' zei hij en hij hief zijn hand op ter begroeting.

'Zouden we eerst nog een boterham mogen eten?' zei Cleo brutaal. 'We sterven van de honger.'

Wilfried keek haar verbaasd aan, alsof hij niet kon geloven dat iemand om twaalf uur honger heeft, maar toen knikte hij. 'Komen jullie dan nog maar even mee naar de keuken,' zei hij tegen hen.

'Moeten we ook iets voor jullie meenemen?' vroeg Cleo plagerig aan Arabella, maar die liet zich met rollende ogen demonstratief achterover op bed vallen.

Wilfried nam hen mee door de donkere gang naar de voorkant van het huis. Daar was de woonkamer waar een open keuken aan zat. Ondanks het zomerweer gloeiden er resten van een vuur in een enorme open haard midden in de kamer. Eromheen stond een grote bank waar met gemak tien mensen op pasten.

'Daar is de koelkast, er zit brood in de broodtrommel,' gebaarde hij. 'Jullie mogen pakken wat je wil.' Hij deed het licht aan in de keuken. 'Redden jullie je?' vroeg hij.

Ze knikten braaf.

'Mijn werkkamer is daar.' Hij wees naar een lage deur aan de zijkant van de kamer. 'In het bakkersgedeelte van de boerderij. Wel even kloppen voordat je binnenkomt, ik houd er niet van om gestoord te worden,' zei hij lachend, maar het was duidelijk dat hij het meende.

'Dank u wel,' zei Eveline. 'Tot morgen.'

'Slaap lekker,' zei de man. Hij staarde naar de deur, alsof hij al in zijn werkkamer aan het werk was in plaats van met twee tienermeisjes in de keuken stond. 'Morgen zijn jullie ook welkom bij het ontbijt.'

'Dank u wel,' zei Cleo ook. Ze staarde naar haar vieze gympjes. Eveline had het gevoel dat Cleo elk moment in lachen kon uitbarsten. Toen Wilfried Langelaar door het lage deurtje verdwenen was, deed Cleo dat ook. 'Wat een koele kikker,' giechelde ze.

'Ik vind hem wel knap,' fluisterde Eveline terug. 'Maar het is wel een koele kikker,' beaamde ze.

Cleo trok de koelkast open en bouwde in een recordtempo twee 'Cleosandwiches' (wisselende ingrediënten, zolang er maar veel op zat), die ze bij het nasmeulende haardvuur op de bank opaten. Ze zeiden maar weinig tegen elkaar. Eveline was zo moe dat ze haar ogen nauwelijks kon openhouden en Cleo staarde naar de nagloeiende, halfverkoolde houtblokken, terwijl ze op haar boterham kauwde. Eveline was blij dat ze niet weer begon over wat er die avond was gebeurd, want ze wilde er even niet aan denken.

'Wat zullen we morgen doen?' vroeg Cleo in plaats daarvan.

'Terug naar het huis,' zei Eveline beslist. 'Kijken of er iemand is. En anders kijken of we via het kelderraampje naar binnen kunnen?'

Cleo floot bewonderend. 'Dat is inbreken. Dapper hoor, mejuffrouw Sevenster.'

'Clé, je moet mijn echte naam niet zeggen,' siste Eveline en ze keek schichtig om zich heen, alsof de muren hier oren hadden.

'Oh nee, sorry.' Cleo was weer stil. 'En sorry dat ik Daniel vertelde over het glaasje draaien.'

'Het is oké,' schokschouderde Eveline.

'Nee, ik had het niet moeten doen. Maar ik was – ben – ongerust over je.' Ze blikte naar Evelines been waar nu een grote blauwe plek op haar kuit en scheenbeen zat, maar zei er verder niks over. Ze pakte de lege borden op en legde die in de gootsteen. 'Ben je er klaar voor om in dezelfde kamer te slapen als Ara-Tarantula?'

'Het is belachelijk dat hij júllie hier laat slapen,' was het eerste wat Arabella zei toen ze de kamer inkwamen. De twee meisjes lagen op bed. Zara bladerde in een tijdschriftje en Arabella legde een boek neer waar 'De Metamorfosen' op het omslag stond. Op de houten vloer stond een witte krijtstreep tussen het stapelbed en het hemelbed.

'Jullie mogen niet over die streep,' gebaarde Arabella.

Cleo sloeg haar armen over elkaar en ging met haar tenen tegen de streep aan staan. 'En wat gebeurt er als we dat wel doen?' Ze hief haar voet en hing plagerig boven de streep. 'Nou?'

'Dan geeft Zara jullie geen kleren en mogen jullie de hele nacht in je ranzige suffe outfit slapen,' dreigde Arabella.

'Wat kan mij dat nou schelen,' zei Cleo die met haar voet de krijtlijn uitsmeerde. 'Dan slaap ik toch lekker in niks?' Ze trok demonstratief haar T-shirt over haar hoofd en gooide het in één beweging in Arabella's gezicht.

'Goed gemikt,' grinnikte Eveline. Arabella trok het natte T-shirt met een vies gezicht van zich af en gooide het in een hoek. 'Jij bent écht gestoord,' zei ze tegen Cleo. Ze stond op en gebaarde dat Zara mee moest komen naar het korte eind van de kamer. Eveline en Cleo hoorden een deur dichtgaan en daarna een hoop gesmoes.

'Ik ben niet echt jaloers op die Zara,' mompelde Cleo. Ze stond nog steeds in haar korte broek en haar bikinitopje in de kamer.

'Heb je het niet koud?' zei Eveline.

Cleo haalde haar schouders op. 'Valt wel mee.' Ze wurmde zich uit haar korte broek.

'Wil jij boven?'

'Liever beneden.'

Cleo gaapte en rekte zich uit. 'Zullen we morgen blijven ontbijten?'

'Als je wilt,' zei Eveline nonchalant, maar ze kreeg een weeïg gevoel in haar maag als ze eraan dacht dat ze bij Dimmi aan de ontbijttafel zou zitten. Ze ging op het onderste bed zitten. Het dekbed rook heel fris, alsof het net was opgemaakt.

De badkamerdeur ging open en het eerste wat eruit kwam was een zoete, snoepachtige bloemengeur. Arabella en Zara kwamen erachteraan. Ze hadden allebei roze glimmende lippen en Arabella had haar haren losgemaakt en er een gouden haarbandje in gedaan.

'Gaan jullie gezellig naar de plaatselijke disco?' grapte Cleo.

'Nee, we gaan naar Stan en Dimmi en jullie mogen niet mee,' siste Arabella. 'En waag het niet om ons te verraden.' Ze opende zachtjes de deur. Terwijl ze de donkere gang in spiedde, trok Zara nonchalant twee T-shirts van een stapeltje dat op de stoel lag en gaf ze terloops aan Cleo en Eveline.

'Wat deed je daar?' zei Arabella.

'Ik gaf hen een T-shirt,' zei Zara. Het was de eerste keer dat Eveline haar die avond iets had horen zeggen.

'Je krijgt vast een gore huidschimmel van hen, of een andere enge ziekte,' zei Arabella vals. 'Nou ja, dat moet je zelf weten, maar ik zou het daarna weggooien.' Ze glipte de gang op met Zara in haar kielzog. Ze had de deur nog niet dichtgedaan of Cleo had haar benen al over de rand geslingerd en sprong zachtjes van het bed af.

'Wat ga je doen?' vroeg Eveline.

'Wat gaan wij doen?' zei Cleo en ze sloeg haar armen over elkaar.

'Ik heb geen flauw idee,' zei Eveline.

'De badkamer in, opfrissen en dan gaan we Ara en Zara achterna.' Ze trok Eveline aan haar arm omhoog. 'En je mag geen "nee" zeggen.'

'Daar heb ik toch geen zin in?' sputterde Eveline tegen.

Maar Cleo wilde daar helemaal niets van horen. 'Het kan me niet schelen wat je heeft aangevallen, je gaat achter Dimmi aan. Hij is de perfecte kandidaat voor...' Cleo maakte een zoengeluid. 'En anders pikt Ara-Tarantula hem in, bijt zijn hoofd eraf en zuigt hem leeg. En dat is zielig voor hem – en voor jou, want dan zoen je nóóit.'

Cleo werkte Eveline de badkamer in waar ze zo goed en zo kwaad als het ging met een washandje de modder van hun gezicht, benen en armen wasten. Daarna 'leende' Eveline de borstel die op de wastafel lag om haar haren uit te kammen waar takjes en gras in kleefden. Cleo was allang klaar en lag op Arabella's bed te lezen toen Eveline uit de badkamer kwam.

'Heel zoenbaar,' floot Cleo toen ze Eveline zag die van Zara een heel mooi lichtgroen shirt had gekregen met een wijde hals en een grote vlinder erop. Cleo had het andere T-shirt aan.

'Echt wat voor jou,' giechelde Eveline. Het was roze met een getekend meisje erop met lange haren en grote, dromerige ogen. Eronder stond de tekst *I only dream of you.*

'Geen commentaar,' zei Cleo. 'Moet je kijken.' Ze gooide het boekje waar ze in had liggen lezen naar Eveline.

De Metamorfose – Franz Kafka, stond op het omslag en een tekening van een grote tor.

'Wat moet ik hiermee?' vroeg ze.

Cleo gebaarde dat ze het open moest doen. *Arabella Langelaar* stond er met roze pen op de eerste pagina geschreven. En: *afblijven!* Ze had hartjes op de 'ij' gezet in plaats van puntjes. Onder haar naam stond een heel andere titel: *Smachtend verlangen.* Eveline haalde de losse kaft van het boekje. Op de voorkant van het boek onder de kaft stond een vrouw in een heel blote rode jurk die tegen de behaarde borst van een blonde man geduwd stond.

'Wat is dít?' lachte Eveline.

'Dat is een keukenmeidenroman.'

'Een wát?'

'Zo noemt mijn moeder ze: boeketromannetjes. Mijn moeder leest ze wel eens, stiekem, want ze schaamt zich ervoor. En zo te zien Arabella ook een beetje.'

'Waarom?'

Cleo haalde haar schouders op. 'Weet ik veel. Omdat het geen literatuur is? Ik weet het niet. Het lijkt mij supersuf.'

Eveline bladerde het boekje vluchtig door en zag toen dat er zinnen waren onderstreept. 'Moet je luisteren,' zei ze. '*Sue was zo boos dat ze zich er niet van bewust was dat haar glanzende roze mond, haar lippen een stukje uit elkaar, een onweerstaanbare aantrekkingskracht vormde voor Dylan...*'

'Vast studiemateriaal voor Dimmi,' zei Cleo. 'Kom op, we gaan.'

Ze slopen de donkere gang op totdat ze bij de deur waren waar zacht gelach en geroezemoes achter klonk. 'Kloppen of gewoon binnenlopen?' vroeg Eveline. Ze had haar zin nog niet afgemaakt, of Cleo had de deur al opengedaan. 'Hoi,' zei ze met een grote grijns. Ze trok Eveline mee en sloot de deur achter hen. Arabella's ogen spuwden vuur. 'Wat doen jullie hier?' zei ze en ze moest hoorbaar moeite doen om niet giftig als een slang te klinken.

'Ja, wat doen júllie hier?' vroeg Dimmi, maar dat was een oprechte vraag.

'Heeft Arabella niet verteld dat wij hier ook in huis slapen?' vroeg Cleo onschuldig.

'Nee,' zei Dimmi die vragend naar Arabella keek, maar die gaf geen verklaring.

'We mogen er wel even bij komen zitten, hè?' Voordat iemand antwoordde, zat Cleo al tussen Zara en Stan in. Ze duwde Stan een beetje opzij, zodat Eveline naast haar kon komen zitten.

Eveline zat nu recht tegenover Dimmi en Arabella. De eerstgenoemde hing nonchalant op zijn zij op de grond en zag er veel te mooi uit in zijn spijkerbroek en een wit T-shirt met lange mouwen. De kamer leek heel erg op die van Daniel, alleen dan in spiegelbeeld, en er stond een stapelbed met onopgemaakte bedden. Overal lagen kleren, een voetbal, een beachballset, gympen, badhanddoeken, twee zwembroeken hingen over de rand van het bovenste stapelbed en overal lagen tijdschriften en stripboeken op de grond. Zo netjes als Daniels kamer was, zo slordig was die van Dimmi en Stan. Het enige beetje gezellige waren de brandende waxinelichtjes die op de grond stonden, maar Eveline had zo'n vermoeden dat die waren meegenomen door de twee meiden 'om romantisch te doen'.

'Sorry, als we wisten dat jullie zouden komen, hadden we het wel even opgeruimd,' grapte Dimmi.

'Geeft niet. Wat zijn jullie aan het doen?' vroeg Cleo die Arabella's 'rot-op' blik compleet negeerde.

'Beetje hangen. Maar wat doen jullie hier in huis? Dat mag toch niet van je vader?' vroeg hij aan Arabella.

'Ze waren met Daniel de geestenfreak op de begraafplaats en zijn met hem meegekomen naar huis. Mijn vader vond het niet goed dat ze nog naar huis fietsten.'

'Waarom waren jullie daar?' vroeg Stan.

'Hallo! Dat is toch duidelijk – heksen horen daar,' riep Arabella meteen vals.

'Waarom was jij er dan niet?' speelde Cleo de bal terug.

'Ik heb geen dood vriendje dat me liefdesboodschappen stuurt,' zei Arabella en ze keek veelbetekenend naar Eveline, die het een steeds minder goed idee vond dat ze naar Dimmi en Stans kamer waren gegaan.

'Sjonge Ara, wat ben je weer aardig,' zei Stan. 'Dropje?' Hij hield de reuzenzak drop waarvan al zeker de helft op was voor Evelines neus. 'Dat je nog iets over hebt van gisteren,' grapte Eveline en ze stopte een groene winegum in haar mond. 'Dankjewel.'

'Gaan we morgen weer voetballen?' vroeg Dimmi enthousiast aan Eveline en Cleo, die net zo enthousiast ja knikten. 'Ik ben nog nooit meiden tegengekomen die zo goed konden voetballen,' zei hij gemeend. 'Jullie zijn eigenlijk de eerste meiden die ik ben tegengekomen die kunnen voetballen, toch Stan?'

Arabella was een beetje gaan verzitten en hing nu tegen Dimmi's been aan. 'Eerst komen jullie toch wel kijken als ik rijd?' vroeg ze met een pruillip.

De jongens zagen eruit alsof ze veel liever meteen naar de zwemvijver gingen, maar Eveline wilde de paarden van Arabella wel graag zien.

'Je hebt twee paarden, toch? Doe je iets speciaals met ze?' vroeg ze geinteresseerd.

Arabella leek even van haar stuk gebracht dat Eveline een aardige vraag stelde. 'Ik rijd dressuur – het is heel moeilijk,' zei ze op neutrale toon. Het was het eerste beetje normale dat ze die avond had gezegd.

'Ik wil wel kijken als dat mag,' zei Eveline.

Arabella gooide haar lange haren over haar schouder en ging weer tegen Dimmi aan hangen, terwijl ze een hand bezitterig op zijn onderbeen legde. Eveline probeerde het te negeren, maar vroeg zich wel af hoe Cleo had kunnen denken dat zij ooit met Dimmi zou kunnen zoenen als Arabella als een soort vlieg op een pot honing aan hem vastgekleefd zat. 'Kun je paardrijden?' vroeg ze aan Eveline.

Eveline schudde haar hoofd. 'Het lijkt me wel heel leuk,' zei ze.

'Misschien laat ik je wel rijden,' zei Arabella plotseling. 'Als Eveline gaat rijden, komen jullie dan kijken?' vroeg het meisje aan de twee jongens.

'Als Eef gaat rijden, dan komen we allemaal kijken,' zei Cleo die Zara een duwtje gaf. 'Jij toch ook?' Zara knikte stom en Eveline bedacht dat ze bijna niet kon geloven dat Zara kon praten als ze het niet net gehoord had. Ze zat alleen maar tegen het stapelbed geleund als een mooie blonde pop met een haarbandje in en lipgloss op haar lippen. Eveline nam zich voor om nooit zo te worden, want het leek haar helemaal niks – zelfs als dat zou betekenen dat jongens als Dimmi haar niet leuk zouden vinden. Maar ze had het gevoel dat Dimmi haar wel leuk vond – al begreep ze niet precies waarom – want ze had wel door dat hij zo af en toe wat langer naar haar keek en daar werd ze heel verlegen van. Maar ze zou niet weten hoe ze het ooit voor elkaar zou krijgen om met hem te zoenen. Vooral niet omdat Arabella hem als haar eigendom gebrandmerkt leek te hebben. Ze spiedde onder haar oogharen door naar zijn mond en stelde zich voor hoe het was om met hem te zoenen.

'Wat zit jij geheimzinnig te lachen,' zei Arabella die niets leek te ontgaan. 'Denk je aan je geestenvriendje? Zoent hij een beetje goed?'

'Ontzettend goed,' zei Eveline. Ze wilde dat Arabella ophield met constant verwijzen naar het geesten oproepen, want ze wilde niet dat iemand daardoor op het idee zou komen om het nog een keer te proberen.

Maar het was al te laat. 'Kun je dat niet nog een keer doen, Eef?' opperde Stan en hij zette meteen een leeg waterglas op zijn kop in de kring. Onmiddellijk had Eveline het gevoel dat er een koude windvlaag door de kamer heen trok en ze kwam overeind. 'Dat doe ik niet meer,' zei ze gehaast.

'Hoezo niet, durf je niet?' zei Dimmi een beetje treiterig. 'Gisteren zei je nog dat je niet in geesten geloofde.'

'Toch doe ik het niet,' zei Eveline snel en precies op dat moment woei er een van de waxinelichtjes uit.

'Je bent echt een heks,' zei Arabella meteen. 'Dat deed jij!'

'Doe niet zo stom,' zei Cleo meteen, maar Eveline had het al helemaal gehad. 'Ik ga slapen,' zei ze en ze kwam overeind. 'Welterusten.' Ze trok de deur open en liep de donkere gang op terug naar de kamer van de meiden. Cleo rende achter haar aan. 'Waarom ga je nou?' vroeg ze zachtjes. 'Het ging toch goed?'

'Ik wil geen geesten meer oproepen en ik wil ook niet steeds horen dat ik een heks ben,' zei Eveline. 'Ik heb het gehad. Ik ben moe.' Ze trok de deur open. Ze wilde alleen nog maar in bed liggen en slapen.

'Wat had ik nou gezegd,' hoorden ze de diepe stem van Wilfried Langelaar op de gang toen ze net de kamer in waren en de deur achter zich hadden dichtgedaan. 'Hup, naar jullie kamer.'

Er klonk gestommel en het volgende moment kwamen de twee meiden binnen. Arabella gunde hun geen blik waardig en liep meteen door naar de badkamer. Eveline ging in het onderste bed liggen en begroef haar neus onder het dekbed.

Fijn, dit ging echt heel goed Eveline.

'Welterusten,' zei Cleo zachtjes en ze klom toen in het bovenste bed. Zara ging aan een kant van het hemelbed zitten, haalde haar make-up eraf, deed haar haren in een vlecht en schoot daarna tussen de dekens. Na een tijdje verscheen Arabella, ook make-uploos waardoor ze er veel jonger uitzag. Ze had een glas water in haar handen. 'Moet je niet meer naar de badkamer?' vroeg ze bits. Zara schudde haar hoofd. Arabella ging aan haar kant op de rand van haar bed zitten en pakte een zijden oogmaskertje. 'Morgen gaan we weer,' hoorde Eveline Arabella daarna smoezen. 'En dan zonder die heksen.' Daarna deed ze haar slaapmaskertje voor haar ogen, knipte het lampje naast haar uit en ging liggen.

Eveline lag een tijd met haar ogen open in het donker. Steeds als ze haar ogen dichtdeed, zag ze dat witte gezichtsloze hoofd met die groene kloppende aderen weer voor zich.

Ophouden, sprak ze zichzelf in gedachten streng toe. Ze trok de deken tot aan haar neus zodat ze zich wat veiliger voelde, maar ze was nog steeds bang om te gaan slapen. Toen verscheen de schaduw van Cleo's hoofd over de rand van het bovenste bed. 'Gaat het?' fluisterde ze.

'Gaat wel.'

'Zal ik bij je komen liggen?' en ze gleed al naar beneden, trok haar eigen kussen en deken van haar bed en legde die op het bed van Eveline. 'Schuif eens op,' zei ze. Eveline schoof tegen de muur aan en Cleo kwam naast haar in bed liggen. 'Kun je niet slapen?' vroeg ze. Haar donkere ogen glinsterden in het donker.

'Weet ik niet.'

'Ben je bang?'

'Een beetje,' gaf Eveline toe.

'Ik schop ze allemaal weg,' zei Cleo dapper.

'Dankjewel, als je maar niet snurkt.'

'Doe ik niet. Kun je slapen? Ik ben echt te moe.'

'Ik denk het wel.'

'Oké, slaap lekker dan.' Cleo draaide haar rug naar Eveline. Eveline deed haar ogen dicht. Ze voelde zich een stuk beter nu Cleo naast haar lag. Ze had het gevoel dat ze zich kon verschuilen achter haar vriendin. Dat vond ze niet zo'n aardige gedachte van zichzelf, maar ze bedacht meteen dat Cleo geen last had van dode mensen of demonen.

Ik ga morgen naar Ilana en dan kan zij me meer vertellen over wie of wat ik eigenlijk ben.

Met die gedachte deed ze haar ogen dicht en viel eindelijk in slaap.

Donker. Een donkere tunnel. Haar kraai rust zwaar en geruststellend op haar schouder. Achter haar klinkt zacht gehuil, gesnik. Voor haar een gouden licht dat langzaam dichterbij komt. Eveline kijkt verbaasd naar haar handen die oud en gerimpeld zijn. Ze voelt zich niet oud, ze voelt zich krachtiger dan ze zich ooit heeft gevoeld. Ze staat stil, afwachtend en klaar voor de strijd. Haar handen worden warmer en als ze er weer naar kijkt, ziet ze dat ze gloeien, alsof ze in brand staan. Haar kraai krast, ze kan zijn paarse ogen net zien in het donker.

Het gouden licht is een fakkel, gedragen door een gemaskerde man.

'Wie ben je en wat doe je hier?' eist ze en ze richt zich op.

De man lacht kort. Het klinkt als een dof pistoolschot. Zijn gezicht is volledig bedekt door een zwart masker en hij torent hoog boven haar uit. Hij is gekleed in de dracht van de Broeders van Belial: een witte broek en een witte cape met een bloedrood oog op de rug.

'Je zult nooit weten wie ik ben, maar je weet wel wat ik hier doe,' klinkt een holle stem. Achter het masker glinsteren boze ogen.

In het graf huilt het kind. Ze kan niet geloven dat iemand zo brutaal is geweest om dit onder haar neus te willen doen. Onder de neus van een Wachter. Haar kraai wappert met zijn vleugels, ook hij is er klaar voor. Ze heft haar handen waar nu gouden en blauwe vlammetjes op lijken te dansen. Maar de man lijkt niet geïntimideerd en wijkt geen stap. Hij doet zelfs een stap naar voren, brutaal, alsof hij onoverwinnelijk is, terwijl hij waarschijnlijk weet dat ze hem in een seconde kan verpulveren. Langzaam schudt hij zijn hoofd. Hij lijkt een pop, een kwaadaardige marionet en dat is hij natuurlijk ook. Een marionet van zijn honger naar macht.

Ze wil haar handen heffen, als twee klauwen zich van achter om haar keel sluiten. Ze ruikt de zoete geur van een Chimorei. Andere, kloppende klauwen grijpen gelijktijdig haar beide handen. Dit kan niet. Ze kan niet zo makkelijk overmeesterd worden. Maar de klauwen drukken door, sluiten zich om haar keel zodat ze geen lucht meer krijgt. Haar kraai is door het dolle, krast en fladdert en pikt de beide demonen waar hij kan, maar ze laten niet los.

Dit kan niet, schiet door haar hoofd. Geen demon valt een Wachter aan. Dat kan niet.

'Ik heb ze afgericht,' klinkt de holle stem. Het donkere masker danst nu voor haar uitpuilende ogen. Bloed stroomt haar ogen in en ze snakt naar de zuurstof die er niet is. 'Had je niet gedacht hè, van een miezerig broedertje? Maar ik ga hem oproepen. En er is helemaal niets wat jij eraan kan doen, want tegen die tijd ben jij dood.'

De toorts in de handen van de man dooft plotseling.

'Is dat het enige wat je kunt?' klinkt de kille stem spottend. 'Indrukwekkend.'

Ze glijdt op de grond. Haar handen gloeien niet meer. Twee paar klauwen nu om haar nek die drukken, drukken, er is geen lucht, er is geen leven meer. Is dit hoe het eindigt?

Een hand strijkt liefdevol over haar gezicht, een pervers gebaar van genegenheid. 'Er is geen hulp voor je. Alleen maar dood,' klinkt de holle stem vlak naast haar oor.

Gelach naast haar oor balt samen met het kindergesnik. Haar kraai fladdert op, ontwijkt de grijpgrage handen van de Chimorei, de stinken-

de honden onder de demonen. Afgericht door gewone mensen... Dat is
het laatste wat ze denkt. Nee, niet het allerlaatste. Het allerlaatste wat ze
denkt voordat het leven in haar ogen breekt, is: 'Zoek Eveline Sevenster
en maak haar wakker.' De lucht is weg uit haar longen, haar handen zijn
koud en het rood in haar ogen maakt plaats voor het zwart, het diepe,
diepe zwart van de dood.

Eveline kwam snakkend naar adem overeind. Ze wist even niet waar ze
was toen ze recht in het gezicht van Cleo keek en over haar schouder
twee meisjes zag die ze niet thuis kon brengen. Ze keken verbijsterd
haar kant op. Heel langzaam drong tot haar door wat er was: de kamer
– Arabella – Zara – stapelbed.
    Ze lag in het stapelbed in het huis van meneer Langelaar.
    'Eef? Gaat het?' zei Cleo.
    Eveline knikte. 'Ik had een nachtmerrie,' zei ze.
    'Ja, dat hoef je niet te zeggen,' sneerde Arabella. 'Je schreeuwt het hele
huis wakker. Moederskindje.'
    Cleo stoof op. Ze liep dreigend naar het bed van Arabella. 'Nog één
woord en ik doe je wat,' zei ze terwijl ze haar vuisten balde.
    Arabella schoot onder de dekens. 'Ga weg!' riep ze. 'Agressieveling!'
    'Clé!' riep Eveline. 'Laat maar.' Haar hoofd voelde alsof het vol watten
zat en haar gezicht was klam. Cleo draaide zich gelukkig om en liep
terug naar het bed. 'Vuil spinsecreet,' siste ze tussen haar tanden. 'Wat
heb je gedroomd?'
    Eveline schudde haar hoofd. 'Ik weet het niet meer,' zei ze gefrus-
treerd. 'Ik weet het nooit.'
    'Wil je een beetje water?'
    Eveline wreef over haar gezicht. 'Het was doodeng... Ik ging dood
– dat is het enige wat ik nog weet.'
    'Het was maar een droom,' suste Cleo. 'Durf je weer te gaan slapen?'
    Eveline knikte en liet zich achterover zakken. Ze probeerde zich te
herinneren wat ze had gedroomd, want ze had het gevoel dat het heel
belangrijk was geweest, maar ze kon het zich met de beste wil van de
wereld niet meer herinneren.
    'Duw maar tegen de onderkant als er iets is,' zei Cleo en ze klom in
het bed boven Eveline.
    'Zijn jullie eindelijk uitgepraat? Als je weer zo gaat krijsen, moet je op
de gang slapen,' zei Arabella en ze deed het licht uit.

8

De volgende ochtend had Eveline het gevoel alsof er een vrachtwagen met lauwe limonade boven op haar was gevallen – ze had overal spierpijn en op haar linkeronderbeen zat nu een fikse blauwe plek. Door de nachtmerrie zat haar hele hoofd vol met watten en klopte een doffe hoofdpijn achter haar ogen. Ze sleurde zichzelf achter Cleo aan de woonkeuken in en voelde zich meteen beter: de twee deuren aan de voorkant van de boerderij stonden open waardoor de zon naar binnen kon schijnen en in de keuken rook het naar warm brood en gesmolten boter. Dimmi en Stan zaten aan het verste eind van de lange houten tafel en hadden beiden een berg croissantjes op hun bord liggen.

'Goedemorgen,' zei Cleo. Eveline mompelde er een zachte groet achteraan. Ze was niet vergeten hoe ze de avond daarvoor uit de kamer was weggelopen en ze maakte zich daarbovenop druk over de kringen onder haar ogen.

Cleo griste een croissantje van Dimmi's bord en stak het in haar mond. Ze plofte op een stoel tegenover de jongens en tikte op de stoel naast haar.

Eveline ging verlegen zitten. 'Croissantje?' vroeg Dimmi. Eveline knikte. Hij pakte een croissantje van zijn eigen bord – hij had er nog steeds drie over – en gaf dat aan Eveline. Hij repte met geen woord over wat er de avond ervoor was gebeurd en daar was Eveline heel blij om. Ze besloot dat ze Dimmi behalve heel knap ook aardig vond.

'Hebben jullie genoeg?' Door de open deuren kwam een meisje de keuken in. Ze had een oud groen schort voor en roze afwashandschoenen aan. Onder haar schort staken groene bemodderde laarzen en ze had een mand in haar armen met prei erin. Ze zag eruit alsof ze uit een reclame voor biologisch eten was weggelopen en Eveline stelde zich voor dat fotomodellen er in hun vrije tijd zo uitzagen, want het was het mooiste meisje dat ze ooit had gezien, met lange bruine benen, honingblond haar dat in een losse vlecht op haar rug hing en een foto-modellengezicht. Toen ze Cleo en Eveline zag, keek ze verbaasd. 'Hé, zijn jullie nieuw? Dat had meneer Langelaar helemaal niet gezegd,' zei ze.

Naast Eveline zat Cleo met haar mond open naar het perfecte meisje te staren. 'Ik ben Roos,' lachte het meisje.

'Hoi, ik ben Eef en dit is Cleo,' zei Eveline. Cleo stak haar hand op. 'We zijn niet nieuw, we zijn hier alleen vannacht even geweest omdat we... omdat we gestrand waren in het onweer.'

Roos keek angstig. 'Ik vond het echt doodeng. Jullie?'

Eveline knikte. 'We zaten er middenin, samen met Daniel.'

'Die ligt zeker nog te slapen,' zei Roos toen ze hem niet aan tafel zag zitten. 'Ik maak hem wel even wakker,' zei ze en ze liep de kamer uit.

'Wie is dat?' vroeg Eveline nieuwsgierig.

'Roos komt uit het dorp,' zei Dimmi. 'Aangenomen door Wilfried Langelaar om mee te helpen.'

'Wat doet die Langelaar eigenlijk?' vroeg Cleo.

'Weet je dat niet?' zei Dimmi ongelovig. 'De grote Wilfried H. Lange-laar?'

'Ik ook niet,' zei Eveline. 'Had ik dat moeten weten?'

'Hij is een superberoemde archeoloog,' zei Stan. 'Hij heeft over de hele wereld allemaal belangrijke dingen ontdekt.'

'Wauw,' zei Eveline gemeend. 'Ook schatten en zo?'

'Dat moet wel denk ik, want anders kan hij dit huis natuurlijk nooit betalen,' gebaarde Stan.

'En wat doen jullie hier dan?' vroeg Cleo.

'Wilfried is bevriend met mijn ouders,' legde Dimmi uit. 'Daarom mocht ik mee en Stan mocht weer met mij mee.' Hij boog zich een beetje voorover. 'Ik denk eerlijk gezegd dat Langelaar niet zo'n zin heeft om alleen met zijn dochter opgescheept te zitten, want dan kan hij niet werken,' zei hij zachtjes. 'Hij zit echt dag en nacht daar.' Hij gebaarde naar het kleine deurtje waar de werkkamer van Langelaar achter lag.

Eveline smeerde intussen pindakaas op een croissantje en pelde een banaan. Naast haar belegde Cleo een witte boterham met boterham-worst waar ze een dikke laag mayo en mosterd op smeerde waarna ze er plakjes komkommer en een plak kaas op legde.

Dimmi boog zich geïnteresseerd naar de boterham van Cleo. 'Wat zit daar precies allemaal op?'

'Worst, mayo, mosterd, komkommer en kaas,' zei Cleo.

'Eten jullie altijd zo?'

'Ja.'

'Mag ik een hapje?'

Cleo gaf een stuk van haar boterham aan Dimmi die het weifelend in zijn mond stopte. 'Lekker,' was zijn verraste conclusie, waarna hij zelf ook zo'n boterham begon te bouwen.

Roos kwam weer terug de keuken in en ging naast Eveline aan tafel zitten. Ze bekeek haar croissant met interesse. 'Lekker?'

'Hmm-hm.'

Haar blik verschoof naar het eetbare bouwwerk van Cleo. 'O, dat lijkt me nog lekkerder,' zei ze en voordat Cleo het doorhad griste ze een halve boterham van haar bord en stopte die in haar mond. Eveline zette zich al schrap, want ze verwachtte eigenlijk dat Cleo de boterham op een of andere manier zou proberen terug te krijgen, maar in plaats daarvan maakte ze een beetje verlegen gebaar met haar handen dat Roos de boterham mocht opeten.

'Dankjewel,' zei ze. Cleo begroef haar neus zowat in haar bord en fabriceerde een nieuwe Cleo-sandwich.

'Daniel komt er zo aan,' zei Roos met volle mond. 'Hij lag inderdaad nog te slapen. Hij vroeg of jullie er nog waren. Jullie blijven toch nog wel even? Er is ook genoeg voor straks, hoor. En eventueel ook voor vanavond.'

'Je doet hier toch niet het hele huishouden?' zei Cleo lomp.

'Alleen het ontbijt en lunch, en 's avonds komt mevrouw Trap koken. Dan help ik wel mee, maar dat hoeft niet. En ik verzorg de paarden van Arabella.'

Een bleke Daniel kwam langs de haard de keuken in gelopen. Zijn haar zat van achteren in de war en zijn trui zat zowel binnenstebuiten als achterstevoren, zodat het lipje als een wit minislabbetje onder zijn kin zat.

'Goedemorgen,' zei hij. Zijn ogen lichtten op toen hij Cleo en Eveline zag. 'Jullie zijn er nog,' zei hij blij.

'Dat zei ik toch al?' zei Roos.

Hij schoof naast Roos aan tafel en vulde een kom met muesli en karnemelk.

'Lekker geslapen, playboy?' informeerde Dimmi. 'Ik hoorde dat je twee meisjes in je kamer had.'

Daniel keek op. Onder zijn ogen zaten nog veel zwartere kringen dan onder Evelines ogen. 'Volgens mij hebben jullie elke avond twee meisjes op je kamer,' was het enige wat hij zei. Daarna boog hij zijn hoofd weer en at verder. Cleo stootte Eveline aan onder tafel en gaf haar een 'wat-is-er-met-hem?'-blik. Eveline haalde haar schouders op. Zij wist het ook niet. Ze vroeg zich af of Daniel de hele nacht wakker was geweest en waarom. Ze had een vermoeden dat het iets te maken had met wat er gisteren was gebeurd en durfde bijna niet naar hem te kijken. Straks had hij vannacht de conclusie getrokken dat ze inderdaad door de duivel bezeten was. Ze spiedde naar Daniel, die ineengedoken achter zijn grote kom muesli zat. Hij zag er nog kleiner uit dan gisteren. Het viel haar op dat hij grote handen had met lange slanke vingers, en onwillekeurig vroeg ze zich af of hij piano kon spelen. Zo af en toe keek hij op en schoten zijn ogen schichtig heen en weer, om zich daarna weer op zijn muesli te concentreren. Hij leek op een bang konijntje dat uit zijn veilige hol was gehaald.

Hij lijkt wel bang voor de andere jongens.

Ze snapte niet zo goed waarom Daniel bang zou zijn voor Dimmi en Stan, want ze leken haar aardig genoeg.

'Zo, jullie zijn ook wakker.' Arabella kwam door de open deuren de keuken binnengelopen met Zara achter zich aan. Ze was gekleed in een paardrijbroek met laarzen en een donkerblauw T-shirt. In haar hand had ze een rijzweepje. 'Ben je er klaar voor?'

Eveline schoot onwillekeurig overeind. 'Vind je het echt goed dat ik rijd?'

Arabella knikte. 'Durf je nog?' Ze sloeg uitdagend met haar zweepje tegen haar laars.

'Jawel hoor,' zei Eveline. Haar hart begon sneller te kloppen. 'Ik durf best wel.'

'Kom maar mee dan,' zei ze. 'Jullie komen toch ook kijken?' zei ze terwijl ze nadrukkelijk naar de jongens keek.

'Tuurlijk,' zei Dimmi snel. 'Dat willen we niet missen.' Hij propte het laatste restje van de Cleo-sandwich in zijn mond terwijl hij al stond. Arabella liep zonder om te kijken met haar neus in de lucht door de deuren naarbuiten. De rest volgde haar over het zonnige erf naar de achterkant van het terrein, waar de stallen en een buitenbak waren. In de bak stonden twee gezadelde paarden, een bruine en een zwarte.

'Dat is Pinto,' wees Roos naar het bruine paard met een ruitvormige witte vlek op zijn hoofd. 'Hij is drie en heel erg lief.'

'Laat me raden: die is iets minder lief,' wees Cleo naar het zwarte paard.

'Dat klopt wel,' zei Roos lachend. 'Dat is Wolfgang.'

Wolfgang hief zijn hoofd en duwde zijn neus in de lucht; je kon meteen zien dat hij vond dat er met hem niet te spotten viel. In zijn pikzwarte ogen glom iets gevaarlijks. 'Hij is wel lief hoor, maar hij heeft zijn nukken,' zei Roos.

'Roos, hou jij ze vast?' vroeg Arabella. Hoewel het een vraag was, klonk het meer als een bevel. Roos ging door het hek en hield de beide paarden aan hun halster vast. Terwijl Pinto erbij stond alsof hij rustig op de bus stond te wachten, gooide Wolfgang zijn gitzwarte hoofd steeds omhoog. Zijn oren bewogen rusteloos naar achteren en naar voren en zijn ogen waren zo ver opengesperd dat het wit rond het zwart te zien was. Intussen snoof hij luidruchtig lucht in en uit zijn neus terwijl hij met zijn zwarte staart zwiepte.

Roos klakte geruststellend met haar tong, maar het scheen geen effect op Wolfgang te hebben. 'Sssj,' zei ze. 'Rustig maar.'

De anderen groepeerden zich om het hek.

'Heb je alleen je gympjes?' zei Roos. Eveline knikte.

'Heb jij een cap voor haar?' vroeg Roos aan Arabella. Arabella gaf Zara de opdracht om haar oude cap te gaan halen. Die rende naar de schuur en kwam terug met een afgekloven cap die naar paard en vocht rook. 'Moet ik die echt op?' vroeg Eveline.

Roos knikte. 'Ja, voor de veiligheid.'

Toen Eveline de cap onder haar kin had vastgegespt, ging ze samen met Arabella door het hek. Pinto duwde meteen zijn zachte neus tegen Evelines schouder aan. Dat vond Arabella blijkbaar helemaal niet leuk, want ze duwde hem aan de kant.

'Je moet haar maar aan de lijn laten lopen,' waarschuwde Roos. 'Als ze nog nooit heeft gereden.' Ze wenkte Eveline en wees naar Pinto. 'Ik geef je wel een voetje,' zei ze.

'Zij gaat niet op Pinto,' zei Arabella scherp.

Roos trok haar wenkbrauwen op. 'Wat? Wil je haar op Wolfgang laten zitten?'

'Waarom niet? Ik houd hem toch aan de lijn?'

'Hij is veel te wild voor een beginnende rijder,' zei Roos. Het leek wel of het paard haar had gehoord, want op dat moment hinnikte hij vurig en gooide zijn hoofd in zijn nek.

'Het is Wolfgang of niks,' zei Arabella. 'Wat wordt het, Eveline?'

Ze sprak Evelines naam overdreven nadrukkelijk uit. Ze keek haar uitdagend aan terwijl ze haar ene hand in haar zij hield en met haar andere hand het rijzweepje steeds opnieuw tegen haar laars aan zwiepte.

'Ik doe het,' zei Eveline.

Er ging een zacht gemompel door het groepje achter het hek heen, maar ze trok zich er niks van aan en liep kalm naar Wolfgang toe. 'Wat moet ik doen?' vroeg ze aan Roos.

Roos hield Wolfgang nog steeds bij zijn halster vast. 'Je houdt je voor aan het zadel vast en zo kun je je omhoogtrekken. Ik geef je wel een kontje,' zei ze.

Nu ze zo dicht bij het paard stond, merkte ze pas hoe ontzettend groot Wolfgang was. Zijn lange benen trilden van de onderhuidse spanning en Eveline kon de nerveuze energie die door zijn lichaam heen ging haast aanraken. Ze legde haar hand op zijn flank. 'Ssjj,' zei ze en ze voelde de zenuwen van het paard haar hand in glijden.

'Ga je nog?' hoorde ze Arabella sneren.

Eveline ging naast Wolfgang staan en pakte het zadel aan de voorkant vast. Het leer rook kruidig.

'Nu een beetje omhoogspringen, ik help je wel,' zei Roos. Eveline sprong, maar de eerste poging mislukte en Wolfgang deed een paar stappen opzij. Eveline voelde alle ogen in haar rug prikken, maar ze wilde niet opgeven. Vooral niet omdat ze Arabella zag fluisteren en giechelen met Zara.

Ze sprong nog een keer en dit keer ging het goed. Ze zwaaide haar rechterbeen over het zadel en ineens zat ze.

'Goed zo, Eef,' zei Cleo.

Roos hield Wolfgang nog steeds bij zijn halster vast en knikte haar bemoedigend toe. 'Arabella, houd jij hem vast? Dan kan ik de stijgbeugels op de goede hoogte zetten.'

Maar Arabella piekerde er niet over. 'Jij wilde zo graag dat ze reed, doe het zelf maar,' was haar antwoord.

Eveline aaide Wolfgang door zijn manen en aan de zijkant van zijn hals. Ze zat flink hoog nu en kon iedereen die haar verwachtingsvol aankeek goed zien. Daniel stond een beetje achteraan en stak verlegen zijn duim omhoog. Cleo zat op het hek en keek gespannen van Arabella naar Eveline en weer terug.

Ze is bang dat er iets gebeurt.

Gek genoeg was Eveline daar helemaal niet bang voor. Ze pakte de teugels vast en hield haar benen om het zadel geklemd waar ze het grote paardenlijf onder voelde leven. Ze aaide weer langs Wolfgangs hals. Hij had al een tijdje zijn oren niet meer naar achteren gehad.

Hier heb ik van gedroomd, dacht ze. Ze had altijd al een keer op een paard willen zitten en in volle galop over een vlakte willen rijden. Die galop zat er niet in vandaag, maar ze zat nu wel op een paard en vond dat een goede eerste stap.

'Je zit goed,' zei Roos die de stijgbeugels goed had gezet. 'Je houdt je handen meteen goed.'

'Ja, heb je nu genoeg geslijmd?' zei Arabella. 'Ga nou maar met haar lopen.'

'Ik dacht dat jij dat wilde doen?' zei Roos.

'Nee, ik rijd wel mee,' zei Arabella.

Roos gespte de lijn aan Wolfgang. 'Ben je er klaar voor?' vroeg ze aan Eveline.

Eveline knikte. Ze had een glimlach op haar gezicht die er niet meer af kon. Roos pakte een lange zweep en liep met Wolfgang naar het midden van de bak. 'Oké, je moet vooral niet te ver voorover leunen,' zei ze. 'Blijf gewoon vooruit kijken, en niet aan de teugels sjorren of hangen. Probeer jezelf op het paard te houden door je benen om zijn lijf te klemmen, niet door aan de teugels te trekken. En je hakken moet je naar beneden duwen, lager dan je tenen. En als er echt iets misgaat kun je je beter vasthouden aan zijn manen – maar er gaat niets mis hoor,' zei ze snel. 'Hij zit aan de lijn.' Ze klapte met haar zweep in de lucht en klakte met haar tong. 'Toe maar, lopen, Wolfgang,' zei ze. Wolfgang liep aan de lijn in een cirkel om Roos heen. Arabella was op Pinto gaan zitten en keek het tafereel vanuit een hoekje aan. Steeds als Wolfgang langs Pinto liep, hinnikte Pinto lief en gooide Wolfgang zijn hoofd omhoog, alsof hij hem begroette. Eveline vond dit al geweldig, het gevoel dat ze op een paard zat, dat ze op iets zat wat leefde.'

'Het gaat goed, Eveline,' riep Dimmi bewonderend. 'Kun je nog harder?'

'Durf je dat?' vroeg Roos.

'Ja hoor,' zei Eveline.

'Oké, dan moet je hem rustig in zijn zij porren met je hiel. Vergeet niet je hielen lagen dan je tenen te houden, dan heb je meer grip. De meeste paarden willen niet zomaar in draf, maar Wolfgang waarschijnlijk wel.'

Eveline porde hem zachtjes in zijn zij en alsof ze een turboknopje had ingeduwd, begon hij te draven.

'Je doet het geweldig!' riep Roos. 'Je bent een natuurtalent!' Ze hield Wolfgang in en haalde hem van de lijn. 'Hij vindt het niet zo leuk om aan de lijn te lopen en jij kunt wel zonder,' zei ze. 'Toe maar, loop maar een rondje.'

Eveline tikte hem voorzichtig in zijn zij en hij deed wat ze zei, hij liep rustig een rondje.

'Wil je hem nog een keer laten draven?'

Eveline knikte en gaf hem de sporen, waarop hij in een rustige draf overging.

'Niet te ver naar voren leunen. Het gaat goed hoor, Eef!' riep Roos.

Eveline ving Cleo's blik, die met een grote grijns op het hek zat. Nu ze zag dat het goed ging, kon ze zich wat meer ontspannen.

Arabella kwam naast haar draven. 'Als je het zo goed kunt, dan kun je vast ook wel in galop,' zei ze en met die woorden gaf ze Wolfgang een flinke zweepslag op zijn billen. Eveline voelde het paard met een ruk overgaan in galop, en ze stuiterde op en neer als een zak aardappelen.

'Wat doe je!' riep Roos boos, maar Arabella liet Pinto ook in galop gaan en galoppeerde voor Wolfgang uit, waardoor hij geprikkeld werd om nog harder te rennen. Eveline stuiterde steeds harder en hoger en was bang dat ze uit het zadel gelanceerd zou worden, maar toen corrigeerde ze zich, alsof er een vergeten herinnering naar boven werd gebracht die haar vertelde wat ze moest doen. Het was zo'n vreemd gevoel, dat ze er bijna bang van werd. Automatisch maakte ze een tegengestelde beweging, waardoor ze niet meer op en neer hobbelde. Ze zette zich schrap, drukte haar hielen naar beneden en bracht haar gewicht naar beneden als het paard omhoogkwam. Plotseling voelde ze het ritme en had ze het paard weer onder controle. Zo stoof ze als een gek langs Arabella.

Ik kan dit. Ik weet niet waarom ik dit kan, maar ik kan dit. Als ik nu zacht aan de teugels trek, dan gaat hij weer in draf.

Eveline keek over haar schouder naar Arabella die zo kwaad was dat ze eruitzag of ze haar eigen cap kon opeten. 'Vuile leugenaar,' siste ze.

'Je kan wel rijden, hè? Wat dacht je: lekker Arabella voor gek zetten?' Ze was zo boos dat ze in een impuls haar voet uit de stijgbeugel haalde en Wolfgang een trap in zijn onderbuik gaf.

De reactie van het paard was angstaanjagend en bewonderenswaardig. Arabella had hem precies op een plek geraakt waar het zoveel pijn deed dat het paard blind een paar rare bokkensprongen maakte en vervolgens met een noodsprong over het hek van de bak heen het aangrenzende weiland insprong. Instinctief wierp Eveline zich verder naar voren, zodat ze niet achterover van het paard af viel. Maar in het vrije land met de pijn die nog van zijn flanken richting zijn benen schoot, was er geen houden meer aan: Wolfgang schoot als een gitzwarte flits over de groene vlakte.

'Wolfgang!' riep Eveline. 'Stop! Ze klemde haar benen zo goed mogelijk om zijn lichaam. De teugels was ze kwijtgeraakt en ze sloeg haar armen om zijn nek. Hoewel ze bang was dat ze van het paard zou vallen, was ze dat ergens ook helemaal niet. Wolfgang ging nu sneller dan de wind en terwijl hij door bleef rennen, golfde er een waanzinnig gevoel door haar heen, een gevoel dat ze helemaal vrij was en dat niemand haar iets kon maken. Arabella niet, de demonen en de geesten niet... Ze had het gevoel dat ze het, letterlijk, achter zich liet op de rug van het paard terwijl de wind door haar haren waaide. Kennelijk was ze haar cap onderweg kwijtgeraakt, maar het kon haar allemaal niets schelen.

Terwijl Eveline en Wolfgang al heel snel een zwart stipje in de verte werden, rende Cleo het weiland in, maar ze zag meteen dat het geen zin had om achter haar vriendinnetje aan te rennen.

'Jij moet erachteraan!' riep ze boos tegen Arabella, die alleen maar aan het lachen was.

'Ze kon toch zo goed rijden? Nu heeft ze mooi kans om het te bewijzen.'

Cleo was zo boos dat ze aan Arabella's voeten begon te trekken. 'Als jij niet gaat, moet Roos gaan, straks breekt ze haar nek!' riep ze.

Roos had intussen het hek naar het weiland opengezet. 'Je moet haar gaan halen, Arabella,' zei ze.

'Kom op, ga dan!' riep Dimmi.

'Ga!' riep zelfs Zara. 'Straks gebeurt er nog een ongeluk.'

Arabella deed net of ze door het hek ging rijden, maar net voor de uitgang trok ze Pinto ineens naar links en draafde een klein stukje met hem de bak door. Cleo pakte de cap op die Eveline was kwijtgeraakt en gooide die met kracht richting Arabella. De cap raakte haar tegen haar borst en rechterarm.

'Ben je gek geworden, gestoorde engerd?' stoof Arabella op. Ze gaf haar paard de sporen en reed recht op Cleo af die midden in de bak stond, maar die was snel als de wind en sprong opzij. 'Jíj bent gek!' riep ze. 'Kom eraf!' Ze nam nog een sprong en wilde aan Arabella's been gaan hangen, toen er iets vreemds gebeurde: Arabella gleed pardoes de andere kant op en viel naast Pinto in het zand.

'Je hebt me van mijn paard getrokken!' brieste ze woest tegen Cleo. Ze lag op haar rug in het zand met haar benen omhoog.

'Ik? Echt niet!' riep Cleo terug.

'Jawel! Ik voelde het!'

'Je bent zelf gestoord,' zei Cleo. 'Ik stond aan de andere kant.'

'Pinto!' riep Roos die het bruine paard te pakken probeerde te krijgen, maar het leek wel of de duivel Pinto op de hielen zat, want hij rende in volle galop dwars door het open hek het weiland in, achter Wolfgang en Eveline aan.

Wolfgang rende nu langs de bomen aan de achterkant van de begraafplaats. Ze stoven langs een paar verbaasd kijkende koeien die zenuwachtig achteruitdeinsden. Eveline had haar handen nog steeds om de hals van het paard geklemd en begon zich af te vragen hoe lang ze het nog ging volhouden.

'Wolfgang, stop!' riep ze, maar het paard rende gewoon door, luid snuivend door zijn neusgaten, en toen zag Eveline dat er prikkeldraad om het hele weiland gespannen zat. 'Kijk uit!' gilde ze, maar dat verstond hij natuurlijk niet. Ze grabbelde naar de teugels, maar die hingen buiten haar bereik. 'Stop! Stop!' De omheining kwam steeds dichterbij... Ze wilde er niet aan denken wat er zou gebeuren als hij ertegenaan zou lopen – of zou hij springen? Maar wat als hij het niet zag? Ze verloor steeds meer haar grip en helde gevaarlijk over naar de linkerkant van het paard. 'Wolfgang!' smeekte ze. 'Stop nou!' Maar het paard leek niet te voelen dat hij nog iemand op zijn rug had zitten en denderde snuivend en briesend door.

Eveline dacht eerst dat het haar eigen angst was waardoor ze het gesnuif in stereo hoorde, maar toen hoorde ze gehinnik van een ander paard. Was het Arabella? Ze kon niet achteromkijken, omdat ze dan

zeker zou vallen. Ze hing nu helemaal naar links met haar hoofd ongeveer naast Wolfgangs zwarte hoofd en zag het prikkeldraad steeds
dichterbij komen. Moest ze zich laten vallen voordat ze daar waren?
Dan brak ze misschien iets, maar dat was beter dan prikkeldraad... Ze
keek naar beneden en zag de groene waas van het gras onder haar door
schieten. Ze gingen zo snel, straks brak ze haar rug nog...

Eveline besefte dat ze helemaal geen keuze had, want ze kon zich
helemaal niet meer vasthouden en hing nu zo scheef dat haar rechtervoet al uit de stijgbeugel was geschoten. Elke stap die Wolfgang deed
zakte ze schever...

Bruine paardenbenen kwamen langszij en precies op het moment
dat ze het echt niet meer hield en van het paard dreigde te tuimelen,
trokken sterke armen haar overeind. Ze zat weer rechtop in het zadel
en zag in een flits wie haar overeind had getrokken: er zat een jongen
op Pinto die ze nog nooit had gezien. Hij had de teugels van Pinto in
zijn linkerhand, terwijl hij met zijn rechterhand probeerde de teugels
van Wolfgang te pakken te krijgen, waarbij hij helemaal in de stijgbeugels stond en schuin over Pinto heen hing. Eveline hield de manen van
Wolfgang weer stevig vast.

'Kijk uit!' riep ze, maar het prikkeldraad was veel te dichtbij om nog
uit te kunnen wijken. De jongen deed nog een graai naar de teugels en
kreeg ze wonder boven wonder te pakken. Hij trok zichzelf overeind,
hield Wolfgang aan de teugel en toen sprongen ze met beide paarden
over het prikkeldraad en een slootje heen het andere weiland in. Het
ging zo snel dat Eveline niet eens tijd had om met haar ogen te knipperen, maar door de sprong hing ze meteen weer scheef en haar ene
voet was weer uit de stijgbeugel geglipt.

Nu val ik, dacht ze.

Maar Wolfgang ging opeens over in een rustige draf en even later
stopte hij. Pinto stopte ook en de jongen gleed soepel uit het zadel en
ving Eveline op, precies op het moment dat ze zijdelings van het paard
uit het zadel gleed. Ze hing een paar seconden half om zijn nek en toen
zette hij haar op de grond.

'Pfff,' zei ze. 'Dankjewel.' Haar benen leken het niet meer te doen en
ze zakte in het zachte gras. Ze liet het maar zo en keek op naar de jongen die haar net had gered.

'Ik snap niet hoe...' Ze voelde een gek kriebeltje in haar maag toen hij
tegenover haar in het gras ging zitten. Hij had felgroene ogen, een ge-

tinte huid en donkere haar dat een beetje te lang was in zijn nek.

Nog knapper dan Dimmi.

Ze vond hem véél knapper.

'Dankjewel,' zei ze nog een keer. 'Waar... eh... wie... hoe kom jij ineens op Pinto terecht?'

Toen Wolfgang een paar stappen deed, sprong de jongen meteen overeind en greep hem bij zijn halster. Hij aaide Wolfgang over zijn neus en deed toen iets grappigs: hij legde zijn eigen neus tegen die van Wolfgang. Het viel Eveline op dat Wolfgang nu heel kalm was, net zo kalm als Pinto. Hij stond heel ontspannen een beetje van het gras te knabbelen.

Eveline lachte. 'Is dat het geheim?' vroeg ze.

De jongen knikte en wenkte haar.

'Moet ik mijn neus tegen die van hem leggen?' vroeg Eveline. Ze dacht dat de jongen haar nu ging uitlachen, maar ze deed het toch. Toen ze het deed, voelde ze dat Wolfgang heel zachtjes zijn eigen neus tegen die van haar duwde en zag ze dat hij zijn ogen even dichtkneep, alsof hij haar begroette.

'Het werkt!' zei ze opgetogen. 'Hoe weet je dat?'

De jongen lachte verlegen en haalde zijn schouders op. Eveline beet op haar lip. 'Waarom zeg je niks?' vroeg ze. Hij schudde zijn hoofd en bestudeerde haar gezicht met die heldergroene ogen. Daarna draaide hij zich om en wipte met de behendigheid van een cowboy op Pinto en stak zijn hand uit. Aarzelend pakte ze zijn hand, waarna hij haar omhoogtrok totdat ze achter hem op het paard zat. Hij pakte de teugels van Wolfgang en zo reden ze stapvoets door de wei richting de weg. Eveline probeerde zo goed mogelijk achter op het zadel te blijven zitten, maar dat lukte helemaal niet, want ze kwam er al snel achter dat een zadel zo is gemaakt dat je vanzelf naar voren glijdt, dus ze kon niet anders dan heel dicht tegen de rug van de jongen aan zitten. Hij scheen het niet te merken, of het in elk geval niet erg te vinden, want hij begon enthousiast naar allemaal dingen in en om het weiland te wijzen. De begraafplaats was links van hen en hij wees naar zijn oren en toen naar de bomen. Eveline hoorde wat hij bedoelde: er zat een specht ergens fanatiek tegen een boom te kloppen. Wolfgang liep intussen zo mak als een lammetje naast Pinto.

'Werk je op de boerderij?' vroeg Eveline aan de jongen, maar hij schudde zijn hoofd.

Eveline werd nu wel heel nieuwsgierig. 'Maar je doet wel iets met paarden, toch? Je bent heel goed,' zei ze.

Hij stak zijn duim omhoog en lachte. Nu zag ze dat hij net als zij een stukje van een tand miste, alleen was het bij hem een hoektand.

'Hoe heet je?' vroeg Eveline. Hij draaide zich een stuk om in het zadel waardoor ze bijna zijn hele gezicht kon zien. Weer glimlachte hij die leuke, beetje scheve glimlach naar haar en hij trok vragend zijn wenkbrauw omhoog.

'Ik... ik heet Eveline,' zei ze. 'Eveline Sevenster.' Ze wist niet waarom ze haar echte naam aan een wildvreemde jongen vertelde, maar het voelde fijn om haar echte naam te zeggen. Eveline Sevenster. Zo heette ze.

Hij draaide zich om en gebaarde toen in de lucht. Het kostte een seconde, toen begreep ze wat hij aan het doen was: hij was letters in de lucht aan het schrijven.

'Je naam?'

Hij knikte en begon weer.

'Een A. Een Z. Een F. Nee? O, een E...'

De laatste letter was een R.

'Heet je Azer?' vroeg Eveline verbaasd. 'Wat een aparte naam. Die heb ik nog nooit gehoord.'

Hij lachte schuchter.

'Ik vind het een heel mooie naam hoor,' floepte ze eruit. Ze beet op haar tong en was blij dat ze achter hem zat, want ze kreeg meteen een rode kop. 'Nu weet ik nog steeds niet hoe je ineens op Pinto terecht bent gekomen. Heb je Arabella eraf getrokken?' grapte ze.

Azer knikte.

'Echt?' zei Eveline ongelovig. 'Ik zei het als grapje, maar dat heb je echt gedaan? Wat goed. Pfff, dat ze hem gewoon schopte. Je schopt je eigen paard toch niet?'

Hij schudde zijn hoofd. Ze waren intussen door het weiland gereden en bij de dijk aangekomen.

'Eef!' hoorde ze haar naam roepen. 'Eveline!'

Ze zag verderop op de weg mensen lopen. Ze waren haar natuurlijk aan het zoeken. Azer liet zich van Pinto glijden en gaf haar de teugels van Wolfgang.

'Ga je niet mee?' zei ze teleurgesteld. Hij schudde zijn hoofd en keek haar indringend aan.

'Dankjewel voor eh... voor het redden,' zei Eveline.

Hij knikte alleen maar en gaf toen Pinto een klein zetje zodat hij ging lopen.

Eveline wilde graag vragen of ze hem nog een keer zou zien, maar ze wist niet zo goed wat ze moest zeggen. Ze keek naar hem om. Hij stond met zijn handen in de zakken van zijn spijkerbroek naar haar te kijken en ze zag nu pas dat hij op blote voeten liep. Ze zwaaide naar hem. 'Dag Azer,' riep ze. Hij stak zijn hand op als groet, draaide zich om en liep de andere kant op.

'Eef!' Zara, Dimmi en Stan kwamen naar haar toe rennen. Ze keken alle drie heel bezorgd. 'Gaat het?' vroeg Zara. 'Ben je gevallen?' Het leek wel of haar ongerustheid zowel haar praatknop als haar aardigheidsknop aan had gezet.

'Nee. Wel bijna,' zei ze. Ze keek om. De weg was leeg.

'Je ging als een speer,' zei Dimmi ademloos en hij keek haar bewonderend aan. 'Dat je niet bent gevallen. Was je niet bang?'

'Een beetje. Ik geloof dat ik niet echt tijd had om bang te zijn,' lachte ze. Ze keek nog een keer over haar schouder, maar de jongen die haar gered had, was nergens te bekennen. Ze wist niet zo goed waarom ze niets zei over Azer tegen de rest. Misschien omdat het erop leek dat hij niet kon praten. Of omdat hij zo mysterieus was geweest. Een gedachte kwam in haar op, iets waar ze helemaal niet aan wilde denken en ze stopte hem snel diep weg.

Ze liepen over de dijk langs het hek van de begraafplaats. Er kwam een auto langs, maar Pinto en Wolfgang waren allebei heel ontspannen en liepen keurig uit zichzelf het erf van de boerderij op richting de stallen.

Cleo, Daniel, Roos en Arabella waren nergens te bekennen.

'Waar is de rest?' vroeg Eveline, terwijl ze uit het zadel gleed en de beide paarden bij hun halster vasthield.

'Cleo en Roos zijn naar je op zoek in de wei. Arabella is in het huis,' legde Dimmi uit. 'Meneer Langelaar kwam eraan. Hij was onwijs boos op haar.'

In de wei liepen twee zwarte stipjes. Dat moesten Cleo en Roos zijn. Eveline had Pinto en Wolfgang vastgeknoopt aan het hek van de bak en liep toen de wei in. Ze zette haar handen rond haar mond. 'Clé!' riep ze zo hard ze kon. Cleo hoorde haar meteen en zette het op een lopen. Ze sprintte zo snel dat zelfs Roos met haar lange benen haar totaal niet bij kon houden.

'Eef!' Cleo vloog haar vriendin zo hard om de nek dat ze samen in het gras vielen.

'Lekker,' zei Eveline die over haar pijnlijke billen wreef. 'Val ik niet van een paard, laat jij me vallen.'

Cleo trok haar weer overeind. 'Dus je bent niet gevallen?'

Eveline schudde haar hoofd. Roos was er intussen ook. Ze was helemaal buiten adem van het rennen en boog zich voorover om weer bij te komen. 'Je hebt ze allebei,' zei ze verwonderd toen ze de twee paarden aan het hek zag staan. 'Hoe heb je dat gedaan? Ben je gevallen? Heb je je pijn gedaan?'

'Nee.'

Roos gooide haar hoofd in haar nek en begon heel hard te lachen. 'Je bent niet gevallen? En je hebt Pinto ook meegekregen? Je bent echt een natuurtalent.' Ze boog zich weer voorover om verder uit te hijgen. 'En jij kunt veel te hard rennen,' zei ze tegen Cleo. 'Ik heb zin in een heel groot glas koud water. Jullie?'

'Ja, enorm, maar wat doen we met Pinto en Wolfgang?' vroeg Eveline.

'Arabella zorgt voor de paarden.' Wilfried Langelaar was zonder dat ze het gemerkt hadden naar de bak komen lopen, met Arabella als een chagrijnige schaduw achter hem. 'En daarna gaat ze naar haar kamer en daar mag ze een dagje nadenken over wat er allemaal mis had kunnen gaan.'

'Wat? Maar dat is gemeen! Roos heeft haar toch ook op het paard laten zitten?'

Wilfried negeerde zijn dochter, gebaarde alleen maar dat ze naar Wolfgang en Pinto moest gaan. 'Knap staaltje rijkunst,' zei hij tegen Eveline. 'Arabella zei dat je nog nooit gereden had.'

'Dat zei ze, maar ze liegt,' riep Arabella. Ze stampte met haar voet op de grond. 'En anders is ze een heks.'

'Arabella! Ik zag je aan komen rijden vanuit mijn werkkamer,' zei Wilfried. 'Ben je niet gevallen?'

Eveline schudde haar hoofd voor de honderdste keer die dag.

'En je hebt beide paarden uiteindelijk te pakken gekregen.' Hij floot tussen zijn tanden. 'Knap hoor.'

Er gleed een venijnige trek over het gezicht van Arabella. 'Nou, poehee, wat knap,' mompelde ze.

'Ik wil niks meer van je horen,' zei Langelaar ijzig tegen zijn dochter. 'Je neemt de paarden mee naar de stallen en zorgt dat ze piekfijn worden verzorgd. Nu.' Hij sloeg zijn armen over elkaar en Arabella kon niets anders dan naar Pinto en Wolfgang lopen en ze losmaken van het hek.

'Een knap staaltje,' zei hij peinzend. 'En je hebt echt nog nooit gereden?'

'Nee.'

Hij nam haar onderzoekend op. Ze voelde dat zijn blik bleef kleven op haar gezicht en ze sloeg haar ogen neer. Ze wist wel dat hij niet kon zien dat ze die rare kleur ogen had, maar helemaal zeker wist ze het niet.

'Je komt me zo bekend voor,' zei hij plotseling. 'Hoe zei je dat je heette?'

'Eefje Dijkman,' zei Eveline snel.

'Grappig,' zei hij. 'Je doet me denken aan iemand...'

Evelines hart sloeg een keer over. Zou hij haar moeder kennen? Cleo had gezegd dat ze op haar moeder leek. Maar dat zou wel heel toevallig zijn... toch?

'En hoe oud ben je?'

'Bijna veertien,' zei Eveline.

'En je moeder is zonder jou op vakantie gegaan en nu slaap je alleen thuis?' vroeg hij. Het was weer overduidelijk dat hij dat maar niks vond.

'Ik slaap bij Eef,' zei Cleo. 'En ik ben al een halfjaar veertien.'

'Hm. En jouw ouders vinden dat goed?'

Cleo haalde haar schouders op. 'Mijn ouders vinden alles goed,' zei ze op spottende toon. 'Zolang ik maar niet ontvoerd word en ze geld voor me moeten betalen.'

'Je maakt een grapje toch?'

Cleo trok haar meest serieuze gezicht. 'Nee hoor. Daar zou ik toch geen grappen over maken?'

'Ik zou je ouders kunnen bellen om te vragen of jullie hier kunnen blijven.' Langelaar keek naar het huis. 'Jullie kunnen bij Arabella en Zara op de kamer,' zei hij.

Cleo keek naar Eveline. 'Wil je blijven?' vroeg ze.

Als we blijven, zitten we dichter bij Nikodemusdijk 3.

Eveline wilde liever niet bij Arabella op de kamer, maar het was wel een kans om makkelijker naar de begraafplaats te glippen zonder dat het verdacht was. Vooral als ze met Daniel meegingen onder het mom van geesten fotograferen...

Wilfried Langelaar sloeg zijn handen in elkaar ten teken dat het hem allemaal veel te lang duurde. 'Kijk maar, het aanbod staat in elk geval,' zei hij. 'Het lijkt me veiliger dan twee weken zonder ouders.' Met die woorden liep hij weer terug naar de boerderij.

'Is hij altijd zo ongeduldig?' zei Cleo.

'Hij is druk,' zei Roos. 'Blijven jullie? Ik vind het wel gezellig,' zei ze.

'Misschien,' zei Eveline. Ze vond het moeilijk om nu te beslissen. 'Waar is Daniel toch?' vroeg ze.

'Hij wilde niet mee om jou te zoeken,' zei Cleo.

'Wat heb je tegen hem gezegd?' vroeg Eveline achterdochtig.

Cleo zweeg.

'Clé? Wat heb je tegen hem gezegd?' drong Eveline aan.

'Dat hij je vriendschap niet waard was als hij niet mee zou helpen zoeken.'

'Heb je dát gezegd?' zei Eveline.

Cleo keek schuldbewust naar haar voeten.

'Blijf jij maar hier,' zei Eveline streng tegen haar opvliegerige vriendinnetje. Daarna liep ze de boerderij in naar Daniels kamer. Ze klopte op de deur. 'Daan?'

Toen hij niet antwoordde, deed ze de deur zachtjes open. Hij zat aan zijn bureau over iets heen gebogen dat hij ingespannen bestudeerde.

'Ben je aan het studeren?' grapte Eveline.

Daniel schrok op en draaide zich om. Een enorme opluchting stond op zijn gezicht te lezen toen hij Eveline zag. 'Ben je niet gevallen?' vroeg hij.

'Nee.'

'Ongelooflijk,' zei hij. 'Je ging keihard, had je echt nog nooit gereden?'

'Niet dat ik weet,' antwoordde Eveline en haar eigen antwoord verbaasde haar. Het kon wel dat ze had gereden, voordat haar ouders dood gingen. Alleen wist ze dat niet meer.

'Je moet je niks aantrekken van wat Cleo zegt hoor,' zei ze aardig. Daniel knikte woordeloos. Onder het bureau schuifelden zijn voeten heen en weer. Het rubber van zijn gympjes maakte een zacht piepend geluid. Hij leek een beetje van zijn stuk. 'Ik heb iets ontdekt,' zei hij zachtjes en meteen voelde Eveline een rilling over haar rug gaan. 'Wil je het zien?'

Wil ik het zien?

'Oké,' zei ze. Op Daniels bureau stond zijn filmcamera. 'Ik gebruik een infraroodcamera met beeldversterker, zei Daniel. 'Weet je wat dat is?'

Eveline knikte. 'Een beetje. Je kan dan toch warmte zien en zo?'

'Elektromagnetische straling.' Hij drukte op een knopje en Eveline zag het hek aan de achterkant van de begraafplaats in een groen grijzig licht. Na een minuut gleed een lichte streep door het beeld en Eveline schrok.

'Dat was een vogel,' zei Daniel.

'Oh,' lachte Eveline. 'Ik dacht...'

'Het komt nu,' viel Daniel haar in de rede en wees naar het scherm. Plotseling verscheen er iets aan de achterkant van het veld. Het was niet meer dan een wittige schim die schokkerig richting het hek kwam. Een tweede, identieke schim verscheen, die hetzelfde deed. Zelfs op het scherm was het doodeng en Eveline had moeite om ernaar te kijken, want de herinnering aan de rottende geur die om hen heen had gehangen en het vieze gevoel toen ze hun vel had aangeraakt, kwam meteen terug.

'Ik denk dat je hierdoor bent aangevallen,' zei Daniel serieus.

'Weet je wat het zijn?' vroeg Eveline met overslaande stem.

'Ik denk geen kwade geest,' zei hij. 'Zie je dat?' Hij wees naar de twee schimmen die op en neer leken te gaan achter het hek. 'Het is net of ze niet verder kunnen. Of niet verdergaan – alsof ze iets bewaken, vind je ook niet? Ik heb het opgezocht – kijk.' Hij sloeg een boek open bij een groene plakker en wees. Het hoofdstuk ging over hellehonden en stond vol met illustraties van grote honden met vuur uit hun bek en rode ogen. 'Hellehonden bewaken meestal iets. Ik dacht dat ze misschien zoiets waren.'

Eveline dacht terug aan dat vreselijke hoofd met dat vel eroverheen, zonder ogen en mond en had niet het idee dat het een hond was.

'De opname duurt een paar uur,' zei Daniel. 'Je ziet ze steeds lopen. Richting de heuvel en dan weer terug. Ze bewegen alleen niet als honden...' Hij keek opzij en bestudeerde Evelines gezicht van de zijkant. Ze voelde Daans blik branden en keek uiteindelijk opzij. 'Wat is er?' zei ze met een zucht.

'Heb je ze echt niet gezien?'

'Ik heb jullie gisteren toch al gezegd...'

Hij maakte een afwerend gebaar. 'Dat weet ik. Maar het kan toch? Er zijn toch helderziende mensen die contact kunnen maken met geesten – en ook dit soort dingen kunnen zien.'

'Wat een onzin,' zei Eveline en ze probeerde haar stem luchtig te laten klinken, maar Daniel bleef volhouden: 'Je deinsde achteruit bij dit hek,' hij wees op het schermpje. 'Dus ik denk dat je ze wel kon zien.' Hij pakte haar arm.

'Ik heb wel eens gelezen dat de doden bij iemand blijven – zie je iemand bij mij? Is er iemand bij mij?'

'Hoe moet ik dat weten?' Op Daans horloge zag ze dat het al halftwaalf was. Ze moest nu naar de kerk – ze moest nu naar Ilana. Straks miste ze dat ook nog en wist ze helemaal niet meer wat ze moest.

'Wacht,' zei hij. 'Ik wil graag dat je me helpt.'

'Waarmee? Met geesten fotograferen? Dank je de koekoek.' Ze duwde hem opzij, maar hij greep haar pols opnieuw. Hij was verrassend sterk voor zo'n tengere jongen. 'Dat is het niet. Ik ben hiermee begonnen omdat... omdat mijn broertje acht jaar geleden is omgekomen.' Hij slikte. 'Het was bij ons in de straat. We waren aan het spelen – ik trapte de bal, hij miste en rende erachteraan de straat op, zo onder een auto.' Hij slikte weer. 'Kun je hem zien bij mij?' vroeg hij toen zacht.

Eveline trok zich los. 'Ik zie helemaal niks.'

'Toe nou?'

'Nee.'

Ze liep terug naar de deur en rende de gang op. Ze wilde niets horen over hellehonden of over Daans dode broertje. Ze wilde niet dat Daan aan haar vroeg of ze zijn broertje kon zien. Het rare was dat ze van zichzelf baalde omdat ze Daniels broertje níét kon zien. Ze zag van alles: demonen; dode oude vrouwen die horloges gaven of op zoek waren naar geheime ingrediënten; dode katten en honden... Maar Daniels broertje zag ze niet en dat maakte het nog moeilijker om te vertellen dat ze de demonen wel had gezien. Want wat had ze aan deze gave als ze nou juist niet diegene kon zien die ze wel wilde zien omdat een levend iemand ernaar vroeg?

9

Eveline reed het kerkplein op toen de klok twaalf uur sloeg. Ze ging op een van de bankjes in de zon zitten en staarde naar de kerk. Vijf minuten gingen voorbij... Tien minuten...

Ze wiebelde met haar benen. Waar bleef Ilana nou? Ze begon te twijfelen. Had Ilana voor de kerk gezegd of in de kerk? Hoe meer ze eraan dacht, hoe meer ze ervan overtuigd was dat Ilana in de kerk had gezegd.

Ze ging door de houten deur de schemerdonkere kerk binnen. De koele lucht voelde prettig aan op haar brandende wangen en ze liep stilletjes over het middenpad verder het gebouw in.

Waar was Ilana?

Het was doodstil in het gebouw en de hekserige waarzegster was nergens – de kerk was leeg. Ze had verwacht dat er allemaal mensen in de houten banken aan het bidden zouden zijn, maar er zat helemaal niemand, ook Ilana niet. Links en rechts aan de muren hingen schilderingen van mensen die ze niet kende. Ze tuurde in de nissen aan weerzijden van de kerk waar ze beelden zag met waxinelichtjes in rode houdertjes ervoor, maar ook daar was Ilana niet. Ze liet zich uiteindelijk in de voorste bank zakken en staarde naar het altaar waar een witte doek overheen lag. In de hoeken stonden grote witte kaarsen en boven het altaar hing een nogal protserig gouden kruis, met krullen en grote rode stenen erin.

'Die rode stenen geven de stigmata van Christus aan,' klonk opeens een stem naast haar. Zonder dat ze het had gemerkt, was er een man naast haar gaan zitten. Hij had een bril op en een zwart pak aan met een wit boordje erboven. Hij zat ontspannen naast haar met zijn handen gevouwen op de rand van de bank en keek naar het gouden kruis. 'Weet je wat dat zijn? Stigmata?'

Eveline schudde haar hoofd.

'Het zijn de plekken waar de spijkers zaten – twee in de voeten en twee in de handen.' Hij tikte op het midden van zijn handpalmen. En de laatste, die in het midden, die zat hier.' Hij legde zijn hand op de plek van zijn hart. 'Daar werd Hij met een lans gestoken om te kijken of Hij dood was.'

'En? Was Hij dood?'

De man keek haar met zijn grijze ogen onderzoekend aan. 'Maar ken je het verhaal van Christus dan niet? Hij was dood, maar ook weer niet. Want een paar dagen later stond Hij op uit zijn graf. Je weet niet heel veel over Christus, of wel?' vroeg hij.

Eveline schudde haar hoofd. 'Daar ben ik niet mee opgevoed.'

'Waren je ouders niet christelijk?'

'Ik weet het niet – mijn ouders zijn dood.'

'Och, deerne toch,' zei hij.

Eveline vond dat een gek woord. 'U heeft een mooie kerk,' zei ze.

De man lachte. 'Het is niet mijn kerk. Maar hij is wel mooi, ja. De fundamenten zijn al heel oud.' Hij wees naar beneden. 'Hieronder liggen Romeinen begraven.'

'Interessant – en u hoort bij de kerk?' vroeg ze nieuwsgierig.

Hij knikte en spreidde zijn handen. 'Evert van der Meulen, twintig jaar priester, waarvan vier donkere jaren,' zei hij met zo'n nadruk op 'donker', dat Eveline dacht dat hij er iets mee bedoelde, maar ze wist niet wat. 'Donkere jaren?' Ze keek intussen achter zich. Waar was Ilana nou? Het was intussen vast al halfeen.

De priester legde zijn hand op haar hand. Een koele, geruststellende aanraking. Zijn grijze ogen hadden weer die onderzoekende blik, alsof ze haar gezicht aftastten naar antwoorden. 'Ben je op de vlucht?' vroeg hij. 'Ik heb nog plek – dat is toch waar je voor bent gekomen?'

'Ik... ik...' Eveline trok haar hand terug en kwam half overeind – er klopte iets niet.

'Ik heb ook kleren voor je,' zei de priester lief. 'Het komt goed, je bent hier veilig. Hij wees naar haar haren. 'Heb je ze geverfd?' vroeg hij. 'Het is goed gelukt. En met jouw paarse ogen verdenken ze je ook niet zo snel, dan kan je zelfs nog wel wat rondlopen. Misschien kun je me wel helpen met een paar dingetjes. Ik heb hierachter een moestuin. Het is niet veel, maar een paar aardappels zijn een stuk beter dan de waterige soep van de gaarkeuken.'

Hij kon haar paarse ogen zien. Dat betekende...

Eveline slikte. 'Meneer de priester,' begon ze. 'Wat bedoelt u met "donkere jaren"?' Ze stond op uit de bank en liep langzaam achteruit, totdat ze met haar hakken tegen de verhoging bij het altaar stootte. De priester was ook opgestaan. 'Je hoeft niet bang te zijn,' zei hij.

Eveline stapte de paar treden van het altaar op. Ze stootte bijna tegen een bordje dat daar stond met de tekst 'Romeinse catacomben' erop. Ze keek omlaag en zag dat ze op glas stond waardoor je door de vloer heen naar de catacomben kon kijken. Plotseling verscheen een mager gezicht onder haar voeten. Een man met donker haar schreeuwde geluidloos onder haar voeten en sloeg wanhopig met zijn vuisten tegen het glas. Een tweede gezicht verscheen van een donkerharige vrouw met ingevallen wangen. Ze was zo mager dat ze haar armen nauwelijks boven haar hoofd kreeg, maar ook zij begon tegen het glas te bonken en haar bleke mond vertrok in een geluidloze schreeuw. Eveline zag een gele vlek op de donkere jas van de vrouw zitten, aan de linkerkant net onder haar schouder.

Een Jodenster.

Eveline sloeg haar hand voor haar mond om zelf niet te schreeuwen en stapte zo snel mogelijk van het glas op de stenen. Zo snel ze kon liep ze van het altaar terug het pad op tussen de kerkbanken waar de priester nog steeds stond. 'Meneer de priester,' vroeg ze en ze probeerde zo kalm mogelijk te klinken. 'Welke datum is het vandaag?'

'Weet je dat niet? Het is vandaag 5 april.'

'Welk jaar?'

'1944 uiteraard.'

'Ik moet weg,' zei Eveline. Ze glipte langs de priester, waarna ze achteruit de kerk uitliep.

'Je hoeft niet te gaan,' zei de priester weer. 'Je bent hier veilig.'

'Dank u wel, maar ik kan niet blijven,' zei Eveline en haar stem beefde. Ze draaide zich om en duwde de kerkdeur open. De zware deur viel achter haar dicht en ze stond weer in het zonlicht. Gelukkig bleef de deur achter haar gesloten en ze liep snel over het smetteloze kerkplein naar haar fiets die onder een boom stond, toen haar oog op een beeld viel. Het was een bronzen beeld van een man, hij stond trots met zijn kin opgeheven alsof niets hem kwaad kon doen. Achter zijn brede rug stonden kleine gestileerde figuurtjes die hij onder zijn hoede leek te hebben als een moederkip haar kuikens. *Van het leven beroofd, maar zijn geest ongebroken,* stond er op de sokkel. En daaronder: *Ter nagedachtenis aan priester Evert van der Meulen.*

Eveline keek naar de grote deur. Hij was het geweest. Ze slikte en voelde zich heel verdrietig. Ze had in de laatste klas van de basisschool geleerd over de Tweede Wereldoorlog en beelden gezien van de concentratiekampen waar de nazi's miljoenen joden hadden vergast.

Moest ze de priester en die joodse mensen die in die catacomben opgesloten leken te zitten helpen? Maar hoe dan? Wat moest ze doen? Ze zakte op het bankje, ging op haar handen zitten en keek naar haar eigen wiebelende benen. Onder het bankje lag een blauw glimmend papiertje van een zuurtje en iets verderop een patatbakje met een paar patatjes erin waar een kraai en een meeuw ruzie over maakten. Het leek allemaal normaal genoeg. De meeuw had de ruzie gewonnen en schrokte het laatste patatje naar binnen. Achter haar toeterde een auto. Een oude dame liep aan de andere kant van het plein met haar rollator langzaam een straatje in terwijl van de andere kant een vrouw met een kinderwagen haar passeerde. Het leek allemaal heel normaal.

Alleen wist ze niet meer of de oude vrouw dood of levend was. En voor de vrouw met de kinderwagen gold hetzelfde. En voor de meeuw ook – ze wist niet meer of mensen en dieren dood of levend waren als ze ze zag en wilde al helemaal niet nadenken over de demonen die ze kon zien. Ilana had gezegd 'dat ze haar rotzooi moest opruimen', maar nu was Eveline heel bang dat de magere vrouw misschien wel was aangevallen door die zwarte schim en ze daarom niet kwam.

De kerkklok sloeg één uur toen Eveline een besluit had genomen en richting de Duivenstraat fietste. Ze nam een omweg totdat ze bij de ingang van de steeg kwam die achter de straat liep. Op die manier zou ze bij de achterdeur van Ilana aan kunnen kloppen en vermeed ze hopelijk een ontmoeting met de demon.

Op haar hoede liep ze de steeg in en spiedde in de verschillende achtertuinen. Nummer 13 moest ergens halverwege zijn. De Duivenstraat was deels woon- deels winkelstraat en de woonhuizen waren te herkennen aan een gemetseld schuurtje met daarnaast een hek waardoor de tuin was afgeschermd. De winkelpanden hadden meestal een open doorloop waardoor je direct naar de achterkant kon kijken.

Ze spiedde een tuin in en kreeg de schrik van haar leven toen ze oog in oog stond met een dikke vrouw met grijs haar in een bontgekleurd bloemetjesbadpak en met een groene gieter in haar hand. Naast haar stond een hijgende rottweiler met draden doorzichtig slijm uit zijn bek. Hij had het blijkbaar te warm om te blaffen.

'Zoek je iets?' vroeg de vrouw wantrouwig. Ze keek Eveline aan alsof ze een crimineel was met een bivakmuts op en een pistool in haar hand.

'Ik... ik heb een afspraak met Ilana de Vries,' stamelde Eveline.

'Die rare heks? Pas maar op, straks verandert ze je in een spin,' zei de vrouw. Ze wees met een mollige vinger naar rechts. 'Twee deurtjes verder. Maar ik heb je gewaarschuwd.'

'Dank u wel,' zei Eveline. Achter de vrouw zag ze een net zo dikke man met grijs haar op een van de plastic tuinstoelen zitten. Hij keek op toen hij haar zag en kwam half overeind. Eveline stak snel haar hand op ten teken dat ze weer verderging. De vrouw draaide zich meteen om. 'Naar wie zwaai je?' zei ze achterdochtig.

'Niemand,' zei Eveline snel, terwijl de man naar haar toe wilde lopen. 'Dag,' zei ze en ze liep zo snel mogelijk verder.

Ilana's hek was hetzelfde als de andere hekken, alleen zaten er een paar gele houten sterren op waar de verf gedeeltelijk van was afgebladderd. Eveline duwde het hek open en sloop de tuin in. De achtertuin leek wel wat op haar eigen achtertuin: veel tegels en een paar verpieterde planten. Verder stond overal kapot meubilair: een paar stoelen zonder poten, een bankstel dat helemaal was afgekrabd, een slaapbank met een verschoten matras erop waar her en der vlokken vulling uitpuilden... Het leek wel een kerkhof voor meubels. Ze baande zich een weg naar de achterdeur en spiekte door de ramen, maar ze kon niets zien omdat er witte vitrage voor hing met gele vochtvlekken erin.

Ze klopte op de achterdeur, maar er gebeurde niks. En ze kon ook niet naar binnen turen, want in de deur zat ondoorzichtig glas. Ze klopte iets harder en luisterde ingespannen.

Niks.

Of toch?

Ergens in het huis klonk heel zachtjes het miauwen van een kat. 'Alenka,' riep ze door het glas heen. 'Kom dan? Kom maar, poes.'

Het miauwen werd harder en het zwarte silhouet van Alenka verscheen voor het glas. Ze miauwde klaaglijk en gaf kopjes tegen de deur. Eveline probeerde de deur, maar die zat op slot.

Waar zou ik een sleutel verstoppen?

De eerste poging was meteen raak: tussen de pissebedden onder de deurmat lag een verroeste sleutel.

Dit kun je niet maken, Eveline, dacht ze. Dit is inbreken. Hiervoor sturen ze mensen naar de gevangenis.

Misschien kwam het door het verdrietige miauwen van Alenka of het unheimische gevoel dat ze had, maar ze draaide de sleutel om in het slot en opende de deur.

Eerst leek alles nog wel normaal. Ze stapte een klein keukentje in waar Alenka rondjes om haar benen begon te draaien. Eveline ging door haar knieën om haar even te aaien en voelde dat Alenka net als Rico vreemd koud was. Op haar hoede opende Eveline de keukendeur naar een klein halletje en liep voetje voor voetje verder, terwijl Alenka zo enthousiast om haar benen heen draaide om haar kopjes te geven dat ze een paar keer bijna struikelde. De voorkamer had er heel magisch uitgezien met alle zwarte doeken en vreemde snuisterijen, maar de rest van het huis was meer 'Ilse de Vries' dan 'Ilana Frilenko': op de muren zat verschoten behang dat waarschijnlijk nog ergens uit de jaren zeventig stamde. Het tapijt in de hal was verschoten en er hing een lucht van te lang gekookte kool.

De deur aan het einde van het halletje stond op een kier. Eveline besefte dat Alenka gestopt was met kopjes geven en toen ze omkeek, zag ze de dode kat met gele ogen zo groot als knikkers naar de geopende deur kijken.

Ze is bang. En ik ook.

Er was geen weg terug. Ze duwde de deur open en verwachtte elk moment dat iets haar zou bespringen, maar de kamer was leeg. En een onbeschrijfelijke bende, alsof er gevochten was: de bank was verschoven en de koffietafel lag op zijn kant. Een van de zwarte doeken was van de muur getrokken en overal lagen spulletjes uit de etalage over de vloer. De glazen bol was in duizend stukjes uiteengespat – het glas knerpte onder Evelines voeten.

Waar was Ilana?

Eveline tilde her en der boeken op om te zien of er iets onder lag. Ze trok een doek van de vloer en legde die op de verschoven bank. Ze pakte een paar tarotkaarten op die overal verspreid lagen en legde die bij de boeken op de bank, terwijl ze naar de voordeur en het raam bleef spieden, bang dat de zwarte schim elk moment binnen zou komen. In de gang jammerde Alenka, maar ze kwam de woonkamer niet binnen. Eveline legde nog meer spullen op de bank: gekleurde stenen, een gebroken wichelroede, een fles die in tweeën was gebroken...

Haar oog viel op iets glinsterends dat half onder het ronde kleed uitstak. Het was de zilveren ketting die Ilana om had gehad.

Eveline hield de ronde hanger met de boom erin in haar handpalm en deed haar ogen dicht. Even dacht ze dat er niets gebeurde, toen opeens haar hand gloeiend heet werd en het voelde alsof iemand haar met een moker voor haar hoofd sloeg. Tussen de vlekken die achter haar gesloten oogleden dansten zag ze een benige hand die iets met de hanger in een houten vloer kraste.

Eveline liet de ketting vallen. De vlekken voor haar ogen trokken weg en ze realiseerde zich dat ze op handen en knieën op het kleed zat, alsof iemand haar letterlijk naar voren had geduwd. Ze kroop naar de rand van het kleed en trok het weg.

Daar stond het: een woord, met een paar vreemde tekens erbij en nog wat losse letters. Het eerste woord was een naam.

Haar naam.

Diep in het hout van de vloer stond 'Eef' gekrast.

Het was een boodschap. Van Ilana.

Het eerste teken was een kruis. Het tweede herkende ze van de geschiedenisles van school: een hakenkruis. Het derde teken bestond uit een lange horizontale streep met twee korte verticale strepen vlak naast elkaar dwars door het midden. Daarnaast stonden letters onder elkaar: een B, een A en een S.

Dat was alles wat Ilana voor haar had achtergelaten. Eveline griste de ketting van de grond en kneep de hanger bijna fijn, maar er gebeurde niks meer.

Teleurgesteld liet ze de ketting los. Weer vroeg ze zich af wat er hier gebeurd was. Had Ilana gevochten met de demon en verloren?

Ze moest hier weg, want als Ilana door de demon verslagen was, dan was ze hier zeker niet veilig. Maar ze ging niet weg voordat ze die tekens had nagetekend.

Alenka miauwde nog steeds. Het klonk een beetje als huilen en Eveline had medelijden met haar, maar ze had nu geen tijd om de poes te troosten, ze moest eerst een pen en papier hebben. Ze rommelde tussen de troep, keerde lukraak potjes om met stenen, schelpen, veren en kralen. Ze maakte de rotzooi alleen maar erger, maar ze had het idee dat Ilana hier toch niet meer terug zou komen.

En dat is jouw schuld.

Ze speurde verder naar een potlood of een pen, maar kon niks vinden. Uiteindelijk vond ze een rol zilverpapier waar schijven houtskool in zaten. Daarna rukte ze een lege bladzijde uit een boek, legde die over de boodschap en wreef er met de houtskool overheen zodat ze uiteindelijk een zwarte bladzijde had met in het wit de boodschap die Ilana voor haar had achtergelaten. Toen ze klaar was griste ze een groot boek tussen de troep vandaan met een regenboog op het omslag en de titel *Ontdek je innerlijke kracht met kleurentherapie* erop. Voorzichtig legde Eveline de boodschap van Ilana tussen de bladzijden van het boek.

Weg hier.

Alenka zat met angstige ogen in het gangetje op haar te wachten. Toen ze Eveline zag, miauwde ze weer en rende achter haar aan de keuken in en duwde zich tegen haar benen aan. Haar gemiauw klonk zo zielig en eenzaam dat Eveline zich omdraaide bij de keukendeur. Alenka zou hier helemaal alleen zijn, want ze dacht niet dat Ilana nog terug zou komen. Dan zou de dode kat hier voor altijd eenzaam ronddolen, wachtend op haar baasje.

Eveline vroeg zich af of ze Alenka kon helpen, want ze wilde niet dat ze hier voor altijd in het huis zou blijven, terwijl niemand haar kon zien. Maar hoe kon ze haar helpen? De kat knipperde tegen het zonlicht dat door een kiertje in de vitrage precies op haar zwarte kopje viel. Eveline knielde bij haar neer en meteen ging Alenka op haar zij liggen en lag daar als een klein zwart vraagteken met haar pootjes klauwend in de lucht.

'Hoe moet ik je helpen?' vroeg Eveline en ze aaide Alenka over haar koude vacht. Als antwoord kreeg ze een huilerig miauwtje. Ze aaide haar nog wat en Alenka deed haar oogjes dicht. Er was nog iets anders vreemds aan haar, buiten haar koude vacht. Eerst kon Eveline niet bedenken wat, maar toen realiseerde ze zich opeens dat Alenka niet spinde, terwijl ze wel verwachtte dat ze dat op dit moment zou doen.

Was dat het? Zou ze de poes kunnen helpen als ze haar zou kunnen laten spinnen? Eveline keek weifelend naar de deur. Eigenlijk moest ze hier weg, maar Alenka's gemiauw klonk zo verdrietig dat Eveline zich op het linoleum liet zakken en Alenka heel voorzichtig van de vloer tilde. 'Kom maar,' zei ze en ze hield het kleine zwarte poesje tegen zich aan. Alenka keek naar haar met haar grote gele ogen en begroef toen haar kopje in Evelines T-shirt. Ze bewoog haar zwarte oortjes een beetje naar achteren, zodat ze nog jonger leek. Eveline hield haar arm beschermend om de zwarte kat heen. Een koud pootje lag op haar blote arm. Eveline vond het zielig dat Alenka zo koud aanvoelde. Misschien werd ze wel wat warmer bij haar. Ze aaide haar en wiegde haar een beetje heen en weer, als een baby. 'Toe maar', moedigde ze haar aan. 'Ga maar.' Haar stem klonk veel te hard in de lege keuken en Eveline voelde zich compleet idioot. Hier zat ze in het huis van een waarzegster met een dode kat op haar arm die ze... ja, wat eigenlijk? Die ze over wilde laten gaan naar het licht? Door haar te laten spinnen? Het was een compleet idioot idee. Misschien moest ze wel op haar kop hangen, of een muis vangen, of een kilo brokjes eten. Of moest ze helemaal niets doen.

'Wat moet ik doen?' vroeg ze hardop. 'Zeg het dan?'

Maar Alenka zei helemaal niets. Ze begroef haar hoofdje nog iets meer in de kom van Evelines elleboog, haar neus koud tegen haar arm. Haar pootjes duwden in Evelines zij en plotseling, alsof er een motortje aansloeg, begon Alenka zachtjes te spinnen.

Een witte jas –iemand niest boven haar hoofd – geruststellende handen – een prikje – zwart –

Het volgende moment zat Eveline met lege armen op de keukenvloer.

'Wauw', fluisterde ze terwijl ze verdwaasd naar haar lege handen keek waar een seconde geleden nog een dode kat in had gelegen. 'Bizar.' Haar handen tintelden en gloeiden.

Een gevoel van trots golfde door haar heen. Dit had zij gedaan: ze had een dode kat helpen oversteken naar het licht. Het was zo'n opluchting en ook zo raar dat ze hardop lachte. Maar nu Alenka weg was, wilde ze zelf ook zo snel mogelijk weg uit dit huis. Ze griste het boek van de grond, glipte naar buiten en legde de sleutel weer terug onder de mat. Zonder om te kijken liep ze de tuin van Ilana de Vries uit en de koollucht die in het huis had gehangen verdween langzaam uit haar neus.

10

'Cleo? Ik ben het. Sorry dat ik zomaar weg ben gegaan. Ik moest... ik moest iets doen. Bel je me terug alsjeblieft?'

Eveline hing op en nam nog een slok van haar glas limonade. Ze zat op de bank in Chantals huis en probeerde Cleo te bereiken, maar die nam niet op, terwijl Eveline zeker wist dat ze haar telefoon bij zich had. Dat was een van de weinige regels die Cleo's ouders haar hadden opgelegd: dat ze altijd haar mobieltje mee moest nemen. Eveline dacht wel eens dat de enige reden daarvoor was dat Cleo's vader bang was dat iemand zijn dochter zou ontvoeren en heel veel losgeld zou eisen. Eveline zag dat zelf niet zo snel gebeuren omdat ze het idee had dat Cleo niet zomaar te ontvoeren viel met haar karate en opvliegende karakter.

Zenuwachtig ijsbeerde ze door de woonkamer. Ze pakte een oerlelijk vaasje op van de vensterbank, zette het weer neer en pakte een nog lelijker porseleinen hondje met een rode bal tussen zijn poten op. Ze weerstond de aanvechting het beeldje tegen de muur kapot te gooien en belde in plaats daarvan Cleo nog maar eens. Een blikken vrouwenstem vertelde haar dat ze haar boodschap na de piep kon inspreken, maar Eveline hing op voor de piep, opende het boek dat ze had meegenomen uit Ilana's huis en bekeek de zwarte bladzijde. Wat moest ze ervan maken? Eef. Een kruis. Een hakenkruis. Een teken dat ze niet kende. Een B. Een A. En een S. Dat laatste was dan misschien 'Bas', maar ze had geen flauw idee wie of wat Ilana daar nou mee bedoelde. Het boek ging weer dicht en in plaats daarvan bekeek ze de foto van haarzelf en haar ouders. Ze vroeg zich af of haar moeder ook paarse ogen had toen ze iets zag wat haar niet eerder was opgevallen: er zat een zwarte vlek in de boom in de vorm van een kraai.

Haar hart begon sneller te kloppen. Had Ilana niet gezegd dat iemand haar had wakker gemaakt met de kraai de avond van het glaasje draaien? Wat als dit de kraai van haar vader was, of van haar moeder?

Of van beide? Misschien leefden ze inderdaad nog en hadden ze haar hulp nodig! Ze had het gevoel dat ze moest opschieten, alleen wist ze niet meer wat ze moest doen. Waarom was de boodschap van Ilana ook zo onduidelijk?

Weer belde ze Cleo, nu ging de telefoon over, maar Cleo nam niet op en ze besloot dat ze dan maar via de Paddenpoel terug naar de Nikodemusdijk moest gaan, toen ze Cleo door het raam haar tuinpad op zag lopen. Ze rende naar de deur en trok die open. 'Je bent er', zei ze ademloos. 'Ik heb je wel tien keer gebeld, maar ik kreeg steeds je voicemail.'

'Hij stond uit', bromde Cleo. Ze ging met haar hand door haar haren en liep langs Eveline de woonkamer in. Daar dronk ze Evelines glas in één keer leeg. 'Ik heb iets ontdekt', zei ze zonder naar Eveline te kijken. In plaats daarvan keek ze naar de foto van Eveline en haar familie die op de leuning van de bank lag. 'Maar ik denk niet dat je het heel leuk gaat vinden.'

Evelines hart zonk. Haar ouders...

'Lucella en Ben Sevenster zijn allebei overleden. Lucella drie dagen geleden. Ze heeft zichzelf blijkbaar opgehangen of zo.'

'Jeetje, Clé, ik schrik me kapot', zei Eveline die begon te lachen van opluchting. 'Ik was bang dat je me ging vertellen dat je zeker-zeker-zeker wist dat mijn ouders echt dood waren.'

Cleo keek haar ongelovig aan. 'Zeker-zeker weet ik dat niet, maar ik weet ook niet zeker-zeker of ze leven. Ik had toch tegen je gezegd dat je niet te veel moest hopen', zei ze. 'En je had beloofd dat je dat niet zou doen.'

'Dat weet ik, maar toch...' Eveline keek naar haar handen. 'Dus Lucella is net dood? Zelfmoord? Wat verdrietig.' Ze was even stil. 'Misschien was dat wel mijn oma', zei ze uiteindelijk. Die gedachte maakte haar toch wel weer een beetje verdrietig, hoewel ze helemaal niet wist of Lucella wel haar oma was én haar helemaal niet kende. 'Hoe weet je dit?'

'Ik heb het aan Roos gevraagd. Voordat je weer boos wordt: ik heb haar niks verteld, gewoon tussen neus en lippen door gevraagd wat ze wist over de begraafplaats – wie er woonden en zo. Ze vertelde dat er een ouder echtpaar woonde al zolang ze zich kon herinneren, maar dat de man al heel lang dood was. Maar Lucella is dus nog maar net dood. Drie dagen geleden heeft de opzichter haar in haar huis gevonden – zichzelf opgehangen.'

Drie dagen geleden – dat was precies toen de kraai voor het raam zat. Misschien was dat het dan wel...

'Ik heb ook nog gevraagd of Roos wist of ze kinderen hadden, maar dat wist ze niet. Ze zei wel dat ze nooit van de begraafplaats afkwam. Nooit.' Cleo zweeg en staarde nors naar het zwarte beeldscherm van de televisie.

'Ben je boos op me?' vroeg Eveline timide.

In plaats van een antwoord te geven, hield Cleo haar mobiele telefoon voor Evelines neus. 'Kijk,' zei ze alleen maar. Ze had een foto gemaakt van 'hun' lantaarnpaal met E + C = BFF. 'Je ziet toch wat er staat?'

Eveline knikte.

'Er staat *forever* – dat betekent volgens mij voor altijd. Ik ben je beste vriendin – voor altijd.' Cleo trok met haar mond. 'En daarom snap ik niet waarom je me niks vertelt.' Ze veegde driftig over haar ogen. 'Maar misschien zie jij het wel niet zo,' zei ze en ze gooide haar telefoon op de bank.

'Jawel, zo zie ik het wel.' Ze trok haar knieën op en begroef haar neus ertussen. 'Echt,' zei ze weer.

Ik wil het wel vertellen, maar ik weet niet hoe. En wat. Ik weet niet wat ik moet hiermee, of ik geesten moet helpen, of dat ik moet proberen om dat verdwenen jongetje op te sporen waar ik 'contact' mee heb gemaakt, of dat ik onder een steen moet schuilen omdat ik misschien wel in gevaar ben... ik weet zo weinig.

'Zeg me hoe je aan dat koffertje bent gekomen; dat je wel hebt gezien wat je heeft aangevallen en waarom je zo goed kan paardrijden!' Cleo beende gefrustreerd heen en weer, terwijl Eveline naar de juiste woorden zocht, maar ze niet vond.

'Oké, laat maar,' zei Cleo en ze maakte een wegwuifgebaar. 'Ik wacht buiten op je als je je spullen pakt. Nadine komt ons zo ophalen. Ik had maar aangenomen dat je het ook een goed plan vond om bij Langelaar te gaan slapen – ondanks zijn vreselijke dochter.' Met die woorden liep Cleo de kamer uit. Eveline hoorde haar de trap opstommelen en een halve minuut later de trap weer afstommelen. Daarna ging de voordeur open en dicht en zag ze dat haar vriendinnetje op het muurtje voor het huis ging zitten.

Twintig minuten later kwam de zwarte Mercedes van de familie Hoogervorst het kleine straatje in rijden. Eveline en Cleo zaten zwijgend naast elkaar op het muurtje te wachten in de zon met hun weekendtassen voor zich. Eveline bestudeerde haar bruine benen die onder de schrammen zaten. Ze hadden geen woord meer tegen elkaar gezegd en de stilte drukte als een baksteen op Evelines maag.

De Mercedes stopte voor het huis. Nadine deed het raampje omlaag. Haar gezicht was bleek en de twee rimpels tussen haar wenkbrauwen waren dieper dan anders. 'Ik doe de achterklep open, dan doen jullie zelf de bagage, goed?' zei ze met haar Franse accent, maar het klonk nu niet zangerig, maar afgemeten en vlak. Cleo sprong van het muurtje en gaf Nadine een zoen op haar wang. 'Heb je hoofdpijn?' zei ze bezorgd.

Nadine knikte. '*Très mal*,' zei ze.

Eveline sprong ook van het muurtje en zag toen de man achter in de auto zitten. Ze had er in alle opwinding helemaal niet meer aan gedacht dat hij waarschijnlijk net als de vorige keer bij Nadine in de auto zou zitten. Ze had überhaupt niet aan hem gedacht toen Cleo zei dat ze Nadine al had gebeld. Maar hij zat er wel, en dit keer had hij zijn hand niet op Nadines schouder liggen, maar zat zijn hand van achteren om Nadines nek geklemd. Hoewel Eveline hem al een keer had gezien, kreeg ze kippenvel van de man, met zijn nietsziende, dode zwarte ogen. Ze tilde haar weekendtas van de grond en liep achter Cleo aan naar de open achterklep.

'Schieten jullie op? Ik heb nog genoeg te doen vandaag,' riep Nadine.

'We komen eraan,' zei Cleo. Ze sloeg de klep dicht en opende het voorportier.

Eveline treuzelde en benijdde haar vriendin ontzettend op dit moment, omdat die niet naast een dode man en een dode baby hoefde te gaan zitten. Het kippenvel kroop op tot haar kruin. Snel trok ze het rechterportier open, voordat ze de moed verloor. Ze ging zo goed mogelijk naast het wiegje zitten. De auto rook naar leer en nog iets anders: een brakke lucht die ook wel eens om het meertje heen hing.

'Zit je goed? Je hoeft niet helemaal aan de kant te gaan zitten,' zei Nadine die Eveline via het achteruitkijkspiegeltje aankeek.

'Ik...' Eveline wist niet zo goed wat ze moest zeggen. 'Is het goed als ik het raampje opendoe?' vroeg ze uiteindelijk.

'Word je anders wagenziek?'

'Ja, ja,' zei Eveline snel, en het was gedeeltelijk waar, want ze was al misselijk van de lucht. Ze hield haar blik strak op Cleo's nek gericht, want ze durfde gewoon niet naar de man en de baby naast haar te kijken.

'Moet je anders voorin?' vroeg Nadine bezorgd.

'Nee, met het raampje open gaat het wel.' Eveline opende het raampje met de knop in het portier.

Nadine startte de auto en reed de smalle straat uit. De wind blies in Evelines gezicht en zorgde ervoor dat de vieze lucht een beetje verdween waardoor ze de moed vond om naast zich te kijken. De man keek strak voor zich uit terwijl hij zijn hand onder de hoofdsteun door om Nadines nek had liggen. Zijn andere hand lag op de wieg van de baby en hij wiegde haar zachtjes heen en weer. Het viel haar nu pas op dat zijn bruine pak drijfnat was en dat er druppels uit zijn haren dropen. Eveline wist niet wat ze moest doen, ze kon toch moeilijk iets tegen hem zeggen met Cleo en Nadine erbij? Ze keek onder haar oogharen door naar het witte gezicht van de man. Ze wilde dat ze zijn naam wist... Zijn gezicht was zo wit dat het op nat marmer leek. Druppels gleden van zijn bleke wangen en vielen op zijn bruine broek. Eveline boog zich voorzichtig over het wiegje. Het kindje leek te slapen, haar ogen waren dicht en ze hield haar ene handje in een vuist stevig tegen haar wang gedrukt. De baby had dezelfde bleke kleur en er glinsterden waterdruppels op haar wangen. Zo onopvallend mogelijk strekte Eveline haar hand uit en aaide over het natte dekentje dat over de baby heen lag. Het kindje reageerde onmiddellijk: ze strekte haar handje uit en greep Evelines vinger stevig vast.

'Hé,' fluisterde Eveline en ze aaide met haar hand over de koude natte wang. Op de roze deken zat een kleurige vlinder geborduurd en in het wiegje hing ook een vlinder boven het hoofdje van de baby.

Plots greep iemand haar schouder vast. Eveline schrok, maar zag toen dat het Cleo was. 'Gaat het?' vroeg Cleo die haar vragend aankeek.

'Je moet naar voren kijken als je misselijk bent,' zei Nadine vanuit de chauffeursstoel. 'Dat is beter voor je evenwichtsorgaan.' Nadine boog zich een beetje voorover, maar meteen zag Eveline dat de man haar met kracht terugtrok.

'*Merde!*' zei Nadine en ze greep naar haar hoofd.

'Gaat het?' vroeg Cleo bezorgd. 'Wat is er?'

'*Non*, het gaat niet.' Nadine knipperde met haar ogen en keek in haar achteruitkijkspiegel. 'Migraine. Ik krijg een aanval geloof ik.' Ze vloekte weer binnensmonds. 'Ik kan hier niet stoppen,' zei ze.

'Ga dan daar dat straatje in,' zei Cleo. Nadine deed haar richtingaan-wijzer uit en sloeg rechts af. De man verstevigde zijn greep om de ach-terkant van haar nek. Het leek wel alsof hij haar door de stoel heen wilde trekken. Eveline schoof instinctief zo ver mogelijk bij de man vandaan.

Dit gaat helemaal niet goed. Wat moet ik doen? Hij is zo boos.

Nadine parkeerde intussen de auto half op de stoep en deed haar ogen dicht. Ze kreunde zachtjes.

'Moeten we iets voor je halen? Een paar huizen verder zit een drogist,' zei Cleo. 'Paracetamol?'

'*Non non*, dat is net zoiets als een olifant proberen neer te schieten met een luchtbuks,' zei Nadine met haar ogen nog steeds dicht. 'Laat me maar even zo zitten, het gaat zo wel weer.' Ze duwde met haar hand-palmen op haar ogen. 'Wil je de airco even aanzetten?' vroeg ze aan Cleo. Cleo deed het meteen. Nadine moest zich wel heel beroerd voe-len, want ze had een ontzettende hekel aan airco en zat liever in veertig graden dan dat ze in een nepkoelkast ging zitten, zoals ze altijd zei. Een tel later blies er koude lucht door de auto die de brakke waterlucht een beetje verjoeg.

'Er is toch geen politie hier, hè?' zei Nadine. 'Ik mag hier niet staan.'

'Nee, nee,' zei Eveline snel. Ze keek naar buiten.

De antiekzaak.

Ze stonden aan de overkant van de antiekzaak in de Duivenstraat.

'We... kunnen we doorrijden?' piepte Eveline.

'Nog een paar minuutjes,' zei Nadine. 'Ik kan nu echt niet rijden.'

Eveline hoopte vurig dat de demon haar niet zou zien. Als hij maar niet hier was. Ze hoopte dat Ilana ervoor had gezorgd dat hij weg was.

Als Ilana daarvoor had gezorgd, dan was ze zelf niet weg geweest.

Een schaduw gleed over de auto.

Het is de politie om te zeggen dat we hier niet mogen staan.

Er stond een silhouet aan de kant van Nadines man.

Ze wist al wie het was. Of wat.

De demon stond naast de auto en ze keek ter hoogte van datgene wat zijn buik moest zijn. In het zwart zag ze van alles wriemelen, alsof hij door miljoenen insecten werd gevormd. Tegelijkertijd hoorde ze een luid gezoem. Ze zat zo stil als een steen, alsof ze hem zo kon foppen. De zwarte schim boog zijn lichaam, waardoor zijn gezicht ter hoogte van het autoraampje kwam.

Het is geen gezicht, het zijn poten van spinnen, vleugels van bromvliegen en staarten van schorpioenen, het zijn miljoenen wriemelende insecten...

Midden in de bewegende massa die steeds een ander gezicht vormde, openden zich twee oogleden. Eveline sloeg haar hand voor haar mond om niet te gillen.

'Wat is er?' hoorde ze Cleo zeggen. Het hoofd schoot dwars door het raam heen, samen met twee armen die eindigden in zwarte klauwen. Eveline dacht dat haar leven voorbij was; de armen schoten haar kant op, het gezicht gleed door het glas en vulde de auto met een zoete geur die ze ook had geroken toen die witte demon aan haar been hing. Ze kneep haar ogen dicht en wachtte op het moment dat de spinnenarmen haar zouden omarmen.

Maar er gebeurde niets. Toen Eveline haar ogen weer opendeed, zag ze dat de zwarte schim zijn armen om de man van Nadine had geslagen. De man stribbelde heftig tegen, maar de demon was veel sterker en de insecten begonnen hem in te kapselen. Er schoten grijze draden om hem heen en zo ging hij helemaal op in de demon, totdat hij helemaal was verdwenen. Het ging zo snel dat ze niet eens tijd had om na te denken.

Cleo schudde aan haar schouder en Eveline stootte daardoor met haar elleboog tegen het portier. De elektrische stroom die via haar elleboog door haar lichaam joeg, bracht haar weer bij haar positieven en ze zag dat de demon Nadines man verorberd had en zijn dode ogen weer opendeed.

Hij kijkt naar het wiegje.

Zonder erbij na te denken griste ze het wiegje van de achterbank en duwde het portier open.

'Wat ga je doen?' hoorde ze Nadine verbaasd zeggen, maar ze keek niet op of om. Ze hield het wiegje onder haar arm, zette het op een lopen en rende.

'Eef!' Cleo rende achter haar aan, maar Eveline rende alsof de duivel haar op de hielen zat. Ze durfde niet om te kijken, kon alleen maar denken aan de demon die de man van Nadine had opgeslokt. Waar moest ze naartoe? Hij mocht de baby niet te pakken krijgen. Ze kon de gedachte dat het kleine stille kindje door insecten overspoeld zou worden niet verdragen. Ze rende de steeg achter de Duivenstraat in en verstopte zich achter een paar vuilnisbakken naast een schuurtje.

'Eef!' Cleo rende door de steeg, ze had haar niet gezien. Eveline keek naar de baby in het wiegje die haar met grote ogen aan lag te kijken. Ze wreef driftig over haar ogen, wat moest ze doen met haar? Ze bestudeerde de baby met haar bleke huid, het roze dekentje met de vlinders, haar natte knuistjes waar water vanaf druppelde. Het gevlochten ouderwetse wiegje en de kleurige vlinder boven haar hoofd. Eveline trok de vlinder los en gaf die aan baby Marie die het stoffen beest met een gelukzalige glimlach in haar mond stopte en erop begon te sabbelen, maar er gebeurde verder niets. Eveline keek schichtig om zich heen, ze verwachtte dat de demon elk moment voor haar zou staan en het wiegje weg zou grissen. Wat moest ze doen, wat moest ze doen? Eveline begon toen te zingen. Het was een heel oud liedje. *Er sluimert een wiegje in het bloeiende woud, een wiegje met bloemengordijnen...*

Er gebeurde niks. Het kindje lachte alleen lief naar Eveline. Ze aarzelde en tilde toen de baby uit het wiegje en drukte het lijfje tegen zich aan. De baby leek te rillen en voelde ijskoud. Kille druppels gleden uit haar ogen en mondhoeken en drupten in Evelines nek terwijl Eveline haar op en neer wiegde. De lucht die uit de vuilnisbakken kwam, was niet te harden in de kokende zon. Ze draaide zich een beetje ervandaan en zag toen onder het afdak van het schuurtje een stapel oude grijze verhuisdekens liggen. Eveline hield het natte kindje voorzichtig met één hand tegen haar aan gedrukt, wat nog niet zo gemakkelijk was, want door de nattigheid was de baby glad als een aal. Met haar andere hand trok ze een deken van de stapel.

'Nou ja, je gaat in elk geval niet dood als ik je laat vallen,' zei ze tegen de baby. Ze legde haar neer op de stoffige deken en trok toen zo snel ze kon de baby alle natte kleertjes uit. Daarna vouwde ze de punten van de deken naarbinnen. Ze neuriede zachtjes het ouderwetse liedje en wreef intussen met haar handen over de deken zodat de baby wat droger werd. De zon scheen op haar hoofd en op haar handen en ze kreeg het heel warm. Het lijfje onder haar handen was niet meer koud, maar voelde meer als een warm katje dat met de minuut warmer werd. Ze wilde haar handen wegtrekken, maar realiseerde zich dat ze dat niet kon, het was net als de avond dat ze had glaasje gedraaid en ze haar vinger niet van het glas kreeg. Maar dat was alleen haar vinger, nu kleefden haar beide handen aan de baby, alsof Marie onder stroom stond. Onder haar handen werd de baby steeds warmer. Of werd de baby steeds warmer omdat haar handen steeds warmer werden? Want het voelde alsof ze in brand stonden. Eveline keek angstig in de blauwe ogen van de baby en had het gevoel dat die steeds groter werden, totdat ze besefte dat de ogen niet groter werden, maar dat zij steeds verder vooroverboog omdat alle kracht uit haar armen weg leek te vloeien.

Een schreeuw – een enorme klap – handen om haar heen die haar vast hielden, onder hielden – water, water, water, water, water, koud, vies, donker water...

Haar ellebogen bogen door en het laatste wat Eveline zag was de deken die – nu zonder baby – op de grond lag. Toen draaiden haar ogen weg en viel ze met haar gezicht voorover op de tegels.

Zwart. Alles om haar heen was zwart. Zacht als een verstikkende deken die het haar belette te ademen. Ze probeerde het zwarte van zich af te duwen en merkte dat het daadwerkelijk stof was waarin ze gewikkeld zat, een soort zwartfluwelen toneelgordijn. Toen het paniekgevoel wat afnam, merkte Eveline dat het losjes om haar heen gewikkeld zat en ze draaide zich er eenvoudig uit. De gordijnen waren nu achter haar en ze bevond zich in een zwarte tunnel. Er waaide een koude wind om haar heen en aan het einde van de tunnel zag ze lichtjes blinken, alsof het sterren waren.

Ben ik dood? dacht ze.

Ze rilde in haar short en T-shirt en sloeg haar armen stevig over elkaar om het wat warmer te krijgen. Langzaam liep ze richting de lichtjes en ze zag dat de hele tunnel een zwarte spiegel was; zowel boven, onder als naast haar zag ze haar spiegelbeeld met de paarse ogen. Het glas onder haar voeten was koud – ze liep op blote voeten.

Ze liep nog een paar meter de tunnel door toen ze een stem hoorde. 'Niet verder lopen,' zei de stem. 'Je staat aan het einde.' Eveline keek naar beneden en zag nu dat ze inderdaad aan de rand van de tunnel stond. Daarna was er een onmetelijke diepte met alleen maar sterren. Ze werd er duizelig van en deed snel een stap achteruit. Toen ze weer opkeek, stond er een oudere man voor haar neus met zilvergrijs haar en felpaarse ogen die leken te gloeien in het donker. Zijn haren bewogen in een voor Eveline onvoelbare wind en er streek een zwarte kraai neer op zijn schouder. In zijn armen lag een kleine baby. Het was Marie die nu blozende wangen had en tevreden op de stoffen vlinder in haar handjes kauwde, terwijl ze gorgelende geluidjes maakte.

'Nee en ja – je bent tussen de werelden – tussen leven en dood. Je kunt nog terug, maar dan moet je opschieten, want anders vergeet de wereld je,' antwoordde de man.

Boven Eveline klonk een harde knal, alsof er iets kapotsprong.

'Wie ben je?' riep ze.

'Ik ben je grootvader, Ben Sevenster. Waarom ben je zo dom geweest?'

Eveline hapte naar adem. 'Die zwarte demon wilde haar pakken en opeten!'

'Dat is wat Asilides doen, dat weet je toch?'

'Wat? Hoe moet ik dat nou weten?' vroeg Eveline. 'Ik heb haar geholpen! Dat moet ik toch doen?' Weer klonk een harde knal en nu zag Eveline wat het geluid veroorzaakte: boven haar hoofd zat een grote barst in het zwarte spiegelglas. Onder haar voeten kraakte het nu ook en ze deed een stap achteruit.

'Je mag geen doden helpen en zeker geen doden die niets zeggen, want die zijn door anderen omgebracht dus dan kost het te veel energie om ze te helpen, zeker als je je beschermer nog niet hebt.' Hij wees naar zijn kraai die net als hij paarse ogen had. 'Bovendien is het je taak niet.' Als om zijn woorden kracht bij te zetten, knalde er nog een grote barst aan haar linkerkant. Eveline vroeg zich af hoe lang de tunnel het zou houden.

'Maar wat is mijn taak dan wel?'

Ben keek alsof hij niet kon geloven dat Eveline zo weinig wist. 'De taak van de Wachters is de geheimen van de wereld te bewaken. Waarom weet je zo weinig? Ben je niet bij Lucella?'

'Lucella is dood,' zei Eveline gejaagd. 'Ze heeft zelfmoord gepleegd.'

'Lucella is dood? Zelfmoord zeg je?' Haar opa's gezicht was plotseling asgrauw. 'Dat kan niet, dan is ze vermoord.' Hij wilde nog iets zeggen, toen er een donderend geknars om Eveline heen klonk. 'Rennen!' schreeuwde Ben en Eveline kon nog net achteruitspringen toen het buitenste stuk van de tunnel afbrak. Boven haar klonk een knappend geluid en een grote scherf viel net naast haar in gruzelementen. Ze kon niets anders doen dan het op een lopen zetten, terwijl achter haar de tunnel steeds verder kapot sprong en afbrokkelde. Van ver weg hoorde ze haar opa roepen: 'Eveline! Ga naar het graf van Septimus!' Ze rende door totdat ze in het gordijn liep en zocht op de tast naar een doorgang, maar die was er niet. 'Ik kom niet terug!' riep Eveline. Haar stem klonk gedempt in de zware stof die zich om haar heen leek te wikkelen en haar borstkas samen drukte. Ademen ging steeds moeilijker, totdat ze haar ogen weer voelde wegdraaien en haar lichaam verslapte.

Eveline deed haar ogen open en knipperde tegen de felle zon. Op hetzelfde moment ademde ze diep in. Het kostte haar moeite en haar longen deden pijn, alsof ze in elkaar gedrukt hadden gezeten en zich nu als een trekharmonica weer met lucht vulden.

'Eef? Ben je er weer?' klonk Cleo's opgeluchte stem.

Eveline kraakte een schor 'ja' en probeerde overeind te komen, maar ze had bijna geen kracht in haar armen. Cleo hielp haar overeind en drukte haar vriendin een flesje water in handen. Eveline dronk een paar slokken. Ze zag nu dat ze op de paardendeken achter de vuilnisbakken lag en de walm van verrotte groente dreef haar neusgaten in.

'Wat deed je hier?' vroeg Cleo. 'Waarom rende je ineens weg? Wat is er gebeurd?'

'Ik – ik voelde me niet lekker,' antwoordde Eveline. 'Ik denk dat ik ben flauwgevallen.'

Cleo ondersteunde haar en samen liepen ze terug naar de Duivenstraat, waar Nadine naast de Mercedes stond.

'Waar was je nou?' vroeg die.

'Ze was het steegje ingelopen,' zei Cleo die met geen woord repte over het feit dat ze Eveline net bewusteloos had gevonden tussen een paar vuilnisbakken in.

'Ik dacht dat ik moest overgeven en wilde dat niet hier doen,' zei Eveline. Ze hield de antiekzaak scherp in de gaten. 'Kunnen we gaan?'

'Jij gaat nu voorin,' besliste Nadine. 'Hier.' Nadine gaf Eveline een zuurtje dat ze uit haar tas had opgediept. 'Zuig daar maar op, dan voel je je vast beter.'

Eveline gleed in de voorstoel van de koele auto en sabbelde op het zuurtje dat naar appel smaakte en leunde met haar hoofd tegen het koude zijraam. Nadine ging naast haar zitten en worstelde met haar autogordel.

'Hoe is het met je hoofdpijn?' vroeg ze aan Nadine.

'Weg. Compleet verdwenen. *Rien*. Het klinkt ongelooflijk, maar van het ene op het andere moment was hij weg,' zei Nadine opgelucht. 'Ik snap er niks van; normaal duurt het zeker een dag, en het is altijd het ergste in de auto,' zei ze en ze stuurde de auto de weg op.

De hele weg naar Onderlinden keek Eveline uit het autoraampje naar de strakblauwe lucht boven haar. Was ze daar geweest? Was dat waar 'tussen de werelden' was? Ze kon haar gedachten er nog niet helemaal omheen vouwen dat ze bijna dood was gegaan omdat ze de dode baby van Nadine had geholpen. Aan de ene kant was ze waanzinnig kwaad op Ilana omdat ze dat niet tegen haar had gezegd en aan de andere kant voelde ze zich ook ontzettend trots omdat ze ervoor gezorgd had dat Nadines baby niet in handen was gevallen van de Asilide.

Ergens voorbij de Paddenpoel was ze zo moe dat ze de kracht niet meer had om haar ogen open te houden. Haar hoofd voelde alsof iemand een leren riem om haar schedel had gegespt en die steeds een gaatje strakker deed. Desondanks probeerde ze wat ze net had gehoord op een rijtje te zetten:

Ben en Lucella Sevenster waren mijn opa en oma en waren net als ik en mijn vader Wachters.

De taak van de Wachters is de geheimen van de wereld te bewaken.

Volgens mijn opa mag ik geen geesten helpen, want dan kan ik zelf doodgaan en het is ook mijn taak niet.

Geesten die zijn vermoord, maken geen geluid.

Volgens mijn opa is Lucella vermoord.

En de laatste die ze het vaagste vond: *Ga naar het graf van Septimus.*

Was dat het geheim dat ze moesten bewaken? Was haar oma daarvoor vermoord?

De auto stopte en Eveline deed haar ogen open. Ze stonden op de oprit van de woonboerderij. Roos tikte op het raampje aan Evelines kant en Nadine deed het raampje open. 'Zo, jij ziet wit,' zei ze meteen tegen Eveline. 'Ben je ziek?'

'Eveline voelt zich niet zo lekker, daarom zijn we een beetje later,' zei Nadine.

'O, echt? Moet je niet naar de dokter?' vroeg Roos.

'Nee, ik voel me zo wel wat beter,' zei Eveline.

'Ik ben groentesoep aan het maken,' zei Roos meteen. 'Daar word je vast weer fitter van. Zal ik meehelpen met de spullen?'

Samen met Cleo haalde Roos de bagage uit de achterbak, terwijl Eveline met elastieken benen naast de auto stond. 'Moeten we je dragen?' grapte ze, maar ze keek er serieus bij.

'Nee, het gaat wel,' zei Eveline dapper.

Nadine voelde weer aan haar voorhoofd. 'Ga eerst maar even liggen,' zei ze. Daarna gaf ze haar een kus op haar wang. 'Veel plezier, *jeune fille*,' zei ze gemeend. Daarna wilde ze Cleo een kus geven, maar die weerde haar af. 'Bewaar die maar voor iemand anders,' zei ze.

'O, jij verandert ook niet,' zei Nadine. 'Als er iets is, dan moeten jullie me bellen, *nah*?'

'Het komt goed, dag Nadine!' Cleo zwaaide naar haar. 'Doe de groeten aan mijn ouders – als ze nog weten wie ik ben.'

'Cleo!' riep Nadine uit het open raampje. 'Zo praat je niet over je ouders. *Alors, au revoir!*'

'*Au revoir!*' riepen Roos en Cleo in koor en ze zwaaiden enthousiast naar de huishoudster van de familie Hoogervorst die de grote auto behendig achteruit terug de dijk opreed. Eveline blikte naar de donkere begraafplaats aan de andere kant van het weiland.

'De anderen zijn bij de Paddenpoel,' zei Roos. 'Zelfs Arabella. Ze heeft haar vader beloofd dat ze in plaats daarvan vanavond op haar kamer zal blijven als straf.' En ik maak spaghetti bolognese, vinden jullie dat lekker?'

'Ik wel, maar Eveline is vegetariër,' zei Cleo.

Eveline hoorde aan Cleo's ondertoon dat ze kwaad was, maar ze was te moe om zich daar nu druk over te maken. Ze wilde alleen maar even op bed liggen...

'In de kast zijn twee planken vrij voor jullie,' wees Roos toen ze Evelines tas naast het stapelbed op de grond had gezet. 'Dan laat ik jullie maar even.'

Toen Roos de deur uit was, liet Eveline zich op het onderste bed vallen. Cleo pakte zwijgend een paar kleren uit en legde die in de kast die achter het bed stond.

'Zal ik dat voor jou ook doen?' bood ze aan, maar Eveline schudde haar hoofd.

'Oh nee, laat maar, je wil geen hulp. Je doet liever alles alleen,' zei Cleo op sarcastische toon.

'Cleo...'

'Je lag op de grond, Eef. En je ademde niet meer. Je had geen pols, niks!'

'Ik was flauwgevallen.'

'Het was meer dan flauwvallen. En je weet het – ik zie het aan je. Maar vertel het me maar als je er klaar voor bent – als je dan tenminste nog leeft.' Cleo trok woest de deur open, waar Roos achter stond met een kopje soep die ze net kon ontwijken. Boos stormde ze de gang op. 'Hier,' zei Roos. Ze zette het dienblad naast het stapelbed en vroeg verder niks. Niet of ze ruzie hadden of waarom Cleo weg was gelopen. 'Misschien moet je even slapen,' zei ze alleen maar.

Eveline rolde zichzelf op in een bal en trok de deken over zich heen. De band om haar hoofd zat nog strakker en ze kon haar ogen bijna niet meer openhouden. *Doodgaan is doodvermoeiend,* dacht ze en bedacht meteen daarna dat het echt iets voor Cleo was om zo'n opmerking te maken.

Eveline werd wakker met een tong die aanvoelde als een stuk leer in haar mond. Naast haar stond de kom met koude groentesoep. Ze had geen flauw idee hoe lang ze had geslapen, maar er scheen nog licht door de ramen, dus het kon niet al te laat zijn. Ondanks de zomerwarmte die in de kamer hing, had ze het koud, dus schoot ze in haar spijkerbroek en trok haar favoriete trui aan – rood gebreid met een lichtblauwe indianentotem erop in de vorm van een vogel.

Zachtjes opende ze de deur en liep de gang in. De deur naar de woonkeuken stond open en ze hoorde zacht gepraat en gelach. Heel stilletjes keek ze om de deur heen en ze zag dat Cleo en Roos samen aan het koken waren. Nou ja, koken... Roos hakte een wortel terwijl Cleo een keukenmes op haar vinger balanceerde, een trucje dat Eveline altijd doodeng vond en Roos blijkbaar ook, want ze moest er nogal zenuwachtig van giechelen. Gewoon twee meisjes met lange dunne benen, de een met kort donker haar en de ander met lang blond haar, veertien en zestien, die een beetje geinen op een zomeravond.

Het zag er allemaal zo normaal uit. Ze zijn ook normaal.

Eveline liep op haar tenen terug de gang in, twijfelde bij haar kamer, maar liep uiteindelijk verder naar de achteruitgang waar de stallen waren. Op het erf rook het naar warm hooi en mest. De horizon was oranje gekleurd van de avondzon en er stond een zacht briesje dat langs haar wangen gleed. Het was een perfecte zomeravond. Perfect om bij de Paddenpoel te hangen en een kampvuurtje te stoken.

Perfect om je eerste zoen te krijgen.

Eveline wilde eerst de stal inlopen, maar liep in plaats daarvan naar de rand van het erf waar het weiland aan grensde. Aan de andere kant lag de begraafplaats en zelfs in de gouden gloed van de late zomerzon leek het kerkhof somber en grijs en bogen de takken aan de bomen naar beneden, alsof de bomen rouwden om iedereen die daar lag en in het bijzonder om Lucella Sevenster.

Twee compleet verschillende werelden, gescheiden door een groen grasveld met schapen erop.

De Wachter is wakker – kom naar huis.

Eveline klom over het prikkeldraad, sprong over het slootje en liep vastberaden in de richting van de sombere bomen.

11

Eveline liep naar de plek waar het gat in de heg zat en wrong zich erdoorheen. Het was alsof ze in een andere wereld was gestapt: de begraafplaats was gedompeld in een grijs schemerlicht waardoor het leek alsof de tijd hier was blijven stilstaan. Geen blaadje bewoog, geen krekel tjilpte, geen vogel ritselde door de bosjes. Ze bleef een tijdje besluiteloos staan in het zijpad. Ze moest het graf van Septimus zoeken, maar waar was dat? Welke kant zou ze opgaan? Links zag ze het witte huis van haar opa en oma, rechts was het huisje van Garon de opzichter en het hek waar de demonen waren en daartussen lag een zee aan graven en grafhuisjes. Heel even schoot de gedachte door haar hoofd dat de twee vuilwitte demonen misschien het graf van Septimus bewaakten en dat ze haar daarom hadden aangevallen, maar toen ze er langer over nadacht was het totaal niet logisch, want áls deze demonen al 'werkten' voor haar grootouders (wat ze zich niet kon voorstellen), waarom zouden ze dan een andere Wachter aanvallen?

Uiteindelijk begon ze het ene pad in, het andere pad uit te lopen, intussen lettend op de namen op de verschillende grafstenen. Sommige oud en verweerd, met fotootjes erop die bijna niet meer te zien waren, andere heel modern met kleurige mozaïekstenen of grillige vormen. *Hier rust onze geliefde zoon... R.I.P... In memoriam... Rust zacht lieve mama...*

Verder waren er engelen die zich wenend over graven bogen en zelfs een zwart marmeren graf waar twee steigerende paarden op stonden en de tekst: 'Familiegraf van de familie Berendsen – voor altijd samen' in gouden letters. Daaronder stond maar één naam: Jaap Berendsen. Hij lag er al tien jaar.

'Gezellig,' zei Eveline hardop.

Wat zielig: zet je op je familiegraf dat je voor altijd samen bent en dan gaat er daarna helemaal niemand meer dood.

'Vertel mij wat,' zei de man die vanuit het niets opeens naast Eveline stond en ze deed meteen een stapje achteruit. Hij droeg een bruine corduroy broek en een bruine V-halstrui en keek mismoedig naar zijn handen. 'Als ik iets met deze kon, dan had ik die tekst allang weggebeiteld.' Zijn handen waren wit en hij had korte vingers. Hij stak ze in zijn zakken. 'Wat zeg ik nou, ik was accountant. Ik kan niet eens beitelen. Dat kon ik ook niet toen ik nog leefde.'

'Maar het is toch fijn dat uw familie nog niet dood is?' zei Eveline.

'Fijn? Mijn vrouw heeft me praktisch de dood in gejaagd. Altijd zeuren aan mijn hoofd dat ze te weinig geld had, dat we een nieuwe televisie moesten, net zo'n auto als de buren. En het enige wat ik wilde was een keertje flamingo's zien in Afrika.'

'Waarom bent u dan niet naar Afrika gegaan?' vroeg Eveline, die intussen bedacht dat ze een koetjes en kalfjesgesprek had met een dode, wat bizar was.

'Wat ik zei: mijn vrouw wilde altijd meer. En ik maar werken. Ze zei altijd: "Doe dat nou maar als je met pensioen bent, Beertje", zo noemde ze me altijd. En toen was ik eenmaal met pensioen, net twee dagen, en opeens voel ik hier wat.' Hij wees op zijn borst. 'En toen was ik hier.' Hij ging op zijn eigen grafsteen zitten en staarde somber voor zich uit. 'En ik wilde helemaal geen familiegraf. Dat heeft zij geregeld. Ik houd niet eens van paarden. Ik houd van vogels, maar ze had niet eens het fatsoen om vogels op mijn graf te zetten.'

'Komt uw vrouw wel eens langs?' vroeg Eveline. Ze probeerde de gedachte aan twee flamingo's op het graf zo snel mogelijk uit haar hoofd te krijgen, omdat ze bang was dat ze anders heel erg moest lachen.

Zijn schouders zakten nog lager. 'Nooit. Ik denk dat ze iemand anders heeft. Misschien wel de buurman, Koos, die had al zijn haar nog toen ik doodging en daar was ze altijd al van gecharmeerd. Of misschien is ze wel dood en ergens anders begraven. Of ze zit samen met Koos in Afrika naar de flamingo's te kijken.' Hij zuchtte en wreef zijn handen af aan zijn corduroy broek. 'En ik zit hier.'

'Ik vind het heel naar voor u,' zei Eveline. Ze ging naast hem zitten op het koude zwarte marmer. 'Zijn er nog anderen zoals u... hier?'

'Vast wel, maar niet veel denk ik. En ik ben niet zo'n mensen-mens. Ik houd meer van cijfers. En van vogels,' liet hij er snel op volgen.

'Heeft u Lucella Sevenster wel eens ontmoet?'

Zijn ogen lichten op. 'Natuurlijk heb ik Lucella Sevenster wel eens ontmoet. Ze was hier elke dag. Ze maakte altijd een praatje met me.' Hij bestudeerde Evelines gezicht. 'Zij had dezelfde ogen als jij. En een prachtige zwarte kraai.' Hij zuchtte. 'Maar ik heb haar nu al een paar dagen niet gezien.'

'Ze is overleden,' zei Eveline.

'Ach jeetje. Wat naar,' zei hij. 'Waaraan?'

Evelines hoop dat de dode man meer wist over de dood van haar oma, vervloog. 'Weet ik niet. Heb je haar daarna niet meer gezien? Als... geest bedoel ik?'

Hij keek Eveline heel teleurgesteld aan. 'Nee. Hè, wat jammer dat ze niet hier is. We praatten altijd over vogels, want daar hield zij ook van. En ze was heel charmant moet ik zeggen.' Hij kuchte verlegen en Eveline moest stilletjes lachen, want het leek erop alsof de dode accountant een oogje op haar oma had gehad. Hij zat er wat versla-gen bij en sloeg verstrooid een arm om een van de steigerende paarden.

'Weet u... weet u misschien waar het graf van Septimus is?'

'Septimus? Nog nooit van gehoord. Klinkt oud. Misschien daarach-ter,' wuifde hij. 'Daar zijn wat oudere graven. Van priesters en zo.'

Eveline stond op. 'Dank u wel, meneer Berendsen,' zei ze.

Hij stak zijn hand op. 'Tot ziens hoop ik,' zei hij.

Eveline wilde weglopen toen ze bedacht dat ze nog iets aan hem wil-de vragen, waarop ze terug liep naar de dode accountant. 'Bent u nou altijd hier?' vroeg ze.

Jaap Berendsen schudde zijn hoofd. 'Dat is moeilijk te zeggen. Ik ge-loof het wel, al is het ene moment duidelijker dan het andere,' zei hij. 'Als Lucella er was. Of nu jij er bent.' Hij trok een plukje gras uit de grond. 'Dit kan ik meestal niet, behalve als jullie er zijn. Snap je dat?'

'Ja, ik denk het wel. Dank u wel.' Ze liet de trieste man alleen en toen ze zich een stukje verder omdraaide, was hij verdwenen.

Ze liep over de stille begraafplaats in de richting waar meneer Berendsen naar gewezen had, rechts achterin. Ze wilde net een pad inslaan waar inderdaad oud uitziende, bemoste halfvergane grafstenen stonden, toen ze iets hoorde. Ze dook tussen een grote grafsteen en de groene haag, waarna Garon kwam langslopen met zijn kruiwagen in zijn handen waar een hoop donkere aarde in lag en een hark uitstak, met een versplinterde bovenkant. Meteen vroeg Eveline zich af of dat de hark was waar Daniel mee was opgesloten.

Wat ben je voor naar iemand als je een kleine jongen in een grafhuisje opsluit en daar uren laat zitten!

Hij was voorbij en ze wilde overeind komen toen twee handen haar plotseling van achteren vastpakten, waardoor ze zich kapot schrok. Boos draaide ze zich om – en keek recht in de groene ogen van Azer. Hij had door dat hij haar heel erg had laten schrikken en liet haar meteen weer los, waarbij hij zijn handen omhoog hield in een verontschuldigend gebaar.

'Ik schrik me dood!' siste ze, maar tegelijkertijd voelde ze iets bij haar hart een sprongetje maken.

Hij gebaarde met zijn handen in de richting waar Garon was verdwenen.

'Ik was me aan het verstoppen,' zei Eveline beschaamd. 'Ik... laat maar. Het is te veel om uit te leggen. Ik ben op zoek... laat maar.'

Azer ging op zijn gemakje op een grafsteen zitten, trok een grasspriet uit de grond en stopte die in zijn mond. Het leek alsof hij ergens op wachtte. Wilde hij nu dat ze ging vertellen waarom ze zich voor Garon verstopte? Eveline zag dat hij weer op blote voeten liep, ze staken bruin en vies onder zijn spijkerbroek uit. Ook had hij hetzelfde olijfgroene T-shirt aan dat zo goed bij zijn ogen kleurde.

En hij praat niet.

Eveline had het eigenlijk al geweten toen ze hem de eerste keer had gezien, maar ze had het niet willen weten. Ze ging tegenover hem zitten op een andere grafsteen en staarde naar haar handen. Het blije gevoel in haar borst had plaatsgemaakt voor een bak cement die op haar borst drukte. Azer ging op zijn knieën voor haar zitten en dwong haar zachtjes om hem aan te kijken. Zijn ogen stonden vragend.

'Azer...' Ze slikte. 'Je weet toch dat... dat...' Ze wist niet hoe ze het moest zeggen. Hij liet haar niet uitpraten, maar pakte haar hand vast en trok haar omhoog. Hij gebaarde dat hij haar iets wilde laten zien en bleef haar hand vasthouden terwijl ze samen over de begraafplaats liepen. Hij bracht haar naar links achterin, vlak bij het huisje van Garon, een apart gedeelte met een lage haag eromheen. Eveline zag dat er aan beide kanten van het pad kleine grafstenen lagen en stonden, stenen in de vorm van engeltjes, beren, harten en vlinders... Voor de stenen lag speelgoed: natgeregende knuffelbeesten, speelgoedauto's, kleine windmolentjes die onbeweeglijk stonden te wachten op een zuchtje wind.

Het was het kindergedeelte van de begraafplaats.

Eveline slikte, misschien was het haar verbeelding, maar het voelde verdrietiger dan ergens anders, alsof hier meer tranen in de grond waren verdwenen en verdampt op de kleine stenen.

Azer bleef staan en wees. Eveline knielde neer bij een steen in de vorm van een wolk. 'Azer Prins' stond er op de steen.

'Dat ben jij,' zei Eveline zachtjes en ze had zin om te huilen. Haar vermoeden klopte: Azer was een geest. Ze knielde bij het graf neer en raakte de witte roos die op de zwarte aarde lag voorzichtig aan. 'Is die van je ouders?'

Azer schudde zijn hoofd en keek schijnbaar onbewogen naar zijn eigen graf. Eveline zag dat er iets raars aan de hand was met zijn sterf-datum: er stond geen dag bij, alleen een maand.

'Wat... wat is er met je gebeurd?' Ze greep zijn hand. 'Je praat niet – mijn opa zei dat geesten die niet praten door iemand zijn vermoord. Wat is er met je gebeurd?'

Als antwoord deed Azer zijn hoofd een beetje omhoog, zodat ze zijn hals beter kon zien. In zijn hals stond horizontaal een dunne witte lijn. Daardoorheen, precies in het midden stonden twee verticale lijntjes. Even moest ze nadenken waar ze dat ook alweer eerder had gezien, toen ze het wist: het was een van de tekens die Ilana voor haar had achtergelaten.

Iemand heeft zijn keel – doorgesneden?

De gedachte was te gruwelijk. 'Wie heeft dit gedaan?' vroeg ze ge-jaagd, maar hij maakte een gebaar dat hij dat niet wist.

Ze keek weer naar de sterfmaand op zijn grafsteen. September vier jaar geleden – dezelfde maand waarin haar ouders waren omgekomen. Was dat toeval, of... 'Mijn ouders zijn doodgegaan,' zei ze snel. 'Koen en Isa Sevenster. In diezelfde tijd. Heeft het iets met elkaar te maken?'

Azer wees naar haar en toen naar zichzelf, alsof hij wilde zeggen dat Eveline en hij iets met elkaar te maken hadden en daarna wilde hij haar meetrekken, maar Eveline hield hem staande. 'Wacht even, je moet me nog iets uitleggen,' zei ze. 'Hoe kan het dat je ouder bent geworden sinds je dood bent? Want volgens je grafsteen ben je maar elf geworden.'

Azer groef in de aarde van zijn graf en trok een stuk metaal tevoor-schijn, dat een oud zwaard bleek te zijn. Hij veegde het schoon zodat Eveline kon zien dat er iets in het lemmet gekerfd zat. Een woord.

Wraak.

Stil keek ze naar het zwaard en ze kon de haat voor Azers moorde-naar bijna voelen. Ze wist niet hoe dit ervoor gezorgd had dat Azer groter was geworden, maar het was daardoor blijkbaar wel gebeurd.

Maar bij wie hoorde die haat? 'Wie heeft dat hier begraven?' vroeg ze, maar Azer gebaarde dat ze niks meer moest zeggen en dekte het zwaard weer toe. Daarna greep hij haar hand weer en trok haar mee naar de andere kant van de begraafplaats. Ze sloegen een pad in waar aan het einde een heel mooi huisje stond: het had een dak met allerlei gekleurde halfronde dakpannen die eruitzagen als grote schelpen. Het huisje zelf was wit. Aan de zijkant groeide een witte klimroos die zwaar geurde. Voor het huisje was een perkje waar lavendel stond. Het was alsof ze droomde toen ze de laatste stappen zette en in haar hoofd klonk een stem, alsof er een herinnering naar boven kwam, van een rustige vrouwenstem die het begin van een rijmpje opzei: *Eveline Sevenster. Zeven sterren van heel ver...*

In de deurtjes zat een met glas in lood ingelegde ster die alle kanten op straalde en ze hoefde niet eens te tellen om te weten dat het zeven stralen waren. Links naast de deur stonden twee namen, Ben Sevenster als bovenste. Hij was al tien jaar geleden overleden. Daaronder Lucella Sevenster, maar haar sterfdatum was nog niet in het witte steen gebeiteld. Rechts stond ook iets, maar de letters lagen gedeeltelijk verborgen onder de klimroos. *In liefde verb...*

Haar hand reikte naar de klimroos en trok deze voorzichtig aan de kant. Een doorn bleef haken in haar wijsvinger, maar ze voelde de pijn niet.

Er stonden drie namen, drie verschillende geboortedata, maar slechts één sterfdatum. Vier jaar geleden.

In liefde verbonden. Koen, Isa en Eveline Sevenster.

Eveline stond voor haar eigen graf.

Ze wist dat ze nog leefde en toch begonnen haar benen te trillen toen ze haar eigen naam las. De grond leek te golven onder haar voeten en ze zakte snel door haar knieën en leunde met haar rug tegen de deurtjes.

'Ik leef toch nog?' zei ze tegen Azer.

Hij knikte.

'Wat is er met mij aan de hand? Waarom ben ik zogenaamd dood?' vroeg ze.

Hij stak zijn hand weer uit. Ondanks haar trillende benen liet ze zich toch omhoogtrekken en liep met hem richting het hek aan de voorkant van het kerkhof, voorbij het huis van Ben en Lucella, de begraafplaats af.

Azer liet de hele weg door Onderlinden haar hand niet los. Ondanks alles maakte Evelines hart toch zo af en toe een sprongetje als ze hem probeerde te bespieden en hij het meteen doorhad en dan zo lief naar haar lachte.

Naast het feit dat hij verder was gegroeid sinds hij was overleden en hij nu dus vijftien was in plaats van elf, was er nog iets geks aan de 'geest' Azer in vergelijking met de andere die ze was tegengekomen: zijn handen waren warm. Eveline dacht dat hij waarschijnlijk een heel sterke geest was, misschien wel gevoed door de wraakgevoelens van degene die het zwaard in zijn graf had begraven. Waarom zou dat niet kunnen?

Azer leidde haar over het dorpsplein door Onderlinden, totdat ze het dorp aan de andere kant weer uitliepen, een landelijke weg op met her en der een huis of een boerderij. Ze vroeg zich af waar Azer haar mee naartoe nam, toen ze een eindje verderop aan de rechterkant van de weg een half ingestort huis zag staan. Het was een klein huis geweest met witte muren en rode dakpannen, maar nu was het dak voor het grootste gedeelte ingestort – *en zwartgeblakerd.*

Des te dichter ze bij het huis kwamen, des te misselijker ze werd en ze begon langzamer te lopen. Ze snapte zelf niet zo goed waarom, want ze wist helemaal niet wat voor huis het was en ook niet wie er had gewoond, maar alles in haar wilde daar niet zijn. Azer sloeg een arm om haar heen en leidde haar onder zachte dwang naar het half afgebrande huis. Eveline had zin om te gillen of heel hard weg te rennen. Ze was zich heel bewust van zurig speeksel dat zich in haar mond verzamelde en even was ze bang dat ze moest overgeven.

Er stond een scheefgezakt houten hek om het huis en in het dak van de schuur achterop het terrein zat een groot gat. Zowel de voortuin als de achtertuin was helemaal overwoekerd en stond vol met brandnetels, paardenbloemen en kniehoog gras. Klimop had zich tussen de verbrande resten van het huis genesteld. Naast het huis stond een vergaan hondenhok. In de achtertuin stond midden in het doorgeschoten gras een grote boom met een schommel eraan; het houten zitje zag groen van het mos.

De boom was een magnolia en het was dezelfde boom die in de achtergrond op de foto van haar met haar ouders stond.

'Dit is mijn oude huis,' zei Eveline. Ze stopte abrupt waardoor haar hand uit de zijne gleed. 'Maar mijn ouders zijn niet omgekomen door een brand,' zei ze. 'Ze zijn gestikt – door koolmonoxide.'

Er kwamen geen herinneringen terug door naar de resten van haar oude huis te kijken, alleen maar een gevoel van een heel groot gat in haar binnenste, een gevoel dat ze helemaal alleen op de wereld was en dat deze plek het tastbare bewijs daarvoor was, een monument voor haar eenzaamheid.

Azer gebaarde dat ze niet verder hoefde en stak toen zijn hand weer naar haar uit. Het was een heel bewust gebaar, alsof hij er iets anders mee wilde dan alleen maar haar hand vasthouden. Ze aarzelde en pakte toen zijn hand vast.

Het was alsof iemand het licht van de wereld uitdeed en Eveline dacht even dat ze blind was geworden, want ook al had ze haar ogen open, ze zag helemaal niets meer. Maar toen verscheen er een flakkerend fel licht voor haar ogen – het duurde even voordat ze besefte dat het het huis was dat voor haar ogen in brand stond. Het was nacht, in de donkere lucht schenen ontelbare sterren en daaronder brandde het witte huis als een fakkel.

'Hoe kan dit?' fluisterde Eveline.

Het onderste gedeelte van het huis stond in lichterlaaie en felle vlammen likten aan de eerste verdieping toen er een meisje met roodbruin haar voor het zolderraam verscheen en tegen het raam aanbonkte.

Dat ben ik, maar waar zijn mijn ouders? En waarom wist ik niet dat er een brand was?

Eveline keek naar haar jongere ik die het voor elkaar kreeg om het raam open te doen; rook dreef over haar hoofd heen naar buiten. Ze hoestte, gooide haar beer naar beneden en klom in een complete wanhoopspoging het raam uit. 'Mama!' jammerde ze terwijl ze aan haar handen aan het raamkozijn van het raam op de bovenste verdieping hing. 'Mama!'

Beneden, op de plek waar de voordeur ongeveer moest zitten, kwam een zwarte schim door de rook en het vuur heen. Heel even dacht Eveline dat het een van haar ouders was, maar het was een hond. Een grote bruin met zwarte herdershond.

Finn.

Zijn naam schoot door haar hoofd als een heldere vuurpijl.

De hond was dwars door het vuur heen gesprongen en nam nog een sprong toen de kleine Eveline het niet meer hield en naar beneden stortte, waardoor hij precies onder haar stond en zo haar val brak. De

hond jankte kort, trilde met zijn poten en lag toen stil met de bewusteloze Eveline boven op zich – haar val was gebroken, maar ze was met
haar hoofd hard achterover tegen de regenton geklapt.

'Finn! Finn!' riep de grotere Eveline in tranen. De vlammen veror-
berden het huis, het grote woonkamerraam sprong en een regen van
glas daalde neer op de kleine Eveline die maar niet bij leek te komen en
als een grote pop boven op de dode herdershond lag. De Eveline die dit
allemaal bekeek, vroeg zich af hoe ze dit ooit had kunnen overleven
– waarom was ze niet verbrand door het vuur?

Een jongen kwam tussen de struiken uit rennen en trok zo goed en
zo kwaad als het ging Eveline van het vlammende huis vandaan. Hij
was een jaar of tien, elf, met gebruinde armen, en liep op blote voeten
die viezig onder zijn spijkerbroek uitstaken. Met moeite sleepte hij het
bewusteloze meisje naar de rand van het gazon, zakte in het gras en
hield haar beschermend in zijn armen, terwijl hij met grote ogen naar
het vuur keek. In het licht van de vlammen was te zien dat hij net boven de rand van zijn groene T-shirt een verse wond in zijn hals had,
een grote bloederige horizontale streep met twee verticale strepen in
het midden.

'Dat ben jij... je hebt me gered,' zei Eveline tegen de oudere Azer die
naast haar stond. 'Je hebt me gered toen je al dood was.'

Hij knikte en liet haar hand los. Ze wilde naar het brandende huis
rennen, het brandende huis ingaan om te zien of ze haar ouders kon
redden, al wist ze dat ze naar iets keek wat al gebeurd was. Maar het
zwart keerde terug en daarna was het alsof iemand het licht aandeed en
stond ze weer samen met Azer voor het uitgebrande huis.

'Je hebt me gered,' zei ze weer. 'Samen met Finn.'

Hij knikte weer.

'En mijn ouders?'

Met een schouderophaal gaf hij aan dat hij daar niets van wist. Hij
keek net zo verdrietig als Eveline zich voelde. Ze staarde weer naar het
afgebrande huis en probeerde haar tranen tegen te houden die steeds
achter haar ogen prikten. Sinds ze van Ilana had gehoord dat ze waarschijnlijk bij Chantal in huis zat vanwege een heel andere reden dan ze
had gedacht, had ze stiekem gehoopt dat haar ouders dan ook nog zouden leven, maar die hoop was nu voor een groot deel vervlogen; niemand overleefde zo'n vuurzee.

Behalve ik, dankzij een hond en de geest van een vermoorde jongen.

'Finn ging dood, hè?' vroeg ze met een snik in haar stem. 'Toen ik op hem viel.'

Azer knikte en deed toen iets geks: hij stak zijn beide wijsvingers in zijn mond en floot toen hard.

'Hé, je kan niet praten, maar wel fluiten?' vroeg ze verrast. Hij knikte en floot weer en gebaarde naar haar mond dat ze moest roepen.

'Wat? Finn? Moet ik Finn roepen?'

Heftig ja geschud, waarop ze haar handen aan haar mond zette. 'Finn!' riep ze zo hard ze kon, al voelde ze zich compleet idioot, terwijl Azer naast haar zo schel floot dat haar oren ervan tuitten.

'Finn!'

Een bruinzwarte raket kwam langs het huis gestoven en sprong zo hard tegen Eveline aan, dat ze achteroverviel. Een enorme bruinzwarte kop met één oor omhoog en één oor naar beneden hing boven Eveline en duwde toen zijn natte neus tegen haar neus. Daarna begroef ze haar gezicht in het dikke bont rond zijn nek. Hij voelde tegelijkertijd vertrouwd, maar ook koud en dus vreemd aan, maar Eveline was ontzettend blij met iets uit haar verleden waar ze zich zo weinig van kon herinneren.

Terwijl de hond enthousiast om haar heen danste, bestudeerde ze weer het afgebrande huis. 'Weet je waarom je hier was?' vroeg ze aan Azer. 'Er moet toch een reden zijn waarom je hier was toen je al dood was – kenden we elkaar al?'

Azer schudde zijn hoofd en lachte een beetje verontschuldigend naar haar, alsof hij wel een verklaring wist, maar die niet durfde te zeggen.

'Wat is het dan?' drong ze aan. 'Weet je het?'

Hij keek naar zijn blote voeten.

'Wat? Wat is het dan?' drong ze aan.

Uiteindelijk pakte hij haar hand weer vast en wees met zijn andere hand van zichzelf naar haar. En toen legde hij, heel verlegen, zijn hand op de plek van zijn hart.

Was dat het?

Hij boog zich voorover en heel even dacht Eveline dat hij haar op haar mond zou kussen, maar hij gaf haar in plaats daarvan een zoen op haar wang. Meteen ging Finn op zijn achterpoten staan en zette zijn voorpoten bezitterig op Evelines schouder, maar Azer duwde de hond glimlachend weg.

'Ik wil weg hier,' zei ze om zichzelf een houding te geven omdat haar wangen ongeveer ontploften. 'Kan Finn mee?' Toen Azer een gebaar maakte dat hij dat ook niet wist, bedacht Eveline dat ze het maar gewoon moesten proberen, want ze wilde Finn nu niet meer kwijt.

En Azer ook niet.

Finn danste en drentelde de hele weg terug naar de begraafplaats onvermoeibaar om hen heen. Steeds weer kwam hij met stokken aanrennen die Azer en Eveline om beurten voor hem weggooiden, terwijl Azer vervolgens zijn arm losjes om Evelines schouder legde, alsof ze zijn vriendinnetje was.

Maar ik ben zijn vriendinnetje niet, want Azer leeft niet.

Toch voelde het bijna perfect zoals ze daar liepen over de stille landweggetjes en daarna door het mooie Onderlinden waar een stel oude mensen in de ondergaande zonnestralen op het dorpsplein zaten te dommelen. Het terras van de plaatselijke kroeg zat helemaal vol met kids die iets ouder waren dan zij, druk bezig met flirten en lachen en stoer doen. Eveline zag een jongen met donker haar die net als Azer bij haar zijn arm om de schouder van een meisje had geslagen en bedacht dat zij er ook zo uit zouden zien als hij nog zou leven. Maar nu zagen ze alleen maar een meisje in haar eentje lopen, want zij konden Azer niet zien omdat ze normaal waren. En zij zag hem wel.

Haar gedachten brachten haar naar Cleo, wat haar schuldgevoel meteen oprakelde, want die was er intussen waarschijnlijk wel achter dat Eveline niet meer lag te slapen. Misschien was ze wel heel erg ongerust.

Onbewust liep ze wat sneller. Het geluksgevoel van net had plaatsgemaakt voor een rotgevoel dat ze haar beste vriendin in de steek had gelaten – op alle vlakken.

'Ik moet naar huis, ik denk dat Cleo ongerust is,' legde ze aan Azer uit. 'Waar ga jij nu heen?'

Hij schudde zijn hoofd en Eveline wist niet goed wat dat betekende, dus liep ze met hem en Finn mee de begraafplaats op.

'Ken je mijn oma? Lucella Sevenster?'

Hij knikte.

'Weet je wie haar vermoord heeft?'

Een 'nee'.

'Dan weet je zeker ook niet waar het graf van Septimus is,' zei ze moedeloos en inderdaad schudde hij zijn hoofd. Het leek erop alsof de doden van de begraafplaats geen flauw idee hadden wie Septimus was en

Eveline begon te twijfelen of het wel hier zou zijn. Maar aan de andere kant – als dat 'het geheim' was dat haar opa en oma bewaakten, dan zouden ze dat ook niet zomaar met Jan en alleman delen, dood of levend.

Ze waren bij Azers graf aangekomen waar Finn driftig achter begon te graven. 'Denk je dat hij bij jou kan blijven?' vroeg ze. Ze hoopte het maar, want als ze een dode herdershond bij zich moest houden die om de haverklap met een stok aan kwam zetten, dan zouden ze haar waarschijnlijk heel snel in een gesticht opsluiten. Azer pakte haar hand en keek haar smekend aan, alsof hij wilde dat ze nog even bleef.

'Ik moet echt gaan,' schutterde ze. Ze wees naar de gravende hond. 'Gelukkig graaft hij niet in je graf,' zei Eveline. 'Straks graaft hij het zwaard nog op.'

Azer wees naar zichzelf. 'Ja, of jou,' zei ze. 'Dan mis je plotseling een arm omdat Finn je bot heeft opgegraven en opgekauwd.'

Azer deed net alsof hij een arm miste en liep als een zombie een stukje het pad op en af, toen Finn met iets in zijn bek naar Eveline kwam lopen. 'Je hebt toch niet echt een bot opgegraven, hè?' vroeg ze aan de dode hond. Ze hield haar hand op en hij liet gehoorzaam in haar hand vallen wat hij in zijn bek had gehad. Het was een ovaal van emaille. Ze veegde de aarde van de achterkant en draaide het witte ding toen om.

Het was een fotootje en toen ze naar zijn wolk-grafsteen keek, zag ze dat er boven zijn naam een vage omtrek van een ovaal te zien was.

'Hij is eraf gevallen, denk ik,' zei ze.

Het was een foto van Azer als elfjarige, een heel lieve foto waar hij zijn scheve lach lachte en onder een veel te braaf geknipte pony ondeugend de camera inkeek, alsof hij een heleboel wilde uitvreten en het leven gulzig wilde opeten.

'Lief hoor,' plaagde ze hem een beetje. 'Vooral je h...'

Eveline stokte. Het was alsof iemand een la in haar hoofd opentrok, daar een film met een van haar herinneringen uit haalde en die nu voor haar afspeelde: ze had deze foto eerder gezien, waardoor ze een andere reden wist waarom Azer en zij met elkaar verbonden waren.

Ze zit aan de keukentafel bij haar thuis en smeert de verschillende bladeren die ze in de tuin heeft verzameld in met verf en maakt zo gekleurde afdrukken op het grote papier. Op school was het vandaag een stomme dag, want ze had weer eens iets raars gezegd, dit keer tegen haar nieuwe juf – dat ze de groeten moest hebben van haar oudtante Ankie naar wie ze vernoemd was. Juf Anke had haar heel vreemd aangekeken en gezegd dat haar oudtante allang overleden was, toen ze zelf nog klein was. Het hielp niet om te zeggen dat tante Ankie bij Eveline aan haar tafeltje had gezeten, haar hand had gepakt en had gezegd dat het heel belangrijk was dat ze de groetjes zou doen. En het had al helemaal niet geholpen toen ze probeerde te vertellen dat tante Ankie een ring om had gehad met een groene steen erin.

Juf Anke had haar uit de klas gezet en de rest van de klas had haar uitgelachen en ze was huilend thuisgekomen. Papa was net thuis en zat in de keuken soep te eten. 'Lieve Line,' zei hij. 'Je moet anders maar niet meer dat soort dingen tegen mensen zeggen, want daar zijn ze bang voor. Zij zien niet zoveel als wij, snap je dat?' Hij had naar zijn ogen gewezen die net zo paars waren als die van haarzelf, maar daar mocht ze het van papa nooit over hebben. En hij had ook al een paar keer gezegd dat ze zich niet te veel moest aantrekken van mensen die andere mensen niet konden zien, maar ze vond ze zo zielig omdat niemand anders ze zag. Ze vroegen dingen, dan kon ze toch niet zomaar nee zeggen?

De bel gaat en haar moeder doet open. Twee politieagenten komen de keuken binnen, een vrouw en een man, met ernstige gezichten. Ze geven mama een foto, of ze dit jongetje kent, of hem de afgelopen tijd heeft gezien? Isa schudt haar hoofd, maar misschien haar man, die is achter in de tuin ze gaat hem wel even halen. Ze legt de foto neer en de politieagenten kijken naar Eveline. 'Mooi wat je maakt,' zegt de vrouw en ze lacht aardig. Achter haar ziet Eveline nu nog een man staan, heel stil, hij kijkt heel boos naar de politieagente, maar die ziet niet dat hij daar staat en ziet ook niet het bloed dat van zijn polsen op de grond druppelt. Dat zijn de 'niet-zo-aardigen' zoals papa ze noemt, die zeggen niks en zijn vaak boos. Eveline vindt ze eng en daarom kijkt ze nooit naar ze, dus kijkt ze strak naar de foto van het jongetje.

'Hij heet Azer Prins,' zegt de andere politieagent. Hij pakt de foto op en geeft die aan Eveline.

Ze kent Azer Prins wel. Hij zit een klas hoger, bij meester Lanting. Alle meisjes in de klas vinden hem 'heeeel knap'. Eveline vindt hem ook heel knap, al zal ze dat nooit hardop zeggen, maar ze vindt hem vooral aardig, want hij is een van de weinigen die haar niet uitscheldt op school.

De politieman wil nog iets zeggen, maar zijn collega houdt hem tegen.

'Het is een klein meisje,' zegt ze zachtjes. Ze kibbelen een beetje terwijl *Eveline naar de foto kijkt, naar de jongen met heel donker steil haar. Hij lacht in de camera en heeft heel groene ogen. Haar handen worden warmer en lijken aan de foto te kleven.*

Dan komt het: beelden in flitsen in haar hoofd – een houten kooi – een metalen kist vol met aarde waar een bruine skelethand uit steekt – een lage gang onder de grond. En ze hoort iemand huilen.

Het is net zo plotseling voorbij als het kwam. Eveline legt beduusd de foto neer en ziet dat de vrouw haar vragend aankijkt. Ze heeft een heel lief rond gezicht. 'Is er wat?' vraagt ze nieuwsgierig, maar Eveline hoort nu alleen maar het gelach en gejen van haar klasgenoten in haar hoofd: 'Eveline is een rare heks een vieze heks een enge heks.' Zonder iets te zeggen legt ze de foto van het jongetje Azer Prins neer en gaat door met verven.

De herinnering voelde als een stomp in haar maag, ze sloeg haar hand voor haar mond.

Azer Prins was vier jaar geleden verdwenen, ze zochten hem en ik had een aanwijzing om hem te vinden toen hij nog leefde, maar ik heb het niet gezegd. En toen is hij door iemand vermoord.

Ze moest moeite doen om niet te kokhalzen, om niet in tranen uit te barsten toen ze naar hem keek. Hij pakte haar hand en keek haar vragend aan, terwijl er toch twee tranen ontsnapten, maar voordat hij ze weg kon vegen, hield ze zijn hand tegen en veegde ze zelf driftig weg.

Ze had hem kunnen redden.

Ze legde zijn foto op de zwarte aarde. 'Ik moet weg,' zei ze met trillende stem. Ze wilde weglopen, maar hij hield haar tegen. Ze las in zijn ogen wat hij haar wilde vragen: 'Zie ik je nog?' Alsof ze een afspraakje hadden gehad en hij nog een keer met haar wilde afspreken. 'Ik... ik moet het goedmaken met Cleo,' stamelde ze. 'Blijft Finn bij jou?'

Terwijl ze het pad afliep, voelde ze Azers ogen in haar rug branden, maar toen ze omkeek bij het hoofdpad, was het pad bij zijn graf leeg – alsof hij en Finn er nooit waren geweest.

12

Eveline liep verslagen naar de voorkant van de begraafplaats. Het hek was open en daarachter stond een bankje precies in de laatste stralen van de ondergaande zon. En op het bankje zaten Cleo en Daniel.

'Eef! Eef!' riep Cleo toen ze Eveline in de gaten kreeg. 'Waar was je nou?' Ze sprong op en omhelsde haar vriendinnetje. 'We hebben je overal gezocht – bij de woonboerderij en op de hele begraafplaats. Daan en ik waren net aan het overleggen of we in het huis moesten inbreken of dat we naar Chantals huis moesten gaan,' ratelde ze snel als een overkookte kookwekker. Ze keek plotseling extreem schuldig. 'Eef, niet boos worden, maar ik heb Daniel verteld van de foto en het adres en het geld en zo.'

Eveline zei niks en ging naast Daniel op het bankje zitten, terwijl Cleo doorpraatte: 'Ik... ik ging je halen voor het eten en toen was je verdwenen en ik – je loopt de hele tijd van me weg en je vertelt me helemaal niks, ik wist niet wat ik moest,' zei ze verontschuldigend. 'Ik wist niet meer waar ik je moest zoeken en...'

Eveline begon te huilen. 'Sorry,' snikte ze. 'Sorry...'

Daniel kuchte een paar keer, alsof hij zich heel ongemakkelijk voelde bij zoveel meisjesemoties, terwijl Cleo een arm om Evelines schouder sloeg.

'Ik weet niet wat ik moet zeggen,' snotterde Eveline.

'Misschien moet je gewoon bij het begin beginnen,' zei Cleo kalm.

Eveline begon harder te snikken. 'Ik... ik ben zo bang dat... dat jullie denken dat ik bezeten ben of dat ik een freak ben, een heks...' Ze hoorde het nog in haar hoofd: *Eveline Sevenster is een vieze heks...*

'Dat denken we niet. Echt niet. Weet je dit nog?' Cleo diepte haar telefoon uit haar zak en liet Eveline de foto zien van hun lantaarnpaal. '*Best Friends Forever*. Dat is voor altijd. dat heb ik toch al gezegd?'

Eveline blikte naar Daniel. En hij? Hij had haar, zonder dat hij haar echt kende, verteld dat hij dacht dat hij schuldig was aan de dood van zijn broertje en eigenlijk vond ze dat hij alleen daarom al verdiende dat zij hem vertelde wat ze wist. Hij was al zo lang aan het zoeken en zou waarschijnlijk eindeloos door blijven zoeken als ze het hem niet vertelde.

'Je broertje is niet bij je,' zei ze tegen hem. 'Ik zie hem niet. Sorry.' Ze veegde met haar mouw langs haar neus en ogen. 'Misschien is hij bij een van je ouders, of bij zijn graf. Of misschien op de plek waar hij is omgekomen. We kunnen er een keer gaan kijken als je wilt.'

Daniel zette grote ogen op. 'Echt?' fluisterde hij langzaam. 'Je zou hem kunnen zien? Je kunt dode mensen zien?'

Ze knikte en begon weer te huilen. 'Net zo goed als ik jou zie, ik zou met hem kunnen praten,' snikte ze. 'En ze kunnen me aanraken net als gewone mensen, alleen zijn ze heel koud.' Ze huilde nog harder en begroef haar gezicht in haar handen. 'Maar ik ben niet bezeten, echt niet!'

'We denken niet dat je bezeten bent,' suste Cleo. 'Echt niet.'

Eveline keek op. 'Die boodschap bij het glaasje draaien? De Wachter is wakker? Ik ben niet bezeten door een Wachter. Ik ben zelf die Wachter. Ik zit niet bij Chantal omdat mijn vader getuige was in een of andere maffiazaak, ik zit bij haar omdat ik een of andere gave heb – de gave van de Wachters.'

Ze ademde diep in en uit en vertelde toen het hele verhaal, beginnend bij het gevoel dat ze wist wat er ging gebeuren op het moment dat de kraai tegen het raam tikte en in chronologische volgorde verder over het glaasje draaien en haar paarse ogen...

'De volgende dag waren ze weer bruin, dus toen dacht ik dat het over was. Maar toen nam ik die penalty. Ik schopte naast, maar er was een jongetje en die veranderde hem van richting zodat hij er alsnog in ging.'

'Die bal was een geest? Geen graspol?' vroeg Cleo ademloos.

Eveline knikte en vertelde weer verder, over de info op internet en dat ze daardoor dacht dat ze gek was geworden, of bezeten. Over de dokter en het horloge van zijn moeder en dat ze toen voor het eerst een vermoeden had dat de mensen die ze zag een soort geesten waren. 'En toen herkende ik Rico – dat is het overreden hondje van Chantal – en toen wist ik zeker dat ik niet gek was. Maar ik dacht wel dat ik bezeten was door de Wachter,' en ze vertelde over de zwarte schim die ze het ongeluk had zien veroorzaken en hoe bang ze toen was geweest. Ze ging verder en vertelde uitgebreid wat er bij Ilana was gebeurd en dat Ilana haar had gezegd dat de paarse ogen bij haar hoorden, dat ze een gave had waardoor ze doden kon zien – en demonen. Dat de zwarte schim een demon was geweest en Ilana haar boos had weggestuurd. Daarna haar zoektocht en de vondst van het koffertje.

'Ik wist wel dat er iets anders aan de hand was,' zei Cleo triomfantelijk. 'Niemand gaat met vijfendertig graden zomaar voor de lol op zoek naar "zomaar iets" en ontdekt dan zoiets.'

'Ik heb ontdekt dat Lucella en Ben mijn opa en oma zijn,' zei Eveline. 'Zij woonden hier en waren allebei ook Wachters. En mijn vader ook.'

'En je moeder?'

Eveline schudde haar hoofd. 'Ik geloof het niet.' In de herinnering met de politie had haar moeder groenbruine ogen.

'Vertel verder,' spoorde Daniel aan. 'Hoe zat het nou met dat ding dat je aanviel?'

'Dat was ook een soort demon,' zei Eveline gruwend en ze beschreef in detail de afschuwelijke witte lijven van de twee monsters en hun hoofd zonder ogen of mond.

'Ik geloof niet dat ik met je wil ruilen,' zei Cleo gemeend.

'Ga nou door,' zei Daniel. Hij keek erbij alsof hij de inhoud van een spannend boek voorgeschoteld kreeg.

Een beetje besmuikt vertelde ze over Azer die haar gered had met paardrijden, dat ze daarna naar de kerk was gegaan en de priester had ontmoet en mensen in de catacomben opgesloten had zien zitten. Dat ze daarna naar Ilana was gegaan, dat haar huis helemaal overhoop gehaald bleek en dat ze toen de kat had geholpen. 'Dat was vlak voordat jij bij mij langs kwam,' zei ze tegen Cleo. 'Ik wilde het toen wel vertellen, maar ik wist gewoon niet meer hoe.' Ze vervolgde haar verhaal over Nadine en haar dode man die was opgegeten door de zwarte demon en dat ze daarna was weggerend met Marie in het wiegje om haar te beschermen. Hoe ze haar had proberen te helpen en dat ze toen bij haar opa tussen de werelden was terechtgekomen.

'Wacht even, Eveline Sevenster,' zei Cleo. '"Tussen de werelden?" Je was dood, toch?'

Eveline knikte en er gleed een schaduw over Cleo's gezicht. 'Ik wist het wel,' zei ze met opeengeklemde kaken.

'Het kwam doordat ze vermoord was. Volgens mijn opa kost het jonge Wachters te veel energie om hen te helpen.'

'En dan ga je gewoon dood?' zei Cleo bozig. 'Lekkere gave. Hadden ze niet iets beter kunnen bedenken? Je moet doden helpen maar door ze te helpen ga je zelf dood?'

Eveline schudde haar hoofd. 'Zo zit het niet. Ik dácht dat ik hen moest helpen, maar volgens mijn opa is dat niet de taak van de Wachters. Hun taak is om de geheimen van de wereld te bewaken.'

'De geheimen van de wereld?' vroeg Daniel en zijn ogen glinsterden. 'Heeft hij verteld wat voor dingen dat waren?'

Eveline schudde haar hoofd.

Cleo snoof. 'Waarom zou je geesten moeten kunnen zien om geheimen te kunnen bewaken?'

'Dat is toch logisch,' bracht Daniel er meteen tussenin. 'Geesten zijn de levenden van het verleden, dus die weten dingen over vroeger, geheimen over vroeger. Stel je voor dat je met Mozart kan praten, dan kun je hem vragen waar hij nou precies aan dood is gegaan.'

'Behalve als hij vermoord is, want dan kan hij niet praten, en volgens mij weten vermoorde geesten ook niet wie ze heeft vermoord.' Eveline dacht aan Azer die zijn schouders had opgehaald toen ze hem die vraag had gesteld.

'Maar anders kun je hun dus wel dingen vragen en dan weet je dingen die andere mensen die niet met geesten kunnen communiceren nooit te weten kunnen komen. Dus is het een logische gave,' zei Daniel triomfantelijk.

'En de demonen dan?' kaatste Cleo terug. 'Waarom moet ze die dan zien?'

'Dat weet ik allemaal niet,' zuchtte Eveline. 'Het is al ingewikkeld genoeg.'

'We waren gebleven bij "tussen de werelden",' zei Daniel snel en hij hing weer aan Evelines lippen, maar Cleo begon steeds norser te kijken en Eveline maakte zich daar ongerust over. 'Wat is er?' vroeg ze, maar Cleo wuifde het weg. 'Vertel nou maar door,' zei ze nukkig.

Eveline beschreef zo goed mogelijk de zwarte spiegel en de onmetelijke ruimte en dat Ben Sevenster een kraai had gehad net als haar vader. Hoe hij was geschrokken toen Eveline hem had verteld dat Lucella zelfmoord had gepleegd en hij had gezegd dat ze nooit zelfmoord zou plegen, maar dat ze dan door iemand was vermoord. Dat ze naar het graf van Septimus moest gaan. 'Alleen ik weet niet waar het is, ik heb hier gezocht en rondgevraagd, maar ik heb het nog niet gevonden.'

'Is dat wat je net hebt gedaan?' vroeg Cleo. 'In je eentje op zoek gegaan naar het graf van Septilerius...'

'Septimus,' verbeterde Daniel haar.

'Maakt niet uit. En heb je het aan dode of levende mensen gevraagd?'

'Dode,' zei Eveline besmuikt. 'Een dode accountant die in zijn eentje in een familiegraf ligt en aan Azer. Maar die wisten het allebei niet.'

'We zouden in het grafregister kunnen kijken,' opperde Daniel.

Daar had Eveline nog helemaal niet aan gedacht. Niet alles hoefde natuurlijk via geesten te gaan, er waren ook gewoon 'levende' oplossingen.

'Als dat graf het geheim is dat je opa en oma bewaakten, dan denk ik niet dat het gewoon in het grafregister staat,' zei Cleo duister.

Daniel trok een gezicht. 'Waarschijnlijk niet, nee,' zei hij, 'Maar we kunnen het toch proberen? Eerst deduceren voor we conclusies kunnen trekken.'

'Wat is dat nou weer?' snibde Cleo. Er zat haar iets dwars, dan werd ze wel vaker onaardig.

'Onderzoek doen door een aantal mogelijkheden te nemen en die een voor een weg te strepen als ze niet voldoen,' legde hij geduldig uit.

'Ik ben nog niet klaar met mijn verhaal,' zei Eveline snel, want ze kon bijna aan Cleo's kuif zien dat ze op oorlogspad was. 'Ik... ik ben net bij het huis geweest van mijn ouders.'

Ze vertelde het laatste – en moeilijkste – stuk van het vreemde relaas. Over het graf van Azer, dat hij vermoord was, maar ze wist niet door wie, maar dat het iets te maken had met de boodschap die Ilana voor haar had achtergelaten vanwege de snijwond in zijn hals. Dat hij haar daarna haar eigen graf had laten zien en toen had meegenomen naar het uitgebrande huis, haar hand had gepakt en dat ze het moment had gezien dat ze uit het brandende huis was gesprongen en op haar hond was terechtgekomen, dat ze vlak bij het vuur lag en dreigde te verbranden, maar dat toen de jongere Azer was verschenen en haar bij het vuur vandaan had getrokken.

Cleo vroeg aan haar hoe het kon dat Azer daar was geweest. Eveline zweeg over de uitleg die hij haar had gegeven, maar vertelde hortend en stotend en aan het einde huilend over de herinnering van de politie. Aan het einde was ze zo aan het huilen dat ze het bijna niet meer kon vertellen. 'Zie, ik had toen mijn gave nog,' snikte ze. 'Die was toen nog niet afgeschermd en ik zag iets toen ik zijn foto vasthield, maar ik heb het niet verteld.' Tranen stroomden warm langs haar wangen en drupten op haar favoriete trui. 'Als ik het had verteld, dan leefde hij misschien nog,' besloot ze haar hele verhaal.

'Eef, dat weet je toch helemaal niet,' suste Cleo. 'Dit is een herinnering. Misschien heb je het daarna wel aan je ouders verteld. Dat weet je toch niet? En als je het niet verteld hebt, dan snappen we dat toch? Iedereen snapt dat, je was nog maar net tien!'

'En je werd gepest,' zei Daniel zo begripvol dat Eveline het gevoel had dat hij wist hoe dat voelde.

Eveline veegde haar wangen droog met haar mouw. 'Maar toch,' snikte ze.

'Weet je iets over je ouders?'

Eveline schudde haar hoofd en meteen begonnen de tranen weer te stromen. 'Ik... ik denk niet dat ze nog leven. Als ze nog in het huis waren... Het brandde als een razende en ik was ook doodgegaan als Finn niet onder me was gaan staan en Azer me niet bij het vuur had weggetrokken.'

'En het is dus anders gegaan dan je dacht?' vroeg Daniel.

Ze knikte. 'De mensen in het ziekenhuis en Chantal hebben me altijd verteld dat het koolmonoxide was omdat er een kachel in huis niet goed was. Daarom zouden mijn ouders zijn gestikt en ik in coma geraakt. Maar dat was het niet, het was een brand.'

Daniel dacht na. 'Het is wel de perfecte bescherming,' zei hij, 'dat je zogenaamd dood bent. En tegen jou vertellen ze een ander verhaal. Zo weet niemand, zelfs jij niet en dus ook niet de mensen die het op jou gemund hebben, wie je écht bent.'

'Het is hier geen jeugdsoos,' klonk een stem. Ietsjes verderop stond Garon wantrouwig naar hen te kijken. 'En ik ga sluiten.' Hij maakte een gebaar dat ze op moesten hoepelen. Hij staarde vooral naar Eveline die snel over haar wangen veegde.

'Mogen wij morgen misschien in het grafregister kijken?' vroeg Daniel dapper.

'Wat moeten jullie met het grafregister? Liggen er bekenden?'

'Nee, nee,' zei hij snel. 'Ik zoek een graf, uit interesse.'

'Welk graf? Ik weet de meeste graven wel uit mijn hoofd,' zei de man. Hij stond onbeweeglijk als een standbeeld en keek hen ongeveer de begraafplaats af. Weer vielen de krassen in zijn gezicht op. Het leek wel of hij had gevochten.

'We komen morgen wel terug,' zei Cleo snel.

'Het grafregister is tijdelijk gesloten,' zei Garon kortaf. 'Wegens privé-omstandigheden.' Hij kwam met grote stappen en gespreide armen op hen af, waardoor ze als schapen richting het hek werden gedreven.

'Hoe lang is tijdelijk?' probeerde Daniel nog.

'Voor jullie een hele tijd. Ik houd niet van graftoeristen en kinderen die vragen worden overgeslagen,' zei hij nors en sloot het hek.

'Wat een chagrijn,' fluisterde Cleo zachtjes toen ze de dijk opliepen.

'En een griezel,' zei Eveline. Ze vertelde dat ze erachter was gekomen dat Daniel waarschijnlijk door hem was opgesloten met zijn hark.

'Misschien heeft hij je oma ook wel vermoord,' zei Daniel opeens. 'Hij woont hier, vlak bij haar, hij kan haar makkelijk hebben vermoord en het uiteindelijk op een zelfmoord hebben doen lijken.'

Eveline dacht na. Ze had zelf ook al gedacht dat ze de opzichter verdacht vond, maar dat kwam vooral omdat ze het zo'n engerd vond. 'Maar waarom dan?'

'Vanwege dat geheim, natuurlijk,' zei Daniel zachtjes. 'De geheimen van de wereld, misschien hebben we het dan wel over de graal, of de stenen tafelen, of waar El Dorado is, of Atlantis ligt, dat soort dingen. Het zijn vast geheimen die andere mensen heel graag willen weten, of willen hebben. Daarom is het natuurlijk zo gevaarlijk zoals die waarzegster heeft gezegd.' Hij straalde er zo bij dat Eveline het idee had dat hij helemaal niet dacht aan gevaar, maar het vooral heel erg spannend vond. 'Garon is erachter gekomen dat je oma een geheim bewaakt, en toen heeft hij haar vermoord. Zij heeft teruggevochten en daarom heeft hij die krassen in zijn gezicht.'

Eveline dacht na. De krassen waren Daniel dus ook opgevallen.

'Maar we moeten natuurlijk eerst meer onderzoek doen voordat we conclusies kunnen trekken,' sloot Daniel zijn relaas nogal wetenschappelijk-plechtig af.

'Gaat het wel weer met je?' vroeg Cleo zo lief mogelijk aan Eveline, maar die had nog steeds het idee dat haar vriendinnetje iets dwarszat.

'Ja, het gaat wel weer. Hoe gaat het met jullie?' grapte ze dapper. 'Na dit verhaal?'

Daniels ogen straalden als een klein kind met Kerstmis. 'Het is ongelooflijk,' zei hij. 'En ga je echt een keer mee naar mijn huis? Om te kijken of Tom bij mijn ouders is?'

Eveline beloofde Daniel dat ze echt een keer mee zou gaan. Cleo zei intussen helemaal niets. Eveline liet het maar zo, dat was op dit moment niet het aller-allerbelangrijkste. Daniel zei dat ze alles op moesten schrijven en dan kijken hoe ze de puzzel in elkaar moesten passen.

In de woonboerderij hingen de anderen lui op de banken voor de open haard. Een paar klasgenoten van Cleo en Eveline hadden meegegeten en waren er nog steeds en ook Roos hing er nog gezellig bij. Ondanks haar kamerarrest was Arabella er ook, ze leunde weer nadrukkelijk op de benen van Dimmi, terwijl ze in een druk gesprek was verwikkeld met Marieke en Zara, wat er zo te zien op neerkwam dat Arabella praatte en de andere twee braaf luisterden.

'Hebben jullie leuke kerkhofspelletjes gedaan?' bitste ze toen het drietal binnenkwam. 'Je bent zeker wel blij met je nieuwe heksenvriendinnetjes, hè?' zei ze tegen Daniel.

Ze negeerden Arabella, kletsten een seconde met hun klasgenoten en liepen daarna door naar Daniels kamer. Eveline liep verder naar de meidenkamer om het boek te halen met de aanwijzingen erin, maar kwam er al snel achter dat het verdwenen was. En niet alleen de boodschap van Ilana zat erin, maar ook de foto van haar ouders.

Ze rende terug naar Daniels kamer.

'Dat heeft Arabella gejat, wedden,' zei Daniel meteen. Met zijn drieën liepen ze terug naar de woonkamer, waar Roos net kaarsjes aanstak. 'Komen jullie er toch bij?' zei ze blij.

Eveline antwoordde niet, maar stevende meteen op Arabella af. 'Heb jij iets uit mijn tas gehaald?' vroeg ze kalm, maar vanbinnen kookte ze. Als Arabella iets met de enige foto had gedaan die ze van haar ouders had, dan zou ze al die mooie haren uit haar hoofd trekken. Ze was bozer dan ze ooit in haar leven was geweest.

'Misschien,' zei Arabella.

Cleo was net zo kwaad als Eveline en veel slechter in zichzelf inhouden. Ze deed een uitval naar Arabella en wilde haar bij haar T-shirt pakken, maar Eveline hield haar tegen. 'Niet doen,' zei ze. Ze moest dit slim aanpakken. Arabella had het niet voor niks gepakt. 'Waarom heb je mijn boek gepakt?' vroeg ze.

'Ik had niks meer te lezen.'

'Mag ik het dan nu terug?' Eveline stak haar hand uit.

'Ja, maar alleen als jullie je een keer een beetje aanpassen,' sprak Arabella alsof ze een soort minivolwassene was. 'Mijn vader vindt het ook niet leuk dat jullie zo asociaal doen.'

'Jouw vader vindt het niet eens goed dat jij hier bent, je had toch kamerarrest?' bitste Cleo die stoom uit haar oren had komen van woede. 'Je moet dat boek teruggeven, dat is niet van jou.'

'Ik geef het terug, maar dan moeten jullie meedoen met het spelletje dat we gaan spelen.'

'Ja, doen jullie mee?' bedelde Marieke nu. 'Dat is toch leuk?' Andere kids vielen bij dat Cleo, Daan en Eveline mee moesten doen.

Eveline zuchtte. Ze snapte echt niks van die rare Arabella. Je zou toch denken dat ze hen er liever niet bij zou willen hebben, aangezien ze een gigantische hekel aan hen leek te hebben, maar in plaats daarvan wilde ze dat ze erbij gingen zitten. Arabella tilde het kussen van de bank een beetje op zodat te zien was dat het boek ertussen lag.

'Oké, ik doe mee,' zei Eveline en ze zakte op de bank. Ze bedacht dat dit de beste optie was om het boek zo snel mogelijk terug te krijgen en met een beetje mazzel had Arabella er niet ingekeken en de opdracht gemist en de namen op de achterkant van de foto ook. Daar maakte Eveline zich nog de meeste zorgen over, want Roos wist dat de buren Sevenster heetten, dus als Arabella haar plotseling vroeg waarom er Eveline Sevenster op de foto stond, dan was haar geheime identiteit wel onthuld. Ze kon zichzelf wel slaan dat ze zo dom was geweest om het boek gewoon in haar tas te laten zitten – ze had er op kunnen zitten wachten dat Arabella door haar spullen zou gaan.

Daniel ging zichtbaar ongemakkelijk op de verste punt van de bank zitten.

'We eten je niet op,' zei Dimmi. 'We zijn geen zombies.'

Mark was er ook bij en graaide een hand chips uit een glazen schaal en propte die in zijn mond.

'Heb je nog niet genoeg gegeten?' vroeg Jelle die naast Marieke zat. Mark liet hem als antwoord de halfgekauwde chips in zijn mond zien. Dimmi stond op. 'Iemand wat drinken?' vroeg hij en hij haalde wat blikjes fris uit de koelkast. Daarna wrong hij zich tussen Cleo en Eveline in en sloeg losjes een arm om allebei hun schouders heen. 'Zijn jullie klaar voor een spelletje, dames?' zei hij macho. Cleo duwde zijn arm weg. 'Ik moet even naar de wc,' zei ze en ze stond snel op.

'Laat me raden,' zei Eveline die een stukje van Dimmi probeerde weg te schuiven, omdat ze zich zo opgelaten voelde. 'We spelen zeker *truth or dare.*'

Arabella klapte overdreven enthousiast in haar handen, terwijl ze intussen scherp als een havik elke beweging van Dimmi in de gaten hield. Het leek erop dat ze nu al spijt had van haar beslissing om hen te dwingen mee te doen met het spelletje. 'Goed geraden,' kirde ze.

'Ja, maar dit is *truth or dare with a twist*,' zei Stan die een bord omhoog hield met een pijl, kleurtjes en twee voeten en twee handen erop.

'Wat is dat?'

'Een oud Twisterbord dat we in de kast hebben gevonden,' zei Stan.

'Wachten we op Cleo?' vroeg Jelle.

'Neuh, draai maar,' zei Stan.

Jelle boog zich voorover en draaide aan de pijl in het midden die naar Diede wees toen hij tot stilstand kwam.

'We spelen *truth or dare*,' zei ze tegen Cleo die weer was binnengekomen.

'Prima,' zei Cleo. Ze ging niet meer naast Dimmi zitten, maar helemaal aan de zijkant tussen Daniel en Roos in. 'Wie is er aan de beurt?'

'Diede!' brulde Mark die zijn mond al weer vol had zodat een regen van halfgekauwde chips over Marieke heen sproeide.

'Gatver, Mark, doe niet zo kinderachtig,' zei Marieke die een stukje dichter naar Jelle schoof.

'Oké. Wie beslist welke opdracht iemand krijgt?' zei Cleo.

'Daar draaien we ook om. Eerst zeggen wat je wilt, Diede.'

'Ik wil *dare*.'

Natuurlijk. Niemand zei *truth*. Dat was ook hier de stilzwijgende afspraak.

Stan gaf de pijl weer een zwengel en die kwam tot stilstand op Cleo. 'Jij mag de opdracht verzinnen,' zei Stan, een beetje ten overvloede.

'Diede moet zoenen met Mark,' zei Cleo.

'Wat?'

'Ja. Je hebt toch *dare* gezegd? Dat is mijn opdracht.'

Diede keek beteuterd, en Bianca ook. 'Met die chipsbaal?' vroeg hij met een vies gezicht.

'Yep. Of durf je niet?' zei Cleo.

'Jawel hoor,' zei hij. Hij pakte Mark bij zijn beide wangen vast en plantte toen een klapzoen op Marks mond.

'Dat telt niet!' riep Cleo. 'Je hield je hand ertussen.'

'Betrapt! Nog een keer!' riep Dimmi. Zijn hand gleed van de leuning op Evelines schouder waar hij warm en zwaar bleef liggen.

'Oké, oké, ik doe het nog wel een keer,' zei Diede en hij gaf Mark een snelle kus op zijn mond. Daarna veegde hij zijn mond af met zijn mouw.

'Wat zoen je lekker, Diede,' zei Mark die er helemaal geen moeite mee leek te hebben. 'Nog een keer?' Hij tuitte zijn lippen, maar Diede duwde hem weg.

'We gaan verder,' zei Stan die blijkbaar de quizmaster van de avond was. 'De toon is gezet. Wie is de volgende?'

De volgende was Marieke die van Diede met Bianca moest zoenen. Daarna was het Jelle die van Bianca met Stan moest zoenen. Zo ging het nog een tijdje door, waarbij ergens de regel werd ingesteld dat het 'minstens tien seconden lippen op elkaar' moest zijn.

Stan had de smaak te pakken en gaf de pijl weer een slinger. Hij kwam terecht op Roos. '*Dare*,' zei die meteen. Ze strekte haar lange bruine benen uit. De pijl kwam daarna op Dimmi terecht. Hij mocht Roos de opdracht geven.

'Je moet met Cleo zoenen,' zei hij meteen. 'Minstens tien seconden. Met tong.'

'Dimmi!' riep Marieke. 'Dat doen wij nooit hoor.'

'Wij dus wel,' zei Stan. 'Dat is de twist eraan. Een tongtwist.'

Roos moest lachen. 'Jullie zijn ook gek,' zei ze. 'Als je de kans krijgt...' Ze draaide zich naar Cleo. 'Ik vind het best,' zei ze.

'Ik ook hoor,' zei Cleo stoer. Ze keek Roos niet aan.

De anderen keken reikhalzend naar Roos die zich vooroverboog naar Cleo en haar zoende. Ze hield haar hand op Cleo's wang, zodat de anderen niet helemaal konden zien wat ze deed, maar niemand zei er wat van.

'Jihaa!' riep Stan na een tijdje. 'Jullie tijd is voorbij hoor.'

Roos haalde haar hand weg. 'De beste kus die ik ooit heb gehad,' zei ze lachend en ze gaf Cleo een zacht tikje op haar wang. De rest joelde en Eveline trok haar wenkbrauwen op naar Cleo, maar die had haar stoere niemand-kan-me-wat-maken-gezicht op dus ze wist helemaal niet wat die ervan vond.

'Oké, we gaan door,' zei Stan en hij zette de pijl in beweging. De pijl wees naar Daniel. '*Truth*,' zei hij meteen.

'Spelbreker,' zei Dimmi zachtjes. Zijn hand lag nog steeds op Evelines schouder waardoor ze zich met de minuut ongemakkelijker voelde, maar ze durfde zich niet zo goed te bewegen. Zo af en toe zag ze dat Arabella haar met argusogen in de gaten hield.

Stan draaide weer en de pijl wees op Dimmi. 'Moet ik nu een vraag verzinnen?' zei hij verveeld. 'Wat saai. Wil je niet zoenen?'

Daniels gezicht leek wel van steen.

'Oké, dan niet. Hier komt mijn vraag. Daan freakemans, heb je wel eens gezoend met een meisje?'

Daniel schudde zijn hoofd.

'Wel met een jongen dan?' Dimmi lachte heel hard om zijn eigen vraag. Eveline schoof een beetje naar voren, waardoor zijn hand van haar schouder afgleed.

'Ook niet,' zei Daniel vlak.

'Daniel heeft nog nooit gezoend! Daniel heeft nog nooit gezoend!' riep Dimmi pesterig.

'Zo raar is dat niet,' nam Eveline het voor Daniel op.

'Hoezo, heb jij ook nog nooit gezoend?'

'Ben ik aan de beurt en heb ik *truth* gezegd?' merkte Eveline fijntjes op.

'Oehoeh,' riep de hele groep in koor. 'Scherp, Eef,' zei Cleo trots en Daniel zag er ook iets minder ongelukkig uit.

'Draaien!' brulde Mark. 'Dit is saai, man!'

Stan draaide en de pijl kwam op Eveline uit. 'Nee, ik zeg geen *truth* en voor wie het wil weten: ik heb ook nog nooit gezoend,' zei ze. 'En ik ga nu ook niet zoenen, maar ik zeg wel *dare*.'

'Eef, wat heb jij?' zei Cleo half bewonderend, half bezorgd. Eveline wist niet wat ze had, het kon haar op een of andere manier gewoon niks meer schelen wat iedereen van haar vond. Ze wás niet normaal en dat zou ze nooit worden en de keer dat ze normaal probeerde te doen ging Azer dood en dat wilde ze nooit meer op haar geweten hebben.

'Je moet je aan de regels houden!' gilde Marieke. 'Jij houdt je nooit aan de regels Eveline!'

Stan draaide en de pijl kwam op hem terecht. 'Ze kan zich prima aan de regels houden, al vind ik het wel heel verleidelijk om haar met Daniel te laten zoenen, maar er is iets waar ik veel nieuwsgieriger naar ben...' Hij goot zijn colaglas in één keer in zijn keel leeg en zette het met een klap omgekeerd op de koffietafel. 'Laat maar eens zien wat je kan en roep een geest op,' zei hij.

Het was meteen stil in de kamer.

'Weet je zeker dat je me dat wel durft te vragen,' zei Eveline en er glom iets gevaarlijks in haar ogen. 'Je kent de verhalen toch?'

'Ik ben niet zo snel bang,' zei Stan stoer. Hij sloeg zijn armen over elkaar en maakte een hoofdgebaar naar het glas. 'Nou, kom op dan.'

'Is goed,' zei Eveline. Dan zou ze ze krijgen ook. Ze stroopte haar mouwen op en ging op haar knieën voor de koffietafel zitten.

'Ga je het echt weer doen?' vroeg Marieke.

Eveline knikte. Ze had een plan en ze hoopte dat het lukte. 'Maar ik wil wel dat het licht uitgaat,' zei ze.

Stan knipte het licht uit. Nu waren alleen de kaarsen aan en kwam er een geheimzinnige gloed van het smeulende houtblok in de open haard. Marieke kneep Jelles arm alweer fijn en Daniel schoof iets dichter richting Cleo die beschermend een arm om hem heen sloeg.

'Moet je geen letters hebben?' vroeg Mark. 'Net als de vorige keer?'

Eveline schudde haar hoofd. 'Deze geest kan niet schrijven,' grapte ze, maar niemand lachte.

Waarschijnlijk denken ze dat ik knettergek ben. Nou, dan denken ze dat maar. Misschien is dat ook wel zo.

Ze legde haar vinger op het glas en deed haar ogen dicht. In haar hoofd probeerde ze contact te maken met Azer. Het was gekkenwerk, dat wist ze ook wel, maar als Azer haar een herinnering kon laten zien uit het verleden, waarom zou ze hem dan niet telepathisch kunnen oproepen?

Azer, kom je hierheen? Met Finn?

In haar hoofd vertelde ze hem van alles: dat Arabella haar boek had gejat en dat Dimmi zijn arm op haar schouder had gelegd, maar dat ze dat helemaal niet leuk had gevonden. Dat Daniel had verteld dat hij nog nooit had gezoend en zij dat ook zomaar had toegegeven... En dat ze nooit ofte nimmer met Dimmi wilde zoenen omdat ze...

'Dit is saai,' zei Stan, maar hij had het nog niet gezegd, of de grote deuren van de woonkeuken werden opengetrokken. Marieke, Arabella en Zara gilden om het hardst terwijl Azer als een soort furie naar binnen rende met Finn achter zich aan. Finn herkende Eveline meteen en sprong boven op haar, terwijl Azer het boek onder Arabella vandaan trok en naast Eveline legde.

'Wie deed dat!' riep Arabella. 'Iemand raakte me aan!'

Cleo was omhooggesprongen toen iets wat ze niet kon zien Eveline omverduwde en wilde al in de lucht schoppen, maar Eveline greep snel haar hand om haar gerust te stellen. Haar hand was heel erg warm en Cleo keek heel erg verbaasd, terwijl haar ogen plotseling Azer volgden, die nu Dimmi een duwtje gaf, waardoor Dimmi een hele hoge, meisjesachtige gil uitstootte.

Eveline schoot in de lach en trok haar hand uit die van Cleo omdat ze Finn van zich af moest duwen, terwijl Azer haar een snelle kus op haar wang gaf. Toen floot hij Finn die achter hem aan sprong en gingen de deuren weer dicht, waarna alle kaarsen uit gingen.

'Doe het licht aan!' riep Arabella hysterisch in het donker, ze had een kussen van de bank getrokken en hield dat boven haar hoofd.

Niemand maakte aanstalten om het licht aan te doen, dus uiteindelijk stond Cleo maar op en deed het licht aan. Eveline stond midden in de kamer met het boek in haar handen. Ze checkte snel of alles er nog in zat – de zwarte bladzijde, de foto... ze waren er allebei nog. 'We zijn alle drie aan de beurt geweest en ik heb mijn boek terug. Dan mogen we nu wel gaan, toch?' zei ze plagerig.

'Hoe kom je aan dat boek?' riep Arabella. 'Jij duwde me!'

'Ik duwde je niet, ik zat hier helemaal,' wees Eveline. 'Dat heeft de geest gedaan.'

Cleo kon haar lachen niet meer inhouden. 'Die kop van jou,' wees ze naar Dimmi. 'Ik heb nog nooit een jongen zo hoog horen gillen,' zei ze daarna serieus. Ze trok Daniel van de bank. Dimmi was zo perplex dat hij niets terug kon zeggen, maar alleen maar naar Eveline kon staren.

'Spelbrekers!' riep Stan.

'Waar gaan jullie heen?' vroeg Jelle teleurgesteld.

'We moeten nog even iets doen,' legde Cleo uit. 'Doewie! Tot snel!'

'Zien we jullie morgen bij de zwemvijver?' riep Marieke een beetje beduusd.

'Waarschijnlijk,' zei Eveline.

'Tuurlijk,' riep Cleo opgeruimd, 'Veel plezier nog met jullie spelletje.'

Eenmaal in Daniels kamer met de deur dicht, kon Cleo haar lachen echt niet meer inhouden. 'Eef, wat een klasse actie,' huilde ze van het lachen en daarna deed ze Dimmi's gil na. 'Hij is wel een beetje gezakt op mijn cool-meter.'

Eveline ging met een grote grijns op haar gezicht op Daniels bed zitten.

'Wat heb je gedaan?' vroeg Daniel nieuwsgierig.

'Ik heb Azer en Finn opgeroepen,' zei Eveline. 'Niet echt opgeroepen, meer bij me geroepen in mijn hoofd. Ik wist niet of het zou werken, maar blijkbaar werkte het wel, want ze kwamen als twee idioten binnengestormd. Azer pakte het boek van Arabella af en gaf Dimmi vervolgens een duw,' zei ze. Ze keek nieuwsgierig naar Cleo, want ze vroeg zich af of het waar was wat ze dacht, maar Cleo was er nog niet over begonnen.

'Goh,' zei Cleo onschuldig. 'En waarom gaf die Azer Dimmi eigenlijk een duw?'

'Wee'k niet. Omdat hij hem stom vond?'

'Interessant dat hij juist Dimmi stom vond,' zei Cleo die haar tenen bestudeerde. 'En ook wel interessant dat deze Azer toevallig heel erg verschrikkelijk ongelooflijk knap is.'

'Je hebt hem gezien! Je hebt hem gezien!' riep Eveline enthousiast. 'Ik wist het wel, ik zag je kijken!'

Daniel keek verbaasd naar de twee meisjes die allebei weer waren gaan staan van opwinding. 'Wat? Heeft Cleo een geest gezien?'

'Ik heb hem gezien! Donker steil haar, zo groot, spijkerbroek, T-shirt... dat klopt toch? En Finn is een herdershond.'

'Hoe kan dat nou?' zei Daniel verbaasd. 'Ben jij ook een Wachter?'

'Ik pakte Evelines hand en toen zag ik hem, heel eventjes maar, het was net een soort televisie die aan en uit flikkerde.'

Daniel keek heel teleurgesteld, alsof hij een leuk feestje had gemist. 'Ongelooflijk,' zei hij. 'Hoe kan dat nou? Misschien betekent dat wel dat je gave sterker wordt,' redeneerde hij serieus.

'Geen flauw idee, maar ik weet wel waarom Eveline niet meer met Dimmi wil zoenen, waar of waar?'

Eveline gooide Daniels kussen naar Cleo's hoofd. 'Hou eens op!' riep ze. 'Jij hebt met een meisje gezoend!'

'Het was een *dare*!' zei Cleo meteen en ze gooide het kussen hard terug.

Eveline voelde zich op een of andere manier ontzettend blij. Omdat Azer naar haar toe was gekomen, en ook omdat Cleo hem ook had gezien.

'Wat ik me wel afvraag,' zei Daniel serieus, 'is hoe het kan dat Azer andere mensen kan aanraken. Dat kunnen niet alle geesten, toch?'

'Ik weet het niet,' hikte Eveline. 'Volgens mij niet, maar hij is een heel sterke geest,' zei ze trots.

Daniel was aan zijn bureau gaan zitten, had zijn laptop opgestart en wilde net de zwarte bladzijde uit het boek halen, toen Cleo hem aan zijn arm omhoogsleurde. 'Niet alleen maar serieus doen, hoor!' riep ze. Ze tikte iets in op zijn computer en een tel later klonk er een vrij blikkerig muziekje uit de kleine speakers, maar het was voldoende voor Cleo om op het bed te springen. 'Dansen!' riep ze. Ze sprong weer van het bed, pakte Daniels handen.

'Ik dans niet,' zei hij.

'Wij ook niet, we springen alleen maar,' zei ze en ze sprong met hem op en neer. Na een tijdje begon hij er plezier in te krijgen en hupte zelfs zonder Cleo de kamer door, terwijl Eveline intussen op zijn matras rondsprong. Maar het bed begon zo erg te kraken dat ze er maar snel vanaf kwam en samen met Cleo en Daniel door de kamer heen danste.

Na hun overwinningsdisco keken ze naar de boodschap van Ilana: een kruis. Een hakenkruis. De horizontale streep met de twee streepjes erdoor. De letters B, A en S. Dat hadden ze. En een aantal andere feiten: het graf van Septimus. Het verdwenen jongetje Azer Prins. Een demon die Asilide heette. De taak van de Wachters: de geheimen van de wereld bewaken. En een verdachte: de begraafplaatsopzichter Garon.

De term Asilide leverde op internet niets bruikbaars op en in het demonenboek van Daniel stond niks. Terwijl Eveline door het boek bladerde of ze een plaatje tegenkwam van iets wat leek op de witte demon, zochten Daniel en Cleo op de term 'Wachter' en 'Wachters', maar ze kwamen in de verste verte niets tegen wat ook maar in de richting van mensen met een gave wees, en 'paarse ogen' leverde alleen maar een paar vage websites op over 'kinderen van een nieuwe tijd' die extra gevoelig zouden zijn voor energieën, maar niets concreets. Dat was teleurstellend, want ze wilden alle drie graag weten waar die 'Wachters' nou vandaan kwamen. Daniel opperde dat het vast een eeuwenoude gave was die genetisch werd overgegeven van ouders op hun kinderen, maar zonder iemand of iets om dit te bevestigen bleef het alleen maar gissen.

Eveline kwam niets nuttigs tegen in het demonenboek en ging bij Cleo en Daniel zitten. Ze keek naar de boodschap van Ilana: de tekens en 'B.A.S.'.

Plotseling wist ze wat Ilana ermee bedoeld had.

Sebastiaan van Helden.

Ze had hem 'Bas' genoemd. *'Ben je nou hier om die Bas op te sporen, of wil je antwoord op de vraag waarom je sinds twee dagen half-paarse ogen hebt en dingen ziet die anderen niet zien? Want ik help je maar met eentje.'*

'Het is een aanwijzing om Sebastiaan van Helden terug te vinden,' zei ze gehaast en ze tikte op de boodschap. 'Ik heb het er met haar over gehad.' Ze vertelde dat de krant bij Ilana had gelegen en dat Ilana aan haar had gevraagd of ze contact met hem had gemaakt. 'Ik vroeg of zij dat kon, maar daar gaf ze geen antwoord op, ze vroeg alleen of ik hem op wilde sporen – en toen noemde ze hem Bas.' Ze stond op en begon heen en weer te lopen. 'Stel je voor dat ze op een of andere manier contact met hem heeft gehad, via de foto in de krant misschien. En ze heeft aanwijzingen gekregen...' Eveline stokte even. 'Net als ik toen had... met Azer.'

'Denk je dat het met elkaar te maken heeft en dat de moordenaar van Azer nu Sebastiaan gaat vermoorden?' vroeg Daniel.

Eveline knikte, ze wist het zeker. Het had allemaal met elkaar te maken. Ze wist nog niet precies hoe, maar het was wel zo. Haar oma was vermoord op het moment waarop Sebastiaan van Helden was verdwenen. Daarom had haar oma haar wakker gemaakt.

'We moeten Sebastiaan opsporen,' zei ze. 'Voordat hij net als Azer wordt vermoord.'

Daniel woog zijn woorden zorgvuldig toen hij sprak. 'Ik denk dat je gelijk hebt,' zei hij. 'Maar we moeten heel voorzichtig zijn, want ik denk dat dit ook heel gevaarlijk is voor jou.'

'Waarom denk je dat?' vroeg Cleo.

'Vier jaar geleden is Azer gedood en tegelijkertijd zijn de ouders van Eveline omgekomen. Haar vader was een Wachter. En nu is er een jongentje verdwenen en is haar oma – ook een Wachter – vermoord. Ik denk dat het met elkaar te maken heeft.'

'Bedoel je dat de brand in mijn huis is aangestoken?' vroeg Eveline. De gedachte dat haar ouders waren vermoord, gaf haar een rode bal van woede in haar buik.

Daniel knikte. 'Wat je al zei: de taak van de Wachters is de geheimen van de wereld bewaken – en iemand probeert het geheim van de Sevensterren te pakken te krijgen – en wil daar blijkbaar alles voor doen.'

'Maar waarom die moord op Azer? Hoe krijgt iemand een geheim in handen door iemand te vermoorden?'

'Daar moeten we achter zien te komen. En daarom moeten we erachter komen waar het graf van die Septimus is.'

'Misschien is dat het geheim wel,' merkte Cleo op. 'En kunnen we het daarom niet vinden.'

Daniel was even stil en tikte toen op het boek met de demonen. 'Weet je nog dat ik dacht dat die twee schimmen hellehonden waren? En dat die dingen bewaken zoals schatten en zo? Het zou heel logisch zijn,' zei hij. 'Een kruisteken, dat is de begraafplaats. Het naziteken weten we nog niet, maar Azers graf is op de begraafplaats, dat zou dan het laatste teken zijn... Misschien is het graf wel achter de officiële begraafplaats en wordt het bewaakt door demonen.'

Eveline vertelde hun dat ze daar ook al aan had gedacht toen ze op zoek was gegaan naar het graf van Septimus, maar dat het weer niet logisch was dat demonen het graf zouden beschermen en Wachters aan zouden vallen.

'En dat verklaart ook niet het hakenkruis,' zei Cleo.

Daniel zocht naar een link tussen de begraafplaats en de nazi's, maar die was op internet niet te vinden. Toen hij daarmee klaar was tikte hij alleen 'Septimus' in, zonder het woord 'graf'.

'Het is een Romeinse naam,' zei hij.

'Zijn we op zoek naar een Romeins graf?' vroeg Eveline verbaasd. 'Daar weet ik er wel een paar van.' Ze keek weer naar de opdracht van Ilana en schoot toen overeind. 'Dat kruis, dat hoeft toch geen graf te betekenen?' zei ze. 'Dat kan toch ook staan voor een kerk?'

Ze had er al eerder aan gedacht, maar ze wist het nu zeker. Een kruis, een naziteken en ze waren op zoek naar een Romeins graf – ze moesten naar de catacomben onder de kerk.

13

Het zou de heetste dag van het jaar worden – er was een temperatuur van achtendertig graden voorspeld. Om negen uur in de ochtend, op weg naar de kerk, was het al om te stikken. De euforie van de avond ervoor had plaatsgemaakt voor enorme bezorgdheid bij Eveline. Dat kwam mede door de nachtmerrie die ze die nacht had gehad. Ze kon zich er weer niets van herinneren toen ze – gillend en badend in het zweet – wakker was geworden en van Arabella naar haar hoofd geslingerd kreeg dat ze op de gang moest slapen als ze zo doorging.

Het hele geestending had Arabella zo dwars gezeten, dat ze een cirkel van zout om haar bed had gestrooid 'om heksen op afstand te houden', en had gedreigd dat ze tegen haar vader zou zeggen dat ze weer op de begraafplaats waren geweest, maar toen Cleo fijntjes opmerkte dat haar vader het vast graag wilde weten dat Arabella zich niet aan haar kamerarrest had gehouden in zijn afwezigheid, had ze ingebonden en was ze gaan slapen.

En nu, op weg naar de kerk, werd Eveline ongeruster. Ze was bang dat ze Sebastiaan niet op tijd zouden kunnen vinden en daar voelde ze zich schuldig over. Als ze nou meteen had gereageerd op het visioen? Maar ze was nog banger voor de mensen die ze in de catacomben door het glas heen had gezien, opgesloten, geluidloos schreeuwend, al zo lang.

Ze had Cleo moeten beloven dat ze geen geesten zou helpen en dat ze zeker geen geesten zou helpen die niet praatten. Ze had het plechtig beloofd, maar Cleo had haar toch op een bepaalde manier aangekeken, met een mengeling van ongerustheid en ongeloof, alsof ze niet geloofde dat Eveline hen niet zou helpen.

Ze waren bijna bij het kerkplein, toen Eveline iets bedacht. 'Ik snap het niet,' zei ze. 'Als de dominee vermoord was, dan zou hij toch niet kunnen praten?'

'Daar had ik ook al aan zitten denken,' zei Daniel. Ze sloegen een smal straatje in dat richting de kerk leidde. Eveline kon de toren al boven de bomen zien. 'Heb je er zelf een idee over?' vroeg hij. 'Hoe dat kan?'

'Niks.' Eveline had echt geen flauw idee.

Ze parkeerden hun fietsen onder de bomen op het lege kerkplein waar de zon genadeloos brandde.

'Het is warm,' pufte Cleo die haar T-shirt gebruikte om haar bezwete voorhoofd droog te vegen.

Eveline voelde zich meteen weer schuldig. De rest zou naar de Paddenpoel gaan, maar zij had Cleo en Daniel meegesleept op deze missie.

Daniel was naar het beeld gelopen dat voor de kerk stond. *'Van het leven beroofd, maar zijn geest ongebroken,'* las hij voor. *'Ter nagedachtenis aan priester Evert van der Meulen.* "Van het leven beroofd", dat is toch vermoord? En toch praat hij?'

Cleo pakte Eveline bij haar arm. 'Al praat hij, je mag hem niet helpen, beloof je dat?'

Eveline knikte. 'Wat doen we als Sebastiaan in de catacomben is?'

'Dan bevrijden we hem natuurlijk,' zei Cleo alsof het niets voorstelde.

'En als de moordenaar er is?'

Cleo gaf een snelle karatetrap in de lucht. 'Dan maak ik kebab van hem – of haar.'

Ze spraken af dat Eveline een teken zou geven door haar vinger op te steken als ze een geest zou zien en liepen vervolgens met zijn drieën door de dikke houten kerkdeuren.

Weer was het lekker koel binnen en het felle zonlicht werd gefilterd door de glas-in-loodramen die lichtvlekken op de vloer wierpen in alle kleuren van de regenboog. Daniel haalde zijn vingers door een marmeren bekken dat naast een van de pilaren stond.

'Waarom doe je dat?' siste Cleo.

'Dat is wijwater. Misschien zijn we dan beter beschermd tegen demonen,' zei hij.

'Jij bent wel bijgelovig voor een wetenschapper,' zei Cleo, maar ze deed uiteindelijk hetzelfde. Eveline deed het ook, maar meer omdat de anderen het ook deden. Ze liepen zwijgend naar de voorkant van de kerk en zakten daar in de voorste kerkbank.

'Waar zijn de catacomben?' fluisterde Cleo.

Een wat oudere vrouw met een bril op en een bloemetjesjurk aan kwam uit een opening lopen aan hun linkerkant. Eveline stak haar wijsvinger op.

'Dat is geen geest, die zie ik ook,' zei Daniel.

'Ik ook,' zei Cleo.

'Oh,' zei Eveline alleen maar en ze begon toen een beetje te giechelen. De vrouw keek woest haar kant op en liep toen met haar rode handtas onder haar arm geklemd naar de deuren.

'Zullen we naar de catacomben gaan?'

Ze volgden de bordjes met ROMEINSE CATACOMBEN erop die hen voor het altaar langs leiden, en uiteindelijk kwamen ze bij een gat in de grond met een waarschuwingsbord ervoor. In het donkere gat zag je de eerste paar treden van een stenen trap. Eveline voelde onmiddellijk de druk op haar borst toenemen, maar ze daalde toch de trap af die eindigde in een korte donkere gang met aan het einde een lage opening die naar een andere ruimte leidde. Eveline slikte. De lucht hier leek zwaarder dan in de kerk en voelde vochtig tegen haar blote benen en armen. Het rook naar schimmel en naar nog iets anders: een metalige lucht die sterker werd toen ze door de gang liepen. In de muren waren nissen uitgehouwen waar beelden in stonden.

'Dat zijn Romeinse goden,' zei Daniel achter haar.

De gang mondde uit in een lage ronde ruimte – Eveline zou het plafond kunnen aanraken als ze haar hand omhoog zou steken – die ondersteund werd door ruw uit steen gehakte pilaren. Op de stenen muren brandden lampjes en op regelmatige afstand van elkaar zaten grote horizontale nissen waar witte marmeren kisten in stonden. Haar ademhaling ging iets rustiger nu ze in een ruimte was die iets groter was en waar licht door de twee glazen platen in het plafond scheen.

Dat was het glas waar ik op stond en die twee joodse mensen doorheen zag.

De gedachte was nog vers toen ze een groep mensen achter in de ruimte zag staan. Hun witte, bedroefde gezichten leken licht te geven in de lampjes aan de wanden. De meesten hadden donker haar en donkere jassen aan, alsof het steenkoud was. Sommigen hadden een koffer in hun hand. Eveline herkende de man met de baard en de broodmagere vrouw die tegen het glas hadden staan bonken en schreeuwen. Tussen de zwijgende mensen stonden kleine kinderen met net zulke magere gezichtjes en grote donkere ogen.

Ze stak haar hand omhoog naar Cleo en Daniel. 'Er staat daar een hele groep,' wees ze. 'Het zijn joodse onderduikers.'

'Zijn ze dan hier gestorven?' vroeg Daniel die met angstige ogen in de richting keek waar Eveline naar had gewezen, maar niets kon zien. 'Ik denk het.'

'Wat doen we nu?'

'Kijken of Sebastiaan hier is, en of het graf van Septimus hier is.'

Eveline twijfelde. Ze kon aan de groep vragen of ze Sebastiaan hadden gezien of wisten waar het graf van Septimus was, maar ze wist niet zo goed of ze dat wel durfde.

'Zoeken jullie onderdak?' hoorde ze een bekende stem achter haar. Ze draaide zich om en zag dat Evert van der Meulen naar haar toe kwam lopen.

'Ik... we zoeken een jongetje. Hij heet Sebastiaan van Helden en zit hier misschien opgesloten,' zei Eveline. 'Het is de priester,' zei ze zachtjes tegen de anderen.

Cleo en Daniel speurden in de nissen en klopten op de marmeren grafkisten die in de nissen stonden. 'Ik weet het niet, hoor, Eef,' zei Cleo. 'Als hij hier opgesloten zat, dan zou iemand hem toch wel horen roepen?'

Eveline keerde zich naar de priester. 'Weet u of hier het graf van Septimus is?'

De priester keek moeilijk, alsof hij de naam herkende, maar het zich niet kon herinneren. 'Het klinkt op een of andere manier bekend, maar ik weet niet wie hier allemaal liggen,' zei hij en hij keek met zijn rustige grijze ogen de ruimte rond. Ze vroeg zich af of hij de groep joodse onderduikers ook zag staan, of dat hij helemaal vastzat in zijn eigen wereld. Ze haalde het boek met de boodschap uit haar tas en liet het aan de priester zien. 'Weet u wat dit teken is?' zei ze en ze wees op de lijn met de korte dwarslijntjes. 'Heeft dat iets met deze plek te maken?'

De man knipperde met zijn ogen.

'Weet u wat hier gebeurd is? Heeft het iets te maken met het graf van Septimus?' hield ze aan.

Hij schudde met zijn hoofd, alsof hij iets niet begreep. 'Ik... ik denk... ik kan het me niet helemaal herinneren, maar er is wel iets mee. En dat teken herken ik ook. Een slecht teken.' Hij leek in de war.

'Waarvan herinnert u zich dit teken?' Eveline bedacht dat Azer haar een soort herinnering had laten zien, een film van het verleden. Als de priester dat nou ook kon?

'Kunt u het me laten zien?' vroeg ze. 'Waar u dit teken van kent?'

'Eef, wat doe je?' siste Cleo.

'Hij praat toch? Dan is het oké,' siste Eveline terug. Ze draaide zich weer naar de priester. 'Kunt u dat?' Ze stak uitnodigend haar hand naar hem uit. 'Ik wil het graag zien,' zei ze ten slotte tegen de man.

De dominee strekte zijn hand uit naar Eveline die toch even aarzelde, maar ze pakte toen resoluut zijn koude hand beet. Cleo greep Evelines andere hand en strekte toen haar vrije hand uit naar Daniel die hem – een beetje schuchter – vastpakte.

Net als bij haar ouderlijk huis gingen alle lichten uit, een koude wind ging langs hun gezichten en likte langs Evelines blote armen en benen, het kippenvel op haar lijf was zo heftig dat ze dacht dat die nooit meer weg zou gaan.

De wind ging liggen en Eveline hoorde iemand hoesten en in een andere hoek snurkte iemand zachtjes. Weer ergens anders klonk geritsel, alsof overal in de ruimte mensen lagen te slapen. Toen ging er een klein lampje aan, een olielampje op de grond. Iets verderop nog een, en nog een, totdat er een cirkel van vettig geel licht in het midden van de ruimte brandde en naar de wanden uitstraalde. Het was dezelfde ruimte, maar toch niet. Overal langs de witte wanden lagen gestreepte matrassen met bruine dekens erop. Dikke stugge wollen dekens die eruitzagen dat ze kriebelden. Onder deze dekens lagen mensen, op een matras lag een vrouw met een spits gezicht, haar haren waren gelig en donker bij de wortels. Ze had haar jas aan onder de dekens, haar polsen staken dun als stokjes uit de donkere mouwen. Tegen haar aan lag een klein meisje met haar duim in haar mond en twee vlechten in haar haren. Zij had ook haar jas aan, alsof ze zelfs tijdens hun slaap erop voorbereid waren dat ze moesten vertrekken. Het rook er vettig en ook vies zurig, naar bedorven melk en ongewassen mensen.

Evelines handen werden steeds warmer, totdat ze het gevoel had dat ze kookten en ze moest zichzelf ervan weerhouden om ze niet los te trekken uit de handen van de priester en haar vriendinnetje.

'Wat is dit?' fluisterde Cleo naast haar. 'Zijn dat die joodse mensen waar je het over had?'

'Zie je ze?' zei Eveline zachtjes. Ze keek opzij en wist het antwoord al: het stond op het gezicht van haar vriendinnetje te lezen.

Eveline telde in de gauwigheid veertien mensen. Ze herkende de man die ze onder het glas had gezien. Hij lag op zijn rug, de deken half van hem af waardoor de gele ster op zijn jas duidelijk te zien was. Hij snurkte zachtjes en zijn gezicht was zo ontspannen dat het leek alsof hij geen enkele zorg had.

Waarschijnlijk zou hij willen blijven slapen tot de oorlog voorbij was, dacht Eveline. Ze schrok van haar eigen gedachte, want ze wist dat het een beeld uit het verleden was waar ze naar keek. Tussen de mensen in stonden conservenblikken en zakken waar waarschijnlijk iets van meel of havermout in zat. Her en der stonden pannen en er stonden ook flessen met melk tussen.

'Ik zie mensen,' stamelde Daniel nu ook zachtjes. 'Joodse mensen in de oorlog.'

'Wat doen we nu?' fluisterde Cleo die niet echt bekendstond om haar geduld.

'Hier blijven staan,' zei Eveline dwingend. Boven hun hoofd klonken zware voetstappen, alsof een heel leger over hun hoofd heen liep. Daarna hoorde ze een onverstaanbaar geschreeuw en toen een dof geluid. Eveline keek naar het plafond en zag dat er geen glas meer inzat, het plafond was dicht.

'Dat was een schot,' zei Daniel met grote ogen. 'Denk ik.'

De man die net zo rustig lag te slapen, schrok wakker en kwam overeind. Zijn ongeruste ogen lagen diep in hun kassen, zijn wangen onder zijn baard waren ingevallen en zijn nek stak als een stokje uit de kraag van zijn jas. Hij sloeg zijn arm beschermend om iets heen en nu pas zag Eveline dat er een jongetje naast hem lag met hetzelfde krullende haar en dezelfde grote bruine ogen.

'Avi? Wat was dat?' vroeg een oudere vrouw aan hem. Hij legde zijn vinger op zijn lippen en sloop naar de gang. Hij kwam zo dicht langs de drie vrienden en de priester dat ze hem aan hadden kunnen raken. Hij liep op zijn tenen richting de gang toen er boven hen een schurend geluid klonk.

'Wil je nog een kogel in je andere knie?' klonk een harde vrouwenstem met een zwaar accent en tegelijkertijd maakte de joodse man een sprong in de lucht. Letterlijk een sprong in de lucht. Eveline had nog nooit iemand van schrik een sprong zien maken, en het had komisch kunnen zijn, maar het was allesbehalve dat. Het zag eruit als een muis die oog in oog staat met een kat en wanhopig probeert weg te komen. De man draaide zich om en rende naar het kind op de matras. 'Verstop je,' hoorde Eveline hem zeggen. 'Snel. Ze zijn er.'

De vijf joodse kinderen die er waren kropen stuk voor stuk weg in de nissen. Een meisje trok een steen los van een van de marmeren kisten en verdween daarin. De volwassenen stonden allemaal verstijfd te kijken in de richting waar het gestommel vandaan kwam en leken op konijnen die blijven zitten in de koplampen van een auto.

Eveline keek naar rechts en zag een flakkerend licht dichterbij komen. 'Dus hier is het,' zei dezelfde vrouwenstem triomfantelijk.

'Ik weet niet wat je zoekt, maar er is hier niks,' klonk de stem van de priester. 'Werkelijk waar niet.'

Het geluid van een klap en een gesmoorde kreet. Vervolgens stapte een vrouw de ruimte binnen die de hinkende priester bij zijn nek vasthad. Er kwamen vijf mannen achter haar aan, van wie er eentje een kleine blonde jongen vasthad die bijna net zo mager was als de joodse kinderen en net zo angstig keek.

De vrouw gaf de priester een zet waardoor hij als een voddenbaal tegen een van de pilaren aan klapte waar hij even versuft bleef liggen, maar meteen daarop krabbelde hij zo goed en zo kwaad als het ging overeind en ging voor de negen joodse mensen staan.

Maar de vrouw had hen al gezien en maakte een verrast, afkeurend geluid. '*Guck nog mal,*' zei ze en ze zette haar hand in haar heup. '*Judenschweine.*' Ze snoof afkeurend. 'Ze stinken.' De fakkel in haar hand belichtte haar perfect gebeeldhouwde gezicht met hoge jukbeenderen en een grote, wrede mond. Net als de vijf mannen achter haar was ze gekleed in een zwarte uniformjas met zwarte broek en daaronder zwarte laarzen. Om haar arm zat een rode band met een witte cirkel erop en een zwart hakenkruis erin. Ze maakte een gebaar naar een van de mannen die met zijn geweer gericht voor het doodsbange groepje ging staan. 'Ik heb ruimte nodig,' zei de vrouw. Ze leek helemaal niet geïnteresseerd in de joden die ze had ontdekt, maar liep naar de nissen waar de grafkisten stonden.

'Waar ligt Septimus?' vroeg ze aan de priester. Hij bloedde hevig uit de schotwond net onder zijn knie en zijn witte gezicht parelde van het zweet. 'Ik weet niet wie dat is,' hijgde hij.

'Lieg niet tegen mij,' zei ze en trok een wapenstok.

Eveline voelde dat Cleo haar vuisten balde en haar hele lichaam stond binnen een seconde zo strak als een snaar. 'Hier blijven,' zei ze zachtjes.

'Ik lieg niet,' zei de priester moeizaam. 'Ik weet niet wie hier allemaal liggen en ik weet zeker niet wie Septimus is.'

De vrouw schopte tegen het gewonde been van de priester die probeerde te blijven staan, maar uiteindelijk door de knieën zakte en op de grond bleef liggen. Ze maakte een kort gebaar met haar hand en wees naar de grafkisten. 'Openmaken en kijken,' zei ze afgemeten tegen de mannen. Vier gingen aan het werk, terwijl de vijfde het kleine blonde jongetje vasthield dat hevig tegenstribbelde. 'Laat me los!' zei hij gesmoord, maar de man was veel sterker dan hij en hield hem stevig vast. De vrouw keek het allemaal met kille ogen aan. 'Heeft iemand al iets gevonden?' zei ze terwijl ze met haar wapenstok ongeduldig tegen haar laars tikte.

'Septimus!' riep een van de mannen opgewonden. Hij wees op een voor Eveline niet te lezen opschrift. De vrouw ging met haar hand over de uitgebeitelde Latijnse letters. 'Het is zijn naam... maar ligt hij hier ook in?' Er waren twee mannen voor nodig om het zware marmeren deksel van de grafkist te tillen.

'Een skelet,' zei de man. 'Commandant Blixenschatter, hij ligt erin.'

De vrouwelijke commandant boog zich voorover en schudde haar hoofd. 'Dit is een vrouw. Misschien zijn vrouw of zijn dochter, familie. Maar het is een vrouw. Het bekken is te breed.'

De mannen zochten verder en vonden tijdens hun zoektocht alle vijf de kinderen, maar niet het graf van Septimus.

'Breng mij die kleine jongen,' commandeerde ze en ze wees naar het zoontje van Avi. Ze knielde neer naast hem en aaide met een gehandschoende hand over zijn gezicht. 'Wil je chocola?' vroeg ze lief. Eveline moest zich inhouden om niet naar hem toe te rennen en hem weg te trekken bij die slang van een vrouw die een reep chocolade uit haar zak haalde en hem aan de kleine jongen gaf. Hij was zo hongerig dat hij het niet kon laten er een klein stukje van te eten.

'Hoe heet je?' vroeg de commandant. Er flikkerde iets in haar ogen.

'David,' zei het jongetje.

'Ik heet Edda. Wat zou je ervan vinden, David, als je een belangrijke rol kan spelen in de zoektocht naar een heel belangrijke schat?' vroeg Edda.

Het jongetje wist niet wat hij moest zeggen. Hij blikte naar zijn vader die tegengehouden werd door een van de mannen in uniform. Zijn vader schudde 'nee'.

'Dat wil ik niet,' zei het jochie en hij gaf – dapper – de chocolade weer terug, maar ze wilde het niet meer aannemen. 'Ik eet toch geen chocolade als daar een varken van gegeten heeft,' zei ze op precies dezelfde lieve toon.

Avi stoof op, maar werd door een van de mannen in bedwang gehouden. Edda kwam overeind en keek de groep rond. 'We zijn hier niet voor jullie verachtelijke *Untermenschen*. Ik was niet op zoek naar jullie,' zei ze en ze liep door de ruimte. Op een gegeven moment stond ze zo dicht bij Eveline, dat ze de vrouw kon ruiken: kruidig, zoetig en een beetje zweterig, zoals het rook in het binnenhok bij de tijgers in de dierentuin. David had zijn kans gegrepen en was teruggerend naar zijn vader die het jongetje achter zijn rug had verstopt, alsof hij er zo voor kon zorgen dat hem niets zou overkomen. De priester was met zijn laatste krachten weer op de been gekrabbeld.

'Wij zijn op zoek naar iets en als je ons informatie hierover kan geven, dan laten we je vrij. Maar alleen als je ons *information geben kan, verstehen Sie?'* Edda sloeg haar laarzen tegen elkaar en streek langs haar wollen jas met de kleine zilveren adelaar boven haar rechterborst. Het groepje magere mensen bewoog niet. Niemand knikte, niemand liet merken of ze haar überhaupt hadden verstaan. 'Wij zijn op zoek naar het graf van de Romein Septimus,' zei Edda. 'Iemand ooit van hem gehoord?'

'Het is niet hier,' sprak Avi opeens.

'Hoe weet je dat?'

'Ik ben historicus en de klassieke oudheid is mijn specialiteit,' zei de man. 'Maar ik vertel je alleen maar meer als je zweert dat je ons laat gaan.' Hij stak zijn kin omhoog, trots.

Eveline voelde weer hoe Cleo zich aanspande, maar zich inhield.

'Het is al gebeurd,' fluisterde Daniel. 'Je kunt niets meer doen voor ze.'

Edda hield haar hand omhoog, alsof ze een eed zwoer. 'Ik zweer dat ik jullie zal laten gaan als je me informatie geeft waar ik wat aan heb.'

'Volgens overleveringen had Septimus banden met het mystieke,' sprak Avi. 'Dus hij zou hier nooit hebben willen liggen, want deze plek is niet magisch genoeg.'

'En wat voor plek dan wel?'

'Hij ging om met de wijzen van de lokale bevolking,' vertelde hij rustig, alsof hij in een collegezaal stond in plaats van een grafkelder waar hij geen kant op kon met zijn grootste vijand voor zijn neus. 'Hij had veel respect voor hen, dus ik denk dat hij op een plek ligt die voor hem

en voor de lokale bevolking heilig was. Bij een meer, of in een bos...
zoiets.'

'En waar moet dat dan zijn?'

'Dat weet ik niet, maar waarschijnlijk hier ergens in de buurt.'

Edda schudde met haar hoofd. 'Dat is niet genoeg,' zei ze. 'Als ik de
precieze plek niet van jou hoor, moet ik het maar aan de vrouw van
Septimus vragen – en daar heb ik je zoontje voor nodig.' Ze draaide
zich om naar het doodsbange blonde jongetje dat nog steeds in bedwang werd gehouden door een van haar handlangers en zei met een
sadistische glimlach rond haar mond: 'Het lijkt erop dat je *grosses Glück*
hebt *Heute* omdat we een andere kandidaat hebben.' Toen richtte ze het
woord weer tot Avi. 'U mag één keer raden: vollemaan, je zoontje is hongerig en heeft nog rein bloed – de perfecte omstandigheden voor welk
ritueel?' Het klonk als een sadistische variant van een vraag in een tv-
quiz waar Eveline het antwoord niet op wist. Maar de joodse historicus
blijkbaar wel, want zijn gezicht werd asgrauw en hij duwde zijn zoontje
achter zijn rug, maar Edda reageerde sneller dan een slang: ze trok het
jochie aan zijn arm bij zijn vader vandaan. Meteen sprongen twee van
de mannen boven op de joodse historicus en sloegen hem met een
geweerkolf tegen zijn slaap.

'Vader!' riep David en hij strekte zijn hand naar de man uit die als
een slappe pop op de koude grond gleed. Edda trok hem met kracht
naar het midden van de ruimte. 'Breng me de schedel van die vrouw.'

Een van de nazi's bracht haar de broze schedel van de Romeinse
vrouw. David stribbelde intussen hevig tegen, maar Edda legde haar
vingers in zijn nek en plotseling hield hij op en werd zijn blik glazig.
Toen gleden zijn ogen dicht. Het jongetje lag op de grond als een klein
spiegelbeeld van zijn vader.

'Wat ga je met hem doen?' vroeg de priester aan de Duitse vrouw,
maar ze antwoordde hem niet. Ze trok haar jas uit en legde die zorgvuldig in de armen van een van de mannen. Daarna pakte ze een steen
en legde de schedel daarop, waarna ze van een van de mannen een
zilveren schaal kreeg die ze voor de schedel legde. 'Het mes,' zei ze
daarna en ze stak haar hand uit. Een van de mannen – grijs haar, staalblauwe ogen en de dode blik van een witte haai – hield een houten
doos voor haar open waar een blinkende dolk in lag.

Edda prevelde iets en stroopte haar mouwen op.

Eveline werd misselijk van angst. De commandant liep naar het joodse jongetje toe en trok toen met het mes een cirkel om de jongen, de schedel en zichzelf heen, onderwijl duister klinkende woorden prevelend die Eveline niet kon verstaan. Ze hoopte, hoopte, hoopte vurig dat de vrouw alleen maar een cirkel met het mes zou trekken, maar haar hoop werd de grond in geboord toen Edda de bewusteloze David in haar armen nam. Evelines misselijkheid nam toe, ze wist dat dit al gebeurd was, dat ze hier niets meer aan kon doen. Het bloed in haar oren begon harder te suizen, Cleo's hand was nat van het zweet, of was het haar eigen zweet? Cleo ademde zwaar door haar neus in en uit.

Een horizontale snee.

Twee korte in het midden.

Iemand in de ruimte gilde, een hoge gil, nog een gil, nog een, het groepje werd in bedwang gehouden door de mannen, ternauwernood. Het meisje met de vlechten krabde een van hen in het gezicht, vier rode krassen op zijn wang. De geblondeerde vrouw sloeg haar handen voor haar ogen. Edda prevelde harder, haar arm... haar hand... het mes... De priester zwabberde op zijn benen en wilde zich in de cirkel werpen, maar hij zakte weer door zijn knieën en viel op zijn zij. Hij strekte zijn hand uit naar het levenloze lichaam van David, tien jaar oud, zoon van Avi de joodse historicus. Davids donkere ogen staarden nietsziend naar de dominee die hem had geprobeerd te redden, maar het was niet gelukt... Eveline probeerde te snappen wat ze zag – het donkere bloed dat nu in de schaal stroomde, Edda die op haar knieën zat met haar ogen strak op het rode gericht, het mes nog steeds in haar hand. Een van de joodse vrouwen was flauwgevallen, het meisje met de vlechten snikte zachtjes.

'Spreek,' zei Edda tegen de schedel. 'Waar is het graf van Septimus? Spreek.'

Eerst leek het alsof er witte rook in de ruimte boven de schedel dreef, maar die nam vaste vorm aan en na een minuut stond er een vrouw op de plek van de schedel. Ze had een witte doek om zich heen en donkerbruin haar dat in een kunstig vlechtwerk op haar hoofd zat en staarde zwijgend naar de Duitse vrouw die geknield voor de schaal met bloed zat. Eveline dacht heel even te zien dat ze paarse ogen had, maar het was niet met zekerheid te zeggen in het halfdonker.

'Je mag drinken als je me vertelt waar het graf van Septimus is.'

Sneller dan het licht knielde de geest voor de schaal en sloeg haar armen uit naar het bloed, maar Edda was erop voorbereid en trok hem buiten haar bereik. 'Eerst spreken, dan krijg je wat je wilt,' zei ze.

Uiteindelijk sprak ze met een holle geestenstem: 'Hij ligt tussen het meer en de bomen in.'

'Waar precies!'

'Hij ligt tussen het meer en de bomen in,' sprak de vrouw nog een keer.

Edda draaide met haar ogen. 'Waarom spreken geesten altijd in raadsels?' vroeg ze aan niemand in het bijzonder. 'Wat heb ik hieraan?' Ze schoof met zo'n kracht de schaal richting de geest, dat er bloed over de rand klotste. In een tel knielde de Romeinse vrouw bij de schaal neer en boog zich als een hond voorover om te drinken. Het was zo'n afschuwelijk gezicht dat Eveline haar ogen moest dichtdoen omdat ze anders dacht dat ze zou overgeven. Toen ze ze weer opendeed, was de vrouw verdwenen.

'*Verdammt nog mal!*' schreeuwde Edda die de schedel onder haar zware laars verpulverde.

'Domme gans,' zei de priester ineens zachtjes. 'Je hebt het leven van een jongetje hiervoor opgeofferd. Je bent gestoord. Ze zouden je voor altijd in de hel moeten opsluiten.' Hij stond weer, wiebelend, maar hij stond wel en strekte zich zo goed mogelijk uit. 'Je bent gestoord,' zei hij weer. 'Ik hoop dat God genade voor je weet te vinden, maar ik betwijfel het ten zeerste.'

De vrouw veegde met een minachtend gebaar het bebloede mes af aan de broek van Evert van der Meulen. Daarna borg ze het mes weer op en trok kalm haar jas weer aan. Avi was nog steeds bewusteloos en Eveline was blij dat hij niet had kunnen zien wat er gebeurd was met zijn zoontje dat nu als een hoopje vodden midden in de ruimte lag.

'Wat bedoel je?' zei Blixenschatter spottend. 'Deze *Schweinhund* is gestorven voor de *Führer*. Hij heeft zich tenminste nuttig gemaakt. Jullie sterven voor niks. Misschien ga ik naar de hel, maar jullie zijn er al.' Met die woorden draaide ze zich om. 'De ruimte afsluiten,' zei ze. 'Al het licht gaat mee. Alle kaarsen, alle lampen.' Ze liep zonder om te kijken de gang in. De mannen deden wat hen gezegd werd, verzamelden alles wat ze konden vinden. De priester wierp zich op een van hen, maar was veel te zwak om iets te doen en hij werd weer op de grond gegooid als een gewond dier. De gelatenheid was eraf, de trots was weg: het groepje smeekte, huilde, maar hun tegenstanders waren te sterk en hun versteende gezichten verrieden hun gevoelloze harten. Ze verdwenen een voor een in de gang, de laatste lamp werd meegetrokken, de voetstappen verwijderden zich. Het was weer pikdonker, boven hun hoofd klonk het geluid van schrapende steen, het gebonk van laarzen boven hun hoofd en toen was het stil.

In de stille duisternis glipte haar hand uit die van de priester en daarna verscheen er licht door de glazen platen die weer in het plafond zaten. De lampjes gingen aan en de groep joodse geesten stond zwijgend in een hoek. Ze herkende Avi die een arm om David had geslagen en zag nu duidelijk de wond in Davids nek: een bloederige horizontale en twee verticale strepen in het midden van zijn dunne hals.

Ze wilde weg van deze plek waar de geur van bloed nog hing en trok de anderen mee de gang in. Als een robot liep ze het kleine gangetje door, de stenen trap op totdat ze weer in de kerk stonden.

'Wat doen jullie daar?' hoorden ze ineens iemand zeggen. Een man met een pinnig gezicht kwam naar hen toe lopen. 'Weg, weg!' siste hij. 'Ik zit niet te wachten op oproerkraaiers.'

'We gaan al,' zei Cleo die een afwerend gebaar maakte. 'Waar is de priester?' fluisterde ze naar Eveline.

Eveline schudde haar hoofd. 'Hij is weg,' zei ze.

Ze liepen zwijgend naar buiten, de koesterende warmte van de zomerzon in. Ze liepen nog steeds hand in hand en zwegen totdat ze naast elkaar op een bankje gingen zitten. Het beeld van de priester met zijn onderduikers stond precies tegenover hen.

'Dus zo is hij "van het leven beroofd"', doorbrak Daan uiteindelijk de bedrukte stilte. Hij staarde naar het beeld. 'Ongelooflijk,' zei hij.

'Is dat je stopwoord?' vroeg Cleo.

'Ik denk dat het een passend woord is, vind je niet?'

'Afgrijselijk is misschien ook wel een goed woord.'

Eveline knikte. Haar hoofd tolde nog van alles wat er gebeurd was.

'Ze zijn levend begraven,' zei Daniel. 'Langzaam doodgegaan.'

'En daarom kon de priester nog praten,' verklaarde Eveline. 'Omdat ze hem niet vermoord had.'

'Dat zijn ze uiteindelijk natuurlijk juist wel. Wat een heks. Ik hoop dat zij ergens op een gruwelijke manier is omgekomen,' zei Cleo haatdragend.

Ze waren weer stil. In een boom floot een vogel. Ergens in de verte huilde een kind. Flarden van hondengeblaf, auto's die langsreden, een vrouw in een zomerjurk op een fiets, haar armen roodverbrand. Het gewone leven drong langzaam weer hun bewustzijn binnen. Daniel en Cleo hingen beiden met hun hoofd naar beneden op het bankje. Ze leken nog meer aangedaan dan Eveline.

Waarschijnlijk komt het omdat ze dit nog nooit hebben gezien, dacht Eveline. *Binnen een week ben ik er al een beetje aan gewend.*

Hoewel dit het meest afschuwelijke was wat ze tot nu toe had gezien, zelfs Nadines man die door de demon werd verorberd vond ze minder erg. Ze keek naar de kerk. De dominee was daar nog. Ze had hem niet geholpen. En al die mensen had ze ook niet geholpen.

'Waar denk je aan?' vroeg Cleo.

'Dat ze daar al zo lang vast zitten en ik niemand heb geholpen,' zei Eveline beschaamd.

'Je mag ze niet helpen. Dat heeft je opa toch gezegd? Dat dat je taak niet is?'

'Maar het is zo zielig en het is toch wreed om ze niet te helpen als je dat wel kan?'

Daniel wreef over zijn gezicht, keek op naar Eveline. Hij moest zijn ogen half dichtknijpen tegen de zon. 'Maar dan was je er zelf vast niet meer geweest.'

Eveline staarde naar de kerk. 'Dat weet ik, maar toch.' Ze had het gevoel dat haar maag vol met tranen zat. 'Een andere keer,' zei ze stellig. 'Als ik sterker ben.'

'Pff,' zei Cleo. Haar handen balden zich tot vuisten. 'Die vrouw, ik wilde haar zo graag heel hard schoppen.'

'Ik ook,' zei Daniel.

'Ik ook,' zei Eveline.

'Dit was... dit was een soort... wat was dit eigenlijk?' vroeg Cleo aan niemand in het bijzonder.

'Ik denk dat we... eh... een soort energie hebben gezien. Een herinnering van een gebeurtenis,' zei Eveline. 'Net als ik gezien heb met Azer.'

'Dat klinkt supervaag.'

'Mensen worden opgesloten in een gekkenhuis als ze zeggen dat ze dat soort dingen hebben gezien,' voegde Daniel eraan toe. 'Ongelooflijk,' zei hij toen.

'Dat zeg je de hele tijd,' zei Cleo. 'Geloof het nou maar.'

'Maar het is toch ongelooflijk?' stiet hij uit. 'Het was toch waar? Het was toch waar wat ik zag en jullie hebben net toch ook gezien dat een Duitse commandant het graf van een of andere Romein probeerde te vinden door een geest op te roepen door een kind te offeren?'

De beide meiden knikten. Het was moeilijk om er niet aan te denken want het beeld stond voor de rest van haar leven op Evelines netvlies gegrift. En waarschijnlijk ook op dat van Cleo. En van Daniel.

Eveline haalde blikjes drinken en een grote zak gemengde drop bij de drogist. Ze hield het blikje even tegen haar verhitte wangen voordat ze het bijna in één teug leegdronk. Toen ze ook nog vijftien dropjes had gegeten voelde ze zich weer beter en konden ze alle drie weer een beetje normaal nadenken. Ze waren het er over eens dat iemand hoogstwaarschijnlijk precies hetzelfde met Sebastiaan wilde doen om Septimus op te roepen. Dat betekende dat iemand erin was geslaagd om het graf te vinden. De nazi had gezegd dat de vollemaan en een uitgehongerde jongen met rein bloed de perfecte omstandigheden waren. Dat zou betekenen dat ze nog twee dagen hadden, want dan was het vollemaan.

'Voor die tijd moeten we het graf vinden en Sebastiaan bevrijden,' zei Daniel vastbesloten. 'En het graf ligt tussen het meer en de bomen in. Tenminste, dat zei de vrouw van Septimus. Maar dat is wel heel erg vaag,' zei hij.

'Misschien is het dan toch wel op de begraafplaats,' opperde Eveline.

'Of misschien wel bij de Paddenpoel,' zei Cleo.

'Als die toen al bestond,' zei Daniel. Hij zweeg en zag eruit alsof hij heel diep nadacht. 'Misschien moeten we het aan Langelaar vragen,' zei hij. 'Die is gespecialiseerd in de oudheid.'

'Dan gaan we dat toch niet aan hem vragen? Dat maakt hem juist ook een verdachte!' zei Cleo.

'Wilfried Langelaar? Die heeft een onderscheiding gehad vanwege het goede werk dat hij doet,' zei Daniel. 'Mijn vader was bij de uitreiking.' Hij schudde zijn hoofd. 'Langelaar staat erom bekend dat hij in elk land waar hij zijn werk doet ook altijd iets goeds doet voor de plaatselijke bevolking. Een school stichten, of een waterput slaan, dat soort dingen.'

'Dat klinkt juist veel te braaf,' zei Cleo.

Eveline suste de discussie. 'We moeten het graf vinden. Maar ik ben het met Cleo eens dat we het niet aan Langelaar moeten vragen. We moeten het aan niemand vragen en ook tegen niemand zeggen op dit moment, want we hebben helemaal niks, geen bewijs, niks. We kunnen toch moeilijk zeggen dat we een boodschap van een waarzegster hebben gekregen en vervolgens een visioen in een kerk hebben gezien waardoor we denken dat Sebastiaan ontvoerd is om te offeren? Daar sluiten ze je ook voor op in het gekkenhuis.'

'Dan moeten we meer feiten verzamelen,' was Daniels oplossing.

'Gaan we dan eerst kijken bij de Paddenpoel?' smeekte Cleo. 'En kunnen we dan heel even zwemmen? Ik voel me net een ijsje in de zon.' Ze tilde haar arm op. 'Zie je? Ik ben bijna gesmolten,' klaagde ze.

'Oké,' zei Eveline. 'Dan gaan we via de Paddenpoel terug naar de Nikodemusdijk. Misschien weet dat jongetje dat ik daar heb gezien wel iets.'

Daniel schudde ongelovig zijn hoofd. 'Oh ja, je kan met geesten praten,' zei hij. 'Ik weet het, maar op een of andere manier heb ik die optie nog niet automatisch in mijn hoofd als manier om iets te weten te komen. Het is ook zo...'

'Ongelooflijk,' maakten de twee meiden zijn zin af.

14

Bij de Paddenpoel lag het hele groepje op hun favoriete plek en waren Dimmi en Stan alweer aan het voetballen met Diede, Jelle en Mark. Cleo keek verlangend naar de voetballende jongens.

'Alleen maar even zwemmen, Clé,' zei Eveline streng.

Dimmi stak zijn hand op toen hij de meiden in het oog kreeg en wenkte hen. Cleo maakte een jankerig geluid van een puppy die zijn favoriete bal niet krijgt. Dimmi maakte een gebaar van 'Kom nou?' maar ze schudde haar hoofd. Meteen kwam hij naar hen toe rennen en stond hijgend voor hen stil. 'Hoe is het?' zei hij en hij trok zijn wenkbrauwen omhoog. Hij was blijkbaar over het hele gebeuren van de avond daarvoor heen, want hij stond compleet macho voor Eveline in zijn ontblote bovenlijf waar zweetdruppels vanaf gleden.

'We komen alleen maar even zwemmen,' zei Eveline ongemakkelijk. Ze was nog zo vol van wat er in de kerk was gebeurd, dat ze niet zo heel veel zin had in een praatje waarin ze net moest doen of alles normaal was, terwijl ze net een kind geofferd had zien worden en een geest bloed uit een schaal had zien likken.

Dimmi haalde zijn schouders op. 'Oké.'

Eveline pulkte aan een velletje aan haar vinger. 'Oké,' papegaaide ze.

'Tot later dan,' zei hij en hij rende weer terug.

'Is de liefde tussen jullie bekoeld?' treiterde Cleo. 'Hoe zou dat nou komen?' Eveline wilde haar een duw geven, maar dat had Cleo natuurlijk allang door, dus die maakte een snelle schijnbeweging waardoor Eveline bijna met haar gezicht in het zand viel. 'Slome,' zei Cleo, die in een vloeiende beweging haar shirt en short uittrok en in haar bikini naar het water rende. 'Ik win!' gilde ze zo hard dat iedereen naar haar keek toen ze het water in rende.

Daniel zuchtte naast Eveline. 'Ze is wel goed in dingen van zich afzetten, hè?' zei hij. Hij mocht aan de buitenkant misschien een wetenschapper lijken die alles feitelijk benaderde, hij was net als Eveline nog steeds aangedaan door wat hij net had gezien.

'Gaat het wel?' vroeg ze aan hem. Hij knikte iets te snel. 'Ik moest bijna overgeven toen die geest van dat bloed dronk,' gaf hij heel openhartig toe.

'Ik ook,' zei Eveline.

Daniel bestudeerde haar. 'Vind je het erg dat je... dat je deze gave hebt?' vroeg hij.

Vanaf het grasveldje klonken de stemmen van Dimmi en Stan nu treiterig in koor: 'Zoenen, zoenen, zoenen...' scandeerden ze. Ze doelden natuurlijk op Eveline en Daniel en meteen leek Daniel een paar centimeter gekrompen te zijn.

'Laat ze maar,' zei Eveline. Ze dacht even na. 'Zou jij die gave willen hebben?' beantwoordde ze zijn vraag met een wedervraag.

'Het klinkt heel tof, maar... het lijkt me ook wel eng. Omdat je niet weet wat je kunt verwachten,' zei hij nadenkend. Hij ging met zijn handen over zijn bodywarmer waar hij alles in leek te hebben zitten, alsof hij altijd voorbereid wilde zijn zodat hij nooit voor verrassingen zou komen te staan.

Nee, het was niet echt een gave voor Daniel, dacht Eveline.

'Zie je dat jongetje al?' vroeg hij.

Eveline schudde haar hoofd. 'De eerste keer zag ik hem in het water, dus ik moet maar het water in. Wil je mee?'

Ze wist het antwoord al, want Daniel zag er in deze omgeving uit als een ijsbeer die in de tropen was neergezet. Hij ging met zijn gympje door het mulle zand. 'Ik heb geen zwembroek,' zei hij. 'Ik ga wel even daar kijken.' Hij wees naar de bomen. 'Misschien vind ik wel wat. Doe je wel eh... doe je wel voorzichtig?'

Cleo was intussen in het meertje aan het zwaaien en wenken ten teken dat ze moesten komen. 'Clé!' riep Eveline hard, ze schopte haar short uit, trok haar T-shirt over haar hoofd en rende het water in. Ze dook naast haar vriendin met haar hoofd onder water en hield haar adem zo lang mogelijk in. Het koele water maakte haar hoofd weer helder en het zware gevoel van opgesloten zijn in de grafkelder spoelde van haar af. Ze kwam weer boven, zwom naar het midden van het meertje waar het rustig was. Toen ze het jongetje nergens zag, draaide ze op haar rug en dreef een tijdje terwijl ze naar blauwe lucht keek waar zo af en toe een vogel doorheen vloog en veel hoger een vliegtuig een witte rookstaart achter zich aan maakte. Waar zou hij heen gaan? Eveline was nog nooit ergens anders geweest dan de camping in Frankrijk. Ze bewoog haar handen met gespreide vingers als zeeanemonen door het water en volgde het vliegtuig met haar ogen totdat het verdwenen was. Een vaag gevoel van verlangen maakte zich van haar meester, omdat ze wel in dat vliegtuig zou willen zitten, wegvliegen van alles.

Je kunt niet weg, want overal zijn mensen die doodgaan, die dood zijn gegaan. En ik kan ze zien en ze zien mij ook.

Het voelde ineens te veel, te zwaar. Ze was nog niet eens veertien, ze had nog niet eens gezoend, ze wist helemaal niks van het leven, hoe kon ze dan een Wachter zijn en de geheimen van de wereld bewaken? Ze draaide zich op haar buik, liet de lucht uit haar longen verdwijnen zodat ze langzaam naar de bodem zakte. Haar haren wuifden zacht in het water, ze hield haar ogen open, al zag ze bijna niets in het troebele water.

Ze was niet eens verbaasd toen een koude hand haar hand pakte, ze wist natuurlijk dat hij hier was. Ze hield de witte hand vast, pakte zijn andere hand ook. Zo trok ze hem rustig naar de oppervlakte, hun hoofden braken tegelijkertijd door het water.

'Hoe heet je?' vroeg ze aan het jongetje tegenover haar. Zijn haren plakten nat op zijn voorhoofd. Ze had nog steeds zijn handen vast en voelde dat haar handen warmer werden. Het jongetje gaf geen antwoord, maar staarde haar alleen maar aan met zijn verdrietige ogen.

Er is iets niet goed.

Hij trok zich naar haar toe en wilde zich aan haar vastklemmen. Eveline probeerde hem van zich af te duwen, maar ze kreeg haar handen niet meer los. Zijn lichaam voelde net zo koud als zijn handen, Eveline worstelde om los te komen, om weg te komen van dat koude lichaam, toen de flitsen kwamen.

Gelach – een heleboel handen die me onderduwen – 'Lars is een klikspaan en krijgt straf!' – de handen duwen en duwen – het water is donker – ik wil ademen maar er is geen lucht...

Hij was niet zomaar per ongeluk in het meer verdronken, hij was door andere kinderen ondergehouden totdat hij was gestikt.

Het jongetje leek zwaarder te worden en trok haar met zijn gewicht naar beneden. Ze trapte wild met haar benen en worstelde om boven te blijven, ze hoestte toen ze een slok bruin water in haar mond kreeg – in de verte zag ze Cleo naar haar kijken, haar gezicht vertrok en toen waadde ze naar haar toe met panische snelheid. 'Eef! Eef, wat doe je?' riep ze.

Eveline kon niet meer antwoorden, haar gezicht was zo koud dat ze haar mond niet meer kon bewegen en de kilte van het jongetje drong door in haar eigen lichaam, sloop richting haar hart. Ze trok nog een keer aan haar handen die aan zijn koude handen zaten vastgekleefd, maar wist al dat het geen zin had, ze was niet sterk genoeg.

Ergens boven haar hoofd kraste een kraai, in de verte hoorde ze Cleo roepen. 'Eef! Eef!' Het kwam dichterbij, het gekras kwam dichterbij, het gespetter van water... Een schaduw vloog over haar heen, zwenkte, maakte een draai boven haar hoofd. Ze voelde scherpe nageltjes in haar blote linkerschouder, flapperende vleugels tegen haar wangen aan. Het gewicht van de jongen nam af en er gleed warmte door haar schouder heen alsof iemand er een hete theedoek op had gelegd. Ook haar wangen waren weer warm. De kracht kwam zo plotseling dat ze het gevoel had dat ze tot haar voeten omhoogschoot uit het water. Ze keek opzij en zag een vogelkopje naast haar eigen hoofd, een oog dat haar strak aankeek. De nagels krasten nog steeds in haar vel en hij kraste schel in haar linkeroor, terwijl hij zijn kopje scheef hield alsof hij wilde zeggen: 'Nou, komt er nog wat van?'

Haar armen hingen langs haar lichaam in het water – het jongetje was weg, terwijl de vogel met zijn kopje en snavel langs haar natte haren ging als een kat die kopjes geeft. Eveline voelde de warmte verspreiden door haar armen, haar borst, haar buik, haar benen. Cleo was bij haar, buiten adem. De vogel vloog van Evelines schouder en vloog luid krassend in een boom aan de rand van het meer.

'Gaat het?' zei Cleo. 'Wat is er met je?' Ze greep Evelines hand, maar liet die meteen weer los en deinsde achteruit.

'Wat? Wat is er?' vroeg Eveline.

'Je ogen... je ogen waren paars. Eventjes. Leek het. Sorry, ik schrok ervan.'

'Echt?' Eveline ging met haar hand over haar gezicht. 'Wat bizar.' Ze lachte naar haar vriendin. 'Ben je bang voor me?'

Cleo schudde haar hoofd, maar Eveline had het gevoel dat ze loog. Maar gek genoeg kon het haar op dat moment niet schelen, ze voelde zich zo sterk dat ze het gevoel had dat ze een boom kon optillen en een eind weggooien, of kon worstelen met een leeuw.

'Wat was er?' vroeg Cleo die met haar handen door het water ging. Ze had kippenvel op haar armen. 'Het leek wel of je verzoop.'

Eveline vertelde wat er gebeurd was en Cleo's gezicht betrok. 'Waarom heb je hem dan ook geholpen?' viel ze kwaad uit.

'Ik wilde hem niet helpen. Tenminste, ik dacht er wel aan, maar ik wilde het niet. Hij klemde zich aan mij vast.'

'Had hij ook een litteken in zijn nek?'

'Nee, hij is verdronken, hier, door andere kinderen die hem onder water hielden. Iets over dat hij geklikt had.' Het krachtige gevoel was weg en Eveline begon te klappertanden. 'Die kraai,' ze keek naar de bomen, maar ze zag de kraai nergens. 'Hij was wit, zag je dat? Ik wist helemaal niet dat er witte kraaien bestonden,' ratelde ze. Het leek wel of de kraai haar extra energie had gegeven en haar zo had gered en ze vroeg zich af of dit haar 'beschermer' was waar haar opa het over had.

'Kom op, we gaan eruit. Je hebt het ijskoud,' zei Cleo. Ze pakte Evelines hand en samen waadden ze terug naar de kant.

'Zijn jullie vriendinnen of zo,' sneerde Arabella die aan de rand in het water stond. 'Ga je ook met haar zoenen? Gatver.' Haar lange glanzende haar zat in een losse knot die mee leek te trillen met haar ongenoegen.

Zonder Evelines hand los te laten, maakte Cleo een snelle beweging met haar voet en het volgende moment lag Arabella languit in het water. 'Je moet wel een beetje uitkijken hier hoor,' zei ze daarna zogenaamd bezorgd. 'Er liggen hier overal gladde stenen. Algen.' Ze stak haar hand uit om Arabella overeind te helpen, maar die spetterde water in Cleo's gezicht. 'Raak me niet aan!' riep ze en ze trok er een hoofd bij alsof Cleo een besmettelijke ziekte had.

'Ook goed,' wuifde Cleo het weg. 'Koel maar lekker af.'

Dimmi kwam aangerend. 'Wat is er?' vroeg hij, meer sensatiebelust dan bezorgd.

'Arabella is uitgegleden,' zei Cleo. 'Misschien moet jij haar even overeind helpen, want ze wil niet dat wij haar aanraken.'

'Eveline is echt een heks,' zei Arabella opeens. 'Ik zag het wel, er ging een rare witte vogel op haar zitten! Ze is een heks.'

Dimmi deed weifelend een stapje achteruit, mompelde iets vaags en liep toen terug naar de jongens die liters fanta naar binnen aan het werken waren en een wedstrijd hielden wie het hardste kon boeren.

'Jongens zijn zo goor soms,' was Cleo's commentaar. 'Dag Arabella,' groette ze poeslief. Ze griste hun kleren van de grond. 'We zien je vanavond bij het eten.'

Zara was intussen opgestaan van haar handdoek en kwam in haar glimmende bikini poolshoogte nemen. 'Ik dacht dat je niet nat wilde worden, Ar,' zei ze onschuldig. Zoals ze daar stond met haar ene hand op haar heup, gouden armbanden om haar bruine pols en een gouden kettinkje om haar nek, haar blonde haren in een losse vlecht was het net een fotomodel. Eveline vroeg zich af of Zara dit oefende, of er een school bestond waar je dit soort dingen kon leren.

Arabella was overeind gekrabbeld, groenige drek gleed van de achterkant van haar rug en benen. Zara trok een vies gezicht, maar Arabella gaf haar zo'n nijdige ik-bijt-je-hoofd-eraf-als-je-hier-iets-van-durft-te-zeggen-blik dat ze niets zei.

'Het stapelbed is trouwens kapot – we zijn er doorheen gezakt – dus komen we vannacht tussen jullie in liggen,' pestte Cleo. 'Gezellig, hè?' Ze trok Eveline mee richting Daniel die als een kleine speurhond met zijn neus bijna tegen de grond aan langs de bosrand liep.

Achter hen sputterde Arabella iets. 'Vieze heksen,' riep ze hen na. 'Jullie komen echt niet meer bij ons op de kamer!'

Cleo stak haar hand op als groet. Eveline kon haar lachen niet meer inhouden. 'Wat ben je toch gemeen,' zei ze tegen haar vriendin.

'Ja, en jij bent een heks,' zei Cleo.

Eveline stopte met lopen. 'Vind je dat echt?' vroeg ze onzeker.

'Ja, dat vind ik, maar ik heb toch niet gezegd dat ik het erg vind?' zei Cleo, die een arm om haar heen sloeg en haar meesleurde. 'Ik denk alleen dat je kansen om met Dimmi te zoenen nu tot nul zijn gereduceerd, want volgens mij denkt hij dat je hem dan in een wrattige pad verandert.' Ze waren bij Daniel aangekomen, die tussen de bomen in naar de grond stond te turen.

'Heb je al wat gevonden?' vroeg Cleo.

'Nee, er is hier niks,' zei hij. Hij wees naar de stenen in het meer. 'Ik dacht nog dat dat misschien een soort hunebedden waren, maar ik denk eigenlijk van niet.' Hij had een notitieboekje in zijn handen en kauwde op een pen. 'En toen ging ik kijken of er eiken stonden...'

'Waarom eiken?' vroeg Eveline.

Daniel vertelde dat voor veel heidense volken zoals de Kelten eiken heilig waren, zeker als ze in een cirkel stonden. 'Dat leek me dan wel een plek voor Septimus om daar begraven te liggen.' Hij keek nieuwsgierig naar de twee meiden. 'Heb je dat jongetje gezien?'

'Gezien? Hij heeft haar ongeveer verzopen,' zei Cleo luchtig, maar Eveline hoorde aan haar stem dat ze nog steeds boos op haar was. Ze vertelde het verhaal nog een keer aan Daniel.

'Waarom heb je hem geholpen?' vroeg hij net als Cleo meteen.

'Omdat... ik heb hem niet geholpen!' riep Eveline.

'Maar je wilde het wel, je hebt zijn handen toch gepakt?' deed Cleo nog een duit in het zakje.

Eveline hief haar handen. 'Ik wilde hem niet helpen,' zei ze en ze liep naar haar fiets.

Terwijl ze hun fietsen pakten, hoorde Eveline weer het gekras van een kraai boven haar hoofd. Ze keek omhoog en zag de witte vogel in de boom zitten waar haar fiets tegenaan stond.

'Dat is de vogel van net,' zei Cleo.

De kraai kraste en wipte op de tak heen en weer, duidelijk in zijn nopjes.

'Denk je dat dit jouw beschermer is?' vroeg Daniel.

Cleo stak haar hand uit en probeerde hem te lokken. 'Kom es, kom maar, psst,' zei ze.

'Het is toch geen kat?' zei Eveline verontwaardigd. De kraai was het daar blijkbaar mee eens, want hij bleef zitten waar hij zat.

'Probeer jij het eens?' stelde Cleo voor. Eveline stak haar hand uit. 'Kom maar,' probeerde ze. Maar de kraai draaide zich om en wiebelde heen en weer.

'Haha, hij geeft je de spreekwoordelijke vinger,' lachte Cleo.

Eveline stapte teleurgesteld op haar fiets, want ze had gehoopt dat de kraai wel naar haar toe zou komen.

Terwijl Cleo en Daniel druk pratend achter haar reden, fietste Eveline peinzend het zandpad af. Het hele ding met het jongetje had haar meer laten schrikken dan ze aan de anderen wilde toegeven. Ze had hem niet willen helpen, niet bewust in elk geval, maar ze had er wel aan gedacht. Was dat al voldoende voor geesten om zich – letterlijk – aan haar vast te klemmen en zo haar levensenergie op te zuigen? Het hele gebeuren maakte haar bang. Elke keer als ze dacht dat ze doorhad hoe het ongeveer werkte, kwam er iets nieuws en ze voelde zich op dit moment net een levende schietschijf voor dolende geesten.

Ze kwam aan bij het groene fietsstoplicht en wilde net de provinciale weg oprijden toen een witte schim recht in haar gezicht vloog en ze remde. Het volgende moment reed er een vrachtwagen op volle snelheid voor haar wiel langs.

'Eef!' riepen zowel Cleo als Daniel keihard achter haar.

Evelines hart ging driehonderd slagen per minuut en ze legde haar hand op haar borst in een poging het weer wat kalmer te krijgen. De kraai was intussen keurig op het stuur van haar fiets geland en kraste naar haar, alsof hij iets tegen haar wilde zeggen, maar ze sprak geen 'kraais' dus dat verstond ze natuurlijk niet.

Cleo kwam langszij en stopte. 'Hoe vaak probeer je dood te gaan op een dag?' zei ze luchtig, maar de paniek was van haar gezicht te lezen.

'Ik probeer niet dood te gaan – die gek reed dwars door het rood heen!' zei Eveline verontwaardigd. 'Het was groen voor mij, hij hield me tegen,' zei ze en ze wees naar de kraai. Die hield zijn kopje scheef en wiebelde heen en weer op haar stuur alsof hij het waanzinnig naar zijn zin had. Hij wipte naar haar linkerhand en ging zachtjes met zijn snavel langs haar hand die meteen warm werd. Met haar andere hand aaide ze hem zachtjes over zijn witte veren. De vogel deed zijn ogen dicht en zakte een beetje door zijn pootjes. Ze had het idee dat als het een kat was, hij op haar stuur zou zitten spinnen. 'Vind je dat lekker?' zei Eveline tegen de vogel, die zijn ogen opendeed toen ze tegen hem praatte.

Hij had net als zij paarse ogen.

Eveline was ontzettend blij met de komst van haar beschermer en vroeg zich af of haar opa die misschien naar haar gestuurd had. Hij gaf haar het gevoel dat ze wat minder kwetsbaar was, dat ze iets meer was opgewassen tegen de onbekende en gevaarlijke krachten die sinds een paar dagen een rol speelden in haar leven.

Ze gingen naar Daniels kamer – zo langzamerhand voelde het als hun hoofdkwartier – maar Daniel bevroor in de deuropening.

'Iemand heeft aan mijn spullen gezeten,' zei hij en hij liep voorzichtig de kamer binnen, alsof hij op eieren liep.

'Hoe weet je dat?' vroeg Cleo.

Hij wees naar zijn boeken. 'Ik leg ze altijd precies recht met behulp van een liniaal en ze liggen nu scheef.'

'Zat er iets belangrijks bij? De boodschap van Ilana? Of aantekeningen over het graf?' vroeg Eveline gehaast.

'Nee, nee, na wat Arabella gister had gedaan heb ik vanochtend alles meegenomen,' zei hij.

'Zij was het vast weer, wedden,' zei Cleo.

'Dit bewijst wel dat we alles bij ons moeten houden,' zei Daniel die snel door de boeken ging. 'Er is niet veel vanaf te leiden,' zei hij. 'Gewoon geestenboeken, en ze wisten dat ik die las.' Gerustgesteld ging hij achter zijn de computer zitten. 'Arabella is trouwens veel te bang voor jou om ons echt dwars te zitten denk ik,' zei hij vervolgens tegen Eveline.

Ze wist niet of ze dat nou zo leuk vond om te horen, maar besefte wel dat ze dat mede aan zichzelf te danken had door de stunt die ze de avond daarvoor had uitgehaald. Ze had daar eigenlijk een beetje spijt van – stel je voor dat ze inderdaad in gevaar was vanwege haar gave, en wat deed zij? Ze vestigde de aandacht op zichzelf door zoiets te doen!

'Ik denk dat we moeten proberen om minder opvallend te werk te gaan,' zei Daniel, alsof hij haar gedachten had gelezen. 'En dat we een doordacht plan moeten hebben, want dat bij het meer was veel te impulsief en daardoor waren we niet goed voorbereid en was jij bijna dood,' somde hij op zo'n feitelijke manier op dat het klonk alsof hij een boodschappenlijstje voorlas.

'Wat stel je voor dan?' zei Eveline, die nu zag dat de witte kraai achter het raampje bij Daniels bureau zat. Hij leek helemaal gelukkig zo, met zijn ogen half dicht in de zon.

'Meer onderzoek doen,' zei Daniel. 'Naar het ritueel dat die nazi deed, en waar Azer vermoord is en...'

'Ik wil niet meer onderzoek doen,' zei Eveline meteen. 'We hebben al veel te veel tijd verloren, we hebben nog twee dagen, we moeten zo snel mogelijk verder zoeken.' Ze telde op haar vingers. 'We zijn bij de catacomben geweest en bij het meer. Ik weet dat het aan de ene kant niet logisch is vanwege de demonen, maar ik vind toch dat we nu moeten gaan kijken bij het hek en de joodse begraafplaats. Want aan de andere kant is het juist wel logisch dat Septimus daar ligt, want het is op de begraafplaats dus konden mijn opa en oma het graf beschermen, toch?'

Daniel keek haar ongelovig aan. 'Maar daar ben je aangevallen,' zei hij.

'Dan moeten we een manier vinden om hen... hen af te weren. Staat daar niets over in je boeken?'

Daniel schudde zijn hoofd en tikte iets in op zijn computer. 'Ik vind dat we eerst naar de plek moeten zoeken waar Azer is vermoord,' zei hij. 'Als we daar niets vinden, dán gaan we verder achter het hek.'

'Dat is pas onlogisch!' riep Eveline. 'Als Azer ergens vermoord is om een geest op te roepen, dan zou de moordenaar toch niet nog iemand daar hoeven te vermoorden?'

Hij haalde zijn schouders op. 'Misschien was daar het graf van Septimus en wilde de moordenaar hem oproepen, maar is het mislukt? Dat kan toch? Je hebt Edda toch gehoord dat er ideale omstandigheden voor het ritueel zijn?'

'Ja, het is mislukt en daarom wacht hij of zij vier jaar om het nog een keer te proberen. Dat is helemaal onlogisch.' Eveline begon zich op te winden. Ze had niet het idee dat het hen verder zou brengen als ze op die plek zouden zoeken.

'Weet je nog wat je zag toen je zijn foto aanraakte?'

'Eh... een houten kooi... een kist met aarde erin, van een soort metaal... en er stak een hand uit, van een dode...' Eveline dacht na. 'En een gang. Een lage gang.'

'Heeft het overeenkomsten met het visioen van Sebastiaan?' Daniel tikte razendsnel een paar dingen in op de computer.

'Ja. Die kooi heb ik ook gezien, maar verder niks hetzelfde. Ik denk niet dat het dezelfde plek was.'

Cleo zat op bed met haar armen over elkaar. Ze had nog helemaal niets toegevoegd aan de discussie over waar ze moesten zoeken, maar intussen was haar gezicht steeds zwarter gaan staan en haar wenkbrauwen waren boze wormen boven haar ogen.

'Clé?'

Haar vriendinnetje keek niet op of om.

'Wat is er?' smeekte Eveline.

Cleo keek op. Haar ogen stonden kil. 'Wat denk je dat er is?'

Eveline haalde haar schouders op. Ze had geen flauw idee.

'Je vertelt ons doodleuk – ja, dóódleuk is wel het goede woord – dat je een van die geestengastjes helpt en daarbij zelf bijna doodgaat. Als dat beest er niet was geweest, dan was je...' Cleo stopte. Ze sloeg haar armen weer over elkaar en staarde naar haar schoot. 'En nu stel je voor dat we moeten gaan kijken op een plek waar we zijn aangevallen door een stel demonen die wíj niet kunnen zien en die vooral jou te pakken probeerden te krijgen.'

Eveline ging naast Cleo zitten en probeerde haar arm los te trekken. 'Ik wilde hem niet helpen,' zei ze.

Cleo schudde haar hoofd. 'Wat maakt het uit! Het feit is dat het gebeurd is en dat je nu weer naar een of andere gevaarlijke plek wil waar iets is wat jij kan zien en wij niet – en wat moeten wij dan doen? Lekker toekijken hoe jij op een gegeven moment doodgaat zonder dat wij zien wat er aan de hand is? Zonder dat wij kunnen zien wat er gebeurt? We kunnen helemaal níks! Ik kon niet eens zien wat je vasthield, ik kan het niet zien als je wordt aangevallen, ik kan niks zien!' Ze balde haar vuisten.

'Ik zal volgende keer beter opletten,' suste Eveline, maar Cleo schudde woest haar hoofd. 'Dat zei je daarvoor ook al,' zei ze. 'Ik geloof je niet.' Ze sprong overeind en trapte zo hard met haar voet tegen het bed aan, dat het hout kraakte. Eveline sprong geschrokken van het bed af. 'Clé!'

Cleo luisterde niet, ze trapte nog een keer, nog een keer. Eveline wilde haar stoppen, maar Daniel maakte een gebaar dat ze haar moest laten.

'Ik-wil-niet-er-bij-staan-en-kij-ken-hoe-je-dood-gaat,' zei Cleo, elke lettergreep vergezeld van een trap. Het bed piepte, kraakte en schudde. Uiteindelijk stompte Cleo een paar keer tegen de matras aan en toen hield ze op, hijgend. Haar armen vielen slap langs haar lichaam, haar hoofd voorovergebogen. 'Ik wil gewoon niet dat je doodgaat.'

'Ik ga niet dood, echt niet,' zei Eveline. 'Dat beloof ik.' Ze wist niet hoe ze dit kon beloven, dat kon ze natuurlijk helemaal niet beloven, maar wat kon ze anders zeggen?

Cleo keek haar fel aan. 'Als je je belofte verbreekt, dan kom ik je halen. Echt. Waar je dan ook bent.'

Eveline wist dat ze het meende en ze zag het Cleo doen, op wat voor manier dan ook. 'Ik heb nu toch ook mijn beschermer?' suste ze.

'Ja, en dan denk je maar meteen dat je onsterfelijk bent, over dat hek kan klimmen en die griezels naar de hel kan schoppen?'

'Nee, maar daar heb ik jou toch voor?' grapte Eveline, maar Cleo lachte niet.

'Het was een loden kist,' zei Daniel opeens triomfantelijk. 'Het metaal waar je het over had: dat was lood.' Hij liet zijn laptop zien en onthulde een foto van een kist met een hoop aarde erin waar een hand uitstak.

Het was het beeld dat Eveline in het visioen had gezien.

'Dat is het precies,' zei Eveline ademloos. 'Wat staat erbij?'

'Dat er een graf is ontdekt bij het kruispunt De Drie Laenen. Het is een onbekende man, waarschijnlijk een notabele Romein vanwege kostbaarheden die in het graf lagen.'

'Daar is Azer vermoord,' zei Eveline. 'Ik weet het zeker! Wie heeft het graf ontdekt? Kun je dat vinden?'

Ze hing over Daniels schouder terwijl hij verder tikte.

'Wilfried Langelaar, wedden,' zei Cleo meteen.

'Niet Langelaar. "Vooraanstaand archeoloog G. Rudion", las Daniel voor en hij ging met zijn muis door het artikel heen waar een paar foto's bij stonden. 'Stop eens,' zei Eveline en ze wees naar de foto van een man die geknield bij de loden kist zat. *Dezelfde scherpe neus, hetzelfde grijze haar...* Alleen had hij het vreemde concertjasje niet aan, maar Eveline wist het zeker...

Archeoloog G. Rudion was Garon.

'Wist jij dat?' vroeg ze aan Daniel met een stem dik van opwinding. 'Dat hij ook archeoloog was? En hij heeft dat graf ontdekt! Dit met al het andere maakt hem wel heel heel heel erg verdacht toch?'

Eveline dacht aan de wonden in Garons gezicht – alsof iemand hem had gekrabd. Dat was haar oma geweest, of Sebastiaan.

Daniel tikte weer wat in. 'Hij is daarna oneervol ontslagen, moet je kijken: ONTVREEMDING ARTEFACT UIT HET MUSEUM. Hij trok een rimpel tussen zijn wenkbrauwen. 'Er staat nergens wat het was.'

Eveline, Cleo en Daniel begonnen theorieën te bedenken over hoe het allemaal met elkaar te maken kon hebben: Garon had op een of andere manier ontdekt dat er iets bijzonders was aan het graf van Septimus, maar niemand – ook hij niet – wist waar het graf was. Toen vond hij een loden kist, volgens het artikel iets heel bijzonders wat niet vaak voorkwam bij de Romeinen. Dat zou natuurlijk een reden kunnen zijn geweest om te denken dat Septimus erin lag – het was het lichaam van een man – een notabele – en misschien waren er nog wel meer aanwijzingen die zij drieën niet wisten, maar een archeoloog gespecialiseerd in de klassieke oudheid wel. Hij voerde het afschuwelijke ritueel uit, maar het bleek niet Septimus te zijn.

'Misschien heeft die geest hem wel verteld waar Septimus dan wel lag, net als de vrouw van Septimus dat vertelde aan Edda.'

'Hij is als list bij je opa en oma op het terrein komen werken – dan is het graf misschien inderdaad wel achter het hek.'

'Maar waarom dan vier jaar lang erover doen om weer een poging te wagen?'

'Wat als je oma het steeds heeft weten tegen te houden?'

'Zijn er niet nog meer kinderen verdwenen?'

Een kleine zoektocht op internet later kwamen ze tot de conclusie dat er niet meer kinderen waren vermist, dus dat er waarschijnlijk niet meer kinderen waren geofferd. De theorie dat Lucella het graf beschermde en dat niemand er daardoor bij kon komen was de meest plausibele. 'Hij heeft je oma vermoord, heeft het op een zelfmoord laten lijken en nu heeft hij vrij spel,' zei Daniel. 'En met vollemaan offert hij Sebastiaan, heeft contact met Septimus en krijgt zo het geheim van hem dat je opa en oma moesten bewaken.'

Iemand klopte op de deur.

Eveline verwachtte dat het Roos was, maar het was Wilfried Langelaar die een seconde nadat hij geklopt had (veel te snel) de kamer binnenkwam met een serieuze uitdrukking op zijn knappe gezicht. 'Ik dacht al dat ik jullie hoorde,' zei hij.

Daniel klapte nonchalant zijn computer dicht.

'Je hoeft het niet te verbergen,' zei Langelaar. 'Ik weet wel waar jullie mee bezig zijn.'

Een schok ging door Eveline heen.

'Arabella heeft me verteld dat jullie bezig zijn met geesten oproepen,' begon hij. 'En dat jullie haar heel erg hebben laten schrikken.' Hij keek ernstig. 'Ze was compleet overstuur vanmorgen,' zei hij en hij wierp een blik op de stapel boeken op Daniels bureau met titels als: *Geestverschijningen, Haunted houses, Real ghost stories...* 'Ik wil dat jullie hiermee ophouden,' zei hij ferm. 'Ik vind het niet gezond en de anderen worden er bang van. En bovendien kwam Garon vanmorgen bij me langs om te klagen dat hij jullie nog steeds op de begraafplaats ziet rondhangen.'

Natuurlijk klaagt Garon daarover. Slim, dan is hij de pottenkijkers kwijt. Daarom had hij die avond Daniel opgesloten.

Wilfried stak zijn handen in zijn zakken. 'Ik snap best dat het allemaal razend interessant is, maar ik ga jullie toch verbieden om nog langer op de begraafplaats te komen. Er liggen daar mensen begraven en hun familie moet hen rustig kunnen bezoeken en niet worden lastiggevallen door een stel tieners met een op hol geslagen fantasie die proberen in contact te komen met de doden.'

'Maar we doen niks,' zei Cleo. 'Iedereen mag daar toch komen?'

'Ja, dat mag wel, maar jij zou het toch ook vervelend vinden als iemand die je lief is daar ligt en een stel vreemden gebruiken diegene voor een soort experiment door opnames te maken van zijn of haar graf? Of glaasje te draaien?'

'Dat hebben we daar niet gedaan,' bracht Daniel ertegen in, maar Langelaar gebaarde dat hij zijn mond moest houden. 'Het is een plaats van rust en ik wil niet dat die rust wordt verstoord door mensen die onder mijn verantwoordelijkheid vallen.' Hij keek hen een voor een ernstig aan. 'En anders moeten jullie allemaal maar weer terug naar huis.'

Ze beloofden de vader van Arabella dat ze niet meer op de begraafplaats zouden komen en ook geen geesten meer zouden oproepen. Daar scheen hij tevreden mee te zijn, want met een: 'En waarom gaan jullie nu niet lekker naar de Paddenpoel?' liep hij de kamer weer uit.

'Waar bemoeit hij zich mee?' zei Cleo meteen toen hij weg was. 'We mogen toch zelf weten wat we doen?'

Maar Eveline snapte het wel en had nog meer spijt van haar impulsieve glaasje-draai-actie waarmee ze zo de aandacht op zichzelf had gevestigd. Het verbod van Langelaar was een domper op hun zoektocht naar Sebastiaan wanneer ze niet zomaar meer de begraafplaats op zouden kunnen.

'Anders gaan we toch weer naar jouw huis? En dan gaat Daniel mee,' opperde Cleo. 'Dan kan hij ons niet verbieden om op de begraafplaats te komen.'

Daar had Eveline ook al aan gedacht, maar ze dacht niet dat het veel zou uitmaken, want Garon zou hen alsnog wegsturen als hij hen weer zag lopen.

'En mijn ouders vinden het zeker niet goed als ik bij jullie blijf logeren,' zei Daniel. 'Ze zijn nogal... overbezorgd nadat Tommy...' Hij kuchte en maakte zijn zin niet af.

'We gaan als het donker is,' hield Eveline voet bij stuk. 'Dan is de begraafplaats dicht en kan hij ons minder goed zien.'

'Je vergeet één ding,' zei Cleo. 'Als het graf echt achter het hek is, hoe komen we dan langs die twee demonen die daar blijkbaar de boel bewaken?'

'Er moet toch een manier zijn om hen daar weg te krijgen of om er langs te kunnen? Daar moeten we achter komen en als we hier niks kunnen vinden' – Eveline wees naar de boeken en de computer – 'dan breken we eerst in in het huis van mijn opa en oma en zoeken we daar.'

Ze moest en zou Sebastiaan redden voordat het te laat was. Telkens als ze haar ogen dichtdeed dan zag ze wat er met die kleine David in de catacomben gebeurde en ze werd er steeds misselijk van als ze bedacht dat dat ook met Azer was gebeurd. En dat zij het had kunnen voorkomen, daar wilde ze helemaal niet meer aan denken, maar het bloeide steeds weer in haar hoofd op als een giftige bloem die zich met haar wortels diep in haar hersenen had genesteld.

15

Ze speurden de rest van de middag, maar vonden niets wat substantieel genoeg was dat ze er iets aan hadden. Nergens in een boek of op internet was iets te vinden wat genoeg leek op de demon die Eveline had gezien, dus ze konden er niet vanuit gaan dat de geijkte dingen die ze overal tegenkwamen (wijwater, Bijbels, kruisbeelden) en die bescherming zouden bieden tegen demonen hen ook zouden beschermen tegen de twee viezerds achter het hek. Daniel had de opname met de schimmen nog een keer bekeken om te zien of hij daar nog iets aan had, maar ook dat spoor liep dood, al had dit hem wel op een ander idee gebracht: Cleo zou zijn infraroodkijker op kunnen doen en hij zou zelf door zijn camera heen kunnen kijken op het moment dat ze zich achter het hek zouden wagen zodat ze hopelijk de twee demonen zouden kunnen zien – zij het waarschijnlijk alleen als een witte schim.

De enige verstandige volgende stap was inbreken in het huis van Lucella en Ben Sevenster (als je inbreken überhaupt een verstandige stap kon noemen, maar Eveline praatte het goed voor zichzelf door te bedenken dat dit het huis van haar familie was, dus was het meer een bezoekje zonder sleutel) om daar te zoeken naar een afweermiddel tegen demonen.

Ergens gedurende de avond besefte Eveline dat ze vandaag jarig was; niet de verjaardag die ze vierde als Eveline Dijkman, maar de verjaardag die ze tien jaar had gevierd als Eveline Sevenster. Vandaag was ze officieel veertien geworden en ze vroeg zich meteen af of de komst van de kraai daar misschien iets mee te maken had.

Tegen de tijd dat ze Roos meehielpen met koken, gingen Evelines emoties op en neer als een stuiterbal. Aan de ene kant vond ze het vreselijk om naar de begraafplaats te gaan om twee demonen en een maniakale begraafplaatsopzichter te verslaan, aan de andere kant hoopte ze dat ze Azer weer zou zien. Sinds hij de avond daarvoor zo stoer was binnen komen vallen, was hij elk rustig moment in haar gedachten geweest.

'Een kwartje voor je gedachten,' zei Cleo die naast haar fanatiek een komkommer in stukjes hakte. Eveline kreeg meteen rode wangen en wilde Cleo een duw geven, maar die tikte moeiteloos haar hand weg. 'Kom dan,' daagde ze haar uit en ze deed een paar snelle schijnaanvallen naar Eveline, waarbij ze haar steeds net niet raakte.

'Pff. Ik kan toch niet tegen jou op,' zei Eveline die aanstalten maakte om verder te snijden.

'Tof hoor,' zei Dimmi die de kamer kwam binnenlopen en aan de andere kant van het aanrecht bleef staan. 'Waar heb je dat geleerd?'

'Gewoon in de gymzaal,' zei Cleo bescheiden.

'Dat leren wij niet bij gym.'

'Ik zei ook niet "bij gym", maar in de gymzaal,' zei Cleo gevat. 'Ik heb les in een oude gymzaal.'

'Kan jij dat ook?' vroeg Dimmi aan Eveline en hij jatte een stukje tomaat van de snijplank dat hij in zijn mond stopte.

'Nee, maar ik kan heel goed messen werpen,' loog Eveline.

'Echt?'

'Ja, zal ik het even demonstreren? Als je daar nou gaat staan met een appel op je hoofd?' Ze gebaarde met de punt van het mes naar de open haard.

'Je bent gek,' zei hij en hij keek meteen weer een beetje angstig.

Eveline en Cleo schoten in de lach. 'Tuurlijk kan ik dat niet,' zei Eveline.

'Het kon toch?' Hij ontspande zich weer en leunde met zijn ellebogen op het aanrecht, waardoor zijn armen bijna uit de mouwen van zijn strakke witte shirt barstten. Cleo begon te lachen, waarschijnlijk omdat ze net als Eveline dacht dat hij expres zo ging staan omdat hij wel wist dat zijn armen er dan zo gespierd uit zouden zien. Maar het had niet het gewenste effect, want Evelines gedachten gingen meteen onwillekeurig naar Azer: die had minder gespierde armen, maar wel veel mooier vond ze. En ze wist zeker dat hij nooit zo zou gaan staan alleen maar om te laten zien hoe mooi zijn armen waren.

'Blijven jullie wel na het eten? We hebben weer spelletjesavond,' zei Dimmi op veelbetekenende toon.

Cleo rolde met haar ogen naar Eveline. 'Daar moeten we nog even over nadenken,' zei ze bloedserieus.

'Oké,' zei hij. Hij stak zijn handen in zijn zak en kuierde naar de banken bij de open haard waar Stan hing.

Tijdens het eten kreeg Eveline bijna geen hap meer door haar keel en ze zag Daniel ook met zijn gebakken aardappels over zijn bord schuiven. Cleo at zoals gewoonlijk twee borden vol – die had waarschijnlijk nog trek als de wereld op het punt stond om te vergaan. Maar Eveline had het gevoel dat er een ijzeren deksel op haar maag zat en het hielp ook niet dat Arabella haar met haar felle ogen om de haverklap volgde. Was het om haar in de gaten te houden, of omdat Arabella echt bang voor haar was?

Ze hield zich in elk geval in tot aan het einde van de maaltijd, toen ze aangaven dat ze niet mee zouden doen met de 'spelletjesavond'.

'Wat zijn jullie toch geheimzinnig aan het doen,' snibde Arabella. 'Gaan jullie weer naar hiernaast? Lekker rottende lijken eten?'

'Ik zit best wel vol, maar er kunnen nog best wel een paar verrotte vingertjes bij,' zei Cleo die over haar maag wreef. Het was zo'n vieze opmerking, dat iedereen met stomheid was geslagen, inclusief Arabella. 'Veel plezier met jullie spelletje,' zei Cleo. 'Saai hoor, elke avond hetzelfde doen.'

Dimmi leek het helemaal niet saai te vinden. 'Blijven jullie echt niet?' vroeg hij, meer aan Eveline dan aan Cleo.

Arabella had nu door dat Dimmi schaamteloos met Eveline aan het flirten was en sloeg om als een blad aan een boom. 'Ga maar,' zei ze snel. 'Veel plezier met jullie heksendingen.'

Eveline liep achter Cleo en Daniel de gang in, toen Dimmi, die achter hen aan was gelopen, haar bij haar arm pakte. 'Wil je echt niet blijven?' zei hij. De woonkamerdeur had hij achter zich dichtgedaan en Eveline zag dat Daniel en Cleo al Daniels kamer binnen waren gegaan. Ze waren alleen in de schemerige gang en hij stond zo dicht bij haar dat ze zijn deo kon ruiken.

'Nee, ik...'

'Heb je echt nog nooit gezoend?' vroeg hij met een blik in zijn ogen die ze niet goed kon plaatsen. Hij zette zijn beide armen met een bezitterig gebaar tegen de muur aan, zodat ze met haar hoofd tussen zijn handen stond. Ze vond het eigenlijk niet prettig dat hij zo dicht bij haar was, maar wist niet zo goed of ze dat tegen hem moest zeggen of niet.

'Nou?'

Ze schudde haar hoofd. 'Nee.'

'Ben je bang?'

Of ik bang ben? Wat is dat nou weer voor vraag?

'Nee, ik wil gewoon voor het eerst met de j...'

Dimmi boog zich opeens voorover en wilde Eveline vol op haar mond zoenen, maar die draaide meteen haar hoofd weg. 'Niet doen,' zei ze, maar hij probeerde haar vervolgens in haar nek te zoenen en pakte haar bij haar kin.

Eveline had niet eens doorgehad dat Cleo weer terug de gang op was gekomen, totdat haar vriendinnetje zomaar achter de opdringerige Dimmi stond en razendsnel zijn arm op zijn rug draaide. 'Volgens mij wil Eveline niet met je zoenen,' zei ze kalm, maar in haar ogen danste een woedend vlammetje.

'Je doet me pijn,' jammerde hij meteen.

'Verdiende loon,' zei ze en ze gaf hem een zet richting de woonkamerdeur, waar hij snel doorheen vluchtte.

'Gatver, wat een laffe macho,' zei ze tegen Eveline. 'Daar zou ik ook niet mee willen zoenen.'

'Dankjewel,' zei Eveline gemeend en ze bedacht dat zij ook niet met Dimmi wilde zoenen en dat ze blij was dat ze niet haar eerste zoen met hem had gedeeld toen ze nog dacht dat hij leuk was, want ze had zich compleet in hem vergist.

Op Daniels kamer maakten ze zich klaar. Ze hadden van alles: de infraroodkijker voor Cleo, zaklampen, water, Daans infraroodcamera...

'Zijn we er klaar voor?' vroeg Cleo. Ze trok een zwart petje tot net boven haar ogen en stak een zaklamp tussen de riem van haar zwarte broek, alsof het een pistool was. Ze waren allemaal zo gespannen als een elastiekje. Nadat ze de kamerdeur met een stoel hadden gebarricadeerd, klommen ze via het bureau door het raam de boerderij uit. Het was tien uur 's avonds, de zon was al bijna onder en de hemel had de kleur van leem waardoor alles daaronder kleurloos leek. Grijs. De schapen in de wei naast de boerderij stonden zo stil dat het leek alsof ze uit karton geknipt waren. Zonder iets te zeggen sprongen ze over de sloot en klommen daarna over het prikkeldraad het weiland in en liepen langs de schapen die geen boe of bah zeiden. Eveline keek over haar schouder – de boerderij leek uitgestorven en van de hoge bomen om de boerderij bewogen zelfs de blaadjes niet.

Ineens bewoog er toch iets in een van de grijze bomen; een witte schim fladderde omhoog en vloog met zijn vleugels uitgespreid richting de drie in het weiland. Alleen de 'woesj' van zijn vleugels was te horen toen de witte kraai op Evelines linkerschouder landde.

Als Arabella me nu ziet, denkt ze helemaal dat ik een heks ben, dacht Eveline. *Een heks met zwarte kleren aan en een witte kraai op haar schouder.*

De vogel vloog op toen ze achter de andere twee aan door het gat in de heg kroop. Ze bleven gekniel zitten op het pad. Ook hier was het stil. Ze slopen – gebukt, hoofd omlaag – naar het middenpad en sloegen links af richting het huis. De witte kraai vloog vlak boven hun hoofd mee en Eveline vroeg zich weer af of hij gekomen was vanwege haar verjaardag. Het was wel meer dan toevallig... Alsof hij haar een bevestigend antwoord wilde geven, kraste hij zachtjes. In een reflex hield ze haar hand omhoog, hij draaide zich om als een minivliegtuigje en zeilde toen terug naar haar hand die hij heel zachtjes aanraakte met zijn snavel.

Ze liepen naar de kant van het huis bij de haag en knielden neer bij de kelderraampjes. Ze voelden aan alle raampjes, totdat ze het raampje met de meeste ruimte tussen het kozijn en de onderkant hadden. Daniel duwde een plastic pasje in de sleuf en klikte zo eenvoudig het slot open, waarna hij het open kon duwen en met een zaklamp naar binnen kon schijnen. 'Doodskisten,' zei hij zachtjes. 'Het is het mortuarium.'

'Zal ik eerst gaan?' bood Cleo aan.

'Nee, ik ga wel,' zei Eveline dapper. Cleo hield het raampje wat verder open zodat Eveline haar voeten door de opening kon wurmen. Ze probeerde niet te denken aan wat daar was, koude handen die plotseling haar benen zouden vastpakken... Ze hing nu heel ongemakkelijk met haar onderlichaam binnen en haar bovenlichaam buiten. Ze schuifelde iets verder, klemde haar vingers om het richeltje van het raam... Cleo keek haar gespannen aan. Eveline zette zich schrap en liet zich toen vallen. Ze landde zachtjes op een betonnen vloer.

'Alles oké?' vroeg Cleo.

'Ja, kom maar.'

Cleo wurmde zich door het raampje heen en landde naast Eveline. Daarna hielpen ze Daniel. In het weinige schemerlicht dat door de raampjes viel konden ze nog net zien dat ze in een grote kelder waren. Ze zagen een paar metalen tafels op wielen en langs de wand stonden stellingkasten. Tegen de wand aan stonden doodskisten in verschillende soorten en maten.

'Snel weg hier,' fluisterde Cleo. Ze sloop zacht als een kat de keldertrap op en probeerde de deur, die gelukkig openging. Eveline en Daniel slopen achter haar aan. Ze kwamen in een gang waar een aantal deuren op uitkwamen: een dames- en een herentoilet, en een deur die naar een kleine aula leidde waarin wat stoelen stonden en waarin zich een podium bevond. Daarop stonden twee kaarsenstandaards in de vorm van takken, met dikke witte kaarsen erop. Eveline vond het heel mooi.

'Hier zijn vast de diensten,' zei ze. 'Ik denk dat mijn opa en oma aan de straatkant woonden.'

Ze probeerden een deur aan de andere kant waar PRIVÉ op stond en meteen stonden ze in een andere wereld; een ouderwetse keuken met grote balken aan het plafond en een heleboel potten en pannen aan de muren. In een hoek stond een houten tafel waar een vaas met witte rozen op stond die nu bruin waren en een zoete geur van verrotting verspreidden. Via de keuken kwam je in een zithoek met versleten leunstoelen om een open haard. Eveline keek stiekem of ze ergens foto's zag hangen – van haar opa en oma, of van zichzelf en haar ouders... maar tot haar teleurstelling waren er wel veel schilderijen, maar nergens foto's.

Op hun tenen liepen ze naar de volgende deur en kwamen uit in een klein halletje waar een trap naar boven leidde. Cleo wees naar boven, maar Eveline schudde haar hoofd en wees naar de volgende deur. Zachtjes deden ze hem open en spiedden om het hoekje. Het was de eetkamer. Ook hier stond een houten tafel met stoelen eromheen en een ouderwetse gietijzeren lamp erboven.

'Waar zoeken we naar?' vroeg Cleo.

'Informatie over demonen,' zei Daniel zachtjes. Hij sloop langs hen en opende de deur aan de rechterkant van de eetkamer waar hij met zijn zaklamp naar binnen scheen. 'Bingo,' zei hij blij. Hij opende de deur wat wijder zodat Eveline en Cleo konden zien waar hij zo blij om was: het was een kamer vol met boeken.

'O jeetje,' kreunde Cleo toen ze in de kamer stond, want twee muren van de kamer waren van vloer tot plafond bedekt met boekenkasten. De wand tegenover de deur was grotendeels raam met dikke blauwfluwelen gordijnen ervoor en er stond een witmarmeren schouw met beelden erop in het midden. Aan de rechterkant stond een lage koffietafel met twee grote leren stoelen erbij. Onder de ramen van de andere wand stond een langwerpige bijzettafel met een wit kleed erover en een vaas met opnieuw witte rozen erin. De bovenste boekenkasten kon je bereiken via een trapje aan de zijkant dat leidde naar een houten omgang waar je overheen kon lopen.

'Wauw,' zei Eveline. 'Mooi.'

'Mooi en vooral veel,' zuchtte Daniel. 'Hoe gaan we dit aanpakken?'

Ze besloten eerst een snelle scan te doen om te kijken of er verschillende secties in de bibliotheek waren. Dat was gelukkig zo. De bovenverdieping was vooral gewijd aan occulte zaken, van hekserij tot satanisme, tot de zoektocht naar Atlantis en allerlei verschillende sektes.

'Nu zijn het er nog steeds ongelooflijk veel,' zei Cleo.

'Maar wel de helft minder,' zei Daniel monter. 'Je opa en oma hielden het wel goed bij,' zei hij en hij keek watertandend naar zoveel verschillende titels over zijn favoriete onderwerp. Hij kon zich niet langer inhouden en trok een dik boek met de titel *Real Ghost Pictures* uit de kast. 'Dit heb ik vorig jaar met kerst gevraagd, maar niet gekregen,' verzuchtte hij.

Ze installeerden zich op de houten overloop en begonnen aan hun zoektocht, waarbij ze steeds één plank tegelijkertijd leeghaalden, door de boeken bladerden en die vervolgens weer terugzetten als er niets nuttigs instond. Na een tijdje hadden ze zwarte handen van het stof en hing er een muffe lucht van oud papier in hun kleren en haren. Eveline zag dat Daniel ook zwarte vegen in zijn gezicht had. Hij zat in opperste concentratie in een razend tempo door een boek te bladeren, legde het weg en begon aan een volgende, weer in dat tempo.

'Hoe snel kun jij lezen?' vroeg Cleo die niet van boeken hield en een gekwelde uitdrukking op haar gezicht had die met elk nieuw boek steeds erger werd.

'Ik lees niet, ik blader,' zei hij en hij ging onverstoorbaar in zijn razende tempo door.

Eveline trok haar knieën op om het wat warmer te krijgen, want het was kil in de donkere kamer. Buiten de lichtcirkels van hun zaklampen losten alle schaduwen op in het duister. Ergens in de verte luidde een kerkklok elf keer. Ze waren al bijna een uur op zoek en hadden nog niets gevonden.

'*Magic: History, Theory, Practice*,' las Cleo een titel voor. 'Er zijn dingen onderstreept, moet je luisteren: "*He who does not have the demonic seed within himself will never give birth to a magical world.*" Gatver, dat is toch een zieke gedachte? Heeft je oma dit onderstreept?'

'Mag ik eens kijken?' vroeg Daniel geïnteresseerd. Cleo gaf hem het boek aan en hij bladerde er in zijn waanzinnige tempo doorheen. 'De onderstrepingen horen bij de druk,' zei hij.

'En?'

'Het gaat over demonen, maar er staat niks bruikbaars in.'

Cleo griste het boek weer uit zijn handen en gooide het op de stapel. 'Boeken, boeken, boeken,' zuchtte ze. 'Als we dit allemaal moeten doorkijken zijn we ongeveer bejaard.' Ze porde Eveline met haar voet. 'Waar is je oma? Kun je haar niet vragen waar je moet zoeken?'

Daar had Eveline zelf ook al aan gedacht, maar tot nu toe had ze haar oma nog nergens gezien. 'Ik weet niet waar ze is,' zei ze terwijl ze het boek *Hekserij in het huishouden* weglegde – ook niet bruikbaar. 'Er zit niet echt een logica in waar de geesten zijn,' zei ze. Ze wreef over haar koude benen. 'Tenminste, niet een logica die ik heb kunnen ontdekken, want de ene keer zijn ze op de plaats waar ze zijn omgekomen zoals de priester en het jongetje in het meer en soms lijken ze bij mensen te zijn, zoals de man van Nadine, maar die was niet de hele tijd bij haar, maar alleen als ze in de auto zat. En Rico wil volgens mij graag bij Chantal zijn. En dan heb je ook nog geesten die bij hun graf zijn, zoals de dode accountant.'

'En Azer?'

'Dat weet ik al helemaal niet, ik dacht eerst bij zijn graf, maar hij kan daar blijkbaar heel ver van vandaan en dat is denk ik gek – maar hij is al helemaal anders dan alle andere geesten,' zei ze terwijl ze alweer een blos naar haar wangen voelde kruipen.

'Ik vind het wel logisch dat er niet echt een logica in zit,' zei Daniel plotseling. 'Mensen doen ook vaak onlogische dingen terwijl ze nog leven, dus waarom zou het anders zijn als je dood bent?'

'Ik weet het niet. Het lijkt er soms wel op alsof ze een soort van materialiseren als ik in de buurt ben,' zei Eveline. 'Alsof hun energie dan sterker wordt.' Ze vertelde hun dat de accountant had verteld dat hij gras uit de grond kon trekken als zij in de buurt was en dat hij dat meestal niet kon.

'Ze voeden zich met jouw energie,' zei Daniel. 'Dat vind ik dan wel weer logisch klinken.'

'Gatver, ik vind dat vooral eng klinken, alsof het een soort bloedzuigers zijn,' zei Cleo.

Dat vond Eveline ook. Ze staarde door de houten balustrade naar de donkere benedenverdieping en verwachtte half dat haar oma daar plotseling zou staan, of iemand anders, maar het was er alleen maar donker en leeg.

'Maar kun je niet proberen een boek te vinden met je gave?' hield Cleo vol.

'Ik wil het wel proberen, maar ik denk niet dat het lukt,' zei Eveline. Ze ging staan en hield haar handen uitgestrekt voor zich, terwijl ze dacht aan een boek over witte demonen, maar er gebeurde niks. Cleo opperde dat ze dichter bij de boeken moest staan, dat ze haar handen eroverheen moest halen. Ze probeerde het, maar het haalde allemaal niets uit.

'Dan maar weer terug naar het zoeken in de boeken,' rijmde Cleo met een zuur gezicht.

Ze bladerden weer verder, in de verte luidde de kerkklok twaalf.

'Spookuur,' zei Cleo. 'Niet dat jij dat nodig hebt om spoken te zien.'

Het voelde alleen niet als spookuur, het voelde eigenlijk wel gezellig zo met zijn drieën op de overloop van de bibliotheek in het huis van haar opa en oma. Eveline droomde een beetje weg bij het bladeren en fantaseerde hoe het zou zijn geweest als haar ouders nog leefden en haar opa en oma ook en dat ze met hen was opgegroeid. Zou ze dan bij hen op bezoek gaan en zouden ze haar dan dingen leren? Hoe ze haar gave beter kon gebruiken? Het was een gekke gedachte en ze wilde dat ze meer herinneringen had. Had haar vader haar dingen geprobeerd te leren toen ze zo klein was? In de herinnering met de politie had er een geest achter de vrouw gestaan. Een van de 'niet-zo-aardigen', zoals haar vader dat had genoemd, dus ze hadden het er blijkbaar wel over.

Had ze haar ouders later verteld over het visioen dat ze had gehad van Azer?

Ze wilde het graag geloven, maar ze wist het gewoon niet en ze werd gek van haar geheugen, als een gatenkaas met een heel groot gat. Als iemand haar nou gewoon een enorme mep kon verkopen, misschien kwam het dan in één keer terug. Ze wilde zo graag meer herinneringen, ze wilde zich meer herinneren van haar moeder, van haar vader. Hoe ze zich bewogen, hoe ze praten... Ze had ook gehoopt dat ze foto's was tegengekomen in dit huis, maar tot nu toe hadden ze nog niks gezien en dat was voor Eveline een enorme teleurstelling.

'Ik heb denk ik wat,' zei Daniel opgewonden. Hij hield een klein rood boekje in zijn handen met een Franse titel op de voorkant en gaf het aan Eveline. 'Is dat hem?' vroeg hij verwachtingsvol.

Ze keek naar een zwart-wittekening van het ding dat haar had aangevallen: een wit kaal hoofd zonder ogen, neus of mond en met lange dunne armen en benen die naar beide kanten konden buigen. 'Chimorei' stond erboven.

'Dat is hem,' zei ze zachtjes. 'Een Chimorei. Weet je wat er staat?'

Daniel wenkte dat ze het boekje terug moest geven. 'Het is een demon die volgens dit boekje vooral onderaards leeft, in grotten en bergen...' Hij las verder, een denkrimpel tussen zijn wenkbrauwen.

'Staat erbij hoe je hem kan afmaken?' vroeg Cleo bloeddorstig.

'Ze zijn bang voor vuur. Maar...' Hij keek hen onzeker aan. 'Ik snap het niet helemaal. Mijn Frans is niet zo goed, maar volgens mij staat er dat mensen hem niet kunnen doden.'

'Dus je kunt ze niet doden?' vroeg Cleo teleurgesteld. 'Eveline ook niet?'

'Dat staat er niet,' zei hij. 'Er staat niks over Wachters, tenminste niet dat ik kan ontcijferen. Er staat hier iets over een engel...'

'Lekker,' zei Cleo. 'Kan een engel hem wel doden? En waar vinden we die? Op www.ikzoekeenengel.com?'

'Ssst!' Eveline had iets gehoord – het kraken van een deur, ergens in het huis.

Ze klikten zo snel mogelijk hun zaklampen uit. 'Platliggen,' siste Cleo.

Zo goed en zo kwaad als het ging doken ze op hun buik op de smalle overloop en hielden hun adem in. Voetstappen kwamen dichterbij en de deur van de bibliotheek ging open. Iemand kwam binnen met een kandelaar waar brandende kaarsen in stonden, het flakkerende licht maakte grillige schaduwen op de muren en van de gezellige sfeer van net was niets meer over.

Garon.

Eveline spiedde over de rand van de overloop heen om hem te kunnen zien. De oude man zette de kandelaar neer op de koffietafel en liep toen naar de langwerpige bijzettafel bij het raam. Nu ze wist dat hij waarschijnlijk kinderen de keel doorsneed, vond ze alles wat hij deed er eng uitzien. Reikhalzend probeerden ze te zien waar hij mee bezig was; hij haalde de vaas eraf en zette die naast de kandelaar. Eveline besefte toen dat het gek was dat de rozen in de keuken waren verwelkt en deze rozen vers waren.

Met veel moeite duwde hij de tafel naar het midden van de kamer en vervolgens trok hij het witte laken van de tafel af.

Het was helemaal geen tafel.

Het was een doodskist.

Naast haar ging de ademhaling van zowel Cleo als Daniel een stuk sneller. Zelf kreeg Eveline het benauwd en ze voelde zich net een muis in een muizenval. Ze probeerde haar ademhaling onder controle te krijgen, terwijl de man onder haar gehaast de kandelaar en de vaas met bloemen terug op de doodskist zette en er een vreemd bord met letters erop tussenin legde. Daarna ging hij op zijn knieën voor de kist zitten en legde zijn ene hand op de kist en de andere op een driehoekig houten plaatje dat op het bord lag. Eveline had al snel door dat Garon een geest probeerde op te roepen, maar van wie? En waarom?

Het was doodstil in de bibliotheek. Er kriebelde stof in haar neus en ze was doodsbang dat ze zou moeten niezen. Haar ademhaling klonk veel te hard in haar oren en ze kon zich niet voorstellen dat de man onder haar die niet kon horen. Het kaarslicht flakkerde in de tocht, maar verder gebeurde er niets.

'Lucella?' sprak hij opeens zachtjes. 'Lucella Sevenster?'

Lag haar oma in die kist?

Het was een gruwelijke gedachte.

'Lucella Sevenster,' sprak hij weer. 'Ben je daar?'

Na een tijdje gaf hij een gefrustreerde zucht en kwam met krakende knieën overeind, waarna hij alles weer in de oorspronkelijke staat herstelde; hij schoof de kist weer naar de hoek, legde het witte laken er weer overheen en zette de vaas erop. Daarna pakte hij het bord en de kandelaar op en liep de bibliotheek uit.

Ze bleven nog even in het pikkedonker liggen om er zeker van te zijn dat hij niet terugkeerde en kwamen toen overeind.

'Wat was dat?' fluisterde Cleo naast haar. 'Hij heeft jouw oma hier in een kist! Hij probeerde haar op te roepen met dat bord!'

'Een ouijabord,' zei Daniel.

Eveline had weer kippenvel op haar armen. 'Kom op, we moeten achter hem aan,' zei ze gejaagd. 'Ik wil weten wat hij nu gaat doen.'

'Wacht even, zag jij iets?' vroeg Daniel. 'Heb je je oma gezien?'

'Er was helemaal niets, kom, we moeten erachteraan.'

Ze haastten zich de trap af en liepen snel door het huis terug naar de deur die toegang gaf tot het mortuarium. Ze doken de kelder in, de zwiepende lichtstraal van Daniels zaklamp ging over de glimmende tafels op wielen die keurig naast elkaar stonden.

Er lag iemand op.

Op een van de tafels lag iets of iemand onder een wit laken. Een vorm. Een menselijke vorm. Een lijk.

Eveline wist niet meer of dat er daarvoor ook al had gelegen, ze dacht dat alle tafels leeg waren toen ze de kelder in waren geklommen. 'Zien jullie ook iemand liggen?' vroeg Eveline zachtjes.

'Wat? Waar?' vroeg Cleo.

'Op de tafel helemaal links.'

Het laken schoot omhoog. Er gilde iemand en Eveline besefte dat ze het zelf was. Cleo sloeg een hand voor Evelines mond. 'Wat zie je?' siste ze. Eveline wees. Ze kon niet meer praten. De aanblik van het rechtop zittende lichaam onder het laken verlamde haar stembanden.

'Ik zie niks,' stamelde Daniel. 'Een lege tafel.' Hij haalde nog een zaklamp uit zijn zak en gaf die aan Cleo. 'Zie jij iets?'

Cleo scheen op de tafel.

Een blauwige hand kwam onder het laken vandaan.

'Ik zie niks,' zei Cleo. 'De linkertafel is leeg.'

'Hij is niet... leeg,' hakkelde Eveline. 'Er ligt iemand op... dit is niet goed.' Ze deinsde achteruit totdat ze met haar rug tegen de trap aan stond.

'We moeten hier weg,' fluisterde Daniel.

'Eef? Nu!' Cleo probeerde haar naar het raam te duwen, maar Evelines benen weigerden. Een tweede blauwige hand pakte de randen van het laken en trok het naar beneden. Over een van de armen liep een grote donkere kras. Het laken ging naar beneden en Eveline wist niet of ze de aanblik nog langer kon verdragen.

De zijkant van een wasachtig gezicht. Het was een man. Zijn haar was blond, zijn blote schouders gespierd en op een van zijn bovenarmen stond een tatoeage van een roofvogel.

'Eef, we moeten echt weg.' Cleo wilde Eveline meetrekken, maar toen keek de man haar recht aan. Eveline voelde een siddering door haar kuiten trekken. Er zat een grote zwarte vlek onder het blonde haar op zijn voorhoofd en zijn ene oog bloedde. Een helderrode druppel liep uit zijn ooghoek over zijn wang en maakte een rode vlek op het witte laken. Ook uit zijn oor liep bloed, zo zijn nek in. Cleo trok haar met kracht naar het raam. 'Ga jij maar eerst,' zei ze tegen Daniel. Ze gaf hem een voetje, maar het kostte hem moeite zich op te trekken aan de rand. De dode man zwaaide zijn benen van de tafel en wreef toen met zijn vinger over het bloed op het laken. 'Wat is er gebeurd?' vroeg hij met een holle stem.

'Eef? Kom, ik geef je een pootje,' zei Cleo. Eveline knikte woordeloos. 'Wat is er gebeurd?' jammerde de man. 'Waar is Emma? Waar is Woutertje?' Hij keek zoekend om zich heen. 'Wat doe ik hier?'

Cleo probeerde Eveline omhoog te duwen, maar plotseling stond de man naast hen en trok Eveline met kracht naar beneden.

'Eef!' riep Cleo. Ze maaide om zich heen, maar ging met haar vuist dwars door de man.

Eveline kroop achteruit over de vloer terwijl de man boven haar uit torende.

'Het is een man... Hij bloedt uit zijn oor en uit zijn oog,' zei Eveline.

'Wat doe ik hier?' jammerde hij. Hij pakte Eveline bij haar T-shirt vast en trok haar omhoog. Op zijn vingers zat bloed en er stroomde ook nog steeds bloed uit zijn oog en zijn oor.

'Wat moet ik doen?' vroeg Cleo op fluistertoon. Ze probeerde de man te duwen, duwde in het luchtledige, haar hand ging dwars door hem heen en trof Eveline vol tegen haar borstbeen zodat de adem even uit haar lichaam werd gestoten.

'Niet doen,' steunde Eveline. De blauwe ogen van de man stonden verward en ze kon de zoete, metalige geur van zijn bloed ruiken. Hij was zo dichtbij dat ze de stoppeltjes op zijn blauw aangelopen gezicht kon zien. Nu zag ze ook wat de zwarte vlek net onder zijn haargrens was: een bloederige, opgedroogde korst. Eveline probeerde zich los te trekken, maar hij liet haar niet gaan. 'Waar ben ik?' zei hij.

'Je bent dood,' fluisterde Eveline gejaagd. Ze was bang dat hij haar nog harder zou vastpakken, maar in plaats daarvan liet hij haar vallen als een zak aardappelen. 'Maar, waarom bloed ik dan?' vroeg hij en hij wreef door zijn oog en langs zijn oor. Daarna strekte hij zijn bloederige hand uit naar Eveline. 'Help me,' smeekte hij. 'Waar is Emma? En mijn kleintje?'

Eveline krabbelde naar het raam en trok zichzelf omhoog. Ze moest hier weg voordat hij haar weer vastpakte. Daniel probeerde haar door het raampje te trekken, maar op dat moment voelde ze sterke handen om haar voeten die haar terug de kelder in sleurden. Ze smakte met een klap op het beton, Cleo greep haar armen en trok, maar de man was veel sterker en sleurde Eveline dwars door de kelder over de vloer heen richting de ijzeren tafel waar hij net op had gelegen. 'Eef, Eef!' gilde Cleo, ze graaide naar haar handen.

'Hij laat me niet los!' riep Eveline. Ze probeerde haar gedachten bij elkaar te houden. 'Wie zijn Emma en Woutertje?' vroeg ze.

'Mijn vrouw en mijn zoontje.'

'Hoe heet je zelf?'

'Edwin. Edwin van Brakel.'

Hij liet haar eindelijk los en stond lamgeslagen bij de tafel en zag er opeens een stuk minder griezelig uit. Alleen het bloed dat nog steeds uit zijn oor lekte en langs zijn schouders over zijn blauw beaderde bovenlijf liep was heel naar om te zien.

'Ik moet nu gaan,' suste ze en ze liep weer naar het raam, maar hij was binnen een seconde bij haar en pakte haar weer vast. 'Je mag niet weg,' jammerde hij.

'Wat moeten we doen?' smeekte Cleo. 'Wat is het?'

'Een man. Hij weet niet waar hij is, maar hij heet Edwin en bloedt uit zijn oor,' zei Eveline gejaagd. 'Ik denk niet dat hij me hier weg laat gaan voor ik hem heb geholpen.'

'Niet doen! Misschien is hij wel vermoord,' zei Cleo meteen.

'Nee, hij praat, dus dat is niet zo,' zei Daniel die door het raampje met zijn zaklamp in de voor hem lege kelder scheen. 'Hoe kun je hem dan helpen?'

'Iets vinden wat hij wil weten denk ik,' zei Eveline.

'Hoe is hij doodgegaan?'

'Edwin,' zei ze. 'Hoe ben je doodgegaan?'

'Ik weet het niet. Ik weet alleen nog dat ik Emma en Woutertje een kus gaf.'

'En daarna?'

'Ik weet het niet... help me alsjeblieft,' smeekte de man en hij kneep zo hard in Evelines handen dat ze ineenkromp van pijn.

'Ik denk dat ik erachter moet komen hoe hij is dood gegaan, want hij kan zich dat niet meer herinneren.'

De hand van de man lag zwaar en koud om die van haar. 'Alsjeblieft,' smeekte hij, 'ik wil hier niet zijn.'

'Help me,' zei Eveline tegen Cleo en Daan. 'Hoe is hij doodgegaan? Hij heeft een hoofdwond op zijn voorhoofd. Hij bloedt uit zijn oog en uit zijn oor... Hij is gespierd, heeft blond haar en een beetje een baardje en een tatoeage op zijn bovenarm van een soort roofvogel.'

'Staan de vleugels omhoog?' vroeg Daniel.

Eveline keek naar de arm van Edwin. De vleugels van de vogel op de tatoeage stonden inderdaad omhoog.

'Dan is het een motorrijder,' zei Daniel. 'Hij is vast doodgegaan door een motorongeluk. '

'Edwin? Reed je motor?'

De man keek verward. 'Ik...'

'Je bent verongelukt bij een motorongeluk. Klopt dat?'

De zon staat laag – de weg blinkt in het licht – een wit busje doemt op – een klap –

Eveline trok haar arm naar zich toe.

Edwin was weg.

'Hij is weg,' siste Eveline. Ze klommen uit het raampje en renden zo stil mogelijk langs het huis de begraafplaats op. Ze sprintten langs de stille graven en bomen naar de achterkant van de begraafplaats totdat ze vlak bij het huisje van Garon waren. Er brandde licht achter de ramen – hij was weer thuis.

Ergens in een boom boven hen oehoede een uil.

'Hoe wist je nou dat die man motor reed?' vroeg Eveline hijgend.

'Die tatoeage, dat is een Harley Davidson-symbool – een motormerk.'

'Goed hoor,' zei Eveline.

'Heb je een stiekeme motorpassie?' plaagde Cleo hem, maar aan haar gezicht was te zien hoe trots ze op hem was dat hij ervoor gezorgd had dat Eveline uit die vreselijke kelder kon komen.

Een witte schim vloog over haar hoofd en Evelines kraai landde op haar schouder.

'Waar was jij toen Eveline je nodig had, sukkel?' fluisterde Cleo.

Eveline schudde haar hoofd. 'Ik had hem niet nodig, dan komt hij blijkbaar niet.' Ze spiedde naar het kleine huisje. 'Ik ga proberen door het raam te kijken,' zei ze. 'Ik wil weten wat hij aan het doen is.'

Ze kropen vlak onder het raam en tuurden over het randje voorzichtig door de spleet in de gordijnen naar binnen. Garon zat met zijn rug naar hen toe op een oude stoel achter een nog ouder houten bureau en bladerde in iets wat op een groot plakboek leek, maar Garon zat er met zijn lichaam te veel voor om het goed te kunnen zien. Het was een troep in het huisje: een oude bruine ribfluwelen bank met een mottige deken erop en daarbovenop een rafelige grijze kat die op zijn rug met zijn poten uitgestrekt lag te slapen. De koffietafel stond vol met vieze kopjes op schoteltjes, alsof hij al drie jaar de afwas niet had gedaan.

Ze probeerden te zien waar Garon mee bezig was, toen hij plotseling opstond en richting de buitendeur liep.

Nu ziet hij ons, dacht Eveline, maar de deur ging naar hun kant open, waardoor ze precies uit zijn zicht bleven en genoeg tijd hadden om de hoek om te kruipen en achter een paar struiken te duiken. Ze hoorden hem rommelen aan de andere kant van het huisje en vervolgens dreef er een doordringende benzinelucht hun neus binnen. Een tel later liep Garon met een brandende toorts in zijn ene hand en een enorme moker in zijn andere hand de begraafplaats op, waarbij de panden van zijn jasje een zacht 'woesj'-geluid maakten bij elke stap die hij deed.

Eveline sprong onmiddellijk overeind en trok de deur van het huisje open, een doordringende lucht van zure melk kwam haar tegemoet. Ze sprintte naar het bureau en sloeg het plakboek open, haar ogen schoten over de bladzijdes: artikelen over de verdwijning van Azer, aantekeningen over Romeinse offerrituelen, een tekening van de dolk van de nazicommandant, de naam Septimus, een tekening van het graf, een kaart van Onderlinden en omgeving met een kruisje op het kruispunt De Drie Laenen, en een kruisje achter op de begraafplaats, met een pijl erbij. Ze bladerde verder, artikelen over Sebastiaan van Helden, een dwarsdoorsnede van een graf...

'Hij is het,' zei ze gejaagd. 'En het graf van Septimus is inderdaad daar achter. Snel.'

Ze renden de deur uit, de richting op waarin de opzichter was verdwenen.

'Wacht,' zei Daniel en hij rende weer terug. Een seconde later kwam hij terug met drie fakkels. 'Hij had een heel zooitje staan,' zei hij. 'Voor de Chimorei, die zijn bang voor vuur.'

Ze ontstaken de fakkels en renden naar het roestige hek dat de achterkant van de officiële begraafplaats aangaf. Garon was al halverwege het veld en sloeg lukraak wild met zijn fakkel om zich heen, alsof hij probeerde iets van zich af te houden wat hij niet kon zien. Cleo zette met trillende handen de infraroodkijker op haar hoofd en Daniel probeerde zo goed en zo kwaad als het kon zijn fakkel in zijn ene hand te houden en zijn camera in zijn andere hand.

Het hek was open.

Garon verdween aan het einde van het veld tussen de bomen. Alleen het schijnsel van zijn fakkel was nog te zien. Als dollemannen renden ze over het veld richting het schijnsel, over oude graven en klimop. De Chimorei waren nog nergens te bekennen. Verder gingen ze, Cleo voorop, die tussen de bomen en braamstruiken door de heuvel opsprintte alsof de duivel haar op de hielen zat. Eveline volgde vlak achter haar en hoorde Daniel achter haar hijgen. De benzinelucht van de fakkels prikte scherp in haar neus en benam haar bijna de adem en de rook walmde warm in haar gezicht. Elk moment verwachtte ze weer dat een van de demonen haar vast zou pakken, maar ze bereikte veilig de top van de heuvel. Ze stonden aan de rand van een open plek, een cirkel omringd met bomen. Een straal maanlicht piepte tussen de wolken door en bescheen een oud, mysterieus bouwwerk op de top van de heuvel. Grote marmeren stenen die waarschijnlijk ooit wit waren geweest, maar nu met mos begroeid, lagen over elkaar heen. Boven op de marmeren platen stonden de resten van een paar pilaren met daartussen afgebrokkelde standbeelden. Garon, die met zijn rug naar hen toe voor de ruïne stond, draaide zich om en hief zijn moker, maar Cleo was veel sneller dan de oude man en schopte hem met een welgemikte trap met haar rechtervoet tegen de zijkant van zijn hoofd, waardoor hij zowel zijn fakkel als zijn moker uit zijn handen liet glijden en hij met zijn ogen dicht slap opzij viel.

'Jeetje wat een schop,' zei Eveline ongelovig. Ze had haar vriendinnetje genoeg karatebewegingen zien maken, maar ze had haar nog nooit iemand zo hard zien trappen.

De kraai zeilde naar beneden en kraste hard in haar oor, iets bewoog boven hun hoofd en het volgende moment hing een Chimorei met zijn bovenlichaam horizontaal vanaf het graf en sloeg hij de witte vogel met een enorme mep van haar schouder. De kraai vloog door de lucht en landde als een hoopje gebroken veren een stuk verder in het gras.

'Nee!' gilde Eveline en ze hief de fakkel richting de demon. Cleo sleurde haar een stuk achteruit, weg van het graf en zo stonden ze met zijn drieën op de open plek, rug aan rug in een cirkel met de fakkels voor zich ter verdediging. De twee demonen zaten boven op het graf van Septimus.

Eveline keek naar rechts waar Daniel stond. Zijn gezicht was onnatuurlijk bleek en zijn lippen zaten zo strak op elkaar geklemd dat het bloed eruit verdwenen was. Zijn camera had hij laten vallen – hij kon de demonen niet zien.

'Ze zitten op het graf,' zei ze. Ze had het nog niet gezegd, of een van de demonen nam een soort spinnensprong en landde precies voor haar neus.

'Ik zie hem,' zei Cleo die haar infraroodbril nog steeds op had. 'Houd je fakkel voor je!'

Ondanks de fakkel die Eveline op hem richtte, kwam de demon toch op haar af. 'Het werkt niet,' zei ze. 'Hij is niet bang!' De demon kwam nog dichterbij, ze stootte hem in zijn gezicht met de brandende fakkel, maar het leek hem helemaal niets te doen.

Het werkt niet het werkt niet.

Ze gaf hem een enorme oplawaai tegen zijn gezichtsloze hoofd, maar het haalde niets uit, hij schudde alleen maar met zijn kop en toen schoten de lange armen richting haar keel.

Toen ze dacht dat de spinnenvingers haar keel zouden omklemmen, trok Cleo haar weg en schopte hem tegen zijn hoofd zoals ze ook bij Garon had gedaan. Daarna haalde ze weer uit, maar nu was de Chimorei te snel – zijn klauw sloot zich om Cleo's ene hand en trok haar met een ruk omhoog. Cleo liet de fakkel vallen zodat ze haar andere hand vrij had en sloeg het monster in zijn nek, maar ook dat deed niets met hem en hij sleurde Cleo met zich mee richting het graf.

Eveline dook naar de benen van haar vriendin en een touwtrekgevecht begon, met Cleo als touw. Om het erger te maken, was de andere Chimorei er nu ook bij en die begon ook aan haar arm te trekken. Cleo maaide vruchteloos naar hen met haar vrije hand. Hoewel ze heel hard trokken en het Cleo echt pijn moest doen, gaf ze geen kick. Maar het lukte haar niet om hen te raken met haar andere arm.

'Daan! Meehelpen!' riep Eveline, maar Daniel stond verstijfd van angst en kon alleen maar schichtig om zich heen kijken met zijn fakkel voor zich.

'Eef! Laat mijn benen los!' riep Cleo. 'Ik tel tot drie, op drie moet je loslaten, oké?'

Eveline kon niet anders. De demonen waren te sterk. 'Oké,' zei ze.

'Eén, twee...' zei Cleo, 'drie!'

Eveline liet haar los, waardoor de Chimorei achterover op het graf tuimelden met Cleo in hun armen. Maar daardoor had Cleo ineens steun onder zich en ze draaide zich met de kracht van haar benen om, sprong omhoog en trapte toen eerst de ene Chimorei en toen de andere tegen zijn hoofd. Eveline graaide op de grond naar haar fakkel, al brandde die nog maar een klein beetje, en richtte hem op de Chimorei die zich hadden hersteld. Ze leken geen interesse meer te hebben in Cleo, die met haar ene arm slap langs haar lichaam op het graf stond, en een van de Chimorei sprong vanaf het graf boven op Eveline, die door het gewicht achterovenviel in het gras. Voordat ze kon gillen, schoten twee klauwen haar kant op en sloten zich om haar keel. Het ding zat met heel zijn gewicht op haar borst terwijl hij haar keel bleef dichtknijpen. In het kleine beetje lucht dat ze door haar neus binnenkreeg, rook ze weer die vreselijke stank, het was overweldigend.

'Eef!!' hoorde ze ergens – het leek van heel ver te komen. Haar ogen puilden uit en ze probeerde het monster met haar handen weg te duwen, haar vingernagels klauwden in het koude vel van de armen van de Chimorei terwijl ze wanhopig probeerde adem te halen, maar er kwam geen lucht in haar longen en haar hoofd voelde alsof het uit elkaar spatte.

Cleo schopte zo hard ze kon tegen het hoofd van de Chimorei, maar het deed hem helemaal niks en toen ze nog een keer wilde schoppen, sleepte de andere Chimorei haar buiten Evelines bereik. Eveline hoorde haar vriendinnetje huilen van woede. 'Eef! Eef! Nee!!'

Om het hoofd van de demon heen begon het rood te worden, het leek alsof er bloed haar blikveld in stroomde. Haar benen spartelden onwillekeurig, ze liet los met één hand, klauwde in het gras naar een steen of iets anders om de demon mee te slaan. Het gonzen van haar bloed in haar oren werd allesoverweldigend, terwijl de koude pulserende massa van het ding haar longen dichtdrukte met zijn gewicht, haar wurgde met zijn afschuwelijke takkenarmen...

Dit is hoe mijn oma is doodgegaan.

Ze herinnerde zich nu een stuk van de nachtmerrie van de afgelopen dagen – het was hetzelfde gevoel, het gevoel dat ze niet meer kon ademen omdat iets haar keel dichtdrukte.

Maar nu ben ik het.

Boven haar vlamde iets. Ze dacht dat het Cleo was met een van de brandende fakkels in haar handen, of Daniel die weer bij zijn positieven was gekomen. Het volgende moment nam de greep van de Chimorei af en viel hij voorover met zijn hele vieze lijf boven op haar, het pulserende vel tegen haar wang. Haar aanvaller werd vervolgens met kracht van haar afgetrokken, Eveline zoog reutelend zuurstof naar binnen. Haar keel stond in brand en ze hoestte, terwijl ze zichzelf overeind probeerde te duwen om te kijken wie haar had gered. Naast haar lag het lichaam van de demon die met zijn benen en armen schokte – toen lag hij stil. Iets verderop, naast Cleo, lag de andere demon op zijn zij, en daartussenin stond Azer met een vlammend zwaard in zijn handen.

'Eef!' riep Cleo die op haar knieën zat en bijna niet meer kon bewegen van de pijn. 'Wat gebeurt er?'

'Azer, het is Azer!' riep Eveline en ze wilde naar hem toe, maar hij keek niet naar haar, het leek wel alsof hij in een soort trance was, want hij keek alleen maar ernstig naar de twee lichamen van de dode demonen die allebei tegelijkertijd vlam vatten en door het vuur verpulverden. De vlammen waren zo fel, dat Eveline haar ogen moest afschermen en pas weer kon kijken toen het vuur was gedoofd.

Zowel Azer als de demonen waren weg.

Eveline kwam moeizaam overeind en strompelde naar haar gewonde vriendinnetje. Cleo's ene arm hing slap en haar bovenlijf zakte naar voren. 'Ben je oké? Zijn ze weg?' zei Cleo. Ze keek op, haar mond was vertrokken van pijn. Voorzichtig ondersteunde ze haar gekwetste arm met haar andere hand.

'Ja, ze zijn weg,' kraakte Eveline. 'Azer – het was Azer.' Haar keel deed pijn als ze praatte. Ze zag nu hoe Cleo's linkerarm in een rare hoek hing. 'Is je arm gebroken?'

Cleo schudde haar hoofd. 'Uit de kom – kun je alsjeblieft die bril even van mijn hoofd afhalen?'

Eveline trok eerst het petje van Cleo's hoofd en toen de bril. Onder haar haren was Cleo's voorhoofd nat van het zweet en haar ogen waren zo groot als schoteltjes.

'Wat moet ik doen?' zei Eveline. Ze probeerde het misselijke gevoel dat ze had te negeren, omdat ze dacht dat ze anders over Cleo heen zou kotsen. Haar arm hing veel te ver naar beneden.

'Je moet meehelpen,' hijgde ze. 'Ik kan het niet zelf.'

'Dit... moeten we niet naar een ziekenhuis?' vroeg Eveline.

'Nee, nee, ik heb dit wel vaker gehad,' zei Cleo. Haar gezicht was nu groengrauw. 'Komen ze er niet weer aan?'

'Nee, Azer – hij heeft ze volgens mij doodgemaakt.'

'Wat?'

Eveline vertelde dat ze Azer had zien staan met een brandend zwaard in zijn handen.

'En waar is hij nu?'

'Ik weet het niet – weg. Wat moet ik doen?'

'Ik heb dit echt vaker gehad. Alleen hij zit gedraaid of zo, anders schiet hij er zo weer in – ik heb slechte banden volgens mijn karateleraar.'

'Zal ik even voelen?'

Cleo knikte. Eveline tastte zo zachtjes mogelijk over haar schouder. 'Je hebt een bobbel aan de voorkant,' zei ze uiteindelijk. Het leek wel alsof Cleo een extra schouder had. Het voelde heel vies en ze kreeg veel te veel speeksel in haar mond.

'Oké, dan moet je daar tegenaan duwen. Van voor naar achteren, zodat je hem weer terug in de kom duwt. Maar wel hard en snel.'

Eveline begreep later niet hoe ze het had kunnen doen, maar ze deed het. Ze deed haar ogen dicht en duwde zo hard ze kon, beukte tegen de schouder van haar vriendinnetje, tegen die bobbel die daar zo uitstak. Ze voelde het onder haar handen terugglijden en toen ze haar ogen opendeed, zat Cleo's arm weer normaal.

'Pfff, dat deed pijn,' zei Cleo. Ze boog haar arm bij de elleboog omhoog, maar ze kon hem niet verder omhoogkrijgen. Ze ondersteunde hem weer met haar andere hand.

'Voel je je goed genoeg om in het graf te kijken?'

Cleo knikte dapper, al wiebelde ze gevaarlijk toen ze overeind kwam. Ook Eveline voelde zich vreselijk, alsof er een vrachtwagen over haar heen was gereden.

'Waar is Daniel?'

Daniel zat stil als een beeld ineengedoken tegen het graf. Eveline schudde aan zijn arm en meteen kromp hij ineen van angst en beschermde zijn hoofd door zijn handen eroverheen te leggen.

'Ze zijn weg,' zei Eveline lief, maar het scheen geen effect op hem te hebben. Ze keek vragend naar Cleo die naar hem toeliep en hem met haar goede hand een pets in zijn gezicht gaf. 'Ze zijn weg – we gaan in het graf kijken – kom op,' zei ze daarna simpel en ze sleurde hem overeind. Het scheen te helpen, want zijn starende blik nam af. Eveline speurde intussen de grond af naar haar kraai die door de Chimorei van haar schouder was geslagen en ze begon bijna te huilen toen ze iets verderop het hoopje witte veren zag liggen. Ze knielde bij hem neer en tilde hem voorzichtig op.

'Is hij dood?' vroeg Daniel kleintjes.

De kraai had zijn ogen open en flapperde een beetje met zijn vleugels toen Eveline hem tegen zich aanhield. 'Nee, hij is niet dood,' zei ze opgelucht.

Cleo stond over Garon gebogen die nog steeds in het gras lag.

'Is híj dood?' vroeg Eveline met grote ogen.

Cleo schudde van 'nee'. 'Wat doen we als hij bijkomt?'

Daniel had daar een oplossing voor, namelijk tie-rips die hij in zijn bodywarmer had en waarmee ze zijn handen en voeten als boeien aan elkaar vastmaakten. Ze zetten hem zo goed en zo kwaad als dat ging met zijn rug steunend tegen het graf. Zijn hoofd zakte opzij en hij kreunde zachtjes.

'Nu opschieten,' zei Eveline gehaast die naar de ruïne van het graf keek. Haar hart klopte tien keer sneller als ze bedacht dat Sebastiaan daar waarschijnlijk zat. Ze trokken behoedzaam een van de marmeren platen die loszat van het graf en schenen met hun zaklampen in het gat...

Leeg.

'Schijn je me bij?' Eveline gaf haar zaklamp aan Daniel en liet zich op de stenen vloer van het graf zakken die anderhalve meter lager zat. Het was kouder in het graf dan buiten. Ze bestudeerde de stenen wanden en de stenen vloer, maar het was alleen maar een witte stenen bak, een rechthoekig gat waar ze net rechtop konden staan met marmeren muren en een stenen vloer, als een oversized doodskist. Geen tekens, geen inkepingen in de stenen – helemaal niks.

'Er moet toch íéts zijn?' zei Eveline gefrustreerd. Ze begon te kloppen, willekeurig te kloppen, en daarna luisterde ze of iemand terugklopte. Toen er niks gebeurde, begon ze te roepen: 'Sebastiaan? Sebastiaan?' Maar ze hoorden niets, geen enkel geluid. Ze bonkte harder. 'Sebastiaan!' Ze hoopte zo op geluid, op gehuil, geroep, iets zodat ze wisten dat hij er was, maar ze hoorden níks.

'Er moet iets zijn,' zei Daniel. 'Er moet ergens een doorgang zijn.'

Eveline wurmde zich met behulp van Cleo en Daniel uit het graf en griste de moker uit het gras die Garon daar had laten vallen toen Cleo hem buiten westen schopte. 'Als er een doorgang is, dan beuk ik de muur in,' zei ze en ze wilde weer in het gat springen, toen achter hen het geluid klonk van ritselende struiken en een zware ademhaling. Iemand kwam de heuvel opgerend...

Een tel later stond Wilfried Langelaar aan de rand van de open plek.

16

De vader van Arabella keek verbijsterd naar het tafereel. 'Waar zijn jullie in vredesnaam mee bezig, en wat hebben jullie met Garon gedaan?' hijgde hij. Hij beende naar Eveline en trok de moker uit haar handen. Daarna knielde hij bij de oudere man en voelde zijn pols.

'Hij leeft nog!' riep Cleo snel. 'Ik heb hem niet doodgeschopt.'

'Je hebt hem bewusteloos geschopt?' zei de archeoloog ongelovig. 'Waarom in godsnaam?'

'Omdat... we moeten het graf in!' riep Eveline. 'Garon heeft een jongetje ontvoerd en die is daar!' Ze wees naar de ruïne, maar Wilfried hief zijn handen omhoog ten teken dat hij er niets van snapte.

'We denken dat Garon een moordenaar is,' probeerde Daniel uit te leggen. 'Dat hij kinderen vermoordt om een... soort ritueel uit te voeren. We denken dat hij Sebastiaan van Helden heeft ontvoerd om hem daarvoor te gebruiken, dat is het jongetje dat een tijdje geleden is verdwenen.'

Wilfrieds wenkbrauwen schoten omhoog. Eveline besefte hoe bizar dit verhaal moest klinken. Hij knielde bij Garon neer en zag de tie-rips om zijn handen en voeten. 'En jullie hebben dit ook bij hem gedaan? Zijn jullie gek geworden?'

'Het is echt zo!' riep Eveline. 'U móét ons geloven! Hij is een gevaarlijke gek, hij bewaart een doodskist in het huis daar! Ga dan kijken, dan ziet u het! U moet ons geloven!'

Langelaar kwam overeind en wees in de richting van de begraafplaats. 'Naar huis,' zei hij gevaarlijk kalm. 'Ik wil dat jullie allemaal naar de kamer van Daniel gaan en daar op me wachten.'

'Nee!' gilde Eveline. 'Ik ga niet! Sebastiaan...'

'Ik weet wie Sebastiaan is en ik weet ook waar hij is, namelijk gewoon thuis bij zijn ouders,' zei Wilfried Langelaar rustig. 'Hij is vandaag teruggevonden, ik hoorde het op de radio toen ik naar huis terugreed.'

'Wat?'

Sebastiaan was terecht?

'Naar huis – nu,' zei hij op een toon die geen tegenspraak duldde. 'Ik spreek jullie zo.'

Een verward groepje liep de heuvel af, over de oude begraafplaats richting het roestige hek. Eveline begreep er helemaal niets van – Sebastiaan van Helden was terecht. Dat betekende dat hij niet in het graf van Septimus opgesloten zat en dat Garon niet van plan was hem te offeren. Ze had het gevoel dat ze droomde en dat alles wat ze de afgelopen dagen had meegemaakt een grap was geweest, een heel zieke grap. Ze speurde de bomen af naar de witte kraai, maar ook die liet zich niet zien, alsof hij was opgelost samen met het mysterie waarvan ze dacht dat ze het had moeten oplossen, maar dat blijkbaar niet bestond.

Eveline stopte abrupt. 'We zijn toch niet gek?' zei ze en ze draaide zich om.

'Eef, wat ga je doen?'

'Naar Garons huis. Ik móét weten...' Ze rende zo hard als haar zere lichaam het toeliet en trok buiten adem de deur van zijn huisje open. *Als ik het boek heb, dan weet ik in elk geval dat ik niet gek ben.*

'Het is weg,' riep ze gefrustreerd. 'Het lag hier, maar het is weg.' Het bureau was leeg. Ze graaide tussen de rotzooi op de koffietafel en trok de stoffige deken van de bank, maar het plakboek met alle informatie over Septimus, het ritueel en de verdwenen jongens lag nergens.

'Hoe kan dat?' zei Cleo. 'We hebben het toch gezien?'

Eveline knikte. 'Ik snap het niet,' zei ze en ze hield haar handen tegen haar wangen. 'Ik heb het gevoel dat ik gek aan het worden ben.'

Ze zwegen. Waren ze allemaal gek aan het worden?

'We zijn niet gek,' zei Cleo uiteindelijk. 'Echt niet. Het boek is weg, dan moet iemand het mee hebben genomen.'

'Het was bewijs,' zei Eveline in de war. 'We moeten naar het huis van mijn oma en de kist laten zien aan Wilfried, dan weet hij toch dat er iets aan de hand is?'

'Eef, Eef, rustig,' zei Cleo. 'Sebastiaan is terug, dat is op dit moment het allerbelangrijkste.' Ze trok Eveline uit het rommelige huisje. 'We moeten eerst naar de boerderij,' zei ze. 'Sebastiaan is thuis... over de rest kunnen we het later hebben.' Ze keek ernstig naar Eveline en pakte haar hand stevig vast met haar goede hand. 'Kom, we moeten echt gaan,' zei ze.

Eveline had zin om te huilen, om te schreeuwen, om iets kapot te slaan. Het voelde alsof haar gedachten een gevaarlijke buiging richting het waanzinnige maakten. Ze hádden toch al die geesten en demonen gezien? En haar oma wás dood en had haar wakker gemaakt – en de reden wás toch dat Sebastiaan was ontvoerd?

Was dat echt zo? Het enige bewijs dat ze had waren vage flarden van visioenen omdat ze zogenaamd 'contact' had gemaakt via de foto van Sebastiaan en van Azer. Ze had een spoor gevolgd via de boodschap van een vreemde waarzegster, flarden van nachtmerries, visoenen en haar dode opa. Wat was dat voor bewijs?

Opeens twijfelde ze aan alles en de wereld golfde onder haar voeten. Ze liet zich gewillig meevoeren door Cleo over de donkere begraafplaats waar geen takje bewoog, geen uil oehoede, geen kraai kraste en geen geest zich liet zien. Ze wrongen zich door het gat en liepen door het vochtige gras naar de woonboerderij aan de overkant van het weiland.

'Arabella heeft ons verraden, wedden?' zei Cleo alleen maar. Voor de rest zwegen ze maar. Ze klommen door het raam Daniels kamer binnen en zagen dat iemand hun barricade had weggehaald. 'We hadden het ook kunnen verwachten,' verzuchtte Daniel. 'Arabella heeft natuurlijk Wilfried gebeld om te zeggen dat we weg waren en toen is hij ons gaan zoeken.'

Met zijn drieën gingen ze op Daniels bed zitten. Eveline zag nu pas dat haar zwarte spijkerbroek een winkelhaak had bij haar linkerknie, daaronder prikte een bloederige schram.

Misschien ben ik wel echt bezeten en heb ik het allemaal verzonnen. Misschien is het wel allemaal niet echt. Misschien ben ik wel echt bezeten en heb ik Cleo en Daniel besmet, precies waar Daniel bang voor was – het kwam toch door mij dat ze het visioen in de kerk zagen? We zijn allemaal gek. Of allemaal bezeten.

De deur ging open en Wilfried Langelaar kwam binnen. Hij wierp een blik op het verslagen groepje, pakte Daniels bureaustoel en ging voor hen zitten. 'Met Garon komt het wel weer goed, maar hij is heel erg geschrokken,' zei hij terwijl hij over zijn gezicht wreef. 'Hoe hebben jullie dat kunnen doen bij die oude man? Dit is schandálig gedrag.'

Eveline wilde haar mond opendoen om iets te zeggen, maar Wilfried gebaarde dat ze haar mond moest houden. 'Dit is veel te ver gegaan,' zei hij. 'Jullie hebben je mee laten slepen door jullie macabere fantasie en

daarin zijn jullie veel te ver gegaan. Mishandeling, grafschending...
omdat Sebastiaan geofferd moest worden? Hoe komen jullie in godsnaam aan die vreemde theorie?'

'We hadden iets gelezen over Romeinse rituelen,' stamelde Daniel
zwakjes. 'En toen kwamen we erachter dat er vier jaar geleden hier in de
buurt ook een jongetje was verdwenen, dat viel gelijk met de vondst van
een Romeins graf dat door Garon was ontdekt en nu er weer een jongetje was verdwenen, dachten we dat hij misschien in dit graf zou zitten.'

'En waarom zou Garon dat bij het graf van Septimus doen?' vroeg
Wilfried. Eveline keek verbaasd op – hij wist blijkbaar wie er begraven
was. Hij keek beurtelings van Eveline naar Cleo naar Daniel, maar
geen van de drie zei iets, want ze konden niet zeggen waarom ze dachten dat het juist dit graf was zonder te moeten vertellen dat Eveline een
Wachter was.

'Ik moet zeggen dat ik respect heb voor de grootte van jullie fantasie,'
zei hij. 'Alleen is het totaal niet wetenschappelijk onderbouwd. Ik heb
jaren geleden al een keer in het graf van Septimus gekeken. Er is helemaal niets, typisch geval van grafroof, waarschijnlijk ergens aan het
begin van de middeleeuwen al. Zelfs zijn lichaam was er niet meer. Er
was helemaal niets.' Hij zweeg even. 'Ik had in elk geval van jou wel
beter verwacht, Daniel. Het is een theorie die nergens op gestoeld is
behalve op een te rijke fantasie en halve verzinsels. En de wetenschap
is nog altijd gestoeld op feiten, en het is een *feit* dat Sebastiaan van
Helden terug is bij zijn ouders en niet in het graf van Septimus zit.' Hij
wees naar Daniels computer. 'Je kunt het opzoeken, dan weet je het
zeker,' zei hij.

Daniel begreep dat de suggestie van Wilfried meer een bevel was en
dat hij het moest opzoeken. Toen hij Sebastiaans naam intoetste, kwam
hij meteen bij een nieuwsbericht met de kop: SEBASTIAAN ONGEDEERD.
Er waren foto's bij, van veraf genomen, dat hij op de stoep in een woon-
wijk met een deken om zich heen zat, een hulpverlener naast zich. Hij
had een beker in zijn handen waaruit hij dronk. Zijn spijkerbroek was
vies en hij had nog maar één gympje aan. Daarna was er een foto waarbij de man die hem hielp opkeek, recht in de camera. En toen een foto
waarbij de man Sebastiaan afschermde en een wegwuifgebaar maakte
naar de fotograaf.

'Hij is echt terug,' stamelde Daniel. 'Wat is er gebeurd?'

'Ik zou het niet weten,' zei Wilfried. 'Maar misschien hebben jullie een theorietje of twee? Ik zou ze wel even aan de feiten toetsen voordat jullie weer iemand ten onrechte beschuldigen van rituele seriemoord.'

Ze keken alle drie beschaamd naar hun tenen. Langelaar had gelijk, ze hadden Garon buiten westen geschopt en vastgebonden omdat ze ervan overtuigd waren dat hij een kindermoordenaar was. Dat kon echt niet. Eveline had wederom het gevoel dat ze de afgelopen dagen in een soort fantasiewereld had geleefd en nu door deze nuchtere wetenschapper terug in de gewone wereld was gesleurd en met beide benen op aarde was gezet. Voor hem bestonden er geen geesten en demonen, geen vreemde rituelen in de moderne tijd zolang die niet aan de feiten waren getoetst.

'Jullie fantasie heeft een loopje met jullie genomen,' zei meneer Langelaar. 'Spijtig.' Hij stond op en stak zijn handen in zijn broekzakken. 'Ga nog maar even slapen. Daarna wil ik dat jullie je spullen pakken.'

'Oké.' Daniel was de enige die iets tegen de archeoloog zei. En daarna: 'Het spijt ons.'

'Dat begrijp ik,' zei Wilfried Langelaar en hij liep de deur uit.

Ze gingen naar bed, wat konden ze anders doen? Cleo en Eveline lieten Daniel alleen en glipten de meidenkamer in, waar Arabella en Zara allebei met een oogmaskertje op lagen te slapen. Toen Cleo het licht bij het stapelbed aandeed, werd Arabella wakker en trok haar maskertje af. 'Morgen zijn jullie er niet meer, gok ik?' zei ze onaardig.

'We praten niet met vuile verklikkers,' zei Cleo. 'Wil jij eerst douchen?' vroeg ze vervolgens aan Eveline. Eveline knikte.

'Het is veel te laat om te douchen!' zei Arabella onmiddellijk, maar ze negeerden haar volkomen.

Eveline glipte de badkamer in en knipte het licht boven de spiegel aan. Ergens had ze verwacht en gehoopt dat haar ogen weer bruin waren, maar haar ogen waren nog steeds paars.

Maar is dat bewijs dat de rest echt is?

Of was alles het product van een te rijke fantasie zoals meneer Langelaar beweerde? Maar dat strookte niet met het *feit* dat ze Garon haar oma hadden zien proberen op te roepen met een ouijabord en dat de elfjarige Azer vier jaar geleden écht was verdwenen en nooit meer was teruggevonden.

En Sebastiaan was weg geweest. Dat waren feiten. Toch?

Er zaten takjes in haar slordige staart en op haar keel stonden vage rode striemen van de klauwen van de Chimorei. Haar zwarte T-shirt was aan een kant gescheurd en op haar wangen zaten moddervegen. Ze trok het T-shirt over haar hoofd en duwde het zo diep mogelijk in de afvalemmer die onder de wastafel stond. Dat wilde ze nooit meer aan. Ondanks de warmte die van de lamp af kwam, rilde ze en pas na twintig minuten onder de warme douche was die kilte verdwenen. Ze had haar haren drie keer gewassen en zich ingezeept tot ze een sneeuwpop leek om maar het gevoel en de geur van de Chimorei kwijt te raken. Nu was de pijn in haar keel grotendeels verdwenen en de striemen in haar nek waren weg.

Alle drie de meiden lagen te slapen toen ze de kamer in kwam, inclusief Cleo. Ze lag op het onderste bed op haar rug met haar zere arm op haar borst en snurkte zachtjes. Eveline overwoog om haar wakker te maken, maar besloot het uiteindelijk niet te doen. Cleo kon in de ochtend wel douchen, dat was allemaal niet zo belangrijk.

En nu?

Ze kon niet slapen, raar genoeg was ze niet eens moe. Besluiteloos stond ze midden in de kamer, toen ze buiten een hond hoorde blaffen en meteen daarna kraste een kraai. Het kon toeval zijn, maar toch... Eveline legde haar handen op haar ogen en duwde zachtjes op haar oogkassen, maar ze raakte het wiebelige gevoel onder haar voeten niet kwijt. Dat kwam doordat alles op losse schroeven was gezet. Wat was waar, wat was niet waar? Het voelde alsof ze zichzelf aan het verliezen was.

Weer het blaffen en het krassen – twijfel borrelde op in haar lijf. Als ze hierbinnen bleef, kon ze zichzelf voorliegen dat ze normaal was, als ze nooit meer in de spiegel zou kijken en alle geesten en demonen van de wereld zou vermijden. Maar ze kon hen niet vermijden, of het nou waar was of niet, voor haar was dat in elk geval de werkelijkheid.

Ze kleedde zich snel aan en sloop de gang op. De achterdeur piepte en ze hield haar adem in om te horen of ze geluid hoorde in het huis – een teken dat Wilfried wakker was geworden en poolshoogte ging nemen, maar het huis was in een collectieve, diepe slaap verzonken.

Op het erf stond Azer op haar te wachten met Finn naast zich en de witte kraai op zijn schouder. Zoals hij daar zo stond met de wind die door zijn haren wapperde en de dieren om zich heen leek hij nog het meeste op een sprookjesprins.

Azer Prins, de dode sprookjesprins in een spijkerbroek, op blote voeten en met een litteken in zijn nek.

Eveline rende naar hem toe, omarmde hem en duwde haar wang tegen zijn borst, terwijl hij beschermend zijn armen om haar heen sloeg.

'Je heb me gered,' zei ze na een tijdje. 'Alweer.'

Hij knikte.

'Ben je een engel?' vroeg ze terwijl ze naar hem opkeek.

Hij keek haar aan met een blik van: wat zeg je nu?

'Daniel zei dat alleen een engel een Chimorei kan doden.'

Azer schudde zijn hoofd alsof hij daarmee wilde zeggen dat ze niet zoveel onzin moest uitkramen en wees naar de stallen.

'Wil je naar de paarden?'

Als antwoord rende hij de stal in en toen ze achter hem aan liep, zag ze dat hij bezig was Wolfgang uit zijn box te halen.

'Gaan we rijden?' vroeg ze. Hij grijnsde ondeugend en knikte. Wolfgang hinnikte zachtjes, het klonk blij, alsof hij wilde zeggen dat hij een nachtelijk ritje wel kon waarderen. Eenmaal buiten de stal sprong Azer met de soepelheid van een circusartiest op het ongezadelde paard en stak daarna zijn arm uit om haar op het paard te helpen. Eveline haalde diep adem en liet zich op het paard trekken.

Het was heel gek om op Wolfgang te zitten zonder zadel. Haar voeten hingen los van het grote paardenlijf naar beneden. Ze legde haar handen op haar benen, niet wetend waar ze die moest laten. Gekras. Geklapper van vleugels. Het volgende moment zat de witte kraai op Evelines linkerschouder.

Azer leidde Wolfgang naar het weiland dat zilver glom in het maanlicht. Aan de horizon stond een groep bomen – het bos waar ook de Paddenpoel was. 'Gaan we daarheen?' vroeg ze en ze wees op de bomen in de verte. Azer knikte en pakte haar beide handen die nog steeds op haar bovenbenen lagen. Hij trok haar een beetje naar voren en vouwde toen haar armen om zijn middel heen. Hij kneep in haar handen ten teken dat ze zich goed vast moest houden, greep het touw weer en duwde toen zijn hakken in Wolfgangs flanken.

Het paard reageerde onmiddellijk en stoof ervandoor richting de bomen. Eveline had geen andere keuze dan Azer zo stevig mogelijk vast te houden, terwijl hij het paard steeds sneller over de zilveren vlakte joeg en zo galoppeerden ze door het weiland, terwijl de kraai meevloog boven hun hoofd en Finn naast het paard rende. Eveline voelde de wind op haar wangen en net als de eerste keer toen ze op Wolfgang zat, had ze een gevoel van gewichtloosheid en onkwetsbaarheid, alsof niets haar iets kon deren en niets haar iets kon doen. Ze legde haar wang tegen Azers rug en keek opzij naar de wereld die nu alleen nog maar een zilveren waas was. Daarna deed ze haar ogen dicht en probeerde het moment zo compleet mogelijk in zich op te nemen: Azers rug warm onder haar wang, haar armen om hem heen, de kruidige paardenlucht van Wolfgang vermengd met een koele vochtige lucht van nat gras in de nacht. Ze zou willen dat de maan ook zou ruiken zodat ze dat ook kon onthouden, maar de maan gaf alleen maar magisch licht.

Ze waren bij de rand van het weiland aangekomen. Azer kneep weer in haar handen om aan te geven dat ze zich goed moest vasthouden en voor ze het wist sprong Wolfgang over een hek en landde op de landweg waar Azer Wolfgang inhield. Toen het paard stilstond, duwde Azer zich omhoog totdat hij op het paard stond, stapte over Evelines schouder en ging achter haar zitten waarbij hij gebaarde dat zij moest leiden. Ze greep het touw dat om Wolfgangs halster zat en zo reden ze stapvoets over het landweggetje richting het bos. Wolfgang leek te weten waar hij naartoe moest, dus hoefde Eveline niks anders te doen dan het touw een beetje vasthouden, terwijl ze zich veel te bewust was van Azers ene hand die op haar heup lag. Met zijn andere hand wees Azer naar allerlei dingen. Het enige wat ze zich later nog goed kon herinneren was een uil die als een geheimzinnige schaduw in een boom zat te oehoeën, waarna Azer zijn handen tot een kommetje vouwde en het geluid terug maakte.

Wolfgang sjokte door totdat ze water tussen de bomen zag glinsteren. Ze waren bij de Paddenpoel aangekomen. Eveline was nog nooit in de nacht bij het meertje geweest dat nu als een spiegel in het maanlicht lag te blinken; de twee ijzeren doeltjes stonden werkloos op het hobbelige veldje. Azer gleed van het paard af en rende naar het voetbalveld waar hij een radslag maakte zoals Cleo altijd deed. Daarna rende hij weer terug naar Wolfgang en trok Eveline nogal hardhandig van het paard af.

'Hé, dat is ook niet aardig!' riep ze quasi-bozig. Als antwoord gaf hij haar een duw waardoor ze op haar billen in het zand viel. Ze sprong meteen weer overeind en wilde hem terugduwen, maar hij was veel te snel. Ze rende een tijdje achter hem aan, maar hij was nog sneller dan Cleo of de jongens uit haar klas, het leek wel alsof hij niets woog en daardoor door de wind werd meegevoerd. Ze had nog nooit iemand zo hard zien rennen. Wolfgang keek er stoïcijns naar, draaide zich toen om en begon uit het meertje te drinken. Eveline gaf het op toen ze een steek in haar zij had en rende in plaats daarvan naar de houten hokjes van de toiletten waar ze een liter water achter elkaar uit de kraan dronk.

Toen ze weer terugliep, zag ze dat Azer op de bovenkant van een van de voetbaldoeltjes balanceerde. Weer kwam de gedachte in haar op dat hij gewichtsloos was. Ze liep een beetje verlegen met haar handen diep in haar zakken naar hem toe. Hij glimlachte zijn scheve glimlach toen hij haar zag komen aanlopen en sprong van het doeltje af, trok een van haar handen uit haar trui en sleurde haar aan haar hand mee naar de stenen die vlak bij het water lagen. Ze klommen erop en gingen op de grootste zitten. Eveline kon de warmte van de zon er nog steeds in voelen. De kraai was intussen ook gearriveerd – inclusief mot in zijn bek die hij blijkbaar ergens gevangen had – hij landde vlak bij hun voeten en begon met smaak zijn maal naar binnen te werken.

'Gatsie, kun je dat niet ergens anders doen?' zei ze, maar daar luisterde hij natuurlijk niet naar. Hij keek haar alleen maar aan en kraste toen naar haar waarbij een tere motvleugel aan zijn snavel hing.

Ze gruwde ervan en keek maar naar Azer, die om haar gezicht moest lachen. Hij ging met zijn wijsvinger over de rimpel die ze tussen haar wenkbrauwen trok.

'Chantal zegt altijd dat ik niet zo moet kijken omdat ik dan heel snel daar een rimpel krijg en dat ik dan de hele tijd boos lijk,' ratelde Eveline die niet begreep waarom ze dat nou eigenlijk zei. Ze klapte haar kaken resoluut op elkaar en keek uit over het water. Azer trok aan haar mouw en wees naar de miljoenen sterren boven hun hoofd. Daarna ging hij op zijn rug liggen, vouwde zijn handen onder zijn hoofd en keek omhoog. Eveline aarzelde, maar liet zich uiteindelijk ook achterover zakken en staarde in de zwarte ruimte boven haar. Ze wist helemaal niets van sterrenbeelden, ze kende alleen de Grote Beer die ze nu ergens rechts zag. Iemand had haar ooit verteld dat je de Kleine Beer kon zien door een lijn vanaf de steel door te trekken. Of was het juist het pannetje? Ze wist het niet meer en keek bovendien ook helemaal niet goed, omdat ze helemaal zenuwachtig werd van Azer die zo vlak naast haar lag en ze gluurde stiekem naar hem.

Hij keek plotseling naar haar en lachte waardoor het haar weer opviel dat hij net als zij een stukje van zijn tand miste. Ze wist niet wat ze moest doen, dus lachte ze maar terug. Hij gebaarde of ze het koud had, maar ze schudde van 'nee'.

'Heb jij het niet koud op je blote voeten?' vroeg ze, terwijl ze op haar ellebogen overeind kwam.

Hij schudde nee.

'Doet het niet pijn als je ergens in staat?'

Weer nee.

Ze wilde net vragen of hij het niet koud had met alleen een T-shirt aan, toen hij heel zachtjes zijn hand op haar mond legde en haar weer naar beneden duwde, waarbij ze met haar hoofd op zijn arm terechtkwam. Ze durfde zich nauwelijks te bewegen zoals ze daar nu lagen, er hadden driehonderd sterren kunnen vallen en dan had ze er waarschijnlijk geen een gezien. Haar gedachten raceten met driehonderd kilometer per uur door haar hoofd; ze dacht terug aan de avond van hun klassenfeestje, hoe ze geweigerd had Jelle te kussen omdat ze hem niet leuk vond. En daarna dat hele gedoe met Dimmi... en nu lag ze hier met een jongen die een sprookjesvoornaam had en ook nog 'Prins' als achternaam had. Een dode prins op een zwart paard die haar vanavond van twee demonen had gered door ze dood te steken met een vlammend zwaard.

Zijn gezicht boven dat van haar. Een steile zwarte lok gleed over zijn voorhoofd, hij veegde hem weg, maar hij viel meteen weer terug. Zijn lange haar viel over zijn T-shirt heen, een beetje naar voren. Hij had twee moedervlekjes op zijn kin, vlak naast elkaar als tweeling-pennenstipjes.

Hij heeft een heel mooie mond en veel te groene ogen, als hij me maar niet probeert te zoenen want dan weet ik echt niet wat ik moet doen.

Maar hij zoende haar niet, hij tikte alleen maar tegen de zijkant van haar hoofd en toen tegen zijn eigen hoofd en maakte een ronddraaiende beweging alsof hij wilde zeggen dat ze niet zoveel moest nadenken. Daarna trok hij voorzichtig haar paardenstaart onder haar schouderbladen vandaan en legde die over haar ene schouder. Verbeeldde ze het, of bleef zijn hand net iets te lang op haar haren liggen voordat hij weer op zijn rug ging liggen met zijn arm nog steeds onder haar hoofd? Daarna trok hij haar ene arm naar zich toe en legde haar hand op zijn borst, met zijn hand over die van haar heen.

Hij heeft geen hartslag.

Haar hand bleef stil op zijn borst liggen terwijl ze begon te huilen. Ze huilde om hem, maar ook om alles wat er de afgelopen dagen was gebeurd, om de kleine David, het jongetje in het meer, de koude zwarte kat Alenka, om de man van Nadine die was verzwolgen door een demon... Maar vooral omdat ze zich zo alleen voelde. Ze had zo gehoopt dat haar ouders nog leefden toen ze het adres bij Chantal had gevonden, maar in plaats daarvan had ze ontdekt dat iedereen van haar familie dood was en voelde het voor haar alsof zij vastzat tussen de werelden. Ze hoefde er niet eens voor dood te gaan, ze zat ook al vast nu ze leefde, omdat ze dingen kon zien die andere mensen niet konden zien en vooral omdat ze zich realiseerde dat ze haar hart volledig had verloren aan een jongen die geen hartslag had.

Eveline kwam overeind op haar ellebogen en veegde de tranen van haar wangen. 'Azer, weet je wat ik ben?' vroeg ze aan hem. 'Weet je dat ik... dat ik een Wachter ben?'

Azer knikte en wilde haar weer naar beneden trekken, maar ze krabbelde op haar knieën. 'Is... Ben je hier omdat je wil dat ik je help?'

Opgetrokken wenkbrauwen.

'Nou? Wil je dat? Want ik kan je niet helpen, zelfs als het zou mogen, dan ben ik daar niet sterk genoeg voor en ga ik dood, of is dat wat je wilt?'

Hij schudde zijn hoofd, alsof hij niet begreep wat ze bedoelde en ze begreep het zelf eigenlijk ook niet. 'Ik kan je niet helpen, het mag niet omdat ik zogenaamd geheimen moet bewaken, maar ik wil helemaal niets bewaken en ik wil dit helemaal niet!' Haar stem klonk steeds schriller. 'Ik wil geen geesten zien, ik wil niet zien dat kleine jongetjes geofferd worden, ik wil dit niet! Ik wil snappen wat dit allemaal betekent, ik wil weten wat wij betekenen. Waarom ben je bij mij? Waarom kom je me redden? Terwijl ik... Terwijl ik...' Ze kon het niet over haar lippen krijgen, ze stikte bijna in haar tranen, sprong van de steen af en begon blindelings te rennen, stootte haar grote teen dwars door haar gympje heen aan een steen, maar ze voelde het niet, ze rende in de richting van de bomen. Waar moest ze heen, welke kant moest ze op vluchten als ze nergens heen kon?

Een sterke arm rukte aan haar arm en trok haar hard de andere kant op, waardoor ze tegen Azer tot stilstand kwam. Het volgende moment voelde ze hoe hij zijn hand tegen haar wang legde, daarmee de traan wegvegend die over haar wang was gerold, en haar gezicht zachtjes omhoogduwde terwijl zij maar bleef doorhuilen, uit schuldgevoel en verlangen.

Ik wil het zo graag ik wil het zo graag ik wil het zo graag...

Hij kwam met zijn gezicht dichter bij haar, zijn mond was nu nog maar een centimeter van de hare verwijderd en het verlangen dat hij haar zou zoenen was zo groot dat het haar even niets meer kon schelen wat er zou gebeuren als hij haar zou kussen.

Maar hij deed het niet. Hij duwde haar een stukje van zich af en schudde toen zijn hoofd.

'Het mag niet, hè?' zei ze.

Hij knikte en tikte toen op haar neus, trok aan haar paardenstaart en sloeg toen zijn armen om haar heen. Ze sloeg haar armen om hem heen en deed haar ogen dicht. Haar hart voelde alsof het van glas was en in duizend stukken was gespat. Ze wist wat hij had bedoeld: ze mochten niet zoenen, want dat was hoe ze hem kon helpen.

Eveline wist later niet meer hoe lang ze daar nou samen hadden gestaan. En ze wist ook niet hoe ze voor op het paard was terechtgekomen, maar ze zat op een gegeven moment weer op Wolfgang die net zo zwart was als de lucht en de dood. En het enige wat ze kon bedenken was dat het zo perfect had kunnen zijn als hij nog zou leven, dat ze zo graag zou willen dat hij nog leefde, maar hij leefde niet meer en dat had zij kunnen voorkomen. Dat bleef maar door haar hoofd spoken en omzoomde het moment als een zwarte rand om een rouwkaart.

Azer tikte zachtjes tegen de zijkant van haar hoofd, zoals hij net ook had gedaan toen ze op de steen zaten.

'Ja, ik stop al met denken,' zei ze, maar ze stopte niet.

Ze waren bij de achterkant van de boerderij aangekomen. Azer gleed geruisloos van Wolfgang af en hielp haar daarna van het paard. Ergens in de verte gloorde het licht boven de bomen en de eerste vroege vogels floten in de struiken om het erf. In de stal begroette Pinto Wolfgang enthousiast, toen Azer hem zijn box in leidde. Het paard leek in de verste verte niet meer op het ontembare beest van een dag geleden. Ze ging op een hooibaal zitten terwijl ze naar Azer keek en weer bedacht ze hoe perfect dit was geweest, als hij toch maar zou leven, als ze nou gewoon iets had gezegd vier jaar geleden, als ze nou gewoon wat had gezegd... Ze trok haar knieën op, begroef haar neus in haar knieën en huilde weer, ze kon het niet helpen. Azer gaf haar een duwtje, veegde verbaasd de tranen van haar wangen, trok haar van de hooibaal af de stal uit, nam haar in zijn armen en maakte aanstalten om met haar op het erf te dansen, maar ze hield hem tegen.

'Niet doen,' zei ze. 'Niet doen.'

Nog een blik van: wat is er nou?

Ze schudde haar hoofd. 'Ik weet niet hoe ik het moet zeggen.' Haar mond vertrok, met een trillende hand raakte ze het witte litteken in zijn nek aan, haar hand gleed naar beneden, kwam tot stilstand op zijn borst waar zijn hart niet klopte.

Ze beet op haar lip. 'Jij denkt dat je bij me bent omdat we... omdat we bij elkaar horen, maar er is iets anders... iets wat ik je niet heb verteld.'

Hij keek haar vragend aan, ze beet zo hard op haar lip dat ze bloed proefde. Ze wist zeker dat ze hem kwijt zou zijn als ze het hem zou vertellen. Maar toch begon ze met praten en terwijl de tranen over haar wangen bleven stromen, vertelde ze het verhaal van vier jaar geleden.

'Het spijt me... Het spijt me zo...' snikte ze ten slotte.

Een spiertje spande in zijn kaak en zijn hand gleed uit de hare. Een paar seconden later was hij verdwenen in de grijze schaduwen van de vroege morgen.

17

Daniel zat bleek in de grote zwarte suv van Wilfried Langelaar nadat ze kort afscheid hadden genomen. Cleo en Eveline hadden aangeboden om met hem mee te gaan, of dat ze zijn ouders zouden vragen of hij bij Eveline mocht blijven, maar hij had het aanbod afgewezen. Hij leek twee maten kleiner geworden en zwaaide nauwelijks toen Eveline en Cleo hem uitzwaaiden. Ze wisten niet zo goed waarom hij nou zo aangedaan was, maar ze hadden het idee dat Wilfrieds opmerking dat Daniel weinig wetenschappelijk was geweest hem enorm had gekwetst.

Wilfried wilde net wegrijden toen Eveline iets bedacht. 'Wacht! Wacht even!' riep ze en ze tikte tegen Daniels raam dat hij gelaten naar beneden deed. 'Ik had je beloofd dat ik een keer langs zal komen voor... voor Tommy, weet je nog? Dat doe ik echt,' fluisterde ze. 'Dan kijken we samen, oké?'

Hij haalde alleen zijn schouders op, alsof hij er niet meer in geloofde dat Eveline zijn dode broertje zou kunnen zien. Daarna deed hij het raampje weer omhoog, waarna Wilfried zijn hand opstak en de oprit afreed.

'Zien we hem nog een keer terug, denk je?' vroeg Cleo met haar arm om Evelines schouder heen. Ze stonden op de landweg en zagen de auto verdwijnen totdat er niet meer dan een zwart stipje van over was.

'Ik weet het niet, ik hoop het,' schokschouderde Eveline. Ze voelde zich als een lekke ballon. Ze had drie uurtjes geslapen en haar ogen waren dik van het vele huilen. Ze had Cleo niet verteld wat er gebeurd was met Azer. Ze kon het gewoon niet.

'Wat gaan wij nu doen?' vroeg Cleo. Hun tassen stonden op de oprit – ze moesten Nadine nog bellen om te vragen of ze hen zou kunnen komen halen. 'Behalve bij jou thuis een enorm roerei met kaas en ketchup maken. En boterhamworst voor mij erbij.'

Eveline staarde naar de begraafplaats, naar de grote treurwilgen die voor op het terrein stonden, het dak van het witte huis dat boven de bomen uitstak. Daar was Azer. Als ze aan hem dacht, voelde het alsof iemand alle lucht uit haar longen sloeg.

'Eef?'

'Ik ga naar Garon,' zei Eveline. 'Ik wil hem vragen hoe het zit.'

'Ik ga mee,' zei Cleo snel. 'Ik wil nou ook wel weten hoe het zit – en ik denk dat ik sorry tegen hem moet zeggen.'

Ze liepen naar de poort, maar die zat nog dicht, waarna ze hun alternatieve ingang aan de zijkant gebruikten. Vlak bij zijn huisje wierp Eveline een steelse blik op het kindergedeelte van de begraafplaats, maar Azer liet zich niet zien. Natuurlijk niet, hij wilde haar waarschijnlijk nooit meer zien. Bij die gedachte moest ze bijna weer huilen.

De deur was dicht en Garon deed niet open toen ze klopten.

'Hij zal toch niet dood zijn?' vroeg Cleo die opeens een beetje bleek om haar neus zag. 'Dat ik hem te hard heb geschopt?'

Eveline schudde haar hoofd. 'Misschien is hij naar de dokter,' opperde ze. 'Of... weet ik veel...' Ze wist het niet meer, haar ogen brandden en ze was zo verdrietig dat ze helemaal niet meer kon nadenken.

'Wil je bij het graf van Septimus kijken?' stelde Cleo voor, maar Eveline schudde haar hoofd. 'Wat moeten we daar nou? Er is niks.'

'Maar je opa heeft toch gezegd dat je naar het graf van Septimus moest gaan?'

'Mijn *dode opa* bedoel je, die me dat heeft verteld in een visioen toen *ik dood* was?' zei Eveline met een sarcastische ondertoon in haar stem. Ze wreef in haar ogen omdat ze zo moe was en ook om haar tranen tegen te houden.

Cleo pakte haar arm. 'Geloof je er niet meer in?' vroeg ze.

'Wat moet ik dan geloven? Dat ik een gave heb? De gave van "de Wachters"? Wiehoei! Lekker verzonnen, rare Eveline Dijkman! Jij bent altijd zo raar, je doet altijd van die gekke dingen! Nou, en dit is dan toch wel het gekste wat ik tot nu toe gedaan heb, hè?' ratelde Eveline.

'Je bent niet gek,' zei Cleo kalm.

'Hoe weet je dat nou? Hoe weet je nou of ik niet gek ben! Jíj zit niet in míjn hoofd, dus je weet er helemaal niets van!'

'Jeetje, Eef, wat is er nou?' zei Cleo zuchtend.

De tranen kwamen toch. Ze duwde tegen haar ogen. 'Ik... lijk wel een lekkende kraan,' zei ze besmuikt. 'Ik moet de hele tijd huilen.' Ze liet zich door Cleo op de stoel in Garons tuin zetten. Vanaf daar kon je over de begraafplaats kijken, alsof hij zo zijn wereld kon overzien. Cleo zat op haar knieën voor Eveline en legde haar handen op haar benen. 'Ik denk niet dat je gek bent, echt niet. Ik heb die dingen ook gezien...'

'Ja, via mij!'

'Via jou... maar ik heb ze ook gezien en ik heb de foto van Azer gezien en ook Azer zelf en hij lijkt op zijn foto. Je bent niet gek, en ik ook niet.' Ze tilde haar pijnlijke arm op. 'En als je bewijs wil: hier is je bewijs, mijn arm is uit de kom gedraaid door twee demonen. Dát weet ik ook zeker.'

'Misschien ben ik wel bezeten en heb ik jullie besmet en hebben we met elkaar gevochten, terwijl we dachten dat we met demonen vochten.'

Cleo legde haar hoofd in haar nek en begon heel hard te lachen. 'Oké, dát is pas onzin!'

'Waarom zou dat onzin zijn?'

'Omdat ik jou binnen een seconde zou verslaan.'

Eveline lachte door haar tranen heen. 'Dat is wel zo, hè?' Ze stond op en rammelde aan de deur. 'Waarom is hij er nou net niet als ik hem dingen wil vragen?'

'Misschien is hij in het huis van je opa en oma?' opperde Cleo.

'Zou jij... zou jij weer terug het huis in durven?' vroeg Eveline zachtjes. 'Om te kijken of die doodskist er nog staat?'

Daar hoefde Cleo niet te lang over na te denken. 'Natuurlijk durf ik dat,' zei ze stoer. 'Wil je nu gaan?'

Eveline knikte.

Ze kwamen op dezelfde manier het huis binnen als de vorige keer – via het kelderraampje. Binnen spiedde Eveline angstig naar de aluminium tafels in het mortuarium, maar er lag dit keer niemand op. Ze renden snel de keldertrap op, door de gang naar het woongedeelte. In de keuken rook het nog steeds naar rotte bloemen.

Vlak voor de deur naar de bibliotheek hielden ze in. Ondanks Cleo's bravoure keek ze nu wel erg benauwd. 'Durf je dit wel?' zei ze moeilijk.

Eveline duwde de klink naar beneden. In de bibliotheek was het schemerig omdat alle gordijnen nog steeds dichtzaten. Voetje voor voetje liep ze naar de wand waar de langwerpige 'bijzettafel' stond.

De doodskist was er niet – en ook de vaas met bloemen was verdwenen. Weggevaagd, opgelost in de lucht, of weggehaald door Garon?

'Hij heeft er wel gestaan, hè?' vroeg Eveline aan Cleo voor bijval. 'Hij stond toch hier?'

Cleo knikte. 'Hij stond hier, ik heb het ook gezien. Je bent niet gek.'

'Wat zou Garon haar hebben willen vragen?' vroeg Eveline.

'Ik weet het niet.'

'Wat ik niet begrijp is: als hij haar zo graag had willen spreken, dan kon hij toch ook bij haar zo'n... ritueel doen?'

'Ja, gewoon nog een kind ergens vandaan trekken en afslachten,' spotte Cleo. 'Alsof je dat dagelijks doet – en blijkbaar deed hij het niet, want Sebastiaan is terecht.'

Eveline was te moe om na te denken. De bibliotheek voelde unheimisch aan. Misschien kwam het door de dichte gordijnen die zowel het zonlicht als de warmte buiten hielden of het feit dat Daniel er niet was, maar het voelde er niet fijn. 'Ik wil naar huis,' zei Eveline doodop. 'Naar Chantals huis.' Ze had even niets meer te zoeken op de begraafplaats; haar familie was dood en liet zich niet zien, de doodskist van Lucella was weg, Azer was woedend op haar, Garon was geen seriemoordenaar en Sebastiaan was veilig. Ze wilde nu gewoon naar huis en zich weer even normaal voelen.

Nadine keek nogal donkerbruin toen ze voor kwam rijden. 'Wat hebben jullie uitgespookt?' vroeg ze achterdochtig.

'Nadine, waarom denk je meteen dat we zijn weggestuurd? We vonden het hier gewoon niet zo gezellig,' loog Cleo opgeruimd terwijl ze haar tas in de achterbak gooide – met haar goede arm.

'Hm.'

'Hoe is het met je hoofdpijn?' veranderde Eveline snel van onderwerp.

Een stralende lach brak door op het gezicht van de Française. 'Geen last meer van gehad,' zei ze. 'Een wonder!'

Eveline wilde op de achterbank schieten, maar daar stak Nadine een stokje voor. 'Op de voorstoel, jij,' zei ze meteen. 'Ik wil niet weer dat geneuzel van de laatste keer, *non*?'

Eveline wierp een laatste blik op de woonboerderij. Ze hadden eigenlijk niemand echt gedag gezegd. Ze zou Arabella, Zara, Dimmi en Stan niet missen. Roos wel een beetje...

En Azer ga ik meer missen dan de wereld.

Haar hart bloedde bij die gedachte.

De auto zette zich in beweging en de begraafplaats gleed aan haar voorbij. Een paar dagen geleden was hier haar zoektocht begonnen en nu begreep ze niet meer zo goed wat ze er moest. Ze had gedacht dat het allemaal klopte: dat haar oma geen zelfmoord had gepleegd, maar was vermoord zoals haar opa had gezegd. Dat iemand achter het geheim wilde komen dat in het graf van Septimus lag verborgen en daarvoor een kind wilde offeren. Maar het kind was gewoon thuis, het graf was leeg en van het 'geheim' wist ze opeens niet meer zo zeker of het wel bestond.

Chantals huis voelde vreemd aan toen ze thuiskwamen, alsof ze drie weken op vakantie waren geweest. Op het ouderwetse antwoordapparaat van Chantal (wie had dat nog?) knipperde het rode lampje. Eveline duwde op de knop AFSPELEN BERICHTEN en een mechanische mannenstem zei: 'U heeft één nieuw bericht.' Daarna schalde de opgewekte stem van Chantal door de kamer: 'Eefje? Je bent er niet – alles goed daar? Wij hebben het hier heeeel gezellig...'

'Heel gezellig,' klonk de stem van Maddy. Ze sprak onduidelijk – die had de witte wijn met ijs alweer ontdekt. Toen klonk er een korte hoge blaf.

'Hoor je dat? Barbie zegt ook gedag,' zei Chantal. 'Gedragen jullie je een beetje? Niet alleen maar chips eten, hè?'

'Dat zei ze ook al toen ze wegging,' zei Eveline tegen Cleo. 'Nu zegt ze iets over cola, wedden?'

'En niet alleen maar cola drinken. Ik bel je snel weer om te vragen hoe het met je gaat. Hier is het heel mooi weer, Maddy heeft vandaag topless gezond en haar borsten verbrand,' grapte Chantal die nogal jolig overkwam voor haar doen.

'Niet waar, Chanti,' lispelde Maddy op de achtergrond. 'Ze zijn gewoon goed doorbakken.'

Daarna klonk geschaterlach van beide dames.

'Tot morgen, geen rare dingen doen!' riep Chantal door Maddy's aangeschoten gegrinnik heen.

'Lekker stelletje,' zei Cleo. Ze had haar gympjes uitgeschopt en lag uitgeteld op de mintgroene bank met een roze pluchen kussen onder haar hoofd.

'Gatver, dat is het kussen van Barbie,' zei Eveline met een vies gezicht. Ze gooide een zak chips naar Cleo en nestelde zich aan de kant van

Cleo's voeten. Eveline duwde haar gympjes uit en trok haar benen op. Ze nam een grote slok van de fles limonade die ze uit de koelkast had gehaald. 'Wil je ook?' vroeg ze en ze gaf Cleo de fles. Daarna zette ze de tv aan op MTV en zo zaten ze een tijdje. Eveline wist niet zo goed wat ze nu moesten doen. Cleo probeerde chipjes omhoog te gooien en weer op te vangen, maar de helft ging mis.

'Ruim je het zelf op?' waarschuwde Eveline.

'O ja, soms vergeet ik dat jullie geen schoonmaker hebben,' zei Cleo pesterig.

'Dat meen je helemaal niet,' zei Eveline. 'Je wilt Nadine niet eens je kamer laten opruimen.'

'Omdat ze daar niks te zoeken heeft,' was Cleo's verklaring, maar Eveline wist best dat Cleo niet wilde dat Nadine haar spullen opruimde omdat ze het eigenlijk belachelijk vond dat haar ouders iemand in huis hadden om alles te doen waar ze zelf geen zin in hadden zoals wassen, koken, schoonmaken, strijken, de tuin bijhouden en kinderen opvoeden.

'Vang,' zei Cleo en ze gooide een chipje naar Eveline die faliekant mis hapte, omdat ze er met haar hoofd niet bij was. Ze maakte een vaag gebaar en staarde naar de televisie waar een heleboel veel te bruine vrouwen in heel kleine bikini's in een zwembad sprongen.

Cleo had door dat Eveline niet in de stemming was voor een eten-vang-spelletje, stond op van de bank en liep de keuken in. Eveline keek stilletjes naar de tv, drukte vervolgens op de uitknop om hem meteen weer aan te zetten, want de stilte drukte te zwaar op haar. Haar ogen jeukten en brandden en ze gleed onderuit op de mintgroene bank. Heel even haar vermoeide ogen dicht. Heel even maar.

Binnen een minuut lag Eveline op de bank te slapen.

Een lange gang, donker, een lucht zwaar van schimmelige vochtigheid. Eveline weet dat ze hier al eerder is geweest en als ze naar haar handen kijkt, zijn ze gerimpeld en oud. Haar kraai is niet wit, maar zwart en ze is iets langer dan ze eigenlijk is. Ze voelt zich niet oud, maar sterker dan ze ooit is geweest. Alleen weet ze hoe het afloopt en ze weet ook dat dit niet echt een droom is, maar datgene wat er met haar oma is gebeurd en waar ze nog maar een klein stukje van heeft kunnen herinneren.

Het gouden schijnsel van de toorts, de ogen achter het zwarte masker. Het is een Broeder van Belial, al heeft Eveline zelf geen idee wat dat betekent.

Met haar oma's stem spreekt ze, ze hoort met haar oma's oren Sebasti-
aan achter zich in het graf van Septimus huilen. Haar oma's handen
gloeien en Eveline weet dat ze de man voor zich met een achteloos hand-
gebaar zou kunnen verpulveren, maar voor ze de tijd heeft om dit daad-
werkelijk te doen, sluiten witte, pulserende klauwen zich van achter om
haar hals en om haar handen.

De man vertelt dat hij de Chimorei heeft afgericht. 'Had je niet ge-
dacht, hè, van een miezerig broedertje.' Hij praat verder met die holle
stem, dat hij Septimus gaat oproepen en dat zij er niets tegen kan doen.
En die klauwen knijpen, drukken en duwen het leven uit haar terwijl
haar kraai opvliegt, de grijpgrage vingers van de Chimorei ontwijkt en
door de lange gang naar buiten vliegt om Eveline Sevenster wakker te
maken.

Eveline vloog overeind, haar handen schoten naar haar keel. Even wist
ze niet wie ze was of waar ze was, een onbekend gezicht verscheen voor
haar ogen. 'Eef!' zei een onbekende stem. Ze raakte in paniek, wilde
achteruit kruipen, maar iets hield haar tegen, iets zachts in haar rug...

'Eef!'

Cleo.

Ze wist het weer: Cleo – Eveline – huis van Chantal – bank.

'Had je een nachtmerrie?'

Eveline knikte en ademde zwaar. 'Ik weet hem... ik weet hem nog,'
stamelde ze. 'Het was een nachtmerrie over mijn oma, hoe ze is doodgegaan. Ze is vermoord, door de Chimorei, gewurgd, precies zoals ze
bij mij wilden doen! En er was een man met een zwart masker op en
een witte cape om, hij noemde zichzelf een "broeder". Hij zei dat hij de
Chimorei had afgericht om Wachters te vermoorden.'

Ze kwam overeind. 'We hadden het de hele tijd mis,' zei ze. 'Daarom
was het ook zo onlogisch! De demonen waren er niet om het graf te
beschermen, maar om ervoor te zorgen dat de bescherming er niet
meer bij kon! Zodat die... die man gewoon zijn gang kon gaan. En ik
hoorde Sebastiaan huilen, hij heeft daar wel gezeten. Ik weet het zeker.'

Eveline duwde op haar ogen. 'Ik ben niet gek. Ik voelde mijn oma
doodgaan en haar laatste gedachte was: maak Eveline Sevenster wakker. De kraai vloog weg – dat was haar kraai en die heeft me wakker
gemaakt.'

'Maar... was het dan toch Garon?'

'Nee. Niet. Ik... we hebben ons vergist.' Ze schoot van de bank. 'Maar ik ga niet weer dezelfde fout maken,' mompelde ze. 'Daniel had gelijk, we hadden eerst meer onderzoek moeten doen, dan hadden we deze fout niet gemaakt. Ga je mee?'

Cleo keek haar compleet perplex aan. 'Waar gaan we naartoe?'

'Naar het museum. Om meer informatie te vinden. Te kijken of we bewijs kunnen vinden dat Wilfried Langelaar mijn oma heeft vermoord.'

'Wat? Cleo keek haar aan alsof ze nu wel dacht dat Eveline gek was geworden. 'Waarom denk je dat?'

Eveline schudde haar hoofd. 'Omdat er iets niet klopt. Maar ik weet niet wat,' zei ze gejaagd. 'Maar voordat we weer iemand vals beschuldigen of half doodschoppen, moeten we het zeker weten. En meer bewijs hebben dan een nachtmerrie over een gemaskerde man.'

Op de fiets belde Cleo Daniel, maar hij nam niet op. Evelines nare gevoel werd erger. Straks was Daniel met een kindermoordenaar meegereden...

'We proberen het later nog een keer, oké?' zei Cleo. 'Als het Wilfried is, zal hij toch niet zo gek zijn om Daniel te... te...'

'En als hij nou het ritueel toch vanavond wil uitvoeren? En daarvoor Daniel wil gebruiken?'

'Dan is hij wel heel erg dom,' zei Cleo.

'Of juist heel erg slim,' zei Eveline. Haar maag keerde zich ongeveer om en ze hoorde Daniels stem in haar hoofd : *ik moest bijna overgeven toen ik die geest zag drinken.* De gedachte dat er een geest van *Daniels* bloed zou drinken, zorgde ervoor dat zij zelf bijna over haar nek ging en ze trapte wat harder.

Eveline herinnerde zich het museum alleen maar van oersaaie rondleidingen die ze kregen met de klas toen ze nog op de basisschool zat en die alleen maar leken te gaan over stoffige urnen. Ze was prettig verrast toen ze het museum inkwam en het er heel anders was dan in haar herinnering; er waren allemaal vitrines met verschillende dingen erin, waaronder heel mooie sieraden van goud met edelstenen, allerlei zilveren gebruiksvoorwerpen, tere glazen flesjes en een heel mooi Romeins gouden masker.

'Wat zoeken we?' fluisterde Cleo die zich helemaal niet op haar gemak voelde.

'Laten we beginnen met informatie zoeken over het graf waar Azer is... doodgegaan,' zei Eveline en ze liep naar de dienstdoende suppoost die erbij stond alsof het zijn vakantiebaantje was en hij zich stierlijk verveelde. 'Weet jij waar we informatie kunnen krijgen over een opgraving die vier jaar geleden is gedaan bij De Drie Laenen?'

Hij schudde zijn pukkelige hoofd. 'Weet ik veel, dat weten ze hiernaast wel in het informatiecentrum,' wees hij naar een witte deur voorbij de balie waarlangs ze net waren binnengekomen.

Het informatiecentrum was een moderne ruimte zonder ziel, met tl-buizen in de systeemplafonds, synthetisch tapijt en overal witte formica tafels met plastic stoelen eromheen. Het was er uitgestorven, bijna geen enkele computer was bezet en ook de tafels waren leeg; niemand had zin om met het mooie weer in de zomervakantie in de bibliotheek te zitten. Ergens achterin hing een meisje met een hoofddoekje om boven een lading boeken. Ze leek wel te slapen, maar omdat ze verder niemand zagen, maakten ze haar wakker en vroegen of zij bij het informatiecentrum hoorde en dat was gelukkig zo.

'Wat zoeken jullie?'

Ze vertelden het haar en een minuut later zaten ze met een dikke dossiermap aan een tafel die ergens verstopt achter een boekenkast stond – zo zaten ze genoeg uit het zicht dat Cleo Daniel kon blijven proberen te bellen, want zijn voicemail stond nog steeds aan.

'Moeten we zijn ouders niet bellen om te vragen of hij thuis is?'

'Laten we daarmee wachten – hij vertelde toch hoe ongerust zijn ouders altijd zijn?'

Eveline sloeg de map open. 'Eerst dit doen.'

'Nog meer lezen,' gruwde Cleo.

'Het zijn ook veel plaatjes zo te zien,' troostte Eveline. Ze begonnen zich door de map te worstelen. 'Ik wou dat Daniel hier was, die was er in een minuut doorheen, wedden?'

Het meisje van het centrum verscheen voor hun neus. 'Er mag hier niet gepraat worden,' zei ze met een streng gezicht. 'En telefoneren mag ook niet,' wees ze naar Cleo's telefoon.

'We mogen zeker niet praten omdat ze dan niet kan slapen,' fluisterde Cleo toen het meisje weg was.

Eveline bladerde door het dikke dossier. Er waren foto's van de loden kist met de hand eruit zoals ze die ook in haar visioen had gezien, het skelet nadat het helemaal uit de aarde was gehaald en alle kostbaarheden die bij het lichaam in de kist waren gevonden. Ze bladerde verder tot een heel pakket samengebonden, gekopieerde krantenberichten. BIJZONDERE ROMEINSE VONDST. WEER TRIOMF VOOR STERARCHEOLOOG RUDION. Eveline las en bladerde totdat ze bij een artikel kwam van een heel andere strekking. PERSOONLIJKE TRAGEDIE TREFT ARCHEOLOOG – KLEINZOON VERDWENEN.

Haar ogen schoten over de woorden. Bij het graf waren ondergrondse bronnen gevonden met een natuurlijk gangenstelsel en het artikel verhaalde over de elfjarige kleinzoon van de archeoloog die daar misschien was verdwenen.

'Azer Prins,' zei Eveline. 'Azer is Garons kleinzoon.'

Ze hadden zich zo vreselijk vergist.

De reden waarom Garon het plakboek bijhield van de verdwijning van Azer en ook van Sebastiaan, en alles wist van het graf van Septimus, was niet omdat hij de moordenaar was, maar omdat hij naar de moordenaar op zoek was.

'Bel Daniel nog een keer,' siste Eveline zachtjes. Cleo belde nog een keer, maar weer stond zijn voicemail aan. Eveline bladerde verder. ARCHEOLOGEN RISKEREN EIGEN LEVEN MET ZOEKTOCHT KLEINZOON RUDION. Ze waren met het hele team de gangen ingegaan in een futiele poging om hem te vinden. Er stond een foto bij van een verslagen groepje mannen en vrouwen op stevige wandelschoenen, met winddichte jacks aan en hoofdlampen op zoals die van Daniel. Een van hen stond naast de oude Garon, een knappe man die zijn arm om de magere schouders van de gebroken archeoloog had geslagen – en die man was niemand minder dan Wilfried Langelaar.

Wilfried Langelaar hoorde bij het team dat het graf bij De Drie Laenen had ontdekt.

Koortsachtig zocht Eveline verder, ze wilde weten waarom Garon oneervol ontslagen was, maar daar was niets over te vinden in dit dossier. Ze stond op en vroeg het aan de medewerkster, of er een map was over G. Rudion? En over W. Langelaar?

Die waren er. Nog veel dikkere.

'Niet doen,' kreunde Cleo. Gelukkig waren de mappen chronologisch geordend, dus konden ze bij Garon meteen door naar het einde, terwijl ze intussen flarden zagen van alles wat hij had gedaan en ontdekt. Veel.

'Hier is het,' zei Eveline. 'Archeoloog Rudion ontslagen wegens ontvreemding van traditioneel mes.' Ze hoefde de foto niet eens te zien om te weten dat het de dolk was die Blixenschatter had gebruikt in het ritueel.

'Wanneer was dat?' vroeg Cleo. 'Want hoe zou Wilfried dat mes hebben kunnen gebruiken als Garon het al had gestolen?'

'Ik weet het niet – dat staat niet in het artikel, maar de datum is net na de opgraving van het Romeinse graf.'

'Maar dan kan het mes al wel uit het museum zijn gestolen, toch?' zei Eveline. Ze bladerde nu door de map van Langelaar, maar het was zoveel, dat ze niet eens wist waar ze moest beginnen. Hij was bij de opgraving van het graf geweest – betekende dat dat hij degene was die Azer had vermoord? Ze bestudeerde de foto van het archeologenteam weer, maar kon niets bijzonders aan de andere gezichten ontdekken, het leken haar allemaal heel normale mensen, maar dat zei blijkbaar helemaal niets, want als haar vermoeden klopte, dan bouwde Langelaar scholen en waterputten om lokale kinderen te redden terwijl hij andere kinderen ritueel offerde.

'Stel je nou voor dat Wilfried de dolk uit het museum heeft gestolen, het ritueel ermee heeft uitgevoerd en de dolk toen bij Garon heeft verstopt om de verdenking op hem te schuiven?' zei Cleo.

'Maar waarom zou hij hem daarvan willen beschuldigen? Niemand denkt toch dat Garon zijn eigen kleinzoon vermoordt?'

Cleo haalde haar schouders op. 'Het gebeurt. En misschien was Wilfried wel jaloers op Garon. Of had Garon hem door en wilde hij van hem af.'

'Boe!'

Een hoofd was tussen haar en Cleo verschenen. Eveline schrok zo dat ze bijna met haar stoel achterovertuimelde.

'Wat doe je?' zei Cleo.

Het meisje dat Eveline had laten schrikken, begon hard te lachen. 'Had ik je daar bijna,' zei ze genietend. Veel te snel verscheen ze aan de andere kant van Eveline. 'Wat lees je?' vroeg ze nieuwsgierig en ze tikte met haar vinger op de dossiers. 'Oeh, Langelaar en Rudion, sappig.'

Ze likte met haar tong langs haar lippen, steeds weer, als een soort trekje. Ze had dikke zwarte randen om haar ogen getekend.

'Eef?' begon Cleo.

Eveline wist al hoe laat het was. Ze vroeg zich af of het ooit zou wennen, want dit meisje was weer heel anders dan de andere geesten die ze had gezien. Ze bewoog zich heel snel, als een roofdier op een dvd in de fast forward.

'Is het leuk om een Wachter te zijn?' vroeg ze en ze likte weer langs haar lippen. Zowel haar tong als haar lippen waren heel rood. Haar gezicht was wit, alsof ze het met magnesiumpoeder had ingesmeerd.

'Hoe weet je dat?' zei Eveline verbaasd.

'Ik weet alles,' zei het meisje.

'Eef?' zei Cleo weer.

'Het is een meisje,' zei Eveline.

'Het is een meisje,' bauwde de geest haar na. 'Ik heet Elizabeth hoor.'

'Ze heet Elizabeth.'

'En ik ben veertien – al een tijdje.' Daarna begon Elizabeth te giechelen. Het klonk naargeestig.

'Ze is al een tijdje veertien,' zei Eveline neutraal. Er was iets aan het meisje wat haar helemaal niet beviel, misschien omdat ze steeds met haar tong langs haar lippen ging.

'Hoe lang ben je hier al?' vroeg Eveline.

'Dat gaat je niks aan,' zei Elizabeth. 'Langer dan jij.'

Het meisje begon Eveline op haar zenuwen te werken. 'Wat wil je?' vroeg ze nogal onaardig. 'Wil je dat ik je help?'

Liesbeth keek haar aan alsof ze gek was geworden. 'Helpen? Ik vertel je net dat ik alles al weet. Waarom zou je me dan moeten helpen met iets?'

'Omdat je weet dat ik je kan helpen?' opperde Eveline.

Cleo maakte een gebaar van: wat is er? Eveline haalde haar schouders op. Ze wist het ook niet.

'Waarmee zou jij me nou moeten helpen?' zei het meisje. 'Met muizen vangen? Dat kan ik zelf wel – beter dan jij.' Ze wipte op tafel en schommelde met haar benen heen en weer. 'Ik kwam gewoon een praatje maken.' Weer gleed haar spitse rode tongetje tussen haar lippen door. 'Of mag ik je niet aanspreken omdat je een Wachter bent? Voel je je te goed voor mij? Wij zijn net zo oud als jullie hoor.'

Eveline snapte er nu helemaal niets meer van. 'Wacht even – ben je geen geest?' vroeg ze. Daar moest Elizabeth heel hard om lachen, overdreven, met haar hoofd in haar nek.

Cleo trok aan Evelines arm. 'Ben je klaar met je theekransje?'

Elizabeth deed iets heel geks: ze bewoog zich razendsnel over de tafel en kwam heel dicht met haar gezicht bij dat van Cleo die instinctief achteruit deinsde. 'Het ruikt hier raar,' zei ze.

'Hé, doe niet,' zei Eveline tegen Elizabeth en ze wilde haar een zetje geven, maar het leek wel of ze tegen een blok beton aan duwde. Weer dat tongetje en het meisje keek haar heel vreemd aan. Eveline begon het eng te vinden. 'Clé, we gaan,' zei ze.

'Ah nee, het was maar een grapje,' zei Elizabeth. 'Ik zal het niet meer doen – wat wil je weten over Langelaar en Rudion?'

'Hadden ze ruzie?'

Elizabeth lachte weer. 'Ruzie? Ze konden elkaar niet uitstaan.'

'Gaan we nog?' zei Cleo die natuurlijk niets kon horen van wat Elizabeth zei.

'Wil je vriendinnetje ook meepraten?' vroeg het meisje. Eveline knikte en het volgende moment schrok Cleo. 'Ik zie je,' zei ze.

'Boe,' zei het meisje ook tegen Cleo.

'Hoe doe je dat?' vroeg Eveline. 'Hoe kun je dit? Doe je dit via mij?'

Elizabeth rolde met haar ogen. 'Wachters zijn zo arrogant. Omdat ze iets meer zien dan de meeste mensen denken ze maar meteen dat de hele wereld om hen draait. Toevallig doe ik dit niet via jou,' zei ze. 'Dit doe ik helemaal zelf.' Het volgende moment was ze verdwenen, ook voor Eveline. Plotseling bewogen de blaadjes van het dossier vanzelf, trok een onzichtbare kracht aan Cleo's veters en tikte tegen Evelines voorhoofd.

'Hé!' riep Cleo. Ze keek verward naar Eveline die net zo verward was. Wie of wat was dit meisje? Het volgende moment stond Elizabeth weer tussen hen in. 'Wil je iets weten over het graf van Septimus de Jonge of de Oude?'

'Wat is de Jonge, en wat is de Oude?' zei Eveline die moeite moest doen om nog aardig te zijn tegen het griezelige meisje. Een nare gedachte bekroop haar: misschien was dit meisje ook wel een demon...

'De Jonge lag bij De Drie Laenen, de Oude ligt achter de begraafplaats in Onderlinden.'

'En wat weet je nog meer?'

'Ik weet niet of ik je dat wil vertellen,' zei het meisje.

'Ah toe, je zei toch dat je alles wist? Bewijs het maar,' prikkelde Eveline, maar Elizabeth trapte er niet in. 'Alleen als je belooft om nog een keer te komen,' zei ze. 'Om een keer te kletsen. Het is hier zo saai.'

Eveline had daar helemaal geen zin in, maar als dat de enige manier was om nog meer te weten te komen... 'Dat beloof ik,' zei ze uiteindelijk.

'Beloof het op je bloed.'

'Wat is dat nou voor rare belofte?'

'Doe het, anders help ik je niet.'

'Eef,' begon Cleo die ongerust naar het vreemde witte meisje keek. 'Ik weet niet...'

'Oké, ik beloof het op mijn bloed,' zei Eveline snel, zonder zich af te vragen wat Elizabeth daar eigenlijk mee bedoelde. Op dat moment haalde het meisje uit en prikte met haar nagel in Evelines onderarm. Meteen welde een druppel rood bloed uit haar arm.

'Auw!' riep Eveline.

Cleo sprong op. 'Waarom deed je dat?' vroeg ze boos.

'Gewoon, vond ik leuk.'

Eveline likte aan haar onderarm om het bloed te stelpen.

'Lekker?' vroeg Elizabeth.

'Heerlijk, nou goed?'

Het meisje keek haar weer aan met die vreemde blik. Eveline had het gevoel dat ze haar zou aanvliegen, dat ze haar strot zou afbijten alsof ze een kip was als ze zou doorgaan, en dus bond ze in.

'Wat is er met het graf van Septimus de Oude?' vroeg ze.

'Een paar jaar geleden zei een archeoloog dat hij daar onderzoek wilde doen. Drie keer raden wie dat was.'

'Wilfried Langelaar,' zei Cleo.

'Wat goed, je vriendinnetje weet ook iets,' zei Elizabeth spottend. 'W. Langelaar, "de échte Indiana Jones" zo wordt hij genoemd. Wist je dat? Maar dit keer ging het liedje niet door. Hij kreeg geen toestemming om het graf te onderzoeken van de mensen van de begraafplaats en dus kocht hij het land ernaast en claimde dat hij dan wel rechten had. Hij ging naar de gemeente, hij vocht het aan bij de Bond van Archeologen vanwege de grote historische waarde. Niks hielp, hij mocht er niet eens in de buurt komen.'

'En heeft hij uiteindelijk wel of niet onderzoek gedaan?'

Elizabeth schudde haar hoofd. 'Nooit.'

Eveline schoot zo snel omhoog dat haar stoel achteroverviel en ergens een geïrriteerd 'Sjjt' klonk. 'Hij is het. Ik weet het nu zeker. Hij heeft gelogen.' Ze keek ernstig naar het meisje. 'Weet je het heel heel zeker?'

'Heel heel zeker – ik zweer het op mijn eigen graf.'

'Maar hoe weet je dat dan?' vroeg Cleo. 'Waarom staat het niet op internet? We hebben op graf Septimus gezocht en we vonden helemaal niets – noppes. Niks. Niks over juridische geschillen over het graf van Septimus.'

'Jullie met al die nieuwerwetse dingen denken dat alles maar te vinden is op dat rare ding. Maar dat is dus blijkbaar niet zo,' zei ze irritant wijsneuzerig. 'Als je echt iets wil weten moet je een boek lezen – of de dossiers die hier staan,' zei ze fijntjes. 'Maar als je me niet wil geloven, dan doe je dat niet. Dan zoek je lekker verder.'

'Ik geloof je wel,' zei Eveline. 'Weet je toevallig of Wilfried Langelaar een "broeder" is?'

'Een "broeder"? Wat moet dat betekenen?'

'Dat weet ik niet.'

'Hoe moet ik het dan weten?'

Eveline ging staan. Ze was het rare meisje zat en pakte Cleo bij haar arm. 'Dit is bewijs genoeg voor mij dat hij het is – hij vertelde ons toch dat hij het graf had bekeken? Terwijl hij nooit onderzoek mocht doen. Waarom zou hij anders liegen?' Ze stapelde de dossiers op elkaar en gaf ze terug aan het dommelde meisje achter in de ruimte.

'Gaan jullie nu alweer weg?' zei het meisje. 'Fijn hoor. "Dankjewel, Elizabeth".'

'Ik kom heus wel terug,' snibde Eveline, al voelde ze daar weinig voor. Ze wilde weglopen, toen Elizabeth haar bij haar arm pakte, haar greep was zo sterk als een bankschroef. Ze draaide Evelines arm om, boog zich voorover en likte toen een bloeddruppel van haar arm die zich daar had gevormd. Haar tong was koud en het prikte een beetje. Eveline trok aan haar arm. 'Laat los,' zei ze. Elizabeth liet haar los en keek naar haar arm met vreemde lichte ogen waar de pupillen ineens kleiner van werden. 'Tot snel dan maar,' zei ze alleen maar.

Cleo en Eveline renden zo snel mogelijk het informatiecentrum uit. 'Wat een griezel,' zei Eveline.

'Vond ik ook – op het einde zag ik haar niet meer,' zei Cleo. 'Heeft ze nog wat gezegd?'

Eveline vertelde aan Cleo wat het meisje had gedaan.

'Wat een eng kind,' vond Cleo ook.

'Maar wel een eng kind dat ons geholpen heeft.'

Cleo's telefoon piepte en ze griste hem zo snel als ze kon uit haar zak.

'Daniel,' zei ze snel. 'Maar dit is van een paar uur geleden. Waarom heb ik dat niet gehad?' Ze liet aan Eveline zien wat hij had ge-sms't

– twee keer kort na elkaar. De eerste was: 'Ik kom terug,' en meteen daarna iets compleet onbegrijpelijks.

'Er staat "mfgwingownhw",' zei Cleo. 'Wat betekent dat?'

'Bel hem nog een keer,' zei Eveline.

Cleo belde hem en schudde zijn hoofd. 'Weer zijn voicemail,' zei ze en ze hing op.

Eveline begon steeds zenuwachtiger te worden. 'Het is Langelaar. Ondanks al zijn liefdadigheid, zijn mooie praatjes... Hij is het, ik weet het zeker.' Ze rende naar haar fiets. 'We moeten naar Garon,' zei ze gehaast. 'Als hij terug is, kan hij ons helpen.'

Zo snel ze konden, reden ze op hun fietsen terug naar de begraafplaats en probeerden ze de puzzelstukjes op zijn plaats te krijgen:

Stel dat Wilfried op een of andere manier wist dat bij het graf van Septimus een soort geheim was, maar hij kon het graf net als de nazi Edda Blixenschatter niet vinden. Maar dan ontdekken ze het graf van Septimus de Jonge. Garon en Wilfried konden elkaar blijkbaar niet uitstaan, dus neemt Wilfried Garons kleinzoon als offer. Hij doet het ritueel met Azer en komt zo achter de plek van het graf van Septimus de Oude, hij wil daar onderzoek naar doen, maar daar steekt Lucella vervolgens een stokje voor. Wilfried vindt een manier om haar oma te vermoorden en wil zijn plan doorvoeren, maar heeft geen rekening gehouden met Garon die hem blijkbaar doorheeft en daarom wordt het risico te groot dat hij met de verdwijning van Sebastiaan in verband wordt gebracht en hij dumpt hem in een straat vlak bij zijn huis...

Het hek was nog steeds – of alweer – dicht, waardoor ze weer via de zijkant naar binnen moesten. Zo gauw ze op de begraafplaats stonden, zeilde Evelines kraai naar beneden en ging op haar schouder zitten.

'Hé, Hugo,' zei Cleo.

'Hugo?'

'Ja, ik vind het een echte Hugo. Jij niet?'

Eveline vond het wel grappig, Hugo, ze voelde zich in elk geval een stuk beter nu haar kraai op haar schouder zat en daarmee werd ook haar boosheid groter: Wilfried Langelaar had hen allemaal om de tuin geleid met zijn liefdadigheidsdingen, hij had als een vuile huichelaar naar Azer gezocht, terwijl hij hem zelf gevangenhield, had haar oma door Chimorei laten vermoorden en vervolgens beweerd dat zij te veel fantasie hadden en er daardoor voor gezorgd dat Eveline dacht dat ze compleet gek was geworden.

Maar ze was niet gek.

Ze dacht aan de foto van hem met zijn arm om Garons schouder en rilde. Hoe kon iemand zo zijn? Zo huichelachtig en gemeen? En waarom? Voor het geheim dat haar oma had bewaakt en dat blijkbaar ergens verstopt lag in het graf van Septimus? Ze vroeg zich af wat voor groot geheim dat dan wel was.

Ze liepen snel langs de rijen met graven en grafhuisjes. Eveline bedacht hoe bang ze was geweest de eerste avond dat ze door de heg heen waren gedrongen en hier hadden gelopen. Nu was ze niet meer zo bang, niet meer voor de graven – en ook minder voor de geesten. Uiteindelijk bleek het dat het *mensen* waren waar je het meest bang voor moest zijn. *Levende* mensen.

Garons huisje was nog steeds dicht en er deed niemand open toen ze klopten.

'Dat dacht ik al,' zei Eveline.

'Ik ook,' zuchtte Cleo. 'We hebben hem zo aan Wilfried gegeven.'

'Wilfried heeft dat boek van hem gepakt – en ik heb de doodskist genoemd – dus die heeft hij weggehaald, wedden? En Garon heeft hij ergens opgeborgen zodat hij daar geen last van heeft.'

Ze kon het niet over haar lippen krijgen dat Wilfried Garon misschien had vermoord, ze wilde die gedachte niet toelaten, want als dat zo was, dan was het indirect hun schuld.

Cleo viste weer haar mobieltje uit haar achterzak en probeerde Daniel weer, maar die nam weer niet op. 'En Daniel ook,' zei Cleo. Ze stampte op en neer van frustratie. 'Ik móét het zeker weten,' zei ze en ze kreeg een vastberaden uitdrukking op haar gezicht terwijl ze iets intoetste en vervolgens de telefoon tegen haar oor hield.

'Wat doe je?' vroeg Eveline.

'Ik bel zijn ouders. Hij heeft me ook zijn vaste nummer gegeven – Meneer Felis? Ja, hallo, met Cleo Hoogervorst... Ik ben een vriendinnetje van Daniel – is hij thuis?' Ze luisterde naar wat er gezegd werd, haar gezicht betrok. 'Oh, dan heb ik me vergist, dank u wel. Dag.'

Ze hing op. 'Zijn vader klonk alsof hij geen flauw idee had dat zijn zoon vandaag thuis zou komen. "Daniel is op vakantie, je kunt hem mobiel bereiken." Dat zei hij.'

Eveline schudde haar hoofd. Dit was niet goed. Dit was helemaal niet goed. Ze liep naar de zijkant van het huisje waar een klein schuurtje aan vastzat en trok de deur open. Aan een wand hing een gereedschapsrek met allerlei spullen en ze speurde naar de grote moker die Garon de avond daarvoor bij zich had gehad, maar die was er niet. Wilfried zou hem wel hebben.

Ze zocht naar iets anders waarmee ze een muur in kon slaan, maar kwam niet verder dan een zware hamer. Cleo greep een breekijzer. 'Ben je er klaar voor?'

Eveline knikte vastberaden, en alsof hij haar woorden kracht bij wilde zetten, streek Hugo weer op haar schouder neer.

De twee meiden liepen van de officiële begraafplaats af door het roestige hek dat nog steeds openstond het oude grafveld op. Ze waren er nog nooit overdag geweest en Eveline zag nu pas hoeveel verschillende soorten wilde bloemen en planten er tussen de grijsgroene kapotte stenen tierden. Maar ze hadden er maar weinig oog voor, ze renden over de stenen heen, de heuvel op. De ruïne zag er in het daglicht minder magisch uit, maar er hing nog steeds een mysterieuze sfeer op de open plek die omringd was door bomen.

'Het zijn eiken,' wees Eveline. 'Weet je nog dat Daniel zei dat die bomen heilig waren?'

Het gras om het graf heen was gedeeltelijk platgetrapt, maar verder zag je nergens een spoor van het gevecht van de avond ervoor. Op de plekken waar de Chimorei waren verpulverd, was niets te zien – geen schroeiplek, niks. De marmeren plaat was weer op zijn plek gezet en het kostte hen de nodige moeite om hem weer opzij te schuiven, ook omdat Cleo nog steeds last had van haar linkerarm.

Ze sprongen zachtjes in het graf. Helaas waren ze niet zo goed voorbereid als de dag ervoor en hadden ze geen zaklamp bij zich, maar met het kleine beetje daglicht dat door het gat en de spleten tussen de stenen viel konden ze de muren en de vloer nog redelijk zien. Eveline legde haar hamer neer en voelde aan de muren en de vloer, gleed met haar vingers langs de spleten, maar net als de vorige keer voelde ze niets bijzonders. Was er iets achter een van de muren? Of misschien wel onder de vloer? Was er een mechaniek? Of een magische handeling die ze moesten verrichten?

'Zeggen we "Sesam open u"?' grapte Cleo fluisterend. Ze wilde het breekijzer al ergens tussen de muren zetten en lukraak gaan slopen, toen Eveline haar tegenhield. 'Dit is dom,' zei ze. 'Als we op de muren in gaan hakken en Langelaar is aan de andere kant, dan hoort hij ons.'

Cleo liet teleurgesteld haar breekijzer weer zakken. 'Maar hoe moeten we dan naar binnen?'

'Dat is juist iets wat ik niet snap – hoe heeft Wilfried Sebastiaan hier ongezien in en uit gekregen? Terwijl zowel Garon als wij hier de hele tijd rondliepen?' Ze had het gevoel dat ze iets miste, iets wat ze wel wist, maar waar ze niet aan dacht. Zo stond ze een tijdje in het koude donker van het graf, totdat het haar opeens te binnen schoot. 'In mijn droom staat mijn oma in een donkere gang, terwijl achter haar – volgens mij in het graf – een kind huilt – ik denk dat Wilfried een gang heeft gegraven naar het graf.'

18

Hoe vind je een gang die onder de grond doorloopt en waarvan je alleen maar weet waar hij eindigt, maar niet waar hij precies begint? Daniel had er waarschijnlijk een mooie oplossing voor die iets te maken had met alle verschillende opties wegstrepen, maar Eveline en Cleo hadden een andere tactiek: ze slopen naar de woonboerderij en morrelden eerst aan de twee ramen aan de voorkant van de boerderij die als het goed was toegang gaven tot Wilfrieds werkkamer. Het linkerraam zat dicht. Het rechterraam ook. Eveline hoopte maar dat Wilfried op dat moment niet in zijn werkkamer was – zijn auto stond er in elk geval niet – maar ze konden het met geen mogelijkheid zeggen, want er zat luxaflex voor de ramen waar ze niet doorheen konden kijken. De ruimte leek wel hermetisch afgesloten, als een fort. Ook de kleinere raampjes aan de zijkant waren potdicht en er was geen beweging in te krijgen.

'Logisch als je iets te verbergen hebt,' mompelde Cleo.

Ze hoorden een deur opengaan en zagen toen Roos naar buiten lopen met een vuilniszak.

'Nu,' fluisterde Cleo. Ze renden door de deuren de woonkeuken binnen waar godzijdank niemand zat – waarschijnlijk zaten ze nog aan het meertje. Ze sprintten door het kleine deurtje dat toegang gaf tot de zijvleugel – een lagere gang met een deur naar Wilfrieds werkkamer, maar die zat op slot. Koortsachtig voelden ze langs de deurpost en de plinten, maar er lag geen sleutel.

'Dat gaat lekker met ons speurwerk,' zei Cleo. 'Wat doen we nu?'

'Weet ik veel – de deur intrappen?' grapte Eveline.

'Wat een briljant idee,' zei Cleo en voordat Eveline 'nee' of 'ho' had kunnen zeggen, had Cleo al een aanloopje genomen en met een enorme karatetrap de deur opengeschopt. Het maakte een ontzettend kabaal en Eveline kromp in elkaar. Als Roos hen hoorde en kwam, wat moesten ze dan zeggen? Ze glipten de werkkamer binnen en sloten de deur achter zich, hun adem inhoudend en scherp luisterend of er iemand aankwam, maar niemand had het gehoord.

De kamer waarin ze stonden was volgestouwd met boeken, papieren, kranten, aantekeningen, een computer met twee schermen op een antiek bureau, een wand vol met boeken, nog een wand vol met boeken, een wand met een prikbord zo groot als een schoolbord. Op de vloer lag papier, papier, papier. Stapels. Multomappen, dossiermappen, fotomappen...

'Dat die man nog tijd heeft voor iets anders,' zei Cleo, terwijl Eveline een kleurig Perzisch tapijt aan de kant trok en de vloer afspeurde op zoek naar iets van een luik. 'Waar begin je een gang?' vroeg Cleo aan niemand in het bijzonder en ze begon met haar neus over de grond te speuren. Ze schoof stapels papieren aan de kant. 'Ik ben blij dat we daar niet meer doorheen hoeven te lezen,' zei ze.

'Juich maar niet te snel, als we geen ingang kunnen vinden, moeten we misschien toch kijken of er ergens in die papieren staat waar die is.'

'Hm.' Cleo keek achter een bankje dat in de hoek van de kamer stond. 'Hoeft niet,' zei ze triomfantelijk. 'Hier zit een luik.'

Tenminste, het leek er op: uitgezaagde planken in de vloer, een meter lang en een halve meter breed. Maar er was geen manier om het 'luik' open te krijgen: geen ring, geen hendel, en ze kwamen er niet tussen met een van de zwaarden die aan de muur hingen.

'Dit is zo frustrerend,' zei Cleo woest. 'Zijn we zo dichtbij en dan komen we er niet in!'

'Misschien is het toch geen luik,' suste Eveline. 'Misschien...'

'Het is een luik,' zei Cleo koppig. 'Alleen moeten we uitvinden hoe het open moet. Misschien is er ergens een knop.'

Het speuren begon weer, maar dit keer naar iets om het luik mee open te krijgen. Eveline bladerde toch ook maar lukraak door papieren, want misschien stond daar wat in, terwijl Cleo intussen per ongeluk lichten aan- en uitdeed in een poging een knop te vinden.

Eveline zocht in de boekenkast. Er waren boeken over Romeinen en Grieken, een boek over necromantie... een aantal boeken had Eveline ook al in het huis van haar opa en oma gezien.

'Hier ook niks,' zei Eveline en ze rommelde door de papieren op het bureau, maar dat waren vooral aantekeningen van de universiteit en papers van studenten. Ze trok vervolgens de laden open – het was zo'n echt ouderwets bureau met groen vilt op het blad en vakjes waar je spullen in kon bewaren. Eigenlijk een nogal kitscherig ding. De moeder van Chantal had er ook een, bedacht Eveline, met een ouderwetse typemachine erop.

Klik.

Eveline trok een laatje open uit haar eigen geheugen. Als het bureau van Langelaar hetzelfde bureau was, dan...

'Ik denk dat ik iets weet,' zei Eveline zachtjes. Ze trok het rechterlaatje open van de vakjes en laatjes die boven op het bureau zaten. 'De moeder van Chantal had ook zo'n bureau.' Eveline voelde of ze het hendeltje kon vinden – het zat er. Haar vingers duwden en op hetzelfde moment klapte de achterplank van het middelste gedeelte naar voren.

Daarachter zat een geheim vak.

'Eef, wat briljant,' zei Cleo, terwijl Eveline met haar vingers een oud rood boekje tevoorschijn trok. Het was gerafeld aan de randen en had vochtvlekken op de zijkant.

'Wat is het?' Eveline sloeg de eerste bladzijde open. Het was een notitieboek. Op de binnenkant van de pagina stond een bloedrood oog en daaronder, in zwarte krullerige letters een naam:

Edda Blixenschatter. 'De nazi,' zei Eveline. 'Het is haar dagboek. En dit is het teken dat ik ook in mijn droom heb gezien.' Ze wees naar het oog. 'Volgens mij heeft het iets te maken met die broeders, maar ik weet niet wat dat zijn.' Ze bladerde vluchtig. Haar Duits was niet goed, en dat van Cleo nog minder, maar ze herkenden wel bepaalde woorden. *Gräber*, en de naam Septimus zag ze een aantal keer staan. Er was een tekening bij van de kerk en van de dolk, een cirkel en het teken dat bij zowel David als Azer in zijn hals stond. En er was een tekening bij van Ilana's hanger: een boom met een kruin en wijd uitwaaierende wortels in een cirkel en ze vroeg zich af wat dat dan weer met alles te maken had. Een boom? Het leek haar sterk dat Edda en Wilfried op zoek waren naar een boom...

'Zo weet Wilfried natuurlijk van het graf en van het ritueel,' zei Cleo. 'Hij heeft op de een of ander manier haar dagboek in handen gekregen en wil nu afmaken wat zij is begonnen.'

Eveline voelde in het geheime vak en haalde er een gek plat vierkantje uit. Toen ze beter keek, zag ze dat er een knop in ingebed zat. Ze duwde op de knop en het luik in de grond zwiepte geluidloos open.

'Wauw,' zei Cleo.

Schoorvoetend liepen ze naar het open luik. Er stond een ladder waarvan de onderkant in het duister verdween. Cleo rende naar de muur en griste nog een zwaard van de muur af. Ze duwde Eveline een van de zwaarden in haar handen.

'Wat moet ik hiermee?' zei Eveline.

'Meenemen,' zei Cleo.

'Clé... ik kan niet vechten met een zwaard.'

'Maakt niet uit, dan dreig je er maar mee.' Cleo keek verwilderd rond en graaide toen een van de fakkels mee die in de hoek stond, en pakte een aansteker van het bureau en stak de toorts aan. Ze duwde hem bij Eveline in haar handen. 'Jij moet hem meenemen,' legde ze uit. 'Ik heb te veel last van mijn arm.' Eveline had Cleo's schouder die ochtend gezien: hij was bont en blauw waar de arm uit de kom was geschoten, alsof iemand haar een enorme stomp had verkocht. Ze wist dat het pijn moest doen, maar ze had Cleo er de hele dag nog niet over gehoord.

Voordat ze de ladder af daalden, hoorde Eveline getik tegen een van de ramen en een luid gekras. Ze haastte zich het raam open te maken en Hugo vloog meteen op haar schouder. Even wierp ze een blik naar buiten. Het schemerde al.

Ze daalden af het donkere gat in. Eveline als eerste, met de fakkel, en Cleo erachteraan met de twee zwaarden. In het schijnsel van de fakkel zag Eveline de lagen van de aarde veranderen van zandkleurig naar klei naar gitzwart. Het gat was zeker drie meter diep en Eveline had het nog benauwder dan in de catacomben. Ze probeerde er niet aan te denken dat ze levend begraven zou worden als het allemaal zou instorten.

Eenmaal beneden gaf Cleo Eveline het zwaard, dat ze stevig omklemde, al had ze geen flauw idee wat ze er straks mee ging doen. Ze kon nog niet eens een vlieg doodslaan, laat staan dat ze daar Wilfried Langelaar mee te lijf kon gaan. Maar aan de grimmige trek om Cleo's mond te zien had zij daar helemaal geen moeite mee. Ze probeerde de vochtige lucht zo rustig mogelijk, diep in en diep uit te ademen, maar ze kon haar gejaagde ademhaling niet onder controle krijgen en ze begon sterretjes voor haar ogen te zien en had het gevoel dat ze stikte.

Er was genoeg lucht. Echt.

'Eef, de fakkel brandt,' zei Cleo die doorhad dat Eveline begon te hyperventileren. 'Dan is er genoeg zuurstof.'

'Hoe weet jij dat nou?' zei Eveline ongelovig. 'Je klinkt als Daniel.'

'Zie, het is besmettelijk,' grapte Cleo. Ze deed luchtig, maar Eveline kon zien dat zij ook gespannen was. Ze staarde in het donkere niets van de gang. Wat stond hen aan het einde te wachten?

'Wat doen we als we in het graf zijn en Wilfried is er?'

'Als Wilfried er is, dan vallen we hem aan,' zei Cleo. 'Dan proberen we hem bewusteloos te slaan, oké? Of schoppen.'

'Niet dood, hè?'

'Als het niet anders kan wel, maar zo min mogelijk dood,' beloofde Cleo zachtjes.

'Gaan we?' Eveline klemde het zwaard nog harder in haar hand. Cleo kneep haar even in haar arm. 'We kunnen dit,' zei ze. 'We gaan Daniel en Garon redden. En kebab maken van die gluiperige Langelaar.'

Zachtjes liepen ze naast elkaar door de uitgegraven tunnel die her en der was gestut met houten palen. Het licht van de fakkel verlichtte alleen een paar meter voor en achter hen, voor de rest was er alleen maar onmetelijke, stille duisternis en de lucht van vochtige aarde.

Een schim.

Eveline pakte Cleo's arm ten teken dat ze moest stoppen. 'Daar staat iemand,' kraakte ze zachtjes.

'Waar – ik zie niemand.'

'Rechts, een paar meter voor ons.' Eveline wees in het zwarte niets, maar Cleo zag nog steeds niets.

'Durf je ernaartoe?'

Eveline knikte. Haar hand trilde een beetje waardoor het gouden schijnsel van de toorts op de zwarte aarden wanden flakkerde.

In het schokkerige licht stond een vrouw met een zwarte kraai op haar schouder. Hugo kraste, alsof hij hem wilde begroeten. De vrouw had donkerbruin haar met grijze strengen erdoor. En ze had paarse ogen.

'Lucella Sevenster?' vroeg Eveline.

De vrouw knikte. Haar gezicht stond streng, rigide bijna. De strengheid werd nog benadrukt door de zwarte rok en bloes die ze aanhad. Hoewel het haar oma was, vond Eveline haar een beetje eng. Ze was slank, haast mager en had rimpeltjes bij haar ooghoeken en mond. Haar hand strekte zich uit naar Eveline en raakte haar wang aan, maar Eveline voelde het bijna niet, alsof haar oma meer uit lucht dan uit lichaam bestond. Daarna aaide ze Hugo even en lachte ze voor het eerst, waardoor ze meteen jonger en minder op een strenge heks leek.

Nu viel het Eveline pas op dat haar oma grote rode striemen in haar nek had staan. 'Hebben de Chimorei dat gedaan?' vroeg ze.

Lucella Sevenster knikte weer en wrong haar handen in elkaar, alsof ze vreselijk gefrustreerd was. Toen pakte ze Evelines handen met die vederlichte aanraking en wees vervolgens verder de gang in. Ze maakte met haar handen de omtrek van een lang persoon in de lucht.

'Langelaar is daar', zei Eveline tegen Cleo. 'Toch?' vroeg ze vervolgens aan haar oma die het bevestigde. Ze trok een heel bezorgd gezicht, wees naar haar ogen en toen naar die van Eveline en balde daarna haar handen bij elkaar, alsof zij iets moesten beschermen, toen wees ze weer naar haar ogen en die van Eveline.

'We moeten het geheim bewaken.'

Haar oma knikte heftig en maakte daarbij weer gefrustreerde gebaren. Eveline had medelijden met haar en pakte haar hand. 'Het gaat lukken', zei ze ferm. 'Langelaar krijgt jullie geheim niet.' Haar oma lachte weer een beetje, maar haar ogen stonden verdrietig, alsof ze het niet kon geloven dat twee tienermeisjes van wie een niet eens een Wachter was dit voor elkaar konden krijgen.

Ze slopen verder. De gang maakte een flauwe bocht waarna er licht leek te zijn. Ze bleven even staan voor de bocht om te luisteren, maar er drong geen geluid tot hen door.

'We kunnen dit', fluisterde Cleo weer. 'Ik ga wel als eerste en schop hem verrot.' Ze kneep even in Evelines hand en schoot daarna de hoek om. Eveline rende achter haar aan, door het gat dat uit steen gehouwen was aan het einde van de gang – het graf van Septimus in.

Het eerste wat ze zagen in het flakkerende licht, was een loden kist die midden in de ruimte stond met een bruin uitgeslagen skelet erin. Daarachter stond Wilfried over iets heen gebogen. Ze konden niet goed zien wat het was, totdat Eveline twee benen zag – achter de kist lag Daniel. Cleo liet haar zwaard vallen en sprong als een kat richting Wilfried. Hij kon alleen maar stomverbaasd kijken, toen had ze hem al in zijn middenrif getrapt. Hij kromp in elkaar van pijn, en ze wilde hem tegen zijn hoofd schoppen, maar hij wist haar gedeeltelijk te ontwijken, waardoor haar voet zijn kaak schampte. Hij haalde naar Cleo uit, en er klonk een vreemd geluid door de ruimte, een soort elektrische stroom: tak-tak-tak. Cleo gaf een schreeuw en viel slap op de grond.

Eveline stond als aan de grond genageld, het zwaard voor zich uit. Wilfried schudde met zijn hoofd, voelde aan zijn pijnlijke kaak. Toen kwam hij overeind. Hij had een *taser* in zijn handen waar hij Cleo een elektrische schok mee had gegeven.

'Zo, Eefje, kom jij je vriendje redden?' zei hij sarcastisch.

Eveline stapte naar voren. Het zwaard trilde in haar hand.

De ruimte was laag, net als de catacomben onder de kerk, met twee grote nissen aan de zijkanten. In een ervan stond een houten kooi waar Garon in lag. Wilfried pakte de bewusteloze Cleo onder haar oksels en trok haar richting de kooi.

'Tjonge wat is zij zwaar zeg,' zei hij. 'Kun je niet even meehelpen?'

Eveline werd woest om zijn laconieke houding. 'Laat haar los!' zei ze.

'Of anders?' lachte hij kort en nu herkende Eveline die lach uit haar nachtmerrie. Hij was het die haar oma had vermoord. Die gedachte maakte haar helemaal woest. 'Anders maak ik kebab van je,' zei ze kwaad. Ze deed haar ogen dicht en stak in het wilde weg op Wilfried in, maar het volgende moment voelde ze een stekende pijn in haar hand en vloog het zwaard uit haar handen. Ze deed haar ogen open en zag dat Wilfried het zwaard opraapte. 'Misschien maak ik wel kebab van jou,' zei hij en hij liep dreigend op haar af. Eveline deinsde achteruit, maar nu kwam Hugo de ruimte in gevlogen en schoot als een witte torpedo recht op Wilfried af. Eveline greep haar kans en schopte Langelaar zo hard ze kon tegen zijn knie, terwijl Hugo krijsend naar hem begon te pikken, waardoor hij de taser en het zwaard moest laten vallen. Eveline grabbelde naar de taser, maar Wilfried herstelde zich te snel en gaf haar zo'n harde klap tegen haar hoofd dat haar hoofd naar de zijkant schoof, bloed haar mond instroomde en het volgende moment was alles zwart.

Geprevel. Flakkerend licht. Hoofdpijn. Heel erg. Iets trekt aan mijn oor, maar ik wil niet wakker worden. Ik wil nog even slapen. Heel even.

Het was Hugo die zo hard aan haar oor trok met zijn snavel, dat het pijn deed en langzaam drong het tot Eveline door waar ze was: ze lag half over Garon en Cleo heen in de houten kooi in het graf van Septimus.

Daniel. Het ritueel.

Ze was in één klap weer bij haar positieven. Hoe lang was ze buiten westen geweest? Was ze te laat? Toen ze zich omdraaide en naar de loden kist keek, zag ze dat Wilfried bezig was met kaarsen neerzetten in een cirkel om het lichaam van Septimus heen. Daniel lag nog steeds bewusteloos achter de kist.

Eveline rammelde aan het hek, probeerde aan de hendel te trekken die de deur van de kooi op slot hield, maar daar was geen beweging in te krijgen.

'Ah, je bent weer wakker, zie ik?' smaalde hij. 'Precies op tijd voor het feestje.' Daarna besteedde hij geen aandacht meer aan Eveline en begon dingen klaar te zetten.

'Daniel!' riep Eveline. 'Daniel!'

'Die wordt niet wakker,' zei Wilfried.

'Is hij...'

'Nee.'

Eveline schudde aan Cleo's arm. Ze schudde haar heen en weer als een pop. 'Clé,' zei ze. 'Clé?' Ze tikte zachtjes tegen haar wang. Cleo's wimpers gingen heen en weer en uiteindelijk deed ze haar ogen open. 'Wow, ik heb dorst,' zei ze.

Daar moest Langelaar hard om lachen. 'Wen er maar vast aan,' zei hij.

Hij laat ons hier. Hij gebruikt Daniel voor zijn ritueel en dan laat hij ons hier.

Cleo was intussen weer een beetje wakker, maar kon zich nog nauwelijks bewegen. 'Alles is rubber,' zei ze. 'Echt alles.' Haar hersenen waren waarschijnlijk ook een beetje rubberachtig, want ze scheen niet helemaal te beseffen waar ze was en waarom.

Wilfried ging intussen door met zijn voorbereidingen. Hij deed de kaarsen aan, zwarte en witte. Daarna trok hij met een dolk een cirkel om de grafkist heen...

'Waarom doe je dit?' riep Eveline. Ze rukte aan de tralies. Moesten ze hier nu gaan toekijken hoe hij Daniel zou gebruiken voor zijn bloedige ritueel zonder dat ze hier iets aan kon doen?

'Ik dacht dat jullie dat wel wisten,' zei hij. 'Jullie waren slim genoeg om erachter te komen waar Daniel was.'

'Hij wist dat jij het was,' zei Eveline.

De archeoloog kwam naar haar toe lopen. 'Ja, dat was dom van mij,' zei hij. 'Ik had niet gezien dat Sebastiaan zijn ene schoen was verloren in mijn auto – dat krijg je ervan als je snel je plannen moet veranderen omdat fanatieke oude mannen en nieuwsgierige kindertjes hun neus in je zaken steken. En die schoen lag nog in mijn auto en dat zag hij. Helaas voor hem. Als het een troost voor je is: ik wilde Daniel niet gebruiken – ik had liever een ander kind. Iets jonger... Maar nu ik jullie toch kwijt moet, kan ik het beter combineren.'

'Je bent echt vreselijk,' zei Eveline. 'Ik kots van je.'

Wilfried haalde zijn schouders op, alsof het hem niets interesseerde. Hij stond op en keek met zijn handen in zijn zij naar de bewusteloze jongen. 'Ik moet nog maar zien of het met Daniel lukt.'

Eveline rukte weer aan de tralies. Ze was laaiend. 'Wat?! Je gaat hem doodmaken terwijl je niet eens weet of het lukt?' Ze rukte en trok aan het hout, maar er kwam niet eens beweging in. 'Je bent een monster,' zei ze. 'Hoe kun je dit doen? Je hebt zelf een dochter!'

Hij knielde voor haar neer. Ze zag dat hij iets vreemds in zijn ogen had wat ze nog niet eerder had gezien. Iets bloedfanatieks wat hem maniakaal maakte. 'Ik zou mijn dochter hier ook voor opofferen als het moest,' zei hij en ze wist dat hij het meende. Wilfried Langelaar was gek geworden omdat hij iets zo graag wilde hebben.

'Waarom doe je dit?' zei ze. 'Wat heeft Septimus voor je?'

Wilfrieds ogen versmalden zich tot streepjes. 'Dat zou je wel willen weten, hè?'

'Ja dat wil ik graag weten,' zei ze zo kalm mogelijk. 'Ik kan me niet voorstellen dat iets zoveel waard is dat je daar jongetjes voor opoffert.' Ze wist niet waarom ze met Langelaar bleef praten. Aan de ene kant omdat ze het wilde weten – ze wilde weten waarvoor hij Daniel wilde offeren, waarom hij hen levend wilde begraven en waarom hij zelfs bereid was zijn eigen dochter hiervoor op te offeren. En aan de andere kant wilde ze tijd winnen, al wist ze dat het hopeloos was, maar ze hadden het luik open laten staan, misschien kwam Roos hem eten brengen en dan...

Of misschien komt Azer ons redden. Net als bij de Chimorei.

Ze wilde de hoop niet opgeven. Er moest een manier zijn om hieruit te komen, om Wilfried te stoppen, om Daniel te redden.

'Nou? Waarom?' eiste ze. 'Wat heeft hij voor je? Heeft het iets te maken met de nazi's?'

Zijn mond zakte een beetje open. 'De nazi's? Dat zooitje ongeregeld dat niet eens een behoorlijke archeologische expeditie kon leiden?' zei hij.

'Maar zo weet je wel van het ritueel, toch? Uit het dagboek van commandant Blixenschatter? Dat was toch een nazi?'

'Edda was veel meer dan een nazi,' zei hij en er klonk iets van bewondering in zijn stem door. 'Een geniaal archeoloog. Ze is hier om de hoek afgeslacht.'

'En terecht,' zei Eveline hardvochtig. 'Ze heeft mensen levend begraven!'

Wilfried knipperde met zijn ogen. 'Hoe kom je daar nou bij?'

'Stond dat niet in haar dagboek? Dat ze een groep joden onder de kerk heeft opgesloten nadat ze met behulp van het ritueel met de vrouw van Septimus had gepraat? Omdat ze zo gefrustreerd was dat die haar niet naar het graf van Septimus wees? Terwijl ze had beloofd dat ze hen vrij zou laten?'

'Je hebt te veel fantasie,' zei hij.

'Dat zei je gisterennacht ook, maar zoveel fantasie hadden wij helemaal niet. We hadden alleen de verkeerde!' gilde ze en ze deed een uitval naar zijn haar, trok een hele pluk uit zijn hoofd. Hij schreeuwde het uit en duwde haar door de tralies terug, maar op dat moment was Cleo weer bij haar positieven, en trok hem met enorme kracht aan zijn arm zodat hij met zijn hoofd tegen de tralies sloeg. Maar hij was veel sterker en worstelde zich los. Toen pakte hij het zwaard en liep op hun houten gevangenis af. 'Ik... ik...' snoof hij. Hij hief het zwaard, alsof hij hen door de tralies wilde spiesen. Cleo duwde Eveline verder naar achteren en schermde haar af met haar lichaam.

'Godallemachtig, wat zijn jullie een stelletje opofferende meiden zeg,' zei hij. Hij liet het zwaard vallen. 'Ik gun jullie het plezier om te zien hoe ik jullie vriendje de keel afsnijd en daar kunnen jullie helemaal niets aan doen.'

Cleo gaf zo'n harde schreeuw dat Eveline haar handen voor haar oren sloeg. Ze wierp zich tegen de tralies aan als een gekooide tijger en strekte haar armen uit naar Daniel. 'Daan! Word wakker! Daan!!'

Maar Daniel werd niet wakker en Wilfried ging aan de gang met zijn ritueel. Hij mompelde woorden die ze Edda ook hadden horen zeggen, de kaarsen flakkerden harder, de vlammen kwamen hoger en hoger, alsof iets of iemand ze van boven aanzoog. Hij wees met zijn ogen dicht met de dolk richting vier punten, het zweet gutste van zijn voorhoofd... Cleo gooide zich tegen de tralies aan, probeerde met haar benen het hout door te trappen, maar de kooi was niet groot genoeg om genoeg vaart te maken en het hout was veel te sterk. Eveline wist niet meer wat ze moesten doen, Wilfried was minuten verwijderd van het eind van het ritueel, hij hield een glimmende schaal omhoog en zette die vervolgens voor de loden kist. Ze kon niet meer nadenken, ze kon alleen maar denken aan de ouders van Daniel, dat die nog een zoon zouden verliezen, dat het geheim van haar opa en oma in handen zou vallen van deze maniakale gek en dat hij hen hier zou achterlaten, met het dode lichaam van Daniel om te verkommeren, te sterven net als de joodse mensen en priester Van der Meulen onder de kerk en er was niéts wat ze ertegen kon doen. Ze hoopte op Azer, ze riep hem op in haar hoofd, vertelde hem wat er aan de hand was, zei in haar gedachten tienduizend keer sorry...

Het leek wel honderd graden in het graf en Eveline had moeite met ademen. Ze zag hoe Wilfried met de dolk in zijn hand bij Daniel neerknielde en zijn hals vrijmaakte. Daarna trok hij hem omhoog, zodat hij slap in zijn armen lag. Hij ging het doen. Hij ging dit echt uitvoeren en zij konden niets doen om het te voorkomen. Dit was niet een visioen waar ze alleen maar naar kon kijken, naar iets wat al lang geleden was gebeurd, dit was nú en écht en afschuwelijk.

Eveline dacht eerst dat ze dubbel zag, maar toen zag ze een schaduw achter Wilfried omhoogkomen. Het was een man met een mager gezicht en kort haar, met een wit gewaad aan en op blote voeten.

'Septimus!' riep ze. Eveline strekte haar handen uit. Het móést hem zijn. Als zij geesten kon helpen, dan wilde hij haar misschien wel helpen. 'Septimus!' riep ze nog een keer. De man draaide langzaam zijn hoofd naar haar toe.

Hij had paarse ogen en een zwarte kraai op zijn schouder.

'Ik zie hem,' siste ze naar Cleo. 'Je moet stoppen!' riep ze naar Wilfried. 'Ik zie hem! Ik kan het hem vragen! Ik zie hem staan!'

Wilfried kwam uit zijn trance, liet Daniel als een zoutzak vallen en knielde een eindje van de kooi neer. 'Je stoort me,' zei hij en hij wilde weer opstaan.

'Nee, wacht!' riep Eveline. 'Ik zie hem.'

'Waar heb je het over?' Wilfried veegde het zweet van zijn voorhoofd. Zijn witte overhemd was ook doorweekt.

'Ik zie hem – hij staat daar. Ik kan vragen waar het is wat je zoekt – zijn geheim?' stotterde Eveline. Ze kon bijna niet ademen en daardoor bijna niet praten. 'Dan hoef je dit niet te doen.'

Ze móést het proberen. Ze wist dat Wilfried hen nooit zou laten gaan, maar in elk geval zou hij dan Daniel niet offeren, misschien was er een manier...

'Wat is dit voor onzin?' riep hij. Hij wilde zich omdraaien, toen Hugo op Evelines schouder wipte. De kracht die door haar heen sloeg was overweldigend en sloeg haar bijna weer buiten westen. Het effect was bizar.

'Je ogen zijn paars,' zei hij. Zijn ogen vernauwden zich weer.

'Ik ben Eveline Sevenster,' zei ze en haar stem klonk trots. 'Ik ben een van de Wachters.' Haar handen waren bloedheet en toen ze ernaar keek, leek het alsof haar handpalmen gloeiden. 'Ik zie hem, ik zie Septimus,' zei Eveline. 'Laat me eruit en ik help je. Als je Daniel maar met rust laat. Ik help je, dat beloof ik. Laat me eruit.'

Het had effect. Maar niet het effect dat Eveline had gewild of verwacht. Langelaar legde zijn hoofd in zijn nek en begon heel hard te lachen. Hij klapte in zijn handen en veegde over zijn ogen, alsof het allemaal zo grappig was dat hij moest huilen van het lachen. Eveline wisselde een blik met Cleo, maar die snapte het ook niet.

'Oh, wat hilarisch,' hikte de archeoloog. 'Jíj bent de kleindochter van Lucella Sevenster? Wat doe je hier?'

'Wat bedoel je?' vroeg Eveline verward.

'Weet je wel wie ik ben?' zei Wilfried.

Eveline schudde verward haar hoofd.

'Nee, dat dacht ik al, want als je dat had geweten, dan was je niet zo dom geweest om te vertellen dat je een Wachter bent,' zei hij.

'Wie ben je dan?'

'Ik ben je ergste vijand, houd het daar maar op.'

'Heb jij... heb jij mijn ouders vermoord?' stotterde ze.

'Ja. En je oma ook,' zei hij kil. 'Want dat is wat wij doen: Wachters doden en hun geheimen ontfutselen. En ik ben er toevallig extreem goed in.' Hij dacht even na. 'Het verbaast me wel,' zei hij. 'Jij was toch ook in dat huis? Hoe ben je daaruit gekomen? Je was dood.'

'Dat gaat je niks aan!' schreeuwde Eveline. Ze kon wel huilen, maar dat gunde ze Langelaar niet. Ze kon niet geloven dat ze had gedacht dat het zou werken als ze hem aanbood om te helpen.

'Dat is jullie probleem,' zei hij afgemeten, met zijn gezicht vlak bij dat van haar. 'Jullie Wachters zijn zo ongelooflijk arrogant, jullie denken maar dat jullie onoverwinnelijk zijn met jullie gave om doden te kunnen zien en jullie zogenaamde vermogen om demonen te vernietigen. Zo ver verheven boven de gewone mensen, hè? "De geheimen van de Wereld bewaken." En nu zit je hier, in een houten kooi onder de grond, ik heb je ouders en je oma omgebracht alsof het lammeren waren in de slachterij en ik krijg zo hun grote geheim in handen. En dat voor een miezerig gewoon mens...'

Hij leunde weer naar Eveline, hij scheen er enorm veel plezier in te hebben om haar te tergen, nog meer nu hij wist dat ze een Wachter was. Cleo probeerde hem te grijpen, maar hij was erop voorbereid en hij draaide haar arm de verkeerde kant op langs de tralies. Cleo gilde het uit terwijl er een harde knak door de ruimte klonk; hij had haar arm gebroken. Haar hand hing nu door de tralies heen in een rare hoek van haar pols. 'Ik had je gewaarschuwd,' zei hij alleen maar.

Eveline kreeg tranen in haar ogen van woede en machteloosheid. Ze hielp Cleo haar hand voorzichtig terug te trekken tussen de spijlen door.

'Je bent vreselijk,' huilde ze nu. 'Hoe kun je dit doen?' Cleo was in- en inbleek en begon te hijgen – Eveline dacht dat ze in shock raakte van de pijn. Ze draaide zich naar de kist waar het skelet in lag.

Help me, smeekte ze in haar gedachten. *Je moet me helpen.*

De Romeinse geest wees naar Daniel en schudde zijn hoofd. 'Hij krijgt niet wat hij hebben wil zo,' klonk zijn stem, terwijl hij zijn mond niet had bewogen alsof hij in Evelines hoofd had gepraat, en hij wenkte Eveline. Wilfried had intussen zijn dolk weer opgepakt en sjorde Daniel omhoog.

'Wacht!' riep Eveline. 'Septimus zegt dat het zo niet werkt – hij zegt dat je zo niet krijgt wat je wil. Dat het niet werkt.'

Wilfried schudde zijn hoofd.

'Nee, echt, hij zei het en wenkte mij. Hij wil het me laten zien,' smeekte Eveline. 'Je kan het toch proberen?'

'We kunnen het proberen als dit niet is gelukt,' zei Wilfried.

Septimus schudde meteen zijn hoofd.

'Dan helpt hij je niet meer!' riep Eveline snel. 'Toe nou.'

Wilfried aarzelde, maar uiteindelijk won zijn hebberigheid het en hij draaide het slot om. 'Ik maak je af als je iets doet,' waarschuwde hij.

Eveline liep, met Hugo op haar schouder, naar Septimus. Hij leek wel een standbeeld. 'Help me,' smeekte ze.

'Het duurt te lang,' zei Wilfried.

'Nee, wacht!'

Septimus knielde neer bij zijn eigen skelet. Eveline deed hetzelfde. Septimus wees naar zijn linkerwijsvinger. Eveline snapte niet wat hij bedoelde, maar toen reikte hij naar zijn eigen vinger en brak de vinger van zijn lichaam af.

'Wat doe je?' riep Wilfried. 'Dat is archeologisch onderzoeksmateriaal.'

Eveline keek verward naar haar handen. Ze had de afgebroken vinger in haar hand. Was dat wat mensen zagen als zij iets zag wat geesten deden? Ze had geen tijd om er te lang over na te denken, want de Romein wees naar de zwarte stenen vloer en gebaarde dat Eveline daar iets moest tekenen, om de kist heen, met de vinger. Het was alleen maar een lijn om de kist heen, dat gebaarde hij. Niet meer, geen ingewikkeld patroon, alleen maar een lijn. Eveline deed het en weer begon Wilfried te lachen. 'Een ritueel is wel wat ingewikkelder dan alleen een lijntje om een kist trekken,' zei hij. Maar opeens kwam er licht van onderen door de lijnen heen en brokkelde alles daartussen af. Het skelet van Septimus en de loden kist verdwenen in de diepte. Eveline deed een stap achteruit en liet de vinger op de vloer vallen. Die rolde naar het gat in de vloer en verdween over de rand, alsof er een magnetische kracht van het gat uitging.

'Is daar de levensboom?' hijgde Wilfried. Zijn ogen glansden van verlangen en hij keek voorzichtig over de rand, maar zag alleen maar kolkende diepte. Hij lette even niet op en Eveline maakte van het moment gebruik om het dichtstbijzijnde voorwerp dat binnen haar bereik was te pakken – de zilveren schaal – en die keihard tegen zijn hoofd te gooien. Wilfried wankelde en het leek er even op of hij in het gat zou vallen. Eveline deed een uitval en wilde hem het laatste zetje geven, maar hij pakte haar bij haar pols en duwde haar richting het gat. 'Misschien moet ik jou er maar eerst ingooien,' zei hij. 'Ik ken die Wachters – het is vast een valstrik.'

Eveline trapte zo hard ze kon tegen Langelaars scheenbeen en rende toen zo ver mogelijk van het gat vandaan, onderwijl zoekend naar iets waar ze zich mee kon verdedigen, maar de zwaarden lagen aan de andere kant van het gat en de taser zag ze nergens meer. Met angstige ogen zag ze hem dichterbij komen en er was niks wat ze kon doen, behalve zich vastgrijpen aan de houten spijlen van de kooi.

'Eef,' riep Cleo zwakjes. Verder kon ze helemaal niets meer, ze zag eruit alsof ze elk moment kon flauwvallen, haar ogen waren weer gigantisch en ze knipperde drie keer langzamer, waarbij ze haar ogen steeds heel lang dichthield.

Langelaar trok Eveline aan haar middel, terwijl ze zich zo goed mogelijk vasthield aan de tralies, maar hij was zo verschrikkelijk sterk dat ze het tien seconden volhield voordat ze moest loslaten, omdat ze dacht dat anders haar vingers zouden afbreken.

Eveline zeilde door de ruimte heen als een ballon. *Dat was het dan,* dacht ze toen ze op de grond donderde en zo over de rand van het gat gleed. *Nu val ik te pletter.* In een laatste poging grabbelde ze naar de rand, maar die was veel te glad en gleed door haar vingers heen...

Op het allerlaatste moment verscheen een bekend gezicht boven het gat en een hand greep haar pols. Met onmenselijke kracht slingerde Azer haar met één hand terug over de rand waar ze tegen een verbaasde Wilfried tot stilstand kwam.

'Hoe...' begon hij, maar hij kon zijn zin niet afmaken, want op dat moment sloeg Azer hem hard in zijn gezicht. Langelaar greep naar zijn bloedende neus. 'Wat...' Hij kon Azer niet zien en die haalde weer uit, en nog een keer, en nog een keer... Wilfried beschermde zijn gezicht met zijn handen. 'Stop!' riep hij. 'Stop!'

Maar Azer stopte niet. Met een grimmig gezicht bleef hij op de archeoloog inbeuken, probeerde hem te raken waar hij kon. Langelaar lag ineengekrompen te jammeren tegen de onzichtbare kracht. Hij had een bloedneus en zijn ene oog begon al dik te worden en er liep een beetje bloed uit zijn mondhoek. Azer schopte hem in zijn zij, tegen zijn nieren, in zijn rug... Daarna trok hij het zwaard dat tussen zijn broekriem zat gestoken en hij hief het om door Wilfried heen te steken, maar Eveline trok aan zijn arm. 'Niet doen!' gilde ze. 'Niet doen!'

Azer keek haar ongelovig aan – Wilfried had haar net een afgrond in willen gooien en nu wilde ze niet dat hij hem doodde?

'Niet doen,' zei ze weer. 'Dat maakt ons net zo erg.'

Maar Wilfried was erger. Hij dook naar Evelines benen en zo dreigden ze samen het gat in te glijden. Azer greep Evelines hand, maar hij kon niet het gewicht van hen alle twee houden en ze vielen met zijn drieën in de diepte.

Storten we nu de hel in?

Ze deed haar ogen dicht omdat ze niet wilde zien wanneer ze op de grond te pletter sloeg. Koude wind joeg langs haar wangen en uiteindelijk kwam ze met een smak zo hard op haar rug terecht dat alle lucht uit haar longen werd geslagen en ze naar adem hapte. Het leek wel een eeuwigheid te duren, hoewel het in het echt waarschijnlijk maar een paar seconden was totdat haar longen zich weer met lucht vulden.

Ze kwam overeind en was verbaasd om te zien dat ze helemaal alleen was. Waar waren Azer en Wilfried? Ze keek omhoog, maar boven haar was geen gat, alleen maar lucht. Een vreemde oranje-witte lucht met een stralende witte zon erin.

Hugo kwam aanzeilen en landde op haar schouder. Meteen voelde ze zich beter en ze stond op. Om haar heen klonk vreemd getik, alsof er schelpen tegen elkaar aan tikten. Een lauwe wind woei door haar haren en door het uitgedroogde gras. Alles om haar heen was dood en uitgebeend wit. Ze liep over iets wat een paadje leek. Steeds weer dat vreemde getik... Overal om haar heen. De planten in de witte aarde waren uitgedroogd en dood; dikke stekels en puntige dode bladeren en op de stengels zaten, in clusters van honderden bij elkaar – slakken. De huisjes van de slakken maakten het tikkende geluid als de wind langs hen woei en hen tegen elkaar aan tikte. Het was een luguber gezicht, al die slakken, alsof ze alles hadden kaal gegeten en nu in een soort winterslaap zaten te wachten totdat ze weer iets nieuws konden verorberen.

Ze tuurde alle kanten op en zag een stuk verderop iemand lopen. Op haar hoede rende ze erachteraan. De lauwe wind gaf de hele omgeving iets dreigends. Hij was net te speels, waaide te wispelturig door haar haren, alsof het een onzichtbare hand was die aan haar paardenstaart trok.

Wilfried liep voor haar, maar waar was Azer? Ze haalde hem makkelijk in,want hij hinkte nogal door het pak slaag dat hij van Azer had gekregen.

'Wat ga je doen?' vroeg ze. 'Waar ga je naartoe?'

Als antwoord draaide hij zich om en dreigde haar met zijn vuist in haar gezicht te slaan. Ze deinsde achteruit, klaar om weg te rennen – ze was nu sneller dan hij, dus minder bang. Toen rende hij zo snel hij kon van de heuvel af naar beneden, over een akker heen die ook al zo droog en doods was. Grote stenen staken omhoog en in de diepe voren van het omgeploegde land groeide niets. Eveline draafde er een stukje achter, onderwijl kijkend of ze Azer ergens zag, maar hij was nergens en een dwingend gevoel van naderend onheil drong zich aan haar op. Waar was Azer? Waarom was hij niet bij hen?

Wilfried liep als een robot door, het leek wel alsof hij precies wist waar hij naartoe ging. Of dat hij werd gedreven door een kracht die Eveline niet voelde, en ze herinnerde zich waarnaar hij op zoek was. De levensboom. Ze wist niet wat Wilfried met de levensboom had bedoeld, maar ze kon zich niet voorstellen dat hij in deze omgeving zou staan, want alles leek hier dood of stervende.

En ik kan me niet voorstellen dat Septimus Langelaar naar zijn geheim leidt.

Wilfried leek wel bezeten, hij strompelde als een mank paard met oogkleppen op de heuvel af, waar een hoop stenen lag. Het leek alsof ze daar door de hand van het toeval waren neergegooid, maar toen ze beter keek was het een primitieve cirkel van rechthoekige stenen die hun schaduw over het dorre land wierpen. In het midden van de cirkel stond een grote, dorre boom. De takken wrongen en draaiden en waren zo wit dat het meer botten leken dan hout.

Was dat de levensboom?

Voor de boom lag een platte steen waar een vrouw op lag. Haar haren waren zo lang dat ze haar verder blote lichaam bedekten.

Eveline kwam voorzichtig dichterbij. Er was iets vreemds aan de vrouw – het leek alsof haar haren een eigen leven leidden – de dikke strengen bleven in beweging, bleven glijden, over haar hoofd, langs haar lichaam.

Als slangen.

Eveline wilde niet de cirkel inlopen. Wilfried daarentegen stevende recht op zijn doel af: de dorre boom. Nu ze wat dichterbij was, zag ze dat aan de takken dieppaarse vruchten hingen die helemaal gerimpeld waren.

'Wilfried!' riep ze. 'Niet doen!'

Op dat moment zag ze Azer staan. Hij stond links van de vreemde vrouw met zijn hoofd tegen de stam aan, alsof hij straf had en in de hoek was gezet. Zijn zwaard lag voor de vrouw op de steen.

Eveline probeerde Langelaar tegen te houden. 'Niet doen,' zei ze weer.

Hij reageerde niet. In zijn ogen brandde nog steeds dat verlangen dat ze al eerder bij hem had gezien, dat zo sterk was dat hij zijn eigen dochter ervoor zou opofferen. 'Wilfried,' zei ze. 'Je moet daar niet naartoe. Wat wil je daar? Wat is de levensboom? Wat krijg je?'

'Onsterfelijkheid,' zei hij alleen maar en hij liep de cirkel binnen, richting de steen.

Wat gaat hij doen? En wat doet Azer daar?

'Azer!' riep ze. 'Azer!'

Maar Azer reageerde niet, hij stond daar maar. Eveline twijfelde of ze de cirkel in zou lopen, maar ze had het nare gevoel dat ze dan gevangenzat. Het getik om haar heen klonk harder en nu zag Eveline dat een tapijt van slakken van de andere kant de cirkel binnengleed richting Azer en Wilfried. De laatste was om de steen heen gelopen en reikte naar de verfrommelde vruchten waarvan hij er eentje plukte.

'Wat wil je?' vroeg de vrouw aan hem. Haar stem was vreemd, niet vrouwelijk, zelfs niet menselijk. Wilfried leek de vrouw nu pas op te merken en schrok van haar, hij deed zelfs een stap achteruit en verborg de vrucht in zijn hand achter zijn rug. 'Ik wil van deze boom eten,' zei hij.

'Waarom zou je dat willen? Je hebt hier allang een keer van gegeten.' De archeoloog keek bevreemd. 'Dit is toch de levensboom?'

Dat scheen de vrouw heel grappig te vinden, want vanuit het diepste van haar keel rochelde er iets wat leek op een lach. Ze had haar hoofd een beetje naar voren gebogen, zodat Eveline haar gezicht niet kon zien en ze wilde het ook niet zien, want ze had het idee dat ze gek zou worden als ze het zag. 'De levensboom?' raspte haar stem. 'Die is hier niet.'

Het was alsof alle verlangen uit Wilfried werd gezogen. 'Die is hier niet? Welke boom is dit dan?' Hij kwam bij zijn positieven. 'Wie ben jij?' zei hij en zijn gezicht stond angstig. 'En wie is hij?' Hij wees naar Azer die nog steeds als een stout jongetje met zijn gezicht tegen de boomstam stond en nog geen enkele keer had bewogen. Alleen zijn haren bewogen vreemd in de wind.

'Ik weet niet wie hij is, jullie hebben hem meegenomen,' zei de vrouw. 'Ik ben de oudste vrouw van de wereld. En deze boom is de boom van kennis van goed en kwaad.'

Eveline werd helemaal zenuwachtig van het gesprek. 'Kom hierheen,' smeekte ze naar zowel Azer als Wilfried. Ze wilde weg van deze plek want ze had het gevoel dat haar ziel ter plekke zou sterven als ze er langer zou zijn. Ook Hugo scheen zich niet op zijn gemak te voelen, want hij klapwiekte steeds met zijn vleugels. Dat scheen de aandacht van het wezen op de steen te trekken, want ze richtte haar aandacht op Eveline. 'Wat wil je?' vroeg ze aan haar.

'Wat ik wil?' vroeg Eveline. Ze voelde haar haren losraken uit haar staart, alsof iemand haar elastiekje uit haar haren had getrokken. Het getik van de slakken zorgde ervoor dat ze niet goed kon nadenken. 'Ik wil hier weg.'

'Dat is alles?' De vrouw wees met een lome hand. 'Dan ga je.'

Wilfried wilde een stap achteruit doen, maar een onzichtbare kracht duwde hem tegen de boom aan. Hij jammerde iets onverstaanbaars terwijl de slakken dichterbij kwamen en een halve cirkel om de boom heen vormden.

'Ik wil hen meenemen', zei Eveline ferm. 'Ik heb ze hierheen gebracht, dus ik wil ze ook mee terugnemen.'

'Dat kan niet', zei de vrouw. 'Dit is kwaad en kwaad is van mij.' Ze wees naar de twee mensen achter zich.

'Niet waar!' riep Eveline. 'Azer heeft niets gedaan!'

'Dit is wraak', zei de vrouw en ze hield het zwaard van Azer omhoog. 'En wraak is kwaad. Dus ze kunnen niet met je mee.'

'Maar dat is niet logisch', schreeuwde Eveline met schrille stem. 'Je moet hen vrijlaten. Ze horen bij mij!'

Eveline kon nu zien wat de haren van de vrouw waren: het waren schorpioenenstaarten. Aan het einde van elke staart zat een punt die om zich heen prikte. Ze moest denken aan een verhaal dat ze ooit had gehoord op school over een kikker of zo, die de rivier over gaat steken. Een schorpioen vraagt aan hem of hij op zijn rug mag.

'Ja dag', zegt de kikker. 'En dan prik je me zeker.'

'Nee hoor', zegt de schorpioen. 'Natuurlijk prik ik je niet, dan verdrinken we toch allebei?'

Gerustgesteld neemt de kikker de schorpioen op zijn rug en begint met zwemmen. Als ze midden in de rivier zijn, voelt de kikker plotseling een prik in zijn nek. 'Waarom steek je me?' zegt hij terwijl hij langzaam zijn bewustzijn verliest. 'Nu verdrinken we allebei.'

'Ik kan het niet laten', zegt de schorpioen. 'Dat doen schorpioenen nou eenmaal – steken.'

'Ga je nog?' vroeg de schorpioenenvrouw aan Eveline. 'Mijn geduld is op.'

'Ik weet helemaal niet hoe ik hier weg moet', zei Eveline die tijd probeerde te winnen.

'Je hebt je kraai toch?'

Eveline snapte niet wat ze daarmee bedoelde. Ze moest iets verzinnen om Azer en Wilfried mee te krijgen, maar wat?

'Je kunt er niets aan doen', zei die enge stem. 'Ze blijven hier. Allebei.'

'Je hebt me er ingeluisd!' siste Wilfried tegen Eveline. 'Jij en Septimus.'

'Ik heb je er niet ingeluisd!' riep Eveline huilend. 'Ik wil je wel meenemen, maar het mag niet! Ik heb geen vader meer door jou, denk je dat ik Arabella dat gun?' Ze keek weer naar de vrouw en nu zag ze haar gezicht wel en ze moest moeite doen om niet te gillen, want ze had geen gezicht, alleen maar donkere vlekken op de plekken waar haar neus, mond en ogen moesten zitten. Donkere rottingsplekken. 'Toe,' smeekte ze. 'Je kunt hem toch niet houden? Hij heeft een dochter, net zo oud als ik.'

'Neem hem dan maar mee,' zei de vrouw en ze maakte een gebaar dat Eveline hem moest komen halen. Eveline aarzelde geen moment, stapte de cirkel binnen en pakte zowel Azer als Wilfried bij de hand.

'Eentje had ik gezegd.' De schorpioenenstekels op het hoofd van de vrouw schoten alle kanten op, maar Eveline hield haar hoofd recht. Ze wist op de een of andere manier dat het wezen haar niets kon doen, want anders had ze dat allang gedaan; dan had ze haar ook tegen die boom aan geklemd. 'Ik neem ze allebei mee,' zei ze en ze trok hen mee, de cirkel uit, terwijl de slakken achter hen aan kropen.

'Wacht! Hij heeft iets van mij!' riep de vrouw en ze wees met een vinger naar Wilfried.

Eveline keek vragend naar de archeoloog. 'Je hebt toch niet...'

Hij haalde een van de vruchten uit zijn zak en legde die op de grond. 'Sorry, niet de bedoeling,' zei hij, maar het was al te laat, de slakken kwamen met een enorme vaart op hem af en dreven hem weer richting de steen. Eentje kroop op zijn broekspijp en Wilfried gaf een kreet van pijn. Toen hij de slak weghaalde, zag Eveline een rood vlekje op zijn lichte broek zitten. Wilfried moest nog dichter bij de steen gaan staan en de schorpioenenstrengen van de vrouw waaierden uit als anemonen in de zee.

'Kijk uit!' riep Eveline, maar het was al te laat. Drie stekels raakten hem: eentje in zijn schouder, een in zijn borst en een in zijn gezicht. *Dat is wat schorpioenen doen – steken.*

Wilfried kermde en viel neer, aan de voet van de steen. De slakken kropen over hem heen, over zijn gezicht, zijn handen. Eveline deed haar ogen dicht, ze wilde het niet zien, maar ze deed ze meteen weer open en zag dat Azer richting de steen sloop om zijn zwaard te pakken. 'Niet doen!' gilde ze, maar hij had het zwaard al in zijn handen. Ze trok Azer mee. Ze sleurde hem uit de cirkel, weg van de moordlustige slakken die over Wilfried heen kropen. Het getik werd harder en Eveline wilde haar handen voor haar oren slaan. Ze renden zo snel ze konden de heuvel weer op. 'Waar moeten we heen?' zei Eveline.

'Ik weet het niet,' zei Azer.

Evelines mond viel open. 'Je praat.'

'Dat komt omdat Wilfried... dat betekent dat hij... dat hij dood is.' Azer keek moeilijk.

'Waarom nam je het zwaard mee?' vroeg ze.

'We moeten weg hier,' zei hij alleen maar.

Het witte landschap golfde om hen heen en het getik werd steeds harder. Eveline zag dat miljoenen witte slakken hun kant op kwamen, van overal, over de planten, door de akkers, over het pad...

'Wat moeten we doen?' Eveline pakte Azers hand. 'We kunnen niet omhoog!'

'Jij kunt weg,' zei Azer. 'Met je kraai. Dat zei ze toch?'

Hugo vloog op, cirkelde gefrustreerd een rondje boven haar hoofd en trok toen aan haar haren. Ze voelde hoe sterk hij was en ze begreep nu wat de vrouw had bedoeld: haar kraai kon haar meenemen. 'Ik ga niet weg zonder jou,' zei ze. 'Dan gaan we samen met Hugo.'

Maar dat ging niet. Hugo kreeg haar wel omhooggetrokken, maar met Azer erbij kwamen ze niet van de grond.

'Je moet met hem mee,' zei hij. 'Je moet.'

Ze schudde haar hoofd. 'Ik laat je niet nog een keer in de steek,' zei ze ferm. 'Of samen, of niet.'

Azer ging met zijn hand over haar kapotte lip en daarna met zijn handen door haar haren. Hij trapte een paar slakken dood die dichtbij waren, Eveline zag dat hij al twee keer was gebeten: bloed stroomde uit twee wondjes in zijn voeten. Ze zouden levend opgegeten worden.

Dit was de hel.

'Septimus!' riep ze. 'Help ons!'

Maar er gebeurde helemaal niks. Een scherpe steek ging door haar voet heen. En toen nog een, en nog een. Ze keek naar beneden, drie slakken zaten op haar voeten. Ze schudde ze weg, maar tien andere waren er al bijna...

'We moeten sterkere vleugels hebben,' zei ze. 'Als een roofvogel.'

Of als een engel.

Eveline wist wat ze moest doen om Azer te redden. Ze moest het doen – ze kon hem niet laten opeten door slakken. Ze moest hem geven wat hij van haar nodig had om hem te redden.

'Azer,' zei ze alleen maar. En toen kuste ze hem.

19

Ze kuste hem. Helemaal, met haar hele hart en ziel. Hij kuste haar terug, en sloeg zijn armen om haar heen en probeerde haar te beschermen tegen de slakken die nu via haar benen omhoog probeerden te kruipen, hij tilde haar van de grond en kuste haar opnieuw.

Zo had ik het me voorgesteld. Zo wilde ik dat mijn eerste zoen was.

Eveline voelde scherpe steken in haar voeten, haar enkels, haar tenen. Maar ze voelde vooral zijn warme handen op haar rug en zijn mond op de hare.

Kaarsen flakkeren – de prevelende stem van een gemaskerde man – het blinkende mes – een scherpe pijn in mijn hals, iets stroomt warm over me heen, mijn eigen bloed – rood...

Haar handen stonden in brand, haar armen waren leeg en ze voelde haar ogen langzaam wegdraaien in haar hoofd en het zwart van de dood optrekken richting haar hart. Ze was niet sterk genoeg geweest, ook niet met haar beschermer, maar ze had Azer gered. Dat was het laatste wat ze dacht.

'Eveline Sevenster!'

Eveline deed haar ogen open. Ze lag aan het einde van de zwarte spiegeltunnel. Ben en Lucella Sevenster stonden aan het einde. Haar oma keek haar heel boos aan.

'Hoe komt u hier?' vroeg Eveline.

Maar haar oma gaf geen antwoord op die vraag. 'Je mag geen doden helpen!' riep ze kwaad. 'Dat is niet onze taak.'

Ben Sevenster keek ook ernstig, maar er danste iets in zijn ogen, alsof hij het ook wel grappig vond. 'Ben je een suïcidale tiener?' vroeg hij geamuseerd.

Boven Evelines hoofd begon het spiegelglas al te barsten en ze krabbelde overeind. 'We werden opgegeten door slákken!' riep ze boos.

'Je kon weg met je kraai!' riep haar oma. 'Je had hem moeten achterlaten. Je speelt met je leven, Line. Letterlijk!'

Eveline begon nu echt kwaad te worden. 'Wat is er met jullie?!' riep ze. '"Dat is niet de taak van de Wachter." Heeft u dan geen gevoel? Hij heeft mij drie keer gered – en ik laat niet iemand die door slakken wordt opgegeten achter in de hél!'

'Kijk nou naar je kraai!'

Hugo lag als een klein hoopje ellende op de glazen vloer. Zijn ogen zaten half dicht en zijn snavel bewoog langzaam, alsof hij bijna geen lucht kreeg. Eveline schrok en tilde de witte vogel voorzichtig op.

'Je kunt dit niet blijven doen, de volgende keer kan je niet meer terug,' zei Lucella. 'Ik meen het, Line.' Haar boze uitdrukking maakte plaats voor ongerustheid.

Naast Eveline verscheen een enorme barst en voor haar brokkelde al een stuk van de gang af. 'Waar is Azer?' riep ze. Ze wilde huilen, maar wilde het ook niet. Waar was Azer? Als ze dood was, dan was hij hier toch ook? 'Waar is hij?'

Lucella schudde haar hoofd. 'Azer is hier niet,' zei ze en ze zuchtte. 'Als een kind wordt gedood, dan groeien ze soms door, dat had je al gemerkt... gevoed door de haat van de mensen die achterblijven. Azer is nu een...' Ze keek bedrukt. 'Hij is een Engel der Wrake geworden.'

Eveline beet op de binnenkant van haar wang om niet te huilen. 'Kan ik weer weg?' vroeg Eveline en ze veegde driftig de tranen van haar wangen.

'Ja,' zei Lucella. 'Je hebt geluk. Door je kraai kan het net.'

'Heeft u die gestuurd?' vroeg ze aan haar opa, die nog steeds met een lach om zijn mond naar het hele tafereel keek alsof hij het allemaal een grote grap vond.

'Hoe kom je daar nou toch bij?' zei hij.

'Omdat ik jarig was gisteren,' legde Eveline uit.

Ben begon te lachen. 'Nee Line, je kraai komt naar jou toe als je daar klaar voor bent, maar dat is meestal pas op je zestiende.' Hugo, die nog steeds slap in Evelines handen lag, kraste zachtjes, alsof hij heel gelukkig was met deze informatie.

'Je moet opschieten,' riep Lucella. 'En geen doden meer helpen!' zei ze pinnig.

Een enorm stuk van de spiegel brak af en Eveline kon nog net naar achteren springen. 'Wat is er met Wilfried gebeurd?' vroeg ze en ze kreeg meteen te veel spuug in haar mond.

Lucella keek moeilijk. 'Daar moet je maar niet te veel over nadenken,' zei ze. 'Maar hij komt niet meer terug – je hebt het goed gedaan, Eveline Sevenster.'

'Wacht! Was die boom het geheim dat Septimus bewaakt? Dat u bewaakte?'

'Onder andere,' zei haar oma. Weer een enorme knal. 'Ga!' riep Lucella. 'Snel!'

Een regen van glas daalde op Eveline neer toen ze begon te rennen, te rennen en aan het einde verstrikt raakte in het gordijn. Ze huilde nog steeds. Ze had Azer gekust en nu was ze hem kwijt omdat hij een Engel der Wrake was geworden. Maar ze had hem wel gered.

Ze voelde koude steen tegen haar wang. Steunend kwam ze overeind en wist eerst niet waar ze was, het zag er allemaal zo vreemd uit: een witte muur voor haar. Twee mensen achter tralies...

'Eef? Eef!'

Eveline was weer bij haar positieven, kroop op haar knieën naar het hek en trok het slot los. Cleo kwam zo snel als haar beide gekwetste armen het toelieten uit de houten kooi. 'Je bent er! Waar was je?' riep ze. 'Ik snap er niks van... je...'

Eveline keek naar het skelet in de loden kist. Daniel lag er nog steeds voor en ze knielde bij hem neer. 'Daniel?' vroeg ze. Ze tikte tegen zijn wang. Hij kwam niet bij, maar hij ademde in elk geval.

'Ik denk dat hij verdoofd is met iets,' zei Cleo. Ze praatte moeilijk door de pijn aan haar pols. 'Net als Garon. Die snurkte zelfs.'

'Ben ik lang weg geweest?' vroeg Eveline.

'Ik weet het niet,' zei Cleo. 'Ik was zo in paniek... jij was weg en dat gat ging dicht en toen stond die kist er weer. Ik...' Cleo's lip begon te trillen en ze veegde snel over haar mond. 'Ik dacht dat je niet zou terugkomen.'

Achter hen klonk gekreun van Daniel die langzaam bijkwam en met lodderige ogen probeerde te focussen. Hij wilde op zijn ellebogen overeindkomen, maar viel steeds terug, waarop Cleo hem zo goed en zo kwaad als ze kon omhoogtrok met haar 'minst slechte' arm. 'Hé, ongelooflijke Daan,' zei ze. 'Hoe voel je je?'

'Ik heb hoofdpijn en dorst,' zei hij. Hij keek om zich heen. 'Waar zijn we?'

'In het graf van Septimus.'

'O.' Het maakte op dit moment weinig indruk op Daniel. In de nis klonk nu ook geluid. Garon was er erger aan toe dan Daniel, hij draaide als een tol toen Eveline hem overeind hielp en uiteindelijk moesten ze hem tegen de muur zetten zodat hij daar kon steunen. 'Waar is Wilfried?' mompelde hij met dikke tong. 'Waar is die moordenaar?'

'Wilfried is weg,' zei Eveline ferm. 'En hij komt niet meer terug.'

Toen Garon weer een beetje bij zijn positieven was, strompelden ze met zijn vieren door de donkere gang, de ladder op naar Wilfrieds werkkamer. Eveline ademde de lucht in van boeken en papier en bedacht verdrietig dat Wilfried hier nooit meer zou zitten. Ze wist dat het een moordenaar was geweest, maar ze gunde het niemand om op zo'n manier te sterven en ze gunde niemand een vaderloos bestaan – ook Arabella niet.

Terwijl Garon het luik dichtdeed, knipte Eveline de bureaulamp aan en pakte het rode dagboekje van Edda en de afstandsbediening. Ze voelde nog een keer voor de zekerheid in het geheime vak en viste er toen een foto uit. In de gauwigheid zag ze dat het een zwart-witfoto was van een groep mensen, maar ze wilde er nu geen aandacht aan besteden en propte hem in het dagboek.

Daniel keek met grote ogen naar de werkkamer en het nu weer dichte luik. 'Ben ik hierlangs gekomen?' mompelde hij. 'Daar kan ik me niks van herinneren.'

'Wegwezen hier,' bromde Garon. 'Ik heb geen zin om hier betrapt te worden.'

Een paar minuten later liepen ze over de uitgestorven Nikodemusdijk richting de begraafplaats. Het was midden in de nacht, maar door de vollemaan was het zo licht dat ze een schaduw hadden die met hen meeliep op de weg. Ook de bomen rond de begraafplaats wierpen hun schaduwen op de oprit.

'Waar gaan we naartoe?' zei Cleo.

'Ik denk dat jij zo snel mogelijk naar het ziekenhuis moet,' zei Garon die het hek opendeed met een grote sleutel die hij uit zijn broek viste. Eveline zag nu pas dat hij gympjes aanhad onder zijn nette broek en zijn verfomfaaide concertjasje. 'De dienstauto staat in de garage, ik kan je er zo naartoe rijden,' zei hij.

'Kunnen we eerst zitten?' stelde Cleo voor. 'Ik houd het nog wel even vol – ik wil eerst jouw verhaal horen.'

Garon stelde – nogal stuurs – voor dat ze bij hem wel een kopje thee of koffie konden drinken, dus vervolgden ze hun tocht over de begraafplaats. Eveline begon zich vreemd thuis te voelen hier, alsof dit de plek was waar ze het dichtst bij de doden en de levenden was, een tussenplek, 'tussen de werelden'.

In Garons huisje rook het nog steeds naar zure melk, waar hij zich meteen voor verontschuldigde. 'Normaal maak ik niet zo'n bende, maar ik had het de afgelopen tijd nogal druk met andere dingen,' zei hij, terwijl hij armenvol kopjes de gootsteen in donderde en er een straal afwasmiddel overheen spoot, waarna hij omstandig een paar kopjes begon schoon te maken. Hij instrueerde Eveline om de bank leeg te halen, waarna Daniel en Cleo daar met bleke hoofden konden gaan zitten.

'Weet je zeker dat je niet nu naar het ziekenhuis wil?' vroeg hij aan Cleo die haar pols zo goed mogelijk ondersteunde met haar andere arm. Hij hing in een griezelige hoek naar beneden en steeds als Eveline ernaar keek, kreeg ze een weeïg gevoel in haar maag en trok er iets bij haar kuiten.

'Ik wil eerst je verhaal horen,' steunde Cleo. 'Maar wel de korte versie.'

Garon stak van wal en vertelde – zo kort mogelijk – dat hij altijd ruzie had gehad met Wilfried Langelaar omdat Wilfried volgens hem te veel bezig was met occulte zaken. Toen Azer verdween, had Garon vermoedens, maar hij kon ze niet hard maken. Vermoedens dat Wilfried zijn kleinzoon had gebruikt voor een ziek ritueel om te communiceren met de doden.

'Ik dacht het omdat er een man bij me aan de deur kwam die vertelde dat hij "dingen had gezien" toen hij Azers foto had aangeraakt die de politie hem had laten zien: een gang en een loden kist met een skelet erin. Precies het graf dat we op dat moment ontdekt hadden.'

Eveline kreeg het helemaal koud. 'Wie was die man?' vroeg ze.

'Koen Sevenster,' zei Garon. 'De zoon van Lucella Sevenster.'

Dat was het visioen van mij. Heb ik het dan toch verteld?

Haar hart begon voorzichtig te zingen.

Garon vertelde verder, hoe hij gezocht had in de gangen die bij het graf waren, maar dat hij niets had kunnen vinden. 'Maar ik wist dat Wilfried niet te vertrouwen was, en hij wist dat ik het wist. Ook omdat ik vermoedde dat hij dat rituele mes uit het museum had gestolen. Die diefstal heeft hij mij in de schoenen weten te schuiven en ik werd oneervol ontslagen. De vooraanstaande archeoloog Rudion.' Hij vertelde dat hij naar het huis van Koen Sevenster was gegaan om te vragen of hij hem nog een keer kon helpen. Garon was gek van verdriet vanwege de verdwijning van Azer en het enige wat hij wilde, was Azers lichaam vinden om het te kunnen begraven.

'Maar Koen Sevenster was samen met zijn vrouw en dochtertje bij een brand omgekomen,' zei Garon.

Eveline, Daan en Cleo wisselden een blik. Garon wist dus niet dat het meisje dat tegenover hem zat het meisje van de brand was geweest.

Bijna gek geworden kwam Garon elke dag uren op de begraafplaats om bij het lege graf van zijn verdwenen kleinzoon te zitten. Lucella kwam vaak langs, ze praatten wat, ze probeerde hem te helpen. Daarom had ze hem gevraagd of hij misschien opzichter wilde worden. Hij had het aanbod met beide handen aangegrepen en begreep al snel dat Lucella een wat vreemde, eenzame vrouw was die in haar eentje in het grote witte huis woonde en nooit van de begraafplaats afkwam.

'En toen kocht Wilfried de boerderij hiernaast,' zei Garon, 'en begon meteen te eisen dat hij opgravingen wilde doen achteraan bij de begraafplaats. Ik voelde meteen nattigheid – ik wist dat het een bijzonder graf was dat daar op de heuvel lag – en ik had ook door dat het iets belangrijks voor Lucella was.' Hij vertelde wat Cleo en Eveline al wisten: dat Wilfried zonder succes had geprobeerd om toestemming te krijgen voor opgravingen.

'En toen hoorden we een paar dagen geleden alle twee een kind huilen – Sebastiaan was toen net verdwenen – ik wilde meteen kijken, maar dat mocht niet van Lucella. Ze zei dat ik me er niet mee mocht bemoeien en dat zij later zou gaan kijken. Een dag daarna was ze dood.' Garon wreef over zijn gezicht. 'Ik heb haar gevonden. Ze had zich zogenaamd opgehangen in de bibliotheek, maar ik geloofde er niets van. Lucella zou dat nooit doen.'

Hij was daarna Wilfried in de gaten gaan houden en had geprobeerd om het graf in te komen, maar was aangevallen door de Chimorei die hij niet kon zien. Hij had een manier gevonden om hen op afstand te houden – met de fakkels – maar kreeg vervolgens het graf niet open en had daarom Lucella geprobeerd op te roepen, zodat ze hem kon vertellen hoe het graf open moest, maar dat was niet gelukt.

'Maar Wilfried had door dat jij hem doorhad en daarom liet hij Sebastiaan vrij,' zei Daniel. Hij was heel bleek en had kringen onder zijn ogen. Ook Cleo zag bijna groen van bleekheid. 'Ik heb toch wel een beetje pijn,' zei ze.

'We gaan nu naar het ziekenhuis,' zei Garon.

'Ik wil mee met Cleo,' zei Eveline.

'Ik ook,' zei Daniel.

Garon schudde meteen zijn hoofd. 'Er kunnen maar twee mensen in de auto,' zei hij. 'Ik laat jullie niet achterin zitten waar normaal een kist staat.'

'Het is oké,' zei Cleo. 'Gaan jullie maar een beetje slapen.'

Daniel zag eruit alsof hij dat het allerliefste van de wereld zou willen doen, maar Eveline wilde helemaal niet slapen. 'Kan ik echt niet mee?' bedelde ze, maar Garon hield voet bij stuk en vertrok samen met Cleo.

'Hoe ben je er nou achter gekomen dat het Wilfried was?' vroeg Eveline aan Daniel, maar die was als een blok in slaap gevallen en hing scheef op de bank. Waarschijnlijk had Wilfried hem iets gegeven wat nog steeds niet helemaal uitgewerkt was, want toen Eveline hem recht op de bank legde, gaf hij geen kick.

Eveline dronk haar kopje leeg, aaide de stoffige grijze kater die op een stoel lag te maffen en stond toen besluiteloos in het kleine huisje. Ze viste het dagboek van Edda van tafel en bladerde erin, maar ze hield er snel mee op omdat ze eigenlijk helemaal niet meer wilde denken aan dat vreselijke ritueel, want dan moest ze meteen denken aan Wilfried en de slakken en dan gleden haar gedachten automatisch door naar Azer die ze waarschijnlijk nooit meer zou zien.

Ze voelde zich compleet leeg – er was helemaal niemand die nog leefde die haar iets méér kon vertellen over haar gave of wat ze nu moest doen. Ze zag zichzelf niet op de begraafplaats gaan wonen net als haar oma en het graf van Septimus bewaken. Maar wie ging dat dan doen? Want er zouden toch meer mensen zijn zoals Wilfried. *Mensen die Wachters doden om hun geheimen te ontfutselen.*

Ze vond het een vreselijke gedachte dat die mensen er waren, dat er mensen op deze aarde waren die andere mensen vermoorden om dingen te krijgen. Wilfried was op zoek geweest naar de levensboom. Wat had hij nou gezegd? *Onsterfelijkheid.*

Eveline bladerde naar de tekening van de boom waarvan de wortels en de kruin gespiegeld waren. Het teken van de ketting van Ilana. Zou dat de levensboom zijn? Ze bladerde verder en pakte toen de foto op die uit het boekje viel.

Mensen in een chique kamer – een oud hotel misschien – met wapenschilden aan de muren. Een stuk of twaalf mensen, de meesten mannen, maar er stonden ook drie vrouwen bij. Niemand lachte, alsof het een serieuze bijeenkomst was. Wilfried Langelaar stond in het midden, naast een kleine dikke man met een kaal hoofd.

Haar oog werd getrokken naar een vrouw die helemaal rechts stond. Ze kwam haar zo bekend voor, maar ze wist niet waarvan. Ze bracht de foto dichter bij haar gezicht, keek op de achterkant om te zien wat er op stond. *B.v.B.* stond er. En een datum: een jaar geleden.

Ze keek weer. Het was een zwartwitfoto, dus ze kon niet zien wat voor kleur haar de vrouw had, maar haar oog werd steeds weer getrokken naar haar hoge wenkbrauwen.

Eveline sloot even haar ogen toen het tot haar doordrong. Ze hoorde Cleo's stem in haar hoofd: *Jullie hebben dezelfde wenkbrauwen.*

De wenkbrauwen kwamen haar bekend voor, omdat ze ze zelf had.

Ze keek naar een foto van haar moeder.

De consequentie van deze conclusie was zo groot, dat Eveline de foto losliet alsof hij gloeiend heet was geworden.

Als haar moeder op deze foto stond, dan leefde ze nog.

Ze had vier jaar lang gehoopt. In het begin heel erg. De hoop was gedurende vier jaar afgezwakt tot een klein vlammetje, totdat ze van Ilana had gehoord dat er een andere reden was waarom ze bij Chantal in huis zat. Daarna had dat kleine vlammetje weer voeding gekregen. Maar toen had Azer haar de brand laten zien en was die hoop weer vervlogen.

Eveline pakte de foto op en klemde hem tegen zich aan. Dit was haar moeder, toch? Ze keek nog een keer. Ze móést het zijn, dat moest gewoon.

Haar moeder – Isa Sevenster – leefde nog.

Maar wat deed ze met Wilfried Langelaar op de foto?

Ze hield het niet meer, ze móést dit met iemand delen. Ze probeerde eerst Cleo te bellen, maar die nam niet op. Daarna schudde ze Daniel aan zijn arm. 'Daniel?' zei ze zachtjes en toen hij niet wakker wilde worden: 'Daniel? Word es wakker? Alsjeblieft?' Ze schudde hem door elkaar, maar hij vertrok geen spier.

Teleurgesteld ging ze weer in de oude stoel zitten en trok haar benen op. Weer keek ze naar de foto, legde hem neer, steunde met haar kin op haar knieën – ze had zich in geen tijden zo alleen gevoeld.

Ze besteedde eerst geen aandacht aan het blaffen van de hond buiten de deur, maar het kwam dichterbij, totdat het leek alsof er net buiten het huisje een hond blafte.

Het krassen van een kraai, en toen hoorde ze het geluid van een uil. *Dat kan niet.*

Ze kwam voorzichtig overeind, durfde zich bijna niet te bewegen. Weer geblaf, gekras, en 'oehoe, oehoe'...

Hij is een Engel der Wrake geworden.

Eveline hield het niet meer, ze rukte de deur van het huisje open. Alles in haar zei dat het niet kon, dat ze het niet mocht hopen, maar haar hoop vocht terug en won het.

Aan het begin van het tuinpad stond Azer.

'Ga je mee?' zei hij eenvoudig. Naast hem stond Finn en op zijn schouder zat haar witte kraai. Ze rende naar hem toe en stortte zich in zijn armen. 'Ik dacht dat je weg was,' snikte ze.

Hij duwde haar kin omhoog totdat hij haar aan kon kijken. 'Waarom dacht je dat nou?' zei hij lachend.

'Omdat... omdat ik aan mijn oma tussen de werelden vroeg of jij daar was, en toen zei ze van niet.'

'Nee, want toen was ik alweer hier,' zei hij en hij lachte zijn typische scheve lachje waardoor haar hart oversloeg.

'Mijn moeder... mijn moeder leeft nog,' ratelde ze als een sneltrein. 'Ze staat op de foto met Wilfried Langelaar. Ik snap er niks van, wat...' Ze stopte met praten toen hij een vinger op haar lippen legde.

'Later,' zei hij.

Ze klemde haar armen om hem heen, waarbij haar handen in iets zachts terechtkwamen.

Veren.

'Wat heb jij?' vroeg ze ademloos.

Ze had het niet goed gezien door het donker, had gedacht dat het schaduwen waren, maar Azer had vleugels, zwart als de nacht.

Hij is een Engel der Wrake geworden.

'Ga je mee?' vroeg hij.

Ze knikte – en kuste hem.

Dank aan

A.W. Bruna Uitgevers, Milica Antic, Laura van Dijk, Steven Maat, Susan Sandérus, Amir Swaab, Anjali Taneja en last but not least Adam Freeland voor het delen van een mango op het strand.